Über dieses Buch

Störigs ›Kleine Weltgeschichte der Philosophie‹ hat sich schon bald nach Erscheinen der ersten Auflage aufgrund ihres klaren, übersichtlichen Aufbaus und der vorurteilsfreien, dem Laien verständlichen Darstellung den Ruf eines Standardwerks erworben. Der Verfasser hat das Buch – das auch in italienischer, spanischer, holländischer und japanischer Sprache erschienen ist – bei den zahlreichen Auflagen immer wieder auf den neuesten Stand gebracht. Auch für die vorliegende Ausgabe ist der Text durchgesehen und um einige Abschnitte erweitert worden. U. a. sind die Abschnitte ›Kritische Sozialphilosophie‹ und ›Kritischer Rationalismus‹ sowie ein eigenes Kapitel über Ludwig Wittgenstein hinzugekommen.

Der Autor

Hans Joachim Störig wurde 1915 in Quenstedt/Harz geboren. Nach dem Studium der Philosophie, Geschichte, Soziologie und Rechtswissenschaft in Freiburg/Br., Köln, Königsberg, Basel, Hamburg und Berlin promovierte er zum Dr. phil. und zum Dr. jur. Nach 1945 war er schriftstellerisch und verlegerisch tätig. Seit 1963 ist er Leiter des Lexikographischen Instituts, das zahlreiche verbreitete Nachschlagwerke (u. a. ›Der Neue Knaur‹, ›Fischer Kolleg‹) entwickelt hat. Störig ist auch als Verfasser populärer Sachbücher (z. B. ›Knaurs moderne Astronomie‹), als Herausgeber von Anthologien (z. B. ›Das Problem des Übersetzens‹) und als Übersetzer hervorgetreten.

Hans Joachim Störig

Kleine Weltgeschichte
der Philosophie
in zwei Bänden

Band 1

Fischer
Taschenbuch
Verlag

Fischer Taschenbuch Verlag
  1.– 25. Tausend: November 1969
26.– 35. Tausend: März 1971
36.– 43. Tausend: Juni 1972
44.– 50. Tausend: Januar 1973
51.– 58. Tausend: September 1973
59.– 65. Tausend: August 1974
66.– 73. Tausend: März 1975
74.– 80. Tausend: Januar 1976
81.– 90. Tausend: Dezember 1976
91.–100. Tausend: Januar 1978
101.–110. Tausend: Juni 1979
111.–120. Tausend: Dezember 1979

Umschlagentwurf: Wolf D. Zimmermann (wdz-studio, Feldafing)

Fischer Taschenbuch Verlag GmbH, Frankfurt am Main
Lizenzausgabe nach der 11. überarbeiteten und ergänzten Auflage
mit freundlicher Genehmigung des
W. Kohlhammer Verlages GmbH, Stuttgart
© W. Kohlhammer Verlag GmbH, Stuttgart, 1950, 1961
Satz: Hanseatische Druckanstalt, Hamburg
Druck und Bindung: Clausen & Bosse, Leck
Printed in Germany
680-ISBN-3-596-26135-x

Inhalt des ersten Bandes

Einleitung: Der Zweck dieses Buches — Einige selbstkritische
Vorbemerkungen — Der Gegenstand der Philosophie — Einige
leitende Gesichtspunkte 13

ERSTER TEIL. DIE WEISHEIT DES OSTENS

Erstes Kapitel: Die Philosophie des alten Indien 27

I. Das vedische Zeitalter 28
   1. Kultur und Religion der Hymnenzeit 30
   2. Die Zeit der Opfermystik — Die Entstehung des Ka-
     stenwesens 32
   3. Das Zeitalter der Upanischaden 34
     a) Atman und Brahman 36
     b) Seelenwanderung und Erlösung 40
     c) Die Bedeutung des Upanischad-Gedankens 41

II. Die nicht-orthodoxen Systeme der indischen Philosophie 41
   1. Der Materialismus der Charvakas 43
   2. Mahavira und der Jainismus 45
   3. Der Buddhismus 46
     a) Das Leben Buddhas 46
     b) Die Lehre Buddhas 49
     c) Zur Geschichte und Ausbreitung des Buddhismus .. 56
     d) Systeme buddhistischer Philosophie 58

III. Die orthodoxen Systeme der indischen Philosophie 64
   1. Nyaya und Vaischeschika 66
   2. Sankhya und Yoga 67
   3. Mimansa und Vedanta 73

IV. Ausblick auf die weitere Entwicklung der indischen Philosophie und vorläufige Würdigung 77

Zweites Kapitel: Die altchinesische Philosophie 81

I. Konfuzius 84
   1. Das Leben des Konfuzius 84
   2. Die neun klassischen Bücher 86
   3. Der besondere Charakter der konfuzianischen Philo-
     sophie 88
   4. Das sittliche Ideal 89
   5. Staat und Gesellschaft 90

II. Lao Tse 92
   1. Das Leben des Lao Tse 92
   2. Das Tao und die Welt — Tao als Prinzip 94
   3. Tao als Weg des Weisen 95
   4. Staat und Gesellschaft 97
   5. Zur späteren Entwicklung des Taoismus 98

III. Der Mohismus und einige weitere Richtungen 99
   1. Mo Tse 99
   2. Die Sophisten 100
   3. Der Neu-Mohismus 101
   4. Die Legalisten 102

IV. Die großen Schüler des Konfuzius 102
   1. Mencius 102
   2. Hsün Tse 104
   3. Das Buch Tschung Yung 105

V. Ausblick auf die weitere Entwicklung und vorläufige Würdigung 106
   1. Die Philosophie des chinesischen Mittelalters 106
     a) Wan Tschung 107
     b) Die Lehre von Yin und Yang 107
   2. Der Buddhismus in China 108
   3. Das Zeitalter des Neu-Konfuzianismus 109
   4. Allgemeiner Charakter und Bedeutung der chinesischen
     Philosophie 112

ZWEITER TEIL. DIE GRIECHISCHE PHILOSOPHIE

Allgemeines — Hauptperioden 119

Erstes Kapitel: Die vorsokratische Philosophie bis zum Auftreten
der Sophisten 125

  I. Die milesischen Naturphilosophen 125
   1. Thales 126
   2. Anaximandros 127
   3. Anaximenes 127

  II. Pythagoras und die Pythagoreer 128
   1. Leben und Lehre des Pythagoras 128
   2. Die Pythagoreer 129

 III. Die Eleaten 130
   1. Xenophanes 131
   2. Parmenides 132
   3. Zenon von Elea 132

 IV. Heraklit und die Naturphilosophen des 5. Jahrhunderts .. 134
   1. Heraklit 134
   2. Empedokles 137

3. Die Atomlehre von Leukipp und Demokrit 138
4. Anaxagoras 141

Zweites Kapitel: Die Blütezeit der griechischen Philosophie 143

I. Die Sophisten 143
   1. Allgemeines 143
   2. Protagoras und Gorgias 146
   3. Die Bedeutung der Sophistik 147

II. Sokrates 147
   1. Das Leben des Sokrates 147
   2. Die Lehre des Sokrates 151

III. Platon 154
   1. Platons Leben 154
   2. Platons Werke 156
   3. Eine methodische Vorbemerkung 158
   4. Der geschichtliche Ausgangspunkt 159
   5. Die Ideenlehre 161
      a) Eros als Antrieb des Philosophierens 161
      b) Dialektik als Methode des Philosophierens 161
      c) Das Sein der Ideen 162
      d) Idee und Erscheinung 163
   6. Anthropologie und Ethik 164
      a) Seele und Unsterblichkeit 164
      b) Die Tugend 165
   7. Der Staat 166
      a) Die Kritik der bestehenden Verfassungen 166
      b) Der ideale Staat 168
   8. Kritik und Würdigung 171
      a) Zur Kritik der platonischen Staatslehre 171
      b) Platons Stellung in der griechischen Geistesgeschichte 173
      c) Platon und die Nachwelt 173

IV. Aristoteles 175
   1. Das Leben des Aristoteles 175
   2. Das Lebenswerk des Aristoteles 176
   3. Die Logik 177
      a) Begriff 177
      b) Kategorie 178
      c) Urteil 179
      d) Schluß 179
      e) Beweis 179
      f) Induktion 180
   4. Die Metaphysik 181
      a) Das Einzelne und das Allgemeine 181
      b) Stoff und Form 182
      c) Die vier Gründe des Seienden 183
      d) Theologie 183
   5. Die Natur 184
      a) Physik 184
      b) Das Stufenreich des Lebendigen 184

6. Anthropologie, Ethik und Politik 185
   a) Der Mensch 185
   b) Die Tugend 185
   c) Der Staat 186
7. Kritik und Würdigung 187

V. Sokratische, platonische und aristotelische Schulen 188
   1. Sokratiker 188
   2. Platoniker 189
   3. Peripatetiker 190

Drittes Kapitel: Die griechische und römische Philosophie nach
Aristoteles 191

Allgemeines — Hellenismus 191

I. Die Stoiker 193
   1. Begründer und Hauptvertreter 193
   2. Charakter und Teile des stoischen Systems 194
   3. Die stoische Ethik 196
   4. Die geschichtliche Bedeutung der stoischen Philosophie 198

II. Die Epikureer 199

III. Die Skeptiker 200

IV. Die Eklektiker 201
   1. Der römische Eklektizismus 201
   2. Der alexandrinische Eklektizismus 202

V. Die Neuplatoniker 204
   1. Plotinos 204
   2. Der Ausgang des Neuplatonismus und das Ende der
      antiken Philosophie 207

DRITTER TEIL. DIE PHILOSOPHIE DES MITTELALTERS

Allgemeines — Der Aufstieg des Christentums — Einteilung
der Perioden 211

Erstes Kapitel: Das Zeitalter der Patristik 215

I. Der Gegensatz antiker und christlicher Geisteshaltung ... 215
   1. Gott und Mensch 215
   2. Mensch und Mensch 217
   3. Mensch und Welt 217
   4. Der Ausschließlichkeitscharakter des Christentums ... 218

II. Die ersten Berührungen des Christentums mit der antiken
    Philosophie bei den älteren Kirchenvätern 219

III. Innere Gefahren für das Christentum 221
   1. Die Gnostiker 221
      a) Herkunft und Hauptvertreter der Gnosis 222

b) Grundgedanken und Eigenart der Gnosis 222
2. Die Manichäer 224
3. Arius und Athanasius 225

IV. Die Festigung der Kircheneinheit 225

V. Die jüngeren Kirchenväter: Augustinus 227
1. Des Augustinus Leben und Werk 227
2. Die augustinische Philosophie 229
   a) Die Tiefen der Seele 229
   b) »Cogito, ergo sum« 230
   c) Die Dreieinigkeitslehre 231
   d) Schöpfung und Zeitlichkeit 232
   e) Willensfreiheit und Prädestination 233
   f) Geschichte und Gottesstaat 234

VI. Die Lehrer der jüngeren Patristik außer Augustinus 235

Zweites Kapitel: Das Zeitalter der Scholastik 238

Geschichtliches — Die scholastische Methode 238

I. Die Frühscholastik (Der Universalienstreit) 241
1. Die Streitfrage 241
2. Die Realisten 242
   a) Eriugena 242
   b) Anselm von Canterbury 243
   c) Wilhelm von Champeaux 244
3. Der Nominalismus: Roscellinus 245
4. Die vorläufige Lösung: Abälard 245

II. Die arabische und jüdische Philosophie des Mittelalters .. 247
Geschichtliches 247
1. Die arabische Philosophie 249
2. Die jüdische Philosophie 251

III. Die Hochscholastik
Die Weltherrschaft des Aristoteles — Die Berührung christlichen Denkens mit islamischen und jüdischen Ideen — Die
Summen — Universitäten und Orden 252
1. Albertus Magnus 254
2. Thomas von Aquin 255
   a) Leben und Werke 255
   b) Wissen und Glauben 258
   c) Gottes Dasein und Wesen 260
   d) Mensch und Seele 262
   e) Politik 265
   f) Bedeutung des Thomas 266
3. Dante 267

IV. Die Spätscholastik 269
1. Roger Bacon 269
2. Duns Scotus 271
3. Wilhelm von Occam 274

V. Die deutsche Mystik: Meister Eckhart 277

VIERTER TEIL. DAS ZEITALTER DER RENAISSANCE UND DES BAROCK

Erstes Kapitel: Die Philosophie im Zeitalter der Renaissance und
Reformation 283

 I. Die geistige Wende vom Mittelalter zur Neuzeit 283
    1. Erfindungen und Entdeckungen 284
    2. Das neue Naturwissen 285
    3. Humanismus und Renaissance 287
    4. Die Reformation 291
    5. Soziale und politische Umwälzungen an der Schwelle
       der Neuzeit — Neues Rechts- und Staatsdenken 294
       a) Machiavelli 296
       b) Grotius 297
       c) Hobbes 297
       d) Morus 299

 II. Die wichtigsten Systeme der Übergangszeit 300
    1. Nicolaus Cusanus 300
    2. Giordano Bruno 303
    3. Francis Bacon 307
    4. Jakob Böhme 313

Zweites Kapitel: Die drei großen Systeme im Zeitalter des Barock   317

 I. Descartes 318
    1. Leben und Werke 318
    2. Grundgedanken 319
    3. Einfluß und Fortbildung des Cartesianismus — Einiges
       zur Kritik 323

 II. Spinoza 326
    1. Leben 326
    2. Werk 328
    3. Nachwirkung Spinozas — Zur Kritik 337

 III. Leibniz 338
    1. Leben und Schriften 338
    2. Grundgedanken der Leibnizschen Philosophie 341
       a) Die Monadenlehre 341
       b) Die prästabilierte Harmonie 343
       c) Theodizee 345
    3. Einiges zur Kritik — Fortbildung und Fortentwicklung
       Leibnizscher Gedanken 346

Anmerkungen 349

Personenregister 356

Stichwortregister 358

Inhaltsverzeichnis Band 2 360

Die Wirkung der philosophischen Gedanken in der Welt ist heute nur möglich, wenn sie die Mehrheit der Einzelnen erreicht. Denn gegenwärtig ist der Zustand: Die Massen der Bevölkerung können lesen und schreiben, ohne doch den vollen Umfang abendländischer Bildung zu gewinnen. Aber sie sind die Mitwissenden und Mitdenkenden und Mithandelnden. Sie können dieser neuen Chance um so mehr genügen, je mehr sie in den vollen Umfang der hohen Anschauungen und der kritischen Unterscheidungen gelangen. Es ist für die Stunden der Besinnlichkeit aller Menschen daher notwendig, das Wesentliche so einfach, so klar wie möglich, ohne Einbuße an Tiefe, mitteilbar zu machen.

Karl Jaspers
Die Aufgabe der Philosophie in der Gegenwart (1953)

Einleitung

Der Zweck dieses Buches

Dieses Buch wendet sich nicht an Fachphilosophen. Ihnen vermag es nichts Neues zu sagen. Es wendet sich an die vielen, die — ob akademisch gebildet oder nicht — inmitten der Arbeit und Sorge des Alltags und im Anblick der großen geschichtlichen Umwälzungen und Katastrophen unserer Zeit den Versuch nicht aufgeben, sich im Wege selbständigen Nachdenkens mit den Rätseln der Welt und den ewigen Fragen des Menschseins auseinanderzusetzen, und die die Annahme nicht von vornherein zurückweisen, daß die Gedanken und Werke der großen Denker aller Zeiten dabei Rat und Hilfe geben können.

Die Frage ist, ob sie das können und in welchem Sinne. Sicher ist es nicht so, daß aus ihnen im Sinne eines einfachen lehr- und lernbaren Wissens Rezepte und Patentlösungen zu entnehmen wären für die Fragen und Aufgaben, vor denen unsere Zeit im ganzen und vor denen jeder einzelne in seinem persönlichen Leben steht. Wohl aber ist es so, daß wir nur im Blicke auf die großen Aufschwünge des Menschengeistes die notwendigen Richtpunkte, die Weiten des Blicks und die erforderliche Freiheit für die eigene Entscheidung gewinnen können. Es ist richtig, daß jeder einzelne für sich von vorne anfangen muß und daß Erfahrungen und ihr Niederschlag — leider! — nur in sehr begrenztem Maße lehr- und übertragbar sind. Aber es ist ebenso richtig, daß unsere Zeit und daß jeder einzelne zugleich im großen Strom der geistigen Überlieferung unseres Volkes und der Menschheit steht, die zu bewahren — wenn wir nicht in Barbarei versinken wollen — und immer von neuem zu verlebendigen ebensosehr unumgängliche Notwendigkeit wie innere Pflicht ist.

Denjenigen, die diese Notwendigkeit verspüren, aber weder die Zeit noch die sonstigen Mittel zu einem mühevollen Studium der Philosophie haben, will dieses Buch eine Einführung und erste Bekanntschaft mit der Geschichte und den Werken der Philosophie vermitteln.

Einige selbstkritische Vorbemerkungen

Es ist angebracht, gleich zu Beginn über die Grenzen, die einem solchen Vorhaben gesetzt sind, Rechenschaft abzulegen. Wir wollen dabei unterscheiden zwischen den Einschränkungen, denen jeglicher Versuch einer Darstellung der Geschichte der Philosophie in höherem oder geringerem Maße ausgesetzt ist, und denen, die außerdem für den hier vorliegenden Versuch zu beachten sind. Philosophie als der Versuch des Menschen, die Rätsel seines Daseins — der ihn umgebenden äußeren Welt wie seines eigenen Innern — mit dem Mittel des Denkens zu lösen, ist älter als alle geschriebenen Zeugnisse, die wir darüber besitzen. Unsere Kenntnis reicht rund 3000 Jahre zurück. Weit jenseits dieses Zeitraums und der uns bekannten Geschichte liegt die Zeit, da der Mensch mit der Annahme des aufrechten Ganges und dem Freiwerden der Hand, mit der Gewinnung und Beherrschung des Feuers, mit der Verwendung und planmäßigen Anfertigung einfachster Werkzeuge sich vom Tierreich abzuheben begann. So wenig wir über diese Dinge im einzelnen wissen, so wenig wissen wir im Grunde auch über den Vorgang, der den Menschen erst eigentlich zum Menschen machte, den Beginn von Sprache und Denken. Beides ist nicht zu trennen. Denken ist an die Sprache gebunden. An der Entwicklung jedes Kindes läßt sich das von neuem beobachten. Begriffe als Werkzeuge des Denkens gewinnen wir in der Sprache. Für das Kind, das sprechen lernt, hebt sich jedes neue Ding, welches es benennen und ansprechen lernt, wie mit einem Zauberstab berührt aus der bis dahin unverstandenen und ungeschiedenen Vielfalt der umgebenden Welt. So bedeutsam diese beiden Fragenkreise — die Entstehung der Sprache und das Verhältnis von Denken und Sprechen — auch sind (für den Sprachforscher bilden sie eines der interessantesten Themen und zugleich meistens eines der dunkelsten Gebiete), so können wir ihnen an dieser Stelle doch nicht weiter nachgehen. Festhalten wollen wir aber zwei Gedanken: Die Sprache als das unentrinnbare Medium unseres Denkens, und vielleicht als seine Grenze, ist eines der wichtigsten Themen der Philosophie und wird uns immer wieder begegnen. Und das zweite: Mit dem Beginn der uns bekannten geschichtlichen Entwicklung finden wir die Sprache und die Sprachen bereits als im wesentlichen fertige vor. Was sich an Verwandlungen, Verschiebungen, Umformungen seitdem vollzogen hat, ist gegenüber dem Vorausgegangenen von untergeordneter Bedeutung.

Vor dem für uns überblickbaren Bereich liegt also ein schwer zu ermessender, mindestens Jahrzehntausende umfassender Entwicklungsprozeß des menschlichen Denkens, von dem wir

fast nichts wissen. Mit dieser Feststellung müssen wir jeden
Versuch, die Geschichte des Denkens darzustellen, beginnen,
und vielleicht sollte überhaupt zu Beginn jeder Art von historischer Darstellung der Leser, um den richtigen Abstand zum
Thema und die nötige Weite der Perspektive zu gewinnen,
daran erinnert werden, ein wie winziger Ausschnitt aus der
Entwicklung des Menschengeschlechts die uns bekannte Geschichte ist — und ein wie kleiner Ausschnitt diese wiederum
aus der Geschichte des Lebens auf der Erde und diese in der
Gesamtentwicklung unseres Planeten, und diese im gesamten
Universum.

Man kann über diese Feststellung nicht einfach mit der Begründung hinweggehen, daß der uns bekannten Geschichte
zwar lange Zeiträume der Entwicklung vorausgingen, die sogenannte Vorgeschichte für uns aber deshalb von nur unter-
geordnetem Interesse sei, weil der Mensch erst in den letzten
vier oder sechs Jahrtausenden gewissermaßen mündig und
damit fähig geworden sei, für uns bedeutsame Versuche der
Welterklärung zu unternehmen. Jede neue Ausgrabung, jede
versunkene Kultur, die der Spaten des Altertumsforschers im
Wüstensand Ägyptens und in den Urwäldern Indiens zutage
fördert, führt uns vielmehr vor Augen, daß die Anfänge des
Menschen als gesitteten, denkenden und schaffenden Kultur-
wesens weiter zurückreichen, als man noch vor kurzem
glaubte. Die eigenartigen Abmessungen und Proportionen an
den Pyramiden Ägyptens und an Tempelbauten der abge-
storbenen altamerikanischen Kulturen und eine Reihe anderer
Funde und Tatsachen haben namhafte Vorgeschichtsforscher
zu der Annahme geführt, es habe vor der uns bisher vor
Augen liegenden Kulturentwicklung schon Hochkulturen gegeben, deren Menschen auf eine besondere, uns kaum faß-
liche Weise, nämlich im Wege unmittelbarer Einfühlung und
Gewißheit, tiefgehende Kunde von Aufbau und Zusammenhang des Alls gehabt haben.

Es sei daran erinnert, wie sehr es der Lehre vieler Religionen entspricht, daß die Menschheit nicht etwa in fortschreitendem Aufstieg, sondern in ständigem Abstieg und Abfall
begriffen sei von Gott und von einem fernen, paradiesischen
oder goldenen Zeitalter. Der Glaube an einen Fortschritt, der
im Europa des 18. und 19. Jahrhunderts lebte, ist stark
erschüttert und im Grunde auch nicht beweisbarer als das
Gegenteil — wenn man Fortschritt und Entwicklung nicht im
äußerlichen Sinne als Fortschreiten der Technik und zunehmende Beherrschung der Außenwelt versteht, sondern unter
Entwicklung etwas Inneres, nämlich die zunehmende Ausprägung lebendiger Form und wachsenden Reichtum an
Schöpferkraft und inneren Möglichkeiten, versteht. Nach den

Erfahrungen der letzten vier Jahrzehnte wird auch die breite Öffentlichkeit eher geneigt sein, in der Annahme eines Abstiegs der Menschheit etwas Richtiges zu sehen, als noch unsere Väter vor dem ersten Weltkrieg.

Sind uns sonach die Versuche des Denkens nur aus einem gewissen Zeitraum bekannt, so sind uns innerhalb dieses wiederum nur die philosophischen Gedanken zugänglich, die ausgesprochen und aufgezeichnet wurden, sei es vom Denker selbst, sei es von seinen Schülern, sei es, wie leider nicht selten, nur von seinen Gegnern. Es ist nicht gesagt, daß uns damit immer das Beste, Wertvollste und Tiefste überliefert ist. Viele andere Menschen neben den bekannten Philosophen mögen Tiefes und Bedeutendes gedacht haben, ohne es dem Papier oder der Öffentlichkeit anzuvertrauen. Vielleicht haben auch manche der bekannten Denker einiges für sich behalten. Vielleicht sogar kann man die tiefste Erkenntnis überhaupt nicht in Worte fassen. Ein irdischer Weiser, von seinen Schülern befragt, welches die höchste Weisheit sei, antwortete nicht. Als sie immer wieder in ihn drangen, sprach er schließlich: Warum erneuert ihre eure Fragen, da ich euch die Antwort schon gegeben habe? Wisset, die höchste Weisheit ist Schweigen!

Jeder Darstellung der Geschichte der Philosophie stehen weiterhin die Hindernisse im Wege, die für jede geschichtliche Forschung und für alles richtige Verstehen des Vergangenen bestehen. Vergegenwärtigen wir uns nur einen im täglichen Leben am häufigsten vorkommenden Fall einer Rekonstruktion vergangener Ereignisse, etwa eine Gerichtsverhandlung. Obwohl die Ereignisse, die zu einem Prozeß geführt haben, in der Regel ganz kurze Zeit zurückliegen und obwohl gewöhnlich lebende Zeugen der Ereignisse zur Verfügung stehen, die der Richter unter Eid vernehmen kann, gelingt es oftmals nicht, ein klares Bild der Vorgänge herzustellen. Um wieviel mehr bestehen diese Schwierigkeiten, wenn es sich nicht um gestern und vorgestern geschehene, sondern Jahrhunderte und Jahrtausende zurückliegende Vorgänge handelt, und nicht um einfache Tagesereignisse, sondern um geistige Schöpfungen, verwickelte politische und diplomatische Zusammenhänge usw. Allerdings stehen dem Historiker und gerade dem Historiker der Philosophie die sozusagen authentischen Beweisstücke in Gestalt der überkommenen Urkunden und Bücher zu Gebote. Aber wieviel neue Schwierigkeiten des richtigen Verständnisses eröffnen sich hier! Sie entstehen einmal daraus, daß wir in der Regel nur die fertigen Denkergebnisse zur Verfügung haben, oft aber wenig oder gar nicht und niemals vollständig wissen, auf welchem Wege der betreffende Denker zu ihnen gekommen ist, insbesondere, welche, gewissermaßen außerhalb der Philosophie liegenden, persönlichen Eigenarten, Neigungen, Schicksale dabei mit eingewirkt haben. Sicher ist ein philosophisches System ebenso wie jede wissenschaftliche oder künstlerische Leistung ein objektives, das heißt in gewissem Umfang von seinem Urheber losgelöst zu betrachtendes Gebilde, und man nähert sich ihm nicht einfach dadurch, daß man persönliche Vorliebe und Schwächen, Kindheitserlebnisse oder etwa krankhafte und abnorme Züge in der Persönlichkeit seines Schöpfers aufsucht und zur Erklärung verwendet; aber oft ist doch ein vollkommenes Verständnis nur möglich, indem man derartige Dinge mit heranzieht.

Die Schwierigkeiten des Verständnisses erwachsen ferner daraus, daß das Denken jedes Philosophen notwendig an die Sprache gebunden ist, in der er denkt und schreibt, und sie werden deshalb besonders groß, wenn es sich — wie beim Chinesischen — um eine Sprache handelt, die in ihrer ganzen logischen Struktur, in ihrer Art, die Dinge zu sehen und zu verbinden, von der unsrigen denkbar verschieden ist. Bedenken wir, daß gerade große Werke niemals von einer Sprache in die andere übersetzbar sind und daß es fast unmöglich ist, eine fremde Sprache so restlos zu beherrschen wie die Muttersprache. Bedenken wir ferner die vielfältige und kaum erschöpfend zu erfassende Gebundenheit jedes Einzelnen an seine Zeit, an seine ganze geschichtliche, örtliche, gesellschaftliche Umwelt, und berücksichtigen wir, daß, auch innerhalb der gleichen Zeitepoche und der gleichen Sprache, tiefreichende Meinungsverschiedenheiten bestehen über die genaue Bedeutung und Tragweite vieler, ja praktisch aller philosophischen Begriffe und Ausdrücke. Dies gilt sowohl für die lebenden wie für die sogenannten toten Sprachen, in unserem Bereich also das altindische Sanskrit, Griechisch und Latein. Ein amerikanischer Professor der Philosophie hat in jüngster Zeit, in Erkenntnis dieser manchmal fast unüberwindlich erscheinenden Schwierigkeiten und Mißverständnisse, damit begonnen, wenigstens für die Philosophie der Gegenwart mit ihrer Bereinigung zu beginnen, indem er in einem Buche, das jeweils einem bestimmten lebenden Philosophen gewidmet ist, zuerst diesen kurz seine geistige Entwicklung schildern, dann zahlreiche andere Gelehrte in kritischen Beiträgen ihre Zweifel, Bedenken und Fragen aussprechen läßt, die der Philosoph selbst am Schluß zu beantworten und zu klären versucht[1].

Zu diesen kritischen Vorbehalten, die der Leser im weiteren als solche ständig im Gedächtnis behalten sollte, kommen diejenigen, die im besonderen dem hier gemachten Versuch entgegenzuhalten sind.

Die Werke der Philosophen, nicht gerechnet die Kommentare und Darstellungen oder Widerlegungsversuche der Philosophieprofessoren, füllen riesige Säle der großen Bibliotheken. Eine wissenschaftliche Darstellung der Geschichte der Philosophie, die sich bescheiden als Grundriß bezeichnet, umfaßt fünf umfangreiche Bände. Dabei ist sie aber in höchst konzentrierter, nur dem Gelehrten verständlicher Sprache abgefaßt.

Im allgemeinen ist es leichter und schneller möglich, einem vorgebildeten Fachmann einen beliebigen Vorgang zu verdeutlichen als einem Laien. Ein Ingenieur etwa, der einem anderen Ingenieur die Konstruktion einer geplanten Brücke erläutern will, wird diesem stichwortartig Ausmaße, Untergrundverhältnisse, Zweck, Baumaterial und das System nennen, nach dem die Brücke gebaut werden soll, dazu vielleicht einige Formeln aus den erforderlichen Berechnungen, und der andere wird alsbald im Bilde sein. Soll er die Brücke einem Laien erklären, so muß er viel weiter ausholen, er muß zunächst die verschiedenen Systeme, nach denen überhaupt Brücken gebaut werden können, beschreiben, muß die Grundgesetze der Statik erläutern, alle Formeln und Fachausdrücke und so weiter.

Die Geschichte der Philosophie ist ein Gegenstand, der an Umfang und Schwierigkeit wahrscheinlich nicht geringer ist als ein Brückenbau, und dieses Buch ist für Leser ohne Vorkenntnisse gedacht. Es wird also darauf ankommen, aus der kaum übersehbaren Fülle des philosophischen Schrifttums eine Auswahl zu treffen, bestimmt einerseits durch die Geeignetheit des Ausgewählten für ein solches einführendes Werk, andererseits aber durch das Bestreben, dem Leser wenigstens von dem nichts vorzuenthalten, was nach dem übereinstimmenden Urteil der Gelehrten von grundlegender Bedeutung ist, unter Zurückstellung etwa vorhandener besonderer Vorlieben des Verfassers. Es ist also auch auf annähernde Vollständigkeit ebensowenig Anspruch zu erheben wie auf die Vermittlung neuer wissenschaftlicher Erkenntnisse.

Die Auswahl war zu treffen in räumlicher und in zeitlicher Hinsicht. In der räumlichen Auswahl war maßgebend der Wunsch, das Buch freizuhalten von der europäischen Beschränktheit, die die Geschichte der Philosophie erst bei den Griechen beginnen läßt, und den Leser wenigstens einen Blick tun zu lassen auf die großen, der unsrigen nicht nachstehenden geistigen Welten des alten Indien und China, unter Verzicht aber auf die altjüdische Weisheitslehre sowie auf Ägypten und einige andere Kulturen, die, auf diesem Gebiet wenigstens und soweit unsere Kenntnis reicht, weniger bedeutend sind. In zeitlicher Hinsicht war bestimmend das Bestreben, aus den Hauptepochen der Philosophie jeweils einen oder wenige Denker herauszuheben, unter Beiseitelassung anderer, von seinem Leben und Werk ein soweit möglich abgerundetes Bild zu geben, und dabei die durchlaufenden Entwicklungslinien und die Gegensätze, den geistigen Zusammenhang also, trotzdem sichtbar werden zu lassen.

Soviel mußte gesagt werden, um dem Leser und Kritiker vorzustellen, was er billigerweise erwarten kann und was nicht.

Der Gegenstand der Philosophie

Wir wenden uns unserem Thema näher zu und beginnen mit der Frage, die jeder stellen muß, der sich diesem Gegenstand erstmals nähert: Was ist es, dessen Geschichte hier erzählt werden soll, was ist also Philosophie, was sind ihre Merkmale, insbesondere, was ist eigentlich ihr Gegenstand?

Sofern wir diese Frage der Reihe nach an die großen Philosophen richten, werden wir enttäuscht werden, denn wir werden von jedem eine etwas andere Antwort erhalten. Es ist natürlich, daß jeder das, was er als Philosophie betreibt und lehrt, als *die* Philosophie erklärt.

Wir wollen uns aber zunächst von der Beschränkung durch ein bestimmtes philosophisches System freihalten und versuchen daher die Frage so zu stellen: Welche Gegenstände sind es denn, mit denen sich die verschiedenen Philosophen in den verschiedenen Zeitaltern beschäftigt haben? Darauf gibt es nur eine Antwort: mit allem. Es gibt eigentlich nichts, was nicht Gegenstand der Philosophie sein könnte und es auch tatsächlich gewesen ist. Vom Größten bis zum Kleinsten und Unbedeutendsten (freilich: was ist bei tieferem Nachdenken unbedeutend?), von Entstehung und Aufbau der Welt bis zum richtigen Verhalten im täglichen Leben, von den höchsten Fragen nach Freiheit, Tod und Unsterblichkeit bis zum Essen und Trinken — alles kann Gegenstand philosophischer Reflexion sein. Wir können aber die Aufzählung etwas methodischer vornehmen und zu einem kurzen Überblick über wichtige Teilgebiete der Philosophie in der herkömmlichen Einteilung benutzen: Mit dem Weltganzen (oder auch dem sinnlich nicht Erfahrbaren) befaßt sich die Metaphysik, mit dem Sein in seiner Gesamtheit die Ontologie (diese beiden Gebiete überschneiden sich wie auch andere); die Logik ist die Lehre vom richtigen Denken und von der Wahrheit, die Ethik vom richtigen Handeln, die Erkenntnistheorie vom Erkennen und seinen Grenzen, die Ästhetik vom Schönen. Von der Natur handelt die Naturphilosophie, von der Kultur die

Kulturphilosophie, von der Gesellschaft die Gesellschaftsphilosophie, von der Geschichte die Geschichtsphilosophie, von der Religion die Religionsphilosophie, vom Staat die Staatsphilosophie, vom Recht die Rechtsphilosophie, von der Sprache die Sprachphilosophie. Es gibt eine Philosophie der Wirtschaft, der Technik, des Geldes usw.

Bei der Betrachtung dieser Zusammenstellung fällt ins Auge, daß die Philosophie diese genannten Gegenstände offenbar nicht für sich allein hat. Für jeden dieser Gegenstände gibt es zugleich eine besondere Wissenschaft, die ihn zu erforschen und zu beschreiben zur Aufgabe hat. Mit der Wirtschaft befaßt sich die Nationalökonomie, mit der Sprache die Sprachwissenschaft, mit dem Recht die Jurisprudenz, mit dem Staat die Staatslehre. Die Geschichtswissenschaft erforscht die Geschichte, die Soziologie die Gesellschaft; Theologie, Religionswissenschaft, Religionsgeschichte die Religion. Das Ganze der Natur ist das Feld zahlreicher Einzelwissenschaften, wie Physik, Chemie, Biologie, Astronomie und so weiter. Die Philosophie als Gebiet menschlichen Forschens und Wissens ist durch Bestimmung ihres Gegenstandes von den Einzelwissenschaften nicht abzugrenzen.

Befaßt sich die Philosophie mit denselben Gegenständen wie die Einzelwissenschaften, ist aber trotzdem von ihnen unterschieden, so tut sie es offenbar auf eine besondere, nur ihr zukommende Weise. Damit erhebt sich die Frage nach einer besonderen philosophischen Methode. Auch hier können wir uns leicht in Einzelheiten verlieren. Viele einzelne Denker bezeichnen ihre eigene Methode als die der Philosophie schlechthin. Es werden auch in den einzelnen Forschungszweigen viele Methoden verwendet, die ursprünglich aus der Philosophie hervorgegangen sind, und umgekehrt verwendet die Philosophie Methoden zahlreicher Einzelwissenschaften.

Eine Abgrenzung ist aber gleichwohl möglich. Verfolgen wir nämlich noch einmal die oben vorgeführte Aufzählung der Gebiete der Philosophie und ihrer Gegenstände und halten daneben die Reihe der einzelnen Wissenschaften, die die gleichen Gegenstände behandeln, so stoßen wir zuoberst auf das Ganze des Seins als umfassendsten Gegenstand. Hier gibt es offenbar keine Entsprechung unter den Einzelzweigen der Wissenschaft. Den Gesamtzusammenhang alles Seins hat allein die Philosophie zum Thema (obgleich manche Einzelwissenschaften einen solchen Anspruch erheben mögen).

In der Tat ist es dieser Zug aufs Ganze und Umfassende, der die Philosophie von den Einzelwissenschaften unterscheidet: Während diese sich in der Regel die Erforschung und Darstellung eines bestimmten und begrenzten Erscheinungsgebietes, wie eben Staat, Sprache, Geschichte, das organische

Leben usw., zur Aufgabe setzen, ist der Philosophie das
Bestreben eigen — auch dort, wo sich das philosophische
Denken zunächst auf einen bestimmten und begrenzten Gegenstand richtet —, die einzelnen Erscheinungen des Lebens
in einen großen, umfassenden Zusammenhang einzuordnen,
einen gemeinsamen Sinn in ihnen aufzufinden und, unter
anderem, auch, die Ergebnisse der Einzelwissenschaften in
einer Zusammenschau zu einem einheitlichen Weltbild, einer
Weltanschauung, zu verbinden.

Sobald wir die damit gewonnene Erkenntnis von mehreren
Seiten zu beleuchten versuchen, müssen wir allerdings er-
kennen, daß damit eine gewisse Grenzziehung gegenüber den
Wissenschaften gewonnen ist, nicht aber eine. Abgrenzung
nach allen Seiten. Denn auch den Zug zur Ganzheit hat die
Philosophie nicht für sich allein. Sie teilt ihn mit der Religion und mit der Kunst. Beide richten sich, jede auf ihre
Weise, ebenfalls auf das Ganze des Seins. Auch hier sind die
Grenzen mindestens fließend. Philosophie, sobald sie das
Ganze des Lebens und seinen Sinn zu fassen sucht, kann
übergehen in religiöse Schau. Tatsächlich sind Religion und
Philosophie in langen Zeiträumen der Geschichte untrennbar
ineinander verwoben. Ein philosophisches Gedankengebäude
kann andererseits durch vollendete Form sich dem Kunstwerk,
etwa einer Dichtung oder auch einem kunstvollen Bauwerk,
annähern. Endlich ragen die Werke der Kunst, mindestens
die Gipfel, unzweifelhaft in den Bereich des Religiösen hinein.

Aber eine befriedigende und für unsere Zwecke genügende
Scheidung ist auch hier durchzuführen. Was die Philosophie
in diesem Zusammenhang auszeichnet, ist das Denken als ihr
eigentliches Mittel. Die Religion appelliert ihrem Wesen nach
in erster Linie an den Glauben und an das Gefühl, nicht an
den Verstand. Kunst wiederum ist auch nicht Denken, sondern
Gestaltung eines Inneren in eine äußere Form, die freilich,
wenn sie vollendet ist, das Ganze des Seins zum Ausdruck
bringen kann, aber in gleichnishafter, symbolischer Weise,
durch ein Einzelnes hindurch gesehen und immer vorwiegend
nicht an den Verstand appellierend, sondern an unser Gefühl für das Schöne und Erhabene.

Die geschichtliche Betrachtung der erörterten Lebensgebiete in
ihrem Zusammenhang und ihrer gegenseitigen Wirkung aufeinander zeigt, daß Religion, Kunst, Philosophie und Einzelwissenschaften zu manchen Zeiten vermischt und verbunden, zu
anderen getrennt und auch im Gegensatz zueinander aufgetreten sind.

In ganz großen Zügen gesehen läßt sich sagen, daß in
manchen Kulturen, besonders in geschichtlich früher Zeit, alle
ungeschieden vereinigt sind. Von den alten Indern zum Bei-

spiel sind uns große religiös-philosophische, durch Jahrhunderte von unzähligen Urhebern verfaßte und zusammengetragene Werke überliefert, die ebensosehr religiöse wie philosophische Welterklärung enthalten und die als Dichtungen zugleich Kunstwerke sind; neben denen es wahrscheinlich auch keine Einzelwissenschaften in unserem Sinne gegeben hat. Auch im ganzen europäischen Mittelalter sind Religion und Philosophie in engster Verschwisterung. Bei den Griechen dagegen trat Philosophie auf mit dem Anspruch, nur durch Denken, ohne Appell an den Glauben, das Sein und seinen Sinn (oder Nicht-Sinn) zu fassen. Und in der abendländischen Entwicklung der letzten Jahrhunderte haben sich die Einzelwissenschaften, die bei den Griechen noch in der Philosophie mit enthalten waren, in wachsendem Maße von dieser gelöst und verselbständigt und haben am Ende sogar der Philosophie ihr Daseinsrecht neben den Einzelwissenschaften zu bestreiten gesucht — wie sich früher schon die Philosophie gegen die Religion gewandt hatte, mit der sie lange Zeit verbunden gewesen war.

Dies möge als Absteckung des Bereichs, in dem wir uns zu bewegen haben werden, genügen. Die Darstellung wird wegen des engen historischen Zusammenhangs der Philosophie mit Religion einerseits, mit den Wissenschaften andererseits nicht ohne ständige Ausblicke auf diese Gebiete möglich sein.

Auf eine rein theoretische, begriffliche Weise, durch Definition also, läßt sich Philosophie und ihr Gegenstand nicht genau abgrenzen und festlegen, einfach deswegen, weil Philosophie nicht ein abstrakter, ein für allemal festzulegender, sondern ein geschichtlich gewordener und ständig sich weiterentwickelnder Begriff ist. Letztlich bezeichnen wir eben bestimmte, in der Entwicklung des menschliches Geistes aufgetauchte Probleme und die Versuche zu ihrer Lösung zusammenfassend als Philosophie. In sie alle einzudringen und sich von ihnen eine Vorstellung zu machen ist nur möglich, indem man sie sich in ihrem geschichtlichen Werden vergegenwärtigt. Das heißt, Philosophie zu treiben ist nicht möglich, ohne Geschichte der Philosophie zu treiben.

Einige leitende Gesichtspunkte

Wir wollen das weite Gebiet, dessen Grenzen wir soeben abgeschritten haben, nicht betreten, ohne vorher einige Grundfragen aufzuzeichnen, als Richtschnur, als Orientierungspunkte gewissermaßen, die den Weg markieren und ohne die wir uns leicht im uferlosen Strom der Gedanken verlieren könnten. Wir brauchen nach der äußeren Abgrenzung des

Bereichs ein Maß, ein inhaltliches Kriterium, an Hand dessen wir entscheiden, welche Wege wir einschlagen und welche wir unbetreten liegenlassen.

Der große Immanuel Kant hat im hohen Alter, rückschauend auf sein vollbrachtes Lebenswerk, in einem Briefe gesagt, daß seine Arbeit auf die Beantwortung von drei Fragen ausgegangen sei. Er formuliert sie so:

Was können wir wissen?
Was sollen wir tun?
Was dürfen wir glauben?

In diesen Fragen sind die Dinge angerührt, die jeden denkenden Menschen zu jeder Zeit bewegt haben und bewegen:

Die erste Frage betrifft das menschliche *Erkennen*. Wie ist die Welt beschaffen, wie habe ich mir sie vorzustellen? Was kann ich von ihr wissen? Und (worauf gerade bei Kant der Nachdruck liegt) kann ich überhaupt etwas Sicheres über sie wissen?

Die zweite geht auf das menschliche *Handeln*. Wie soll ich mein Leben gestalten? Was kann ich vernünftigerweise und was soll ich erstreben? Wie verhalte ich mich zu meinen Mitmenschen? Wie gegenüber der menschlichen Gesellschaft?

Die dritte Frage betrifft das menschliche *Glauben*. Sie zielt auf die Dinge, von denen zwar nicht sicher ist, ob wir etwas Genaues über sie ausmachen können, die uns aber trotzdem unabweislich bedrängen, wenn wir unserem Leben einen Sinn geben wollen. Gibt es eine höhere Macht? Ist der Mensch frei oder unfrei in seinem Willen? Gibt es eine Unsterblichkeit? Wir sehen, daß die dritte Frage, übrigens auch schon die zweite, in das Gebiet der Religion hinüberreicht. Abgesehen davon, daß viele Philosophen den Versuch gemacht haben, diese Frage mit philosophischen Mitteln zu bearbeiten und zu beantworten, gehört sie mindestens insofern in den Bereich der Philosophie mit hinein, als wir von dieser eine Antwort auf die Frage verlangen können: Lassen sich diese Fragen überhaupt beantworten, auf Grund welcher Gewißheiten und Beweise, und wo liegt die Grenze zwischen den Bereichen des Wissens und des Glaubens, sofern ein solcher neben dem Reich des Denkens besteht?

Fassen wir die geschichtliche Entfaltung der Philosophie unter dem Gesichtspunkt dieser drei Fragen ins Auge, so ist — so viel sei der Darstellung im einzelnen vorausgeschickt — in ganz großen Zügen zu erkennen, daß die Fragen in ihr in umgekehrter Reihenfolge als der von Kant gewählten auftauchen. Es ist wahrscheinlich, daß Geburt und Tod als die Grundtatsachen allen Lebens und damit die Frage nach einem Fortleben nach dem Tode, daß das Walten übermenschlicher, geheimnisvoller Mächte und die Frage nach einem Gott, Göttern und Dämonen die ersten und elementarsten Rätsel waren, die der erwachende Menschengeist vorfand und denen er sich zuerst zuwandte. Und es ist gewiß, daß das Suchen nach den richtigen Grundsätzen des menschlichen Handelns, nach der Erkenntnis des Nützlichen und des moralisch Gebotenen, die Philosophie früher beschäftigt hat als die in aller Schärfe gestellte Frage nach den Möglichkeiten, Mitteln und Grenzen des menschlichen Erkennens.

Bei allen Vorbehalten und Abweichungen im einzelnen kann man sagen, daß in der altindischen Philosophie die Fragen nach Gott, Freiheit und Unsterblichkeit und nach dem Sinn des Lebens im ganzen beherrschend sind. Das altchinesische Denken ist von vornherein stärker dem Gebiet des praktischen Handelns und des menschlichen Gemeinschaftslebens, der Ethik also, zugewandt. In der sehr vielgestaltigen griechischen Philosophie kommen alle drei Fragen zur Geltung, mit einer gewissen Bevorzugung des Erkennens und des Handelns. Die abendländische Philosophie des Mittelalters legt das Schwergewicht wiederum auf die ewigen Fragen Gott, Freiheit, Unsterblichkeit, daneben auf Gut und Böse im menschlichen Handeln. Erst im europäischen Denken der Neuzeit entfaltet sich das Erkenntnisproblem in seinem ganzen Umfang und herrscht in stets zunehmendem Maße, bis in der Gegenwart sich vielleicht eine erneute Verschiebung abzeichnet.

Die Ausrichtung unserer Untersuchung auf die drei Fragen bedeutet negativ gesehen, daß wir davon absehen, alle früher zusammengestellten Teilgebiete der Philosophie in die Betrachtung einzubeziehen. Eine Geschichte der Ästhetik, der Staatsphilosophie, der Rechtsphilosophie usw. würde jeweils ein besonderes Buch erfordern.

Positiv gesehen, bedeutet es vor allem, daß wir den Leser bitten, das Dargestellte ständig auf diese Fragen hin zu betrachten und zu bedenken. Er wird dann am Schlusse erkennen, daß zwar jedes Zeitalter und jeder Denker seine eigenen Antworten auf sie bereithält, daß aber im Grunde die Anzahl der überhaupt möglichen Antworten nicht unbegrenzt ist.

Erster Teil

Die Weisheit des Ostens

Die Philosophie des alten Indien

Indien ist, geographisch betrachtet und ebenso in geistiger Beziehung, eine ganze Welt für sich. Dieses riesige Land, vom ewigen Schnee des Himalaja im Norden bis zur tropischen Hitze der großen Stromebenen und des Südteils alle Klimazonen umfassend, mit einer Bevölkerung von über 400 Millionen Menschen, einem Fünftel der Erdbevölkerung, Heimat vieler Sprachen, Kulturen und Religionen, mit einer Geschichte von mindestens drei bis vier Jahrtausenden, ist nicht nur das Ursprungsland der ältesten uns bekannten Zeugnisse des philosophierenden Menschengeistes, sondern auch eine der ältesten Wiegen menschlicher Kultur — soweit die Altertumswissenschaft urteilen kann, deren Ausgrabungsergebnisse teilweise stets vom Zufall abhängen. Jedenfalls wird die sogenannte Kultur von Mohenjo-Daro, deren Überreste in Gestalt mehrerer übereinandergelagerter Schichten von Städten mit festen, mehrstöckigen Häusern, Geschäften und breiten Straßen der Spaten im Jahre 1924 erstmalig ans Licht brachte, von Fachleuten auf das dritte oder vierte Jahrtausend vor unserer Zeitrechnung angesetzt. Die gefundenen Haushaltungsgegenstände, geschmückten Gefäße, Waffen und Schmuckstücke sollen an Kunstfertigkeit nicht nur denen des alten Ägypten und Babylon, sondern auch europäischen an die Seite zu stellen sein.[1]

Um die Mitte des zweiten vorchristlichen Jahrtausends, etwa um das Jahr 1600 v. Chr. — alle Festlegungen von Daten in der frühen Geschichte Indiens sind nur ungefähre Schätzungen — begann von Norden her die allmähliche Eroberung Indiens durch das Volk, das sich selbst aryas, die Arier, nannte. Das Wort bedeutet nach manchen Erklärungen ursprünglich »edel«, so daß Arier »Edelleute« bedeuten würde.[2] Nach anderen meint es »die zu den Treuen Gehörigen«, das heißt die sich zur Religion der Arier Bekennenden; wieder andere leiten es ab von einem Wort für »pflügen«, so daß Arier soviel wie Bauern hieße.[3] Als die Sprachwissenschaft — vor noch nicht langer Zeit — die Verwandtschaft der ursprünglichen Sprache dieser Arier mit den europäischen Sprachen bemerkt hatte, erhielt die Sprachfamilie, welche das Indische,

Persische, Griechische, Lateinische, Slawische, Germanische und
Keltische umfaßt, den Namen arische oder indogermanische
Sprachen, und man leitete aus der sprachlichen Verwandtschaft die Annahme ab, daß die Indo-Arier mit den eben
genannten Völkergruppen von einem indogermanischen Ur-
volk abstammten, über dessen ursprüngliche Heimat sich
ein langer wissenschaftlicher Streit entspann. In jüngster Zeit
ist diese ganze Annahme bezweifelt worden.[4]
Die Eroberung Indiens durch die Arier vollzog sich in drei
Etappen, von denen jede Jahrhunderte dauerte und die in
einer gewissen Beziehung zu den drei Gebieten stehen, in
welche Indien gemeinhin von der Geographie eingeteilt wird:
In der ersten, etwa bis zum Jahre 1000 v. Chr. reichenden
Periode erstreckte sich ihr Siedlungsgebiet nur auf das sogenannte Pandschab (Fünfstromland) um den Indus im Nord-
westen Indiens; in der zweiten, wiederum rund 500 Jahre
währenden Periode wurde es, unter fortwährenden Kämpfen
gegen die Ureinwohner und auch unter Kämpfen der arischen
Stämme untereinander, nach Osten ausgedehnt auf das Gebiet um den Ganges, wohin sich nunmehr der Schwerpunkt
verlagerte; in der dritten Periode, ungefähr von 500 v. Chr.
ab, wurde der Südteil Indiens, das Hochland von Dekhan,
allmählich von den Ariern und ihrer Kultur durchdrungen,
wenngleich sich hier bis heute vieles von der Kultur der Ureinwohner, der sogenannten Draviden, erhalten hat.
Das Denken der Indo-Arier allein bildet den Inhalt der altindischen Philosophie. Von der Geisteswelt der vor-arischen
Völker ist kaum etwas bekannt.

I. Das vedische Zeitalter

Die Geschichte der indischen Philosophie in klar abgegrenzte
Perioden einzuteilen, ist schwer. Das gilt auch für die sonstige Geschichte Indiens und hängt zusammen mit einer Ei-
genart des indischen Geistes, der von jeher mehr auf das
Ewige als auf das Zeitliche und seine Ordnung gerichtet war
und es verschmähte, den zeitlichen Ablauf im einzelnen sehr
ernst zu nehmen und genau festzuhalten. Es gab darum in
Indien keine eigentliche Geschichtsschreibung in unserem
Sinne, das heißt keine Aufzeichnung exakter Daten, wie sie
zum Beispiel auch die alten Ägypter vorgenommen haben.
So gleicht auch das philosophische Denken der Inder einem
Meer, man findet, sobald man darin eintaucht, nur schwer
Orientierungspunkte. Für die meisten Werke der indischen
Philosophie ist kaum mit Sicherheit das Jahrhundert anzu-
geben, in dem sie entstanden sind. Und im Gegensatz zum

Abendland, wo alle· Abschnitte und Wendepunkte in der
Entwicklung der Philosophie bestimmt sind durch klar umrissene, historische Denkerpersönlichkeiten, treten in Indien
die einzelnen Denker ganz hinter ihren Werken und Gedanken
zurück und sind meist zwar dem Namen nach, nicht aber nach
ihren Lebensumständen und genauen Lebensdaten bekannt.

Immerhin ist es möglich, nach dem heutigen Stande unserer
Erkenntnis — die Durchforschung der indischen Geistesgeschichte ist noch nicht vollendet, noch nicht einmal sind alle
diesbezüglichen indischen Werke in europäische Sprachen übersetzt — eine Einteilung in mehrere Hauptperioden vorzu-
nehmen, die stichhaltig und für die Zwecke unserer Einführung ausreichend ist.

Die erste Hauptperiode ist von etwa 1500—500 v. Chr. an-
zusetzen und wird als vedisches Zeitalter bezeichnet nach dem
Gesamtkomplex von Schriften, denen wir die Kenntnis dieser
Zeit verdanken und die mit dem Sammelnamen der *Veda*,
oder in der Mehrzahl die Veden, genannt werden.

Es handelt sich dabei nicht um ein Buch, sondern um eine
ganze Literatur, aufgezeichnet zu sehr verschiedenen Zeiten
und von vielen unbekannten einzelnen, deren Niederschrift
in der Hauptsache jedoch in die genannte Zeit fällt; sie enthalten aber mythisches und religiöses Gedankengut, das
noch weit älter ist. »Veda« bedeutet religiöses, theologisches
Wissen, was in der ältesten Zeit mit der Gesamtheit des
der Aufzeichnung wert befundenen Wissens gleichzusetzen
ist. Der Umfang des Veda übertrifft den der Bibel um das
Sechsfache.[5]

Vier verschiedene Abteilungen des Veda, auch einzeln Veden
genannt, sind zu unterscheiden:

  Rigveda — der Veda der Verse, das Wissen von den
  Lobeshymnen[6],

  Samaveda — der Veda der Lieder, das Wissen von den
  Gesängen,

  Yayurveda — der Veda der Opfersprüche, das Wissen von
  den Opferformeln,

  Atharvaveda — der Veda des Atharvan, das Wissen von
  den magischen Formeln.

Diese Veden sind die Handbücher der alten indischen Priester,
in denen diese das für die religiösen Opferhandlungen erforderliche Material an Hymnen, Sprüchen, Formeln usw.
aufbewahren. Da bei jeder Opferhandlung vier Priester mit-
wirken mußten, der sogenannte Rufer, der Sänger, der aus-
übende Priester und der Oberpriester, gibt es vier Veden,
einen für jede dieser priesterlichen Funktionen.

Innerhalb jedes Veda werden vier Abteilungen unterschieden:

  Mantras — Hymnen, Gebetsformeln,

Brahmanas — Anweisungen zur richtigen Verwendung dieser Formeln bei Gebet, Beschwörung und Opfer,
Aranyakas — »Waldtexte«, Texte für im Walde lebende Einsiedler,
Upanischads — »Geheimlehren«, diese sind in philosophischer Hinsicht am bedeutsamsten.
Andere Einteilungen sind möglich.
Diesen Schriften schreibt der gläubige Hindu kanonische Geltung zu, das heißt sie gelten als auf göttlicher Offenbarung beruhend und als unantastbare Wahrheiten.
Die nach dem Veda benannte erste Hauptperiode der indischen Philosophie wird nach der verschiedenen Entstehungszeit der einzelnen Teile desselben in drei Abschnitte unterteilt:

1. Die altvedische oder Hymnenzeit, etwa 1500—1000 v. Chr.
2. Die Zeit der Opfermystik, etwa 1000—750 v. Chr.,
3. Die Zeit der Upanischaden, etwa 750—500 v. Chr.

1. KULTUR UND RELIGION DER HYMNENZEIT

Für das Verständnis der späteren Entwicklungen ist eine gewisse Vorstellung von dem geschichtlichen Hintergrund dieser ältesten bekannten Periode des arischen Lebens unerläßlich. Die Hymnen des *Rigveda*, der den ältesten Teil der Veden und eines der ältesten literarischen Denkmale der Menschheit überhaupt bildet, vermitteln ein anschauliches Bild vom Leben und den religiösen Vorstellungen der Indoarier in dieser Zeit, da ihre Ausbreitung erst den nordwestlichen Teil Indiens erfaßt hatte.[7] Sie waren damals ein kriegerisches Volk von Bauern und vor allem Viehzüchtern, noch ohne Städte und ohne Kenntnis der Seeschiffahrt. Einfache Gewerbe, wie das des Schmiedes, Töpfers, Zimmermanns, des Webers, waren bereits vorhanden. Ihre religiösen Vorstellungen sind dadurch gekennzeichnet, daß die unserem Denken heute selbstverständliche Unterscheidung von Belebtem und Unbelebtem, von Personen und Sachen, von Geistigem und Stofflichem noch nicht vorgenommen wurde.[8] Die frühesten Götter waren Kräfte und Elemente der Natur. Himmel, Erde, Feuer, Licht, Wind, Wasser werden, ganz ähnlich wie bei anderen Völkern, als Personen gedacht, die nach Art der Menschen leben, sprechen, handeln und Schicksale erleiden. Der Rigveda enthält Hymnen, Lobpreisungen dieser Götter, etwa über Agni, den Feuergott, Indra, den Machthaber über Donner und Blitz, Wischnu, den Sonnengott, und Gebete an diese Götter um Mehrung der Herden, gute Ernten und ein langes Leben.

Die ersten Keime philosophischen Denkens treten darin zutage, daß die Frage aufgeworfen wird: Liegt in der *Vielzahl* der Götter *ein* letzter Weltgrund verborgen? Ist die
ganze Welt vielleicht aus einem solchen Urgrund entstanden?
Das erste Aufdämmern des Gedankens der Einheit, der später
das große und beherrschende Thema der indischen Philosophie wurde, liegt also bereits in dieser frühesten Zeit.
Dieses Suchen nach dem einen Urgrund, der die Welt trägt
und aus dem sie entstanden ist, kommt in herrlicher Weise
zum Ausdruck in einem Schöpfungshymnus des Rigveda, der
in der freien Übertragung durch Paul Deussen lautet:

>»Damals war nicht das Nicht-Sein, noch das Sein,
  Kein Luftraum war, kein Himmel drüber her. —
  Wer hielt in Hut die Welt, wer schloß sie ein?
  Wo war der tiefe Abgrund, wo das Meer?

  Nicht Tod war damals noch Unsterblichkeit,
  Nicht war die Nacht, der Tag nicht offenbar. —
  Es hauchte windlos in Ursprünglichkeit
  Das Eine, außer dem kein andres war.

  Von Dunkel war die ganze Welt bedeckt,
  Ein Ozean ohne Licht, in Nacht verloren; —
  Da ward, was in der Schale war versteckt,
  Das *Eine* durch der Glutpein Kraft geboren.

  Aus diesem ging hervor, zuerst entstanden
  Als der Erkenntnis Samenkorn, die Liebe; —
  Des Daseins Wurzelung im Nichtsein fanden
  Die Weisen, forschend, in des Herzens Triebe.

  Als quer hindurch sie ihre Meßschnur legten,
  Was war da unterhalb, und was war oben? —
  Keimträger waren, Kräfte, die sich regten,
  Selbstsetzung unten, Angespanntheit droben.

  Doch, wem ist auszuforschen es gelungen,
  Wer hat, woher die Schöpfung stammt, vernommen?
  Die Götter sind diesseits von ihr entsprungen!
  Wer sagt es also, wo sie hergekommen? —

  Er, der die Schöpfung hat hervorgebracht,
  Der auf sie schaut im höchsten Himmelslicht,
  Der sie gemacht hat oder nicht gemacht,
  Der weiß es — oder weiß auch er es nicht?«[9]

Gepaart mit einem tiefen Suchen nach dem Urgrund der
Welt, sehen wir in diesem Gedicht am Schluß auch einen
radikalen Zweifel am Werke, der für den Ausgang der Hymnenzeit bezeichnend ist, den Zweifel an den Göttern. Die
Götter sind »diesseits der Schöpfung«, ruft der Dichter aus,
das heißt, auch sie sind geschaffen. Wir haben hier bereits
den Beginn des Verfalls der altvedischen Religion vor uns
oder, besser, einer entscheidenden Wandlung.
Zweifel und Unbefriedigtsein gegenüber den Göttern ver-
dichten sich zum offenen Spott. So heißt es

> »Bringt schönes Lob dem Indra um die Wette,
> Wahrhaftiges, *wenn er wahrhaftig ist!*
> Zwar sagt wohl der und jener: ›Indra ist nicht!‹
> Wer sah ihn je? Wer ist's, daß man ihn priese?«[10]

Mit dem in diesem Beispiel und in vielen, noch schrofferen
Stellen zu erkennenden Verfall des altvedischen Götterglau-
bens und mit dem Auftauchen des Gedankens der All-Einheit
war die Zeit reif für die nächsten Schritte des indischen
Geistes, mit denen er bereits einen einzigartigen Höhepunkt
erreicht.

2. DIE ZEIT DER OPFERMYSTIK — DIE ENTSTEHUNG DES KASTENWESENS

Die Zeit, in der die Indoarier ihr Herrschaftsgebiet nach
Osten bis zum Ganges-Delta ausdehnten und dort eine Her-
renschicht über einer andersrassigen Bevölkerung bildeten, ist
dadurch bedeutsam, daß sich in ihr diejenigen sozialen Einrichtungen herausbildeten, die von da ab für das gesamte
indische Leben am charakteristischsten sind und die dem hinduistischen Indien (im Unterschied zu dem später mohammedanischen Teil, der jetzt als Pakistan einen eigenen Staat bildet) bis heute das Gepräge geben: das *Kastensystem* und die
bevorzugte Stellung des Priesterstandes, der *Brahmanen.*
Den Anlaß zur Ausbildung der Kasten gab die Notwendigkeit, die gegen die Urbevölkerung zahlenmäßig unterlegene
arische Herren- und Erobererschicht scharf abzusondern, wenn
sie sich rein erhalten und nicht alsbald durch Vermischung
in jener untergehen sollte. So entstand zunächst die Trennung
in Aryas und Tschudras, wie die unterworfenen Völker,
wahrscheinlich nach dem Namen eines ihrer Stämme, genannt
wurden, oder richtiger, sie entstand nicht, sondern die gegebene Trennung wurde durch die Ausbildung der Kasten zur
dauernden und unübersteigbaren Scheidung.
Dieser Einteilung nach der Rasse — das alte indische Wort
für Kaste, varna, bedeutet Farbe, das Wort Kaste ist portugie-

sischer Herkunft — folgte innerhalb der Arier alsbald eine weitere Sonderung in die drei Hauptkasten.

Brahmanen = Priester,
Kschatriyas = Fürsten, Könige und Krieger (in etwa mit dem mittelalterlichen Adel zu vergleichen),
Vaischyas = Freie (Kaufleute usw.).

Unter diesen standen die Tschudras, noch unter diesen die Parias oder Verstoßenen, unbekehrte Eingeborenenstämme, Kriegsgefangene und Sklaven, aus denen die 40 Millionen sogenannten Unberührbaren des heutigen Indien hervorgegangen sind[11], die eines der schwierigsten sozialen Probleme im gegenwärtigen Indien darstellen und für die Gandhi in seinem Kampf besonders eingetreten ist.

Aus der anfänglichen Kastenscheidung wurde im Laufe der Zeit eine immer weiter gehende Unterteilung in zahlreiche erbliche Unterkasten, die jede streng für sich abgeschlossen lebten.

Erst die europäische Technik hat mit Eisenbahn und Fabrikarbeit dieses System erschüttert.

Für die Entwicklung des geistigen Lebens, die uns hier interessiert, wurde besonders wichtig die sich nun herausbildende und festigende Vorrangstellung der brahmanischen Priesterkaste. In der altvedischen Zeit hatte noch die Kriegerkaste der Kschatriyas die führende Stellung in der Gesellschaft inne. Mit dem allmählichen Übergang vom kriegerischen Erobern zu einer friedlichen, festgeordneten, auf Ackerbau und Gewerbe ruhenden Gesellschaftsordnung erhielt in den Augen des Volkes die im Gebet und Opfer liegende Möglichkeit der Einwirkung auf die übernatürlichen Mächte eine immer wachsende Bedeutung. Vom Willen der Götter hing ja, so glaubte man, das Gedeihen der Ernten und damit das Wohl und Wehe der Bevölkerung ab. Nur die Brahmanen besaßen aber das Wissen über die richtige Handhabung des Verkehrs mit den göttlichen Mächten, und sie hüteten es sorgsam und umgaben es mit Geheimnis, auch verbreiteten und unterstützten sie geschickt die Ansicht, daß schon die kleinste Abweichung vom richtigen Ritual den Erfolg vereitelte und statt Segen schweren Schaden bringen könnte. Hinzu kam, daß dieses priesterliche Wissen um die alten Formen und Formeln des Gottesdienstes mit der zunehmenden zeitlichen und räumlichen Entfernung von deren Entstehung eine gewisse dunkle Unverständlichkeit und geheimnisvolle Weihe erhalten hatte. Die Brahmanen, außer denen es keine geistige Macht gab, wurden so zu unentbehrlichen Mittlern bei allen wichtigeren Handlungen des privaten und öffentlichen Lebens. Bei Krieg und Friedensschluß, Königsweihe, bei Geburt, Heirat und Tod hing Segen oder Unsegen ab von der richtigen Darbringung

des Opfers, die sie beherrschten. Zugleich besaßen sie das
Monopol aller höheren Erziehung, die nur in ihren Händen lag.
Völlig verschieden von vergleichbaren europäischen Verhältnissen, beispielsweise der Herrschaft der katholischen Kirche
in unserem Mittelalter, ist die Stellung der Brahmanen darin,
daß sie niemals eine weltliche Herrschaft erstrebt oder besessen haben und daß sie niemals nach Art einer Kirche
eine geschlossene Organisation mit einem geistlichen Oberhaupt bildeten. Sie waren und blieben ein Stand von freien,
gleichberechtigten Einzelnen.
Da der Brahmane durch unmerkliche, nur dem Eingeweihten
erkennbare Abänderungen des Rituals den Erfolg des Opfers
nach seinem Willen fördern oder vereiteln konnte, versteht es
sich, daß alle, die den Priester zu irgendwelchen Verrichtun-
gen heranzogen, sich seine Gewogenheit durch Ehrerbietung,
reiche Bewirtung und Geschenke zu sichern suchten, was wiederum die Macht der Brahmanen stärkte. — Die aus dieser
Zeit stammenden Aufzeichnungen, die sogenannten Brahmana-
Texte, beziehen sich demgemäß hauptsächlich und fast ausschließlich auf dieses gehütete Priesterwissen um Opferwesen
und Zeremoniell. Sie sind deshalb als philosophische Quellen
nur mittelbar zu verwenden. Immerhin lassen sie gewisse Rück-
schlüsse darauf zu, wie sich die religiösen und philosophischen
Vorstellungen — welche beide in Indien stets eine Einheit bilden — inzwischen gewandelt hatten. Wir beschränken uns
hier auf die Feststellung, daß die beiden Begriffe, die den
Angelpunkt alles weiteren hinduistischen Denkens bilden, sich
in dieser Zeit allmählich herausgebildet und in den Vordergrund des philosophischen Interesses geschoben haben: Brahman und Atman. Sie sollen im folgenden Abschnitt näher
behandelt werden.

3. DAS ZEITALTER DER UPANISCHADEN

Auf die Dauer konnten die priesterlichen Formelsammlungen
und Kommentare der Brahmanas, die eine gewisse Erstarrung
und Veräußerlichung erkennen lassen, den suchenden indischen Geist nicht befriedigen. Seher und Asketen in den
nördlichen Wäldern forschten und suchten weiter und schufen
die unvergleichlichen Upanischaden, von denen Schopenhauer
gesagt hat: »Es ist die belohnendste und erhebendste Lektüre,
die in der Welt möglich ist. Sie ist.der Trost meines Lebens
gewesen und wird der meines Sterbens sein[12].«
Auch die Upanischaden sind kein geschlossenes System, sondern die Gedanken und Lehren vieler Männer. Es gibt insgesamt über 100 Upanischaden, die von unterschiedlicher Bedeutung sind.

Das Wort Upanischad wird abgeleitet von upa = nahe und
sad = sitzen, bedeutet demnach die Lehre für diejenigen,
die »in der Nähe (des Meisters) sitzen«, also geheime, nur
für Eingeweihte bestimmte Lehre[13].
Es sei hier bemerkt, daß eigentlich das ganze indische philosophische Denken einen solchen esoterischen, das heißt nur
für einen kleinen Kreis Eingeweihter bestimmten Charakter
besitzt. Zahllos sind die Stellen, in denen die Anweisung
gegeben wird, den betreffenden Gedanken nur dem nächsten
und geliebten Schüler weiterzugeben.
Auch die Verfasser der Upanischaden sind im allgemeinen
unbekannt. Hervorragen unter ihnen eine Frau namens Gargi
und der große Yagnavalkya, eine mythische Gestalt, von dem
anzunehmen ist, daß er wirklich gelebt hat, wenn auch nicht
alle Lehren, die ihm in den Upanischaden zugeschrieben
werden, von ihm stammen dürften.
Yagnavalkya führte nach der Sage das Leben eines begüterten
brahmanischen Hausvaters und hatte zwei Frauen, Maitreyi
und Katyayana. Als er beide verlassen wollte, um in der
Einsamkeit nachzudenken und die Wahrheit zu suchen, bat
ihn Maitreyi, sie mitzunehmen.
»Maitreyi«, sagte Yagnavalkya, »siehe, ich bin im Begriffe,
von diesem Staate fortzuwandern. Ich will nun für dich und
für Katyayana eine endgültige Regelung treffen.«
Da sprach Maitreyi: »Wenn nun, mein Herr, diese ganze
Erde mit allen ihren Reichtümern mein wäre, würde ich dadurch unsterblich sein?«
»Nein, nein«, sagte Yagnavalkya, »es gibt keine Hoffnung
auf Unsterblichkeit durch Reichtum.«
Da sprach Maitreyi: »Was soll ich tun mit dem, was mich
nicht unsterblich machen kann? Was du weißt, Herr — das
erkläre mir.«[14]
Die Frau nahm in jener Zeit Indiens an der Wahrheitssuche
und am philosophischen Leben teil.
Die Grundstimmung der Upanischaden ist durchaus pessimi-
stisch und steht damit in grellem Kontrast zu der ganz dem
Diesseits zugewandten Stimmung in den Hymnen der altvedischen Zeit. Von einem König wird berichtet, der sein Reich
verließ und in die Wälder zog, um das Rätsel des Daseins
zu ergründen. Nach langer Zeit nahte sich ihm ein Weiser,
den der König bat, ihm von seinem Wissen mitzuteilen. Nach
längerem Sträuben sprach der Wissende:
»O Ehrwürdiger! In diesem aus Knochen, Haut, Sehnen, Mark,
Fleisch, Samen, Blut, Schleim, Tränen, Augenbutter, Kot, Harn,
Galle und Phlegma zusammengesetzten, übelriechenden kern-
losen Leibe — wie mag man nur Freude genießen!
In diesem mit Leidenschaft, Zorn, Begierde, Wahn, Furcht,

Verzagtheit, Neid, Trennung von Liebenden, Bindungen an
Unliebes, Hunger, Durst, Alter, Tod, Krankheit und dergleichen behafteten Leibe — wie mag man nur Freude genießen! Auch sehen wir, daß diese ganze Welt vergänglich
ist und so wie diese Bremsen, Stechfliegen und dergleichen,
diese Kräuter und Bäume, welche entstehen und wieder verfallen ...
Gibt es doch noch andere Dinge — Vertrocknung großer Meere, Einstürzen der Berge, Wanken des Polarsterns, Reißen der
Windseile, Versinken der Erde ... In einem Weltlauf, wo
derartiges vorkommt, wie mag man da nur Freude genießen!
Zumal auch, wer ihrer satt ist, doch immer wieder und wieder
zurückkehren muß[15]!«
Die hier zutage tretende Bewertung alles Daseins als Leiden
ist das Grundmotiv des indischen Denkens, das von nun an
nicht wieder verschwindet. Wie es zu dieser grundstürzenden
Wandlung in der Haltung des Indoariers zum Dasein gegenüber der lebensfrohen und bejahenden Stimmung der Anfangszeit gekommen ist, kann man nur vermuten. Der Einfluß des erschlaffenden tropischen Klimas mag dabei eine
große Rolle spielen. Auch ist sowohl im Leben des einzelnen
Menschen wie der Entwicklung ganzer Völker und Kulturen
der Vorgang immer wieder zu beobachten, daß nach jugend-
lich-anfänglicher Hingabe an das Dasein und seine Freuden
der reif gewordene Mensch die Vergänglichkeit und den zweifelhaften Wert alles Irdischen immer stärker durchschaut. Und
schließlich beginnt ja jedes höhere und insbesondere das philosophische Denken eigentlich erst in dem Augenblick, wo
Zweifel und Unbefriedigtsein den Denkenden erfassen und
ihn veranlassen, die Gesamtheit der unmittelbar gegebenen
Erfahrungswelt nicht einfach naiv als etwas Gegebenes hinzu-
nehmen, sondern hinter und jenseits ihrer noch eine andere
Welt und die eigentliche Wahrheit zu suchen. Schließlich muß
die »mystische« Richtung, die der indische Geist jetzt einschlägt, mit ihrer Konzentration der Denk- und Seelenkräfte
nach innen zwangsläufig zu einer gewissen Abwertung alles
Sinnlich-Äußeren führen.
Zwei philosophische Hauptgedanken ziehen sich durch die
bedeutenderen unter den Upanischaden: die Lehre von Atman
und Brahman und der Gedanke von Seelenwanderung und
Erlösung.

a) Atman und Brahman

Diese beiden Begriffe, in der älteren Zeit vorgebildet, erlangen
in den Upanischaden eine alles beherrschende Bedeutung.
Möglicherweise sind die an sie geknüpften Gedanken anfänglich unter den Kschatriya-Kriegern, nicht bei den Brahmanen-

priestern, ausgebildet und überliefert und erst später von letzteren übernommen worden.

Brahman, ursprünglich »Gebet«, »Zauberrede«, dann »heiliges Wissen[16]« bedeutend, wurde im Lauf einer langen Entwicklungszeit über mannigfache Zwischenstufen schließlich zu einem umfassenden Begriff, zu einem allgemeinen schöpferischen Weltprinzip, der großen Weltseele, welche in sich selber ruht, aus welcher alles hervorgegangen ist und in welcher alles ruht. So heißt es in einem älteren Text:

»Brahman fürwahr war diese Welt zu Anfang. Dasselbe schuf die Götter. Nachdem es die Götter geschaffen, setzte es sie über diese Welten[17] . . .«

Oder:

> »Der Brahman ist das Holz, der Baum gewesen,
> Aus dem sie Erd' und Himmel ausgehauen!
> Ihr Weise, euch, im Geiste forschend, meld' ich:
> Auf Brahman stützt er sich und trägt das Weltenall[18]!«

Wie konnte ein Wort, das ursprünglich Gebet bedeutet, zu einem solchen umfassenden Prinzip werden? (Wer Sprachgeschichte studiert, wird freilich unzählige und noch verblüffendere Beispiele für den Bedeutungswandel der Wörter finden.) Sieht man das Wesen des Gebetes darin, daß der individuelle Wille des Betenden dabei eingeht in ein überindividuelles, allumfassendes Göttliches, so hat man bereits die Brücke vor sich über die durch bloße Verschiebung des Akzents die indischen Denker zu ihrer Lehre »Das Brahman ist der Urgrund aller Dinge« kommen konnten.

Auch der Begriff Atman machte eine lange Entwicklung und Umformung durch. Ursprünglich wahrscheinlich »Hauch«, »Atem« bedeutend, erlangte er schließlich den Inhalt: »Wesen«, »das eigene Ich«, »dieses Selbst« im Sinne von »das Selbst im Gegensatz zu dem, was nicht das Selbst ist[19]«. Atman ist also der innerste Kern unseres eigenen Selbst, auf den wir stoßen, wenn wir vom Menschen als Erscheinung zunächst die körperliche Hülle wegdenken, von dem verbleibenden lebenshauchartigen Selbst (das wir etwa »Psyche« nennen würden) aber wiederum alles abrechnen, was Wollen, Denken, Fühlen, Begehren ist. Wir kommen dann zu jenem unfaßbaren Innersten unseres Wesens, für welches wir kein anderes Wort haben als »Ich«, »Selbst« oder »Seele«, welche aber alle den Inhalt von Atman nur annäherungsweise wiedergeben.

Der entscheidende Schritt, der in den Upanischaden über diese zum Teil schon früher erfolgten Begriffsentwicklungen hinaus getan wurde, bestand nun in der Erkenntnis, daß Brahman und Atman *eines* sind, in der Gleichsetzung Brahman = Atman.

Damit gibt es überhaupt nur eine wahre Wesenheit in der
Welt, die, im Weltganzen betrachtet, Brahman, im Einzelwesen erkannt, Atman heißt. Das Weltall ist Brahman, Brahman aber ist der Atman in uns[20]. Wir haben hier die
Grundlage der indoarischen Religionsanschauung vor uns, die
in ausgesprochenem Gegensatz zu den Religionen semitischen
Ursprungs, wie dem Islam und dem alten Judentum, steht:
Während in diesen Gott als der Herr und der Mensch als
sein Diener und Knecht erscheint, betont der Inder die We-
sensidentität beider[21].

Wenn der Zugang zum Wesen der Welt tief in unserem
eigenen Innern liegt und nur durch Versenkung in dieses zu
erschließen ist, so kann die Erkenntnis der äußeren Wirklichkeit für den Weisen keinen Wert besitzen. Die Welt der Dinge
in Raum und Zeit ist nicht das eigentliche Wesen, ist nicht
Atman, sondern nur Trugbild, Schleier, Illusion, ist Maya,
wie der indische Ausdruck lautet. Ihre Kenntnis ist kein
wahres Wissen, sondern nur ein Scheinwesen. Insbesondere
ist die Vielheit der Erscheinungen nur Maya. In Wahrheit
ist nur eines.

»Im Geiste sollen merken sie:
Nicht ist hier Vielheit irgendwie[22]!«

Den Atman muß man kennen, in ihm erkennt man das
ganze Weltall. So sagte Yagnavalkya im Gespräch mit seiner
schon erwähnten Frau Maitreyi, die seine Belehrung erbeten
hatte:
»Das Selbst, fürwahr, soll man verstehen, soll man überdenken, o Maitreyi; wer das Selbst gesehen, gehört, verstanden und erkannt hat, von dem wird diese ganze Welt
gewußt[23]!«
Dieser tiefe Gedanke bedarf noch einiger Erläuterungen. Es
wird angenommen, daß er durch Lernen im Sinne verstandesmäßigen Begreifens zu erfassen ist — wir bedenken, daß
die Upanischaden ja als Geheimlehren auftraten. »Nicht durch
Studium kommt man zum Atman, auch nicht durch Genie
und viel Bücherwissen ... Der Brahman soll auf das Lernen
verzichten und wie ein Kind werden ... er soll nicht nach
vielen Worten suchen, denn das ermüdet nur die Zung[24].«
Die Wahrheit ist nicht dem Verstand zugänglich, sie ist nicht
in Worte zu fassen, sie ist auch nicht für alle zugänglich.
Und auch der Auserwählte kann nur auf einem langen Wege
zu ihr vordringen. Fasten, Ruhe, Schweigen, strengste Sammlung und Selbstdisziplin, unter völliger Abziehung der Aufmerksamkeit und des Wollens von der Außenwelt — das sind
die Vorbedingungen, die den Geist befähigen, durch alle täuschenden Hüllen der Maya zum Kern des Selbst, zum Atman,

zu kommen. Selbstentäußerung und Verzicht auf äußeren Erfolg und Sinnenlust, bewußte Auferlegung von Anstrengungen und Qualen, kurz Askese spielte in Indien eine Rolle wie kaum bei einem anderen Volke.

Schließlich konnte die Einsicht auch erst im Verlaufe des ganzen menschlichen Lebens erreicht werden. Vier Stufen, jede etwa 20 Jahre umfassend, sollte der Strebende durchlaufen, um endlich zu ihr zu gelangen.

Er begann als lernender Brahmacarin mit dem Vedastudium unter der Anleitung eines von ihm selbst gewählten Lehrers, in dessen Haus er lebte. Ehrfurcht, Fleiß und Wahrhaftigkeit waren hier seine Pflichten. Da die Unterweisung mündlich erfolgte und der Schüler die heiligen Texte wortgetreu auswendig kennen mußte — sie wurden ja durch Jahrhunderte ausschließlich auf diese Weise überliefert —, dürfte der Fleiß dabei keine geringe Rolle gespielt haben.

Als Grihastha — Hausvater — lebte er das Leben des ausgereiften Mannes, gründete eine Familie, zeugte und erzog Söhne und Töchter und erfüllte seine Pflichten als Glied der Gesellschaft. Im dritten Stadium, nachdem seine Söhne erwachsen waren, zog er sich, meist mit seiner Ehefrau, in die Waldeinsamkeit zurück und begann, sich als Vanaprastha von der Welt ab- und dem Ewigen zuzuwenden.

Endlich konnte er im hohen Alter alles Eigentum aufgeben, seine Frau verlassen und nun in vollkommener Entsagung als wandernder frommer Bettler, als Sannyasi (wörtlich »Preisgeber« der Welt) versuchen, jenes Maß an Vergeistigung und Weisheit zu erreichen, das ihn am Ende zum Eingehen in den göttlichen Brahman befähigte.

Diese oberste Stufe war allein der Brahmanenkaste vorbehalten. Die unteren Kasten blieben in der Regel auf der Stufe des Hausvaters stehen.

Wir müssen diese brahmanische Lebensordnung der vier Stufen als einen großartigen Versuch betrachten, die Erfordernisse des praktischen und gesellschaftlichen Lebens in Einklang zu bringen mit den in Indien sehr starken Tendenzen zur Weltabwendung, Weltverneinung und Askese, welche bei ihrem Überhandnehmen den Bestand der Gesellschaft gefährden konnten. Zweifellos liegt eine tiefe Weisheit darin, die gänzliche Hinwendung zum Jenseitigen dem einzelnen erst in höherem Alter, nach Erfüllung seiner Obliegenheiten als Bürger und Familienvater, freizustellen. Umgekehrt wurde durch die im höheren Alter einsetzende Abwendung vom Weltlichen erreicht, daß die Angelegenheiten des praktischen und öffentlichen Lebens in der Hand der Männer auf dem Höhepunkt ihrer biologischen Reife lagen. Es ist einem Volke nicht gut, von lauter Greisen regiert zu werden!

b) Seelenwanderung und Erlösung

Wir gehen über zu dem zweiten, mit dem Gesagten in engem
Zusammenhang stehenden Grundgedanken der Upanischaden,
der Lehre von der Seelenwanderung und Erlösung, die die
religiösen und philosophischen Vorstellungen des indischen
Volkes von jener Zeit bis in die Gegenwart in kaum zu
überschätzendem Maße bestimmt und geformt hat.

Was wird aus dem Menschen nach seinem Tode?

»Dann nehmen ihn das Wissen und die Werke bei der Hand
und seine vormalige Erfahrung. — Wie eine Raupe, nachdem
sie zur Spitze des Blattes gelangt ist, einen anderen Anfang
ergreift und sich selbst dazu hinüberzieht, so auch die Seele,
nachdem sie den Leib abgeschüttelt und das Nichtwissen losgelassen hat, ergreift sie einen anderen Anfang und zieht sich
selbst dazu hinüber. — Wie ein Goldschmied von einem Bild-
werke den Stoff nimmt und daraus eine neue, andere, schönere Gestalt hämmert, so auch diese Seele, nachdem sie den
Leib abgeschüttelt und das Nichtwissen losgelassen hat, so
schafft sie sich eine andere, neue, schönere Gestalt, sei es der
Väter . . . oder der Götter . . . oder anderer Wesen . . . Je nachdem einer nun besteht aus diesem oder jenem, je nachdem
er handelt, je nachdem er wandelt, danach wird er geboren:
Wer Gutes tat, wird als Guter geboren, wer Böses tat, wird
als Böser geboren, heilig wird er durch heiliges Werk, böse
durch böses.« Dies ist der Gedanke der Seelenwanderung, wie
ihn der berühmte Yagnavalkya formuliert hat[25].

Die Aussicht, je nach Bewährung im jetzigen Leben auf höherer oder niederer Stufe immer von neuem wiedergeboren zu
werden, konnte aber für den, der den Leidenscharakter allen
Daseins durchschaut hatte, nicht sehr verlockend sein. Infolgedessen richtete sich das Bestreben nicht sowohl darauf, durch
eine gute Lebensführung eine Wiedergeburt auf höherer Stufe
zu erlangen, als vielmehr dahin, dem ständigen Kreislauf
und Wechselspiel von Sterben und Wiedergeborenwerden
überhaupt zu entrinnen. Dies ist der Sinn des indischen Be-
griffs der Erlösung (Mokscha).

Da es die Werke sind (Karma), die das Band zur neuen
Existenz bilden und diese bestimmen, so ist Abstehen vom
Handeln, Selbstentäußerung, Überwindung des Lebenswillens
— Askese — eine Vorbedingung der Erlösung. Dies allein
genügt freilich nicht. Hinzutreten muß Wissen, Einsicht: Nur
wer das Unvergängliche kennt, wird der Erlösung teilhaftig[26].
Und Wissen ist nichts anderes als Einssein mit Atman. Von
ihm heißt es: »Er ist meine Seele, zu ihm, von hier, zu
dieser Seele werde ich hinscheidend eingehen[27].«

Ist aber der Atman in uns selbst, so bedarf es eigentlich
keines Hingehens, sondern nur dieser Erkenntnis. »Wer er-

kannt hat: aham brahma asmi — ich bin Brahman — der
wird nicht erlöst, sondern der *ist schon* erlöst; er durchschaut die Illusion der Vielheit[28].« So sagt Yagnavalkya:
»Wer ohne Verlangen, frei von Verlangen, gestillten Ver-
langens, selbst sein Verlangen ist, dessen Lebensgeister ziehen
nicht aus; sondern Brahman ist er, und in Brahman geht
er auf[29].« Wissen ist die erlösende Macht. Die individuelle
Existenz, uns Europäern so teuer, daß wir sie für unsterblich
halten, wird freilich bei dieser Form der Erlösung nicht bewahrt, sondern geht in der großen Weltseele unter. »Wie
fließende Ströme im Meer verschwinden, ihren Namen und
ihre Form verlieren, so schreitet ein weiser Mensch, von
Namen und Gestalt befreit, in die göttliche Weisheit ein, die
über allem steht[30].«

c) Die Bedeutung des Upanischad-Gedankens
Blicken wir am Schluß dieses Abschnitts zurück auf das notgedrungen nur in großen Umrissen gehaltene Bild, das wir
von der Philosophie der Upanischaden entworfen haben, so
sehen wir einen Gedanken sich leuchtend über alles Beiwerk
erheben: die Identität Gottes und der Seele. Von ihm sagt
Paul *Deussen*: »Eines können wir mit Sicherheit voraussagen,
welche neuen und ungeahnten Wege auch immer die Philosophie kommender Zeiten einschlagen mag, dieses steht für alle
Zukunft fest, und niemals wird man davon abgehen können:
Soll die Lösung des großen Rätsels, als welches die Natur
der Dinge, je mehr wir davon erkennen, nur um so deutlicher
sich dem Philosophen darstellt, überhaupt möglich sein, so
kann der Schlüssel zur Lösung dieses Rätsels nur da liegen,
wo allein das Naturgeheimnis sich uns von innen öffnet, das
heißt, in unserem eigenen Innern[31].«
Daß solche Einsicht dem abendländischen Denken nicht so
fern liegt, wie es auf den ersten Blick erscheinen mag, zeigt
auch der Vers *Goethes*:

> »Ihr folget falscher Spur,
> Denkt nicht, wir scherzen!
> Ist nicht der Kern der Natur
> Menschen im Herzen?«

II. Die nicht-orthodoxen Systeme
der indischen Philosophie

Die zweite Hauptperiode der indischen Philosophie, in die wir
nun eintreten, erfährt in den Werken der Fachgelehrten eine
unterschiedliche Abgrenzung. Während darüber Einhelligkeit
besteht, daß ab 500 v. Chr. — übrigens keineswegs nur in

Indien — eine Periode von grundsätzlich andersartigem Charakter beginnt, wird deren Ende verschieden angenommen. Während im 19. Jahrhundert noch die gesamte Zeitspanne von 500 v. Chr. bis zur Gegenwart zusammenfassend als »nachvedische Periode« behandelt wurde[32], ist die heutige Forschung in der Erkenntnis, welche bedeutsamen Weiterentwicklungen und auch Umwälzungen sich in dieser langen Zeit noch vollzogen haben, zu einer weiteren Unterteilung geschritten. Man bezeichnet jetzt die Zeit von 500 v. Chr. bis 1000 n. Chr. als »klassische« und die folgende Zeit bis zur Gegenwart als »nachklassische« Periode[33].

Das gänzlich andersartige Bild, das die um 500 v. Chr. beginnende Epoche, gemessen an der vorangegangenen, bietet, ist durch folgende Züge gekennzeichnet.

1. Das vedische Zeitalter bis zu den Upanischaden hat einen verhältnismäßig einheitlichen Grundton. Jedenfalls bildet die brahmanische Religion den Hintergrund allen philosophischen Denkens. Kritische Äußerungen über diese sind zwar in nicht geringer Zahl auch in der vedischen Literatur zu finden. Im großen und ganzen hatten es aber die Priester verstanden, Zweifel und Kritik entweder zu unterdrücken oder abweichende Anschauungen mit mehr oder weniger Erfolg in den weiten Rahmen ihres Systems einzugliedern. Nunmehr wurden die kritischen und zweifelnden Stimmen so zahlreich und so schwerwiegend, und sie fanden einen derartigen Widerhall, daß sie nicht mehr unterdrückt werden konnten. Solche Stimmen äußerten sich entweder rein negativ als Ablehnung, Zweifel und Spott, oder sie führten zu eigenen Denksystemen, die einen skeptischen oder vor allem einen materialistischen Grundzug haben. Andererseits und darüber hinaus traten aber mit *Mahavira* und *Buddha* Stifter neuer Religionen auf, die von nun an ein selbständiges Leben neben der brahmanischen Religion führten und eigene philosophische Systeme hervorbrachten — so daß alle weitere Geistesgeschichte Indiens nicht mehr im Zeichen einer Religion, sondern einer Mehrheit von Religionen steht.

2. Im Unterschied zu den teils ganz anonymen, teils in sagenhaftes Dunkel gehüllten Verfassern der vedischen Hymnen und Upanischaden treten uns nunmehr historisch greifbare, scharf umrissene Denkerpersönlichkeiten entgegen.

3. Die Philosophie verliert ihren Charakter als Geheimlehre. Die neuen Lehren wenden sich an breiteste Schichten, insbesondere auch an die bisher vom höheren Wissen ausgeschlossenen unteren Kasten.

4. Im Zusammenhang mit dieser Wendung bedienen sie sich nicht mehr einer toten Gelehrtensprache, sondern der gesprochenen Sprache bzw. Sprachen des Volkes.

Alle Denksysteme, die die Autorität der Veden leugnen und diese nicht als alleinige und göttliche Offenbarung anerkennen, werden zusammenfassend als *nicht-orthodoxe* (nicht rechtgläubige) Systeme bezeichnet. Ihnen stehen gegenüber die orthodoxen Systeme, die als mit den Lehren des Veda vereinbar angesehen werden. Sie sollen im III. Abschnitt dieses Kapitels behandelt werden. Es gibt eine große Zahl von solchen nichtorthodoxen Systemen. Unter ihnen haben drei eine die anderen überragende Bedeutung. Diese drei allein sind im folgenden berücksichtigt: die materialistische Philosophie der Charvakas und die beiden neuen Religionen des Jainismus und Buddhismus. Da von diesen der Buddhismus die anderen beiden nach Bedeutung und Verbreitung weit übertrifft, soll er am ausführlichsten dargestellt werden.

1. DER MATERIALISMUS DER CHARVAKAS

Ob der Name Charvaka von einem gleichnamigen Begründer dieser Richtung herrührt oder eine andere Wurzel hat, ist ungewiß[34]. Unter diesem Namen wird eine Schule von Denkern zusammengefaßt, die nicht nur die brahmanische Religion, sondern die Religion schlechthin angreifen und einem krassen Materialismus huldigen, das heißt von der Auffassung ausgehen, daß die Materie das allein Existierende ist und daß alle geistigen Vorgänge auf materielle zurückgeführt werden können.

Sie spotten über Religion und Priester und lehnen jede über das materiell Gegebene hinauszielende philosophische oder religiöse Spekulation als metaphysischen Unsinn ab.

Eigene Gesamtdarstellungen der Charvaka-Lehren von ihren Verfechtern sind nicht erhalten. Ihre Ansichten sind aber aus zahlreichen Stellen in anderen Werken deutlich zu erkennen.

So wird von *Brihaspati*, dem bekanntesten Vertreter dieser Richtung, folgende Äußerung überliefert:

> »Nichts andres sind die Spenden an die Ahnen,
> Als ein Erwerbsquell unserer Brahmanen.
> Die die drei Vedas ausgesonnen haben,
> Nachtschleicher sind es, Schurken, Possenreißer[35] ...«

Die Lehre vom Atman gilt als bloße Täuschung. Es gibt keine Seele, nur die Materie in Gestalt der vier Elemente. So schroff der Widerspruch in der Ablehnung der Metaphysik zu allem vorangegangenen indischen Denken ist, so scharf weicht auch die Ethik dieser Neinsager von allem Bisherigen ab; besser gesagt, sie haben gar keine Ethik, sie leugnen eine sittliche Weltordnung und sehen als einziges und höchstes Ziel des Menschen die Sinnenlust an. In einem anderen be-

rühmten Text wendet sich ein solcher Skeptiker und Materialist mit folgenden Worten an einen Fürsten:

»Warum lässest, o Rama, du müß'ge Gebote dein Herz so
bedrängen?

Sind's doch Gebote, die Dummen und Blöden zu täuschen!

Mich jammern die irrenden Menschen, die vermeintliche Pflichten befolgen:

Sie opfern den süßen Genuß, bis ihr unfruchtbar Leben
versickert.

Vergeblich bringen sie noch den Göttern und Vätern ihr
Opfer. Vergeudetes Mahl! Kein Gott und kein Vater nimmt
jemals geopferte Speise. Wenn einer sich mästet, was frommt
es den andern?

Dem Brahmanen gespendete Speise, was hilft sie den Vätern?

Listige Priester erfanden Gebote und sagen mit eigensüchtigen
Sinnen: ›Gib deine Habe, tu Buße und bete, laß fahren die
irdische Habe!‹

Nicht gibt es ein Jenseits, o Rama, vergeblich ist Hoffen und
Glauben; genieße dein Leben allhier, verachte das ärmliche
Blendwerk[36]!«

Und noch etwas direkter sagt der genannte Brihaspati:

»Schlürfe Fett und mache Schulden,
Lebe froh die kurze Frist,
Wo das Leben
Dir gegeben,
Mußt du erst den Tod erdulden,
Wiederkommen nimmer ist[37] . . .«

Auch in der Bewertung des Leidens weichen die Charvakas
von allen vorausgegangenen — wie übrigens von allen folgenden — indischen Systemen entschieden ab. Der wird als
dumm angesehen, der etwa auf die Lust verzichten wollte,
weil sie mit Schmerz gepaart und durchflochten ist:

»Daß man die Lust, die aus der Sinnendinge
Berührung für den Sterblichen entspringt,
Aufgeben muß, weil sie mit Schmerz gemischt ist,
Ein solch' Bedenken kann ein Narr nur haben.
Wer, der auf seinen Vorteil sich versteht,
Verschmäht den Reis, so weißer Körner voll,
Weil mit ein wenig Hülse er behaftet[38]?«

Die Lehre der Charvakas fand viele Anhänger, was wohl
nicht verwunderlich ist. Viele Zuhörer folgten ihren Vorlesungen und Debatten, man baute große Hallen, um sie alle
unterzubringen[39].

Gleichwohl konnten sich diese Lehren in Anbetracht des ganz
und gar anders gerichteten indischen Volksgeistes nicht auf

die Dauer halten. Mit ihrer vernichtenden Kritik der brah-
manischen Religion schufen sie schließlich nur den freien
Raum, auf dem alsbald neue Religionen erwuchsen und sich
ausbreiteten. Diese neuen Religionen wurden aber nicht mehr
von den Brahmanen getragen, sondern von Angehörigen der
Kriegerkaste begründet. Sie wandten sich an alle Kasten und
Schichten und tragen in ihren Grundgedanken manches dem
Skeptizismus der Neinsager Verwandte an sich.

2. MAHAVIRA UND DER JAINISMUS

Der Begründer des Jainismus, unter seinem Beinamen Mahavira, »großer Held«, bekannt, wurde nach der Überlieferung
599 v. Chr., nach anderer Meinung 549 v. Chr. als Sohn
einer reichen und vornehmen Familie geboren. Seine Eltern
gehörten einer Sekte an, die die Wiedergeburt für einen Fluch
und den Selbstmord nicht nur für erlaubt, sondern für ver-
dienstvoll hielten. Sie machten ihrem Leben durch freiwilliges
Verhungern ein Ende. Mahavira verzichtete unter dem Eindruck dieses Ereignisses auf alle weltlichen Freuden, wurde
wandernder Asket und im Verlaufe seines zweiundsiebzig-
jährigen Lebens der Stifter einer religiösen Bewegung, die bei
seinem Tode 14 000 Anhänger zählte[40].
Nach dem Glauben seiner Anhänger war Mahavira einer der
zahlreichen Jinas (= Erlöser), die in periodischer Wiederkehr
auf Erden erscheinen. Der letzte Jina vor ihm, der ungefähr
250 Jahre vor Mahaviras Wirken gestorben sein soll, ist
möglicherweise eine historische Persönlichkeit und vielleicht
der eigentliche Begründer der Jaina-Lehre[41].
Schriftliche Aufzeichnungen der Lehre Mahaviras besitzen wir
erst aus einer Zeit, die fast 1000 Jahre nach seinem Erden-
wandel liegt. Zu dieser Zeit hatten sich die Jainas schon
in mehrere Sekten gespalten, von denen die größten, die sogenannten »Weißgekleideten«, weiße Gewänder tragen, wogegen die »Luftgekleideten« ursprünglich nackt gingen. Diese
Sekten haben sich weiterhin in zahlreiche Untersekten auf-
geteilt. In den Grundzügen ihrer Lehre, die vermutlich auf
Mahavira selbst zurückgehen, stimmen sie aber alle überein.
Die Heilslehre der Jainas besagt: Die Welt besteht von Ewigkeit her aus belebten Einzelseelen (jivas) und unbelebter Materie (ajiva). Die jivas besitzen die Anlage zu Allwissenheit,
moralischer Vollkommenheit und ewiger Seligkeit. Sie können
diese Anlage jedoch nicht verwirklichen, weil sie von Anbeginn an mit materiellen Stoffen durchsetzt, gewissermaßen
infiziert sind. Durch jede Betätigung der Seele wird ein Stoff
in sie hineingezogen. Dadurch werden die an sich vollkommenen und unsterblichen Seelen zu sterblichen, mit materiel-

len Leibern behafteten Lebewesen. Erlösung der Seele aus
diesem Zustand der Bindung an Stoffliches ist möglich, wenn
die eingedrungenen Stoffe aus ihr entfernt werden und das
Eindringen neuer verhindert werden kann. Der Weg dahin
führt über strenge asketische Bußübungen, durch welche diese
Stoffe getilgt werden, und einen streng tugendhaften Lebenswandel, durch den das Eindringen neuer stofflicher Verun-
reinigung verhindert wird.

Entsprechende Gelübde fordern vom Jaina: nicht zu lügen;
nichts zu nehmen, was nicht gegeben, auf Lust an weltlichen
Dingen zu verzichten und vor allem, nichts Lebendes zu töten.
Er darf kein Tier schlachten oder opfern; er filtriert sein
Trinkwasser, um etwa darin befindliche Kleinlebewesen zu
entfernen; er trägt einen Schleier, um nicht Insekten einzu-
atmen; er kehrt den Boden vor seinen Füßen, damit sein
Fuß nicht Leben zertrete[42]. Selbstverständlich werden diese
idealen Forderungen nicht immer und überall eingehalten,
wie überhaupt die strenge Lehre Mahaviras im Lauf der
Jahrhunderte mannigfachen Veränderungen, Abschwächungen
oder Verfälschungen unterworfen wurde.

Die Notwendigkeit, ihr streng geschlossenes dogmatisches
System gegen Angriffe zu verteidigen, führte die Jainas zur
Schaffung einer ausgefeilten Kunst des Beweisens und Wider-
legens, die ihren Gipfel im Syadvada, einer Art Relativitätstheorie der Logik[43], erreichte. Einzelheiten dieser interessan-
ten Theorie sollen hier übergangen werden, da sie in ähnlicher Form in der später zu behandelnden buddhistischen
Logik der mehrfachen Negation wiederkehrt.

Die Strenge ihrer moralischen Forderungen hatte zur Folge,
daß die Jainas in den breiten Massen nicht Fuß faßten. Sie
blieben eine auserwählte Minderheit, die sich aber bis heute
im indischen Leben behauptet hat und gegenwärtig rund
3 Millionen Anhänger zählt, die sich großenteils in einflußreichen Stellungen befinden[44].

Daß die geistige Nebenströmung, zu der der Jainismus im
Leben Indiens wurde, nicht ohne weittragenden Einfluß ge-
blieben ist, zeigt das Beispiel des großen Gandhi, der die
Lehre von der ahimsa, der Gewaltlosigkeit gegenüber allem
Lebendigen, zu einer Grundlage seines Lebens und seiner
politischen Wirksamkeit gemacht hat.

3. DER BUDDHISMUS

a) Das Leben Buddhas

Über den Lebenslauf des Stifters des Buddhismus — heute
eine der verbreitetsten Religionen der Erde — besitzen wir,
ebenso wie über das Leben Jesu, keine Berichte, die unmittel-

bar von Zeitgenossen und Augenzeugen stammen. Wohl aber
gibt es, so wie für das Christentum in den Evangelien, Berichte, die in ihrem Kern unzweifelhaft auf solche zurückgehen. Diesen Kern herauszuschälen aus der Umhüllung von
Legenden und Wundergeschichten, mit denen die Nachwelt
und die Bewunderung seiner Gläubigen das Leben Buddhas
umwoben haben, ist schwierig und wird wahrscheinlich niemals vollständig möglich sein.

Fest steht, daß Buddha um das Jahr 560 v. Chr. geboren
wurde als Sohn des Fürsten (oder Königs) von Kapilavastu,
eines kleinen Landes unmittelbar südlich des Himalaja-Gebir-
ges. Der Name des Königs war Schuddhodhana, der des Geschlechts Schakya, der Beiname Gautama. Der Sohn erhielt
den Namen Siddharta, das heißt »Der sein Ziel erreicht hat«.
Viele ehrende Namen wurden ihm später beigelegt. Den
Namen Buddha, das heißt »Der Erleuchtete«, hat er selbst
verwendet, allerdings erst nachdem ihm die Erleuchtung zu-
teilgeworden war[45].

Aus den reich ausgeschmückten Legenden, mit denen Empfängnis und Geburt des Buddha in der buddhistischen Überlieferung umrankt sind, sei hier nur die Geschichte erwähnt, die
von einem wundersamen und prophetischen Traum seiner
königlichen Mutter berichtet. Dieser träumte nämlich, daß sie,
von vier Königen entführt, in einen goldenen Palast auf
silbernem Berge gebracht wurde, wo ein weißer Elefant, der
in seinem Silberrüssel eine Lotosblume trug, sie dreimal um-
kreiste und durch ihre rechte Seite in ihren Schoß eintrat.
Der König berief vierundsechzig weise Brahmanen, ihnen diesen
Traum vorzulegen. Sie deuteten ihn so, daß die Königin einen
Knaben gebären würde, der, wenn er im Hause verbliebe, ein
König und Weltbeherrscher werden sollte; wenn er aber das
Haus seines Vaters verließe, so würde er ein Erleuchteter werden,
der den Schleier der Unwissenheit von der Welt fortzieht. Der
königliche Vater wollte den Sohn lieber als seinen Nachfolger
im Herrscheramt denn als weltabgewandten Weisen sehen. Er
ließ ihn deshalb in Pracht und Reichtum erziehen und versuchte alles von ihm fernzuhalten, was den Heranwachsenden
auf das Elend der Welt aufmerksam machen konnte.

Doch auf einer Wagenfahrt zum Park sah Buddha einen
hinfälligen, zitternden Greis; bei einer zweiten Fahrt einen
fiebergeschüttelten Kranken; ein drittes Mal einen verwesen-
den Leichnam; endlich aber einen Mönch, der eine verklärte
Ruhe, über alles Elend der Welt erhaben, in seinen Zügen
trug. Die Bilder von Alter, Krankheit, Leid und Tod brann-
ten sich unauslöschlich in die Seele des Jünglings ein. Ein
tiefes Ungenügen, Ekel an seiner luxuriösen Umgebung erfaßte ihn. Er beschloß, jeden Besitz und das Anrecht auf den

Fürstenthron aufzugeben, verließ in der Nacht seine schla-
fende Gattin und seinen eben geborenen Sohn und zog davon
in die Einsamkeit, ein Asket und Sucher nach einer Erlösung
vom Leid der Welt. Er verließ in der gleichen Nacht das
väterliche Reich, wanderte weiter und ließ sich im fremden
Land an einem Ort namens Uruvela nieder, um sich der
strengsten Askese und Versenkung zu ergeben. Mit so über-
mäßigem Eifer gab er sich den Bußübungen hin, daß er zum
Skelett abmagerte und die brüchigen Haare in Büscheln von
seinem Haupt und Körper fielen. Aber als er so bis an die
mögliche Grenze der Kasteiung gegangen war, kam ihm die
Erkenntnis, daß er auf diesem Wege nicht zur wahren Einsicht gelangt war. Er gab die Askese auf. Unter einem
schattigen Baume ließ er sich erneut nieder, ohne Askese,
jedoch unbeirrbar entschlossen, diesen Sitz nicht eher zu verlassen, bis ihm die wahre Erkenntnis aufdämmerte. Und hier
geschah es, daß er in einer übermenschlichen Vision den
ewigen Kreislauf erschaute, in dem alle Wesen geboren werden, sterben und von neuem geboren werden.
Warum, so fragt er sich, wird der Strom des Leidens in der unab-
lässigen Kette neuer Geburten immer wieder erneuert? Kann
ihm nicht Einhalt geboten werden? Und es erschließt sich ihm
nach wochenlangem, Tage und Nächte währendem Ringen um
Klarheit die einfache Formel, die dann das Fundament seiner
Lehre wurde, von den »Vier heiligen Wahrheiten«:
Alles Leben ist Leiden;
alles Leiden hat seine Ursache in der Begierde, im »Durst«;
die Aufhebung dieser Begierde führt zur Aufhebung des
Leidens, zur Unterbrechung der Kette der Wiedergeburten;
der Weg zu dieser Befreiung ist der heilige achtteilige Pfad, der da
heißt rechtes Glauben, rechtes Denken, rechtes Reden, rechtes
Handeln, rechtes Leben, rechtes Streben, rechtes Gedenken, rechtes Sich-Versenken.
So war Siddharta nach siebenjährigem Suchen und Nachsinnen zum Erleuchteten, zum Buddha, geworden, der auszog,
seine Botschaft den Menschen zu bringen.
Bis zu seinem im achtzigsten Lebensjahr erfolgten Tode
führte er nun das Leben eines wandernden Predigers, Lehrers
und Helfers der Menschen. Den ganzen nordöstlichen Teil
Indiens durchzog er, ein Gebiet von der Größe des Deutschen
Reiches, Schüler und Anhänger schlossen sich ihm an, und
weit verbreitete sich der Ruhm seiner Weisheit. Unzählige
wunderbare Bekehrungen werden überliefert.
Später besuchte er auch Land und Palast seines Vaters wieder,
segnete seine Frau, die ihm die ganze Zeit in Treue ergeben
geblieben war, nahm seinen Sohn in seinen Orden auf und
zog wieder von dannen.

Er verschied in den Armen seines Lieblingsjüngers Ananda, während nach der Legende Blüten vom Himmel regneten und himmlische Musik ertönte. »Alles ist vergänglich, was da geworden ist; ringet ohne Unterlaß!« waren seine letzten Worte.

b) Die Lehre Buddhas

Quellen. — Unsere Kenntnis von Buddhas eigener Lehre beruht auf den sogenannten drei Pitakas (das heißt wörtlich Körben), Sammlungen heiliger Schriften, im Umfang die Bibel übertreffend[46], die allerdings erst in den auf das Auftreten Buddhas folgenden Jahrhunderten zusammengetragen und noch wesentlich später niedergeschrieben wurden. Es ist der Forschung möglich gewesen, in diesen Sammlungen das Kernstück zu erkennen, das mit großer Wahrscheinlichkeit auf Buddha selbst zurückgeht, und es von späteren Zutaten und Weiterentwicklungen zu trennen. Die Pitakas sind am vollständigsten in der Pali-Sprache, einem indischen Dialekt, dem Sanskrit verwandt, erhalten. Auch in unserer vereinfachenden Darstellung soll zuerst in diesem Abschnitt die eigentliche Lehre Buddhas behandelt werden, anschließend, nach einem Blick auf Geschichte und Ausbreitung des Buddhismus, die späteren Systeme.

Eine Religion ohne Gott. — Das Glaubensbekenntnis des Buddhismus bilden die oben genannten vier heiligen Wahrheiten. Dem Europäer, der sich diese kurze Formel als Glaubensbekenntnis einer Religion vergegenwärtigt, muß auffallen, daß in ihr von Gott nicht die Rede ist, sondern nur vom Leiden als der Grundtatsache menschlichen Lebens (bzw. geschöpflichen Lebens). In der Tat ist der Buddhismus eine atheistische Religion — jedenfalls in seiner ursprünglichen Gestalt. In Europa ist unter der Herrschaft des Christentums der sogenannte Theismus, der Glaube an einen persönlichen Gott, weitgehend gleichgesetzt worden mit Religion überhaupt. Für den in dieser Anschauung Befangenen muß eine »atheistische Religion« ein Widerspruch in sich selbst sein. Der Buddhismus und andere Religionen (die Jainas zum Beispiel kennen auch keinen persönlichen Gott) belehren uns, daß diese Fassung des Religionsbegriffes zu eng ist. Sie zeigen, daß es Religionen geben kann und in weiten Gebieten der Erde gibt, die an eine sittliche Weltordnung, an das Ideal sittlicher Vollkommenheit, an Wiedergeburt und Erlösung glauben und deshalb echte Religionen sind, die aber die Gottesvorstellung ablehnen und insofern mit Recht atheistisch genannt werden[47]. Dabei spielt sich das Leben dieser Religionsgemeinschaften mit heiligen Schriften, Mönchs- und Nonnenklöstern, Priestertum, Tempeln usw. weitgehend in

ähnlichen, zum großen Teil sogar verblüffend genau entsprechenden Formen ab wie in den christlichen und anderen
theistischen Kirchen.

In der späteren Entwicklung der buddhistischen Religion
wurde allerdings dem Buddha selbst göttliche Verehrung zuteil. Buddha selbst hat nach den vorliegenden Zeugnissen
derartiges entschieden von sich gewiesen. Als ein ehrwürdiger
Gläubiger ihn in überschwenglichen Worten pries und den
Weisesten der Weisen nannte, fragte Buddha ihn:

»Groß und kühn sind die Worte deines Mundes ... Hast du
denn alle Erhabenen der Vergangenheit gekannt? ... Hast du
ihren Geist in deinem aufgehen lassen? ... Hast du denn
alle Erhabenen der Zukunft wahrgenommen?«

Und als der Gläubige verneinte:

»Aber zumindest dann — kennst du mich — und hast meinen
Geist durchdrungen?«

Und auf abermalige Verneinung:

»Warum sind dann deine Worte so groß und so kühn? Warum
brichst du aus in solch ein Lied der Verzückung[48]?«

Buddha verwarf und belächelte auch jeden äußerlichen Kultus.
Sein Blick ging allein auf das Innere des Menschen und sein
Verhalten. Ein Brahmane machte ihm einmal den Vorschlag,
sich durch ein Bad im heiligen Wasser von Gaya zu reinigen.
Buddha antwortete: »Bade hier, gerade hier, o Brahmane.
Sei freundlich zu allen Wesen. Wenn du nicht die Unwahrheit sprichst, kein Leben tötest, nicht nimmst, was dir nicht
gegeben, sicher bist in der Selbstentsagung — was würdest
du gewinnen, wenn du nach Gaya gingest? Jedes Wasser ist
dir Gaya[49].«

Dharma. — An sich hat Buddha die Spekulation über solche
metaphysischen Fragen wie: ist die Welt endlich oder unendlich? Hatte sie einen Anfang in der Zeit? abgelehnt. Er belächelte und verspottete die stolzen Brahmanenpriester, die
behaupteten, aus dem göttlich inspirierten Veda die Lösung
solcher Fragen zu besitzen. Nichtsdestoweniger bietet schon
der anfängliche Buddhismus eine ausgebildete Metaphysik im
Sinne klarer Vorstellungen von Wesen und Zusammenhang
des Weltganzen.

Die letzten Bestandteile, aus denen alles Seiende zusammengesetzt ist, werden »Dharma« genannt. Es gibt unendlich
viele Dharmas. Wie man sich ein solches Dharma vorzustellen habe, darüber gehen die Meinungen der Schulen auseinander. Sicher erscheint folgendes: Die Dharmas sind nicht
Seelen oder sonst etwas Lebendiges, sondern unbelebt. Alle
Lebewesen bis zu den Göttern — und ebenso alle zusammengesetzten Dinge, wie Steine, Berge usw. — sind aber aus
solchen unbelebten Dharmas zusammengesetzt zu denken. Le-

ben ist also eine zusammengesetzte Erscheinung[50]. Ein
Dharma ist ferner nichts dauerhaft Bestehendes, sondern eine
kurzfristige Erscheinung, ein Etwas, das entsteht und alsbald
wieder vergeht. Dauerhaftes, beharrendes Sein gibt es überhaupt nicht. Es gibt nur ständigen Wandel, ewiges Fließen
im ununterbrochenen Entstehen und Vergehen der Dharmas.
Alles Sein ist nur ein momentanes, das aufblitzt und in dem
Augenblick, wo wir es wahrnehmen können, schon wieder
vergangen ist. Nur der Augenblick ist wirklich, das Universum aber nichts als ein unablässiger Strom von einzelnen
Seinsmomenten, ein »Kontinuum der Vergänglichkeit«[51].
So kann es auch kein beharrendes Ich in uns geben. Auch
Seele, Bewußtsein vergehen und entstehen in jedem Augenblick neu. Nur die Schnelligkeit, mit der sich die geistigen
Prozesse vollziehen, und ihre Verwobenheit ineinander lassen
den täuschenden Eindruck entstehen, als gäbe es hinter ihnen
ein dauerhaftes, sich selbst gleichbleibendes Ich[52]. Eine solche
Anschauungsweise bedingt ein ganz andersartiges Verhältnis
zur Zeit als das unsrige. Während wir in der Zeit etwas
Kontinuierliches sehen, das sich aus der Vergangenheit durch
den Punkt, den wir Gegenwart nennen, in die Zukunft erstreckt, ist für den Buddhisten der Zeitablauf kein zusam-
menhängendes Fließen, sondern die Aufeinanderfolge von
lauter Einzelmomenten. Es gibt keine Dauer, und es gibt
auch keine Geschichte in unserem europäischen Sinne. Damit
hängt es zusammen, daß Buddha — im Gegensatz zu fast
allen übrigen indischen Denkern, welche größten Wert auf
den Zusammenhang mit und die Rechtfertigung ihrer Lehre
aus der althergebrachten Tradition legen — eine gewisse Geringschätzung der Überlieferung an den Tag legt und sich
so gut wie niemals auf geschichtliche Überlieferung stützt.
So ist das buddhistische Denken eine einzige große Verneinung: Es gibt keinen Gott, keinen Schöpfer, keine Schöpfung,
kein Ich, kein beharrendes Sein, keine unsterbliche Seele. Ein
hervorragender russischer Forscher hat die buddhistische
Grundlehre auf die kurze Formel gebracht: »Keine Substanz,
keine Dauer, keine Seligkeit[53].« Dabei ist unter Seligkeit eine
positive Glückseligkeit zu verstehen; denn eine dauernde Erlösung gibt es, wie wir sehen werden, für den Buddhisten
sehr wohl — nur trägt auch sie einen gleichsam negativen
Charakter.

Das sittliche Weltgesetz. — Wiedergeburt, Erlösung, Nirwana. —
Das Entstehen und Vergehen der Dharmas vollzieht sich nicht
gesetzlos und ist nicht dem bloßen Zufall anheimgegeben (wie
in mancher Hinsicht vergleichbare griechische Theorien mit
Bezug auf die Atome gelehrt haben), sondern unterliegt
einem strengen Gesetz von Ursache und Wirkung. Jedes

Dharma entsteht in gesetzmäßiger Folge aus den Bedingungen, die mit dem vorausgehenden Vorhandensein anderer Dharmas gesetzt sind. In das Kausalgesetz ist alles Geschehen unentrinnbar eingespannt. Insofern gibt es auch im Buddhismus etwas Dauerhaftes: das Weltgesetz. Zur Vermeidung möglichen Mißverständnisses sei bemerkt, daß in den buddhistischen Schriften auch das Weltgesetz »Dharma« genannt wird. Das Gesetz von Ursache und Wirkung gilt für die moralischen Vorgänge in nicht geringerer Strenge als für das äußere Geschehen. Es ist ein sittliches Gesetz, eine sittliche Weltordnung.

In dem berühmten »Rad des Lebens«, das mindestens in seinen Grundbestandteilen auch auf Buddha selbst zurückgehen dürfte[54], stellen die Buddhisten das Kausalgesetz als zwölffache Formel des abhängigen Entstehens dar[55]. Auf den ersten Blick mögen das auf Seite 54 dargestellte Bild und die darin zum Ausdruck kommende Betrachtungsweise fremdartig anmuten. Das liegt zum Teil daran, daß in dem äußeren Kreis Dinge wie Individualität, Geburt, Nicht-Wissen — Begriffe also, die für uns ganz verschiedenen Klassen angehören — ohne Unterschied hintereinander gestellt sind als Faktoren, die auseinander hervorgehen[56].

Gleichwohl läßt sich der wesentliche Gedankengang, der sich wiederholende Kreislauf des Lebens, ohne Schwierigkeit daraus ablesen:

In der *Vergangenheit* (1. und 2.) hat Nichtwissen = Nichterlöstheit den Willen zum Leben, Trieb und »Durst« — die nach den vier heiligen Wahrheiten die alleinige Ursache allen Lebens und Leidens sind — sich auswirken lassen und so den Grundstein zu neuem Leben und Leiden, zu einer neuen Existenz gelegt.

In der *Gegenwart* (3. bis 9.) läuft so der Lebenszyklus von neuem ab. Ein neues Wesen entsteht mit der Empfängnis, dessen Seele ihrer selbst noch unbewußt ist(3.). Im Mutterleib entfaltet sich der Keim und wird durch Gestalt und Namen zur Individualität (4.). Sinnesorgane bilden sich (5.). (Der Inder zählt sechs Sinne, zu unseren fünf Sinnen rechnet er das Denken hinzu.) Nach der Geburt nimmt das neue Wesen den Kontakt mit der Außenwelt auf, zuerst vornehmlich durch Berührung mittels des Tastsinnes (6.), dann durch Wahrnehmung und Empfindung (7.). Aus der Berührung mit der Welt erwacht neuer Trieb, die Dinge werden zu Objekten der Begierde (8.). Aus der Betätigung dieser Begierde erwächst beim Erwachsenen ein Kleben, ein Verhaftetsein mit der Welt (9.).

Damit ist schon die Vorbedingung einer neuen Existenz gegeben, die Taten (Karma) müssen nach dem Gesetz von Ur-

sache und Wirkung in einer neuen Existenz fortwirken (10.).
Und nun schließt sich der Kreis, indem in der *Zukunft* (11.
und 12.) das neue Wesen abermals den ganzen Weg von
der Geburt (11.) bis zu Alter und Tod (12.) durchlaufen
muß.

Wir entnehmen daraus, daß auch für den Buddhismus, wie in
den anderen indischen philosophischen und religiösen Lehren,
die Wiedergeburt ein Grunddogma bildet, das Buddha niemals angezweifelt hat. Sie ist für ihn ein einfacher Ausfluß
der uneingeschränkten Geltung des Kausalgesetzes. Wie ist
dies aber mit der Behauptung zu vereinbaren, daß es kein
dauerhaftes Ich, keine den Tod überdauernde Seele im Menschen gibt? Kann man nicht von Wiedergeburt mit Fug nur
dann sprechen, wenn es eine und dieselbe Seele ist, die in
einem künftigen Leben die Auswirkungen ihrer jetzigen Taten zu erleiden hat?

Lange Zeit haben abendländische Beobachter in diesem Punkt
eine Schwäche des buddhistischen Denkens und einen Widerspruch erblickt. Für den Buddhisten liegt aber ein solcher
nicht vor. Er spricht von Wiedergeburt nicht in dem Sinne,
daß das neu entstehende Wesen mit demjenigen, durch dessen
»Schuld« es ins Dasein tritt, identisch ist — das wäre ja
die Annahme eines kontinuierlichen Selbst im Menschen; es
ist aber von ihm auch nicht verschieden, da es ja nach dem
notwendigen Zusammenhang alles Geschehens gesetzmäßig
aus dem alten hervorgegangen ist[57]. Die ganze Frage besteht für den Buddhisten in dieser Form überhaupt nicht, da
für ihn sowohl die alte wie die neue »Seele« ja ohnehin
in jedem Augenblick vergehen und neu entstehen kann. Der
zur Wiedergeburt führende Kausalzusammenhang besteht für
ihn ja nicht zwischen diesem »Leben«, dieser »Person« und
jener im ganzen — denn in Wahrheit gibt es keine derartigen
zeitlich-räumlichen Einheiten —, sondern in bezug auf die
einzelnen Dharmas.

Da alles Leben Leiden ist, lautet nun die Frage aller Fragen:
Wie kann der ewige Kreislauf von Leiden zu neuem Leiden
unterbrochen werden? Er hat nach dem obigen Bilde seine
Ursache im »Willen«, dieser aber im »Nicht-Wissen«. Wenn
wir Menschen alle Gier, allen Haß, alle Wünsche abstreifen
könnten, wenn wir unser Herz nicht immer wieder an die
vergänglichen Objekte der Sinnenwelt hängen würden, wenn
wir so Einsichtige, Wissende, Erleuchtete würden, die diesen
Kreislauf in seiner Bedingtheit durchschauen — dann müßte
es möglich sein, ihn zu durchbrechen und von ihm erlöst
zu werden.

Was hätte aber ein solcher Mensch gewonnen? Es kann offenbar keine »ewige Seligkeit« oder sonst ein positiver Glücks-

zustand sein, da es weder ewige Seelen noch Himmel und Hölle gibt. Was wäre also zu gewinnen? Das *Nirwana*. Wörtlich übersetzt bedeutet das etwa: den Zustand der Flamme, wenn sie erloschen ist. Was bleibt von der Flamme, wenn sie erloschen ist? Nichts! Und mit »Das Nichts« wird der Begriff des Nirwana auch oft umschrieben. Für Buddha selbst bezeichnete er jedenfalls den Zustand, in dem alles selbstische Begehren erloschen ist und der Mensch von der Kette der Wiedergeburten erlöst wird. Also: den *Frieden*. Das ist vielleicht nicht viel, aber nach Buddha ist es das einzige, was der Mensch erreichen kann. Im buddhistischen Schrifttum der späteren Zeit hat das Nirwana eine mannigfaltige Erklärung und Auslegung erfahren. Man verstand darunter in der späteren buddhistischen Kirche auch einen — teilweise schon im Diesseits erreichbaren, teilweise in das Jenseits verlegten — Zustand positiver Glückseligkeit. Im ursprünglichen Buddhismus ist es ein rein *negativer* Begriff. Nirwana ist etwas, über das schlechthin nichts ausgesagt werden kann, das sich allen Worten und Begriffen entzieht. Deshalb dürfte das, was für den

Buddhisten Nirwana bedeutet, auch mit noch so vielen Worten nicht restlos klarzumachen, sondern — wie im Grunde alle indische Lebensweisheit — nur im Wege der Einfühlung und Versenkung zu erfahren sein.

Die praktische Ethik. — Als Buddha gebeten wurde, seine Auffassung vom gerechten Lebenswandel, der zum Heil führt, auf eine kurze Formel zu bringen, stellte er folgende fünf Gebote auf:

1. Töte kein Lebewesen.
2. Nimm nicht, was dir nicht gegeben.
3. Sprich nicht die Unwahrheit.
4. Trinke keine berauschenden Getränke.
5. Sei nicht unkeusch[58].

Es sind der Zahl nach weniger als die zehn Gebote des mosaischen Gesetzes, aber sie sind so umfassend, daß gesagt werden konnte, sie seien »vielleicht schwieriger zu halten als die zehn Gebote«[59].

Wir bemerken, daß der Buddhismus sich mit dem Jainismus in der praktischen Ethik, bei aller Verschiedenheit im theoretischen Unterbau derselben, aufs engste berührt. Ferner ist unschwer zu sehen, daß die Grundtendenz der fünf Gebote dem Christentum nicht fernsteht. Sagte doch auch Buddha geradezu: »Überwinde den Zorn durch Herzlichkeit, Böses durch Gutes ... Niemals in der Welt hört Haß durch Haß auf; Haß hört durch Liebe auf ...[60]!«

Eine Verwandtschaft zur Lehre Christi besteht auch darin, daß Buddha sich wie Jesus grundsätzlich an alle Menschen, alle Stände, alle Völker wendet. Beide Religionen sind international. Es ist bei ihm nicht die Rede davon, daß etwa die unteren Kasten des Heils nicht teilhaftig werden können. Das Kastenwesen hat er nicht angegriffen und keinen Versuch gemacht, es abzuschaffen. Aber er sagte: »Wie, ihr Jünger, die großen Ströme, so viele ihrer sind ..., wenn sie den großen Ozean erreichen, ihren alten Namen und ihr altes Geschlecht verlieren, so auch diese vier Kasten ..., wenn sie nach der Lehre und dem Gesetz ihrer Heimat entsagen, verlieren sie den alten Namen und das alte Geschlecht ...[61].« Kasten waren ihm unwesentlich, und es lag ihm fern zu behaupten, daß die Zugehörigkeit zu einer Kaste in bezug auf die Religion schon eine Bevorzugung in sich schließen könnte.

Liegt hierin ein demokratisches Element — und dieses macht sogar weitgehend das Revolutionäre des Buddhismus gegenüber den vorhergehenden brahmanischen Religionslehren aus —, so ist doch auch auf der anderen Seite ein aristokratischer Zug nicht zu verkennen. Er äußert sich einmal darin,

daß Buddha sich mit seinen Worten doch immer vorwiegend
an die oberen Stände gewandt zu haben scheint und aus
ihnen auch seine ersten Anhänger gewann[62]; schließlich aber
auch in der Unbedingtheit seiner sittlichen Forderungen, denen in vollkommener Form immer nur von wenigen Auserwählten entsprochen werden konnte.

c) Zur Geschichte und Ausbreitung des Buddhismus

Aus der Geschichte des Buddhismus heben wir nun die wichtigsten Tatsachen hervor.

In den ersten Jahrhunderten nach Buddhas Tode wurden die
mündlichen Überlieferungen gesammelt und allmählich auf
mehreren Konzilen zu einem Kanon heiliger Schriften zusammengefaßt und niedergelegt. Dabei kam es über die
Frage, welche von den vielen Sammlungen als authentisch anzusehen war, bereits zu tiefreichenden Meinungsverschiedenheiten und in deren Folge zur Aufspaltung in zahlreiche
Richtungen und Sekten.

Eine entscheidende Wandlung vollzog sich in den Jahrhunderten um die Zeitwende. Buddha selbst hatte eine Lehre
verkündet, die den einzelnen ganz auf sich selbst stellte und
ihn den Weg zum Heil in sich selbst finden hieß. Insbesondere hatte er die Vorstellung von einem Gott zurückgewiesen,
zu dem man beten und von dem man Hilfe erwarten könnte;
er hatte vielmehr gesagt: »Es ist töricht, anzunehmen, daß ein
anderer uns Glückseligkeit oder Elend verschaffen könne[63].«
Und seinen Lieblingsjünger Ananda hatte er gelehrt: »Und
wer auch immer, Ananda, jetzt oder nach seinem Tode sich
selbst Richtschnur sein wird, sich selbst Zuflucht sein wird,
keine äußere Zuflucht suchen wird, sondern zur Wahrheit
stehen wird als zu seiner Richtschnur ... und zu niemandem
Zuflucht suchen wird außer zu sich selbst — er ist es, der die
allerhöchste Höhe erreichen wird[64]!«

Jetzt aber beginnt der Buddhismus zu einer *Kirche* zu werden.
Buddha wird als Gott verehrt. Der Himmel wird mit zahlreichen anderen Buddhas außer ihm bevölkert, welche, nach
Art der Heiligen der katholischen Kirche, den Menschen be-
hilflich sein sollen. Dazu entwickelt sich ein kirchlicher Betrieb
mit Gottesdiensten, Gebeten, Weihwasser und Weihrauch,
einer Liturgie, Meßgewändern, Beichten, Totenmessen usw.
wie im mittelalterlichen Christentum[65]. Wer diese Dinge näher studiert — in den Rahmen unseres Themas gehören sie
nicht —, wird in überraschend vielen Zügen bis in Einzelheiten hinein Parallelen auffinden; die Frage wird nahegelegt,
die viele große europäische Denker bewegt hat: Ob sich nicht
die christlichen Kirchen mit der Ausbildung einer starren Dogmatik, einer priesterlichen Hierarchie und anderen Dingen viel-

leicht von der reinen Lehre Christi ähnlich weit entfernt
haben könnten wie die buddhistischen Kirchen von der reinen
Lehre Buddhas. — Die angedeutete Richtung des Buddhismus
nannte sich *Mahayana*, das heißt »Großes Fahrzeug« (zum
Heil); im Gegensatz zu ihr wurde die Richtung, die stärker
an der einfachen Lehre Buddhas festhielt und diesen zwar als
großen Stifter und Lehrer, aber doch als Menschen und nicht
als Gott verehrte, mit abfälligem Unterton *Hinayana*, Kleines
Fahrzeug, genannt. Beide Richtungen bestehen bis heute.

Von Indien breitete sich der Buddhismus über nahezu die
gesamte übrige asiatische Welt aus. Er gelangte nach Ceylon,
Burma und Siam; im Norden fand er, etwa um die Zeitwende, Eingang nach China; 500 Jahre später von dort nach
Japan, und noch ein Jahrhundert später nach Tibet. In allen
diesen Ländern ist er zu einem wesentlichen Kulturbestandteil
geworden, teilweise überhaupt zur Grundlage des geistigen
Lebens. Selbstverständlich hat er überall in Anpassung an
den jeweiligen Volkscharakter und an die dort herrschenden
andersartigen Strömungen weitere Abwandlungen erfahren.
In verhältnismäßig reiner Form besteht er heute in Burma
und, insbesondere in der Form des sogenannten *Zen*-Buddhis-
mus, in Japan. Der Buddhismus zählt heute etwa 150 Millionen Anhänger. Eine Schilderung aller Formen und Abarten
des Buddhismus geht über den Rahmen dieses Buches
hinaus.

Übrigens erfolgte die Ausbreitung des Buddhismus, in
schroffem Gegensatz etwa zur Christianisierung Mittelameri-
kas, ohne jedes Blutvergießen. Der Buddhismus hat sich so in
zweieinhalb Jahrtausenden als eine wahre Lehre des Friedens
erwiesen. In seinem Mutterlande Indien dagegen spielt der
Buddhismus heute nur noch eine sehr untergeordnete Rolle.
Nach einer mehrere Jahrhunderte andauernden Blütezeit, unter
berühmten buddhistischen Herrschern, begann er in der zweiten Hälfte des ersten nachchristlichen Jahrtausends zu verfallen, nachdem er immer mehr zu einem äußerlichen Kultus
entartet war und sich gegenüber dem älteren Brahmanismus,
der seine geistige Kraft immer wieder erneuerte, nicht mehr
behaupten konnte.

Diese ganzen Entwicklungen vollzogen sich im wesentlichen,
ohne daß Europa von ihnen Kenntnis hatte. Man kann sagen,
daß wir erst seit dem 18. Jahrhundert eine Kenntnis des Buddhismus und seiner Entwicklung in Umrissen besitzen und
daß ein tiefdringendes Studium und Verständnis der buddhistischen Philosophie durch Europa sogar erst in den letzten
Jahrzehnten möglich geworden ist.

d) Systeme buddhistischer Philosophie

Der erste Eindruck, der sich bei eingehendem Studium der späteren buddhistischen Philosophie aufdrängt, ist die große Zahl und Mannigfaltigkeit der Systeme, die sich in Indien — und später in China — auf der religiösen Grundlage des alten Buddhismus entwickelt haben. Die Gedankenarbeit vieler Generationen und einer Reihe hervorragender Denkerpersönlichkeiten hat einen Reichtum an durchgebildeten, mit feinsten Unterscheidungen arbeitenden Theorien hervorgebracht.

Die buddhistische Lehre kennt zwei Wege zur vollkommenen Befreiung (Nirwana). Der eine führt über eine Stufenfolge von logischen Operationen *(Dialektik)* zur richtigen Einsicht, der andere durch eine lang dauernde, einem genauen Plan unterworfene Versenkung *(Meditation)*. Die im folgenden getroffene Auswahl ist durch den Gesichtspunkt bestimmt, für jeden der zwei Wege ein kennzeichnendes Beispiel zu geben. Für den ersten führen wir vier buddhistische Systeme an, von denen zahlreiche andere abgeleitet sind und die von maßgebenden Kennern als die wichtigsten angesehen werden[66]. Sie lassen zugleich die von den buddhistischen Denkern herausgebildete eigentümliche Denkmethode erkennen. Als Beispiel für den zweiten Weg führen wir den Zen-Buddhismus an.

Die Logik der Verneinung. — Blindheit, Unwissenheit ist nach Buddha die Ursache praktisch aller Lebensprozesse. Unwissenheit als Nichterkenntnis, daß das Leben gleich Leiden ist, die den blinden Lebenstrieb sich immer erneut auswirken läßt; die Unwissenheit der Kindheit, die vielfachen Illusionen und irdischen Begierden des Mannesalters, Aberglaube, falsche Ideen, Unfähigkeit, den Verstrickungen des Lebens zu entrinnen — und alles sind nur Erscheinungsreformen desselben Tatbestandes. Durchbrechung dieser Unwissenheit ist Erleuchtung.

Das Dunkel der Unwissenheit schrittweise zu durchdringen und zu überwinden, haben die buddhistischen Philosophen eine eigentümliche Methode, eine Logik der Verneinung, entwickelt. Es war vor allem der aus Südindien stammende und um das Jahr 125 n. Chr. wirkende *Nagarjuna* — von vielen als der größte Denker der buddhistischen Philosophie angesehen —, der diese Methode zur Vollkommenheit gebracht hat. Seine logischen Erörterungen sind in vier Theorien niedergelegt, in denen allen die Verneinung (Negation) die zentrale Stelle einnimmt[67].

1. Von Nagarjuna stammt die im ganzen späteren Buddhismus hochbedeutsame *Lehre von den zwei Wahrheiten.* Es wird eine niedere und eine höhere Wahrheit unterschieden. Eine Behauptung kann im Sinne des gemeinen Verstandes zunächst wahr erscheinen, von einem höheren Standpunkt aber als unwahr:

A = gemeine Wahrheit
B = höhere Wahrheit

Das ganze Gegensatzpaar AB nun zusammengenommen, kann nach Gewinnung eines noch höheren Blickpunktes wiederum als falsch, als »niedere« Wahrheit, erscheinen (als falsche Alternative, würden wir sagen):

AB = niedere Wahrheit
C = höhere Wahrheit

In dieser Weise kann man noch weiter fortschreiten:

ABC = niedere Wahrheit
D = höhere Wahrheit

Es ergibt sich so ein stufenweises Aufsteigen zu immer höherer, umfassenderer Wahrheit.

2. Eine zweite Theorie des Nagarjuna ist die sogenannte *Vierfache Weise der Beweisführung.* Jedes beliebige Problem, das eine Antwort in der Form von »Ja« oder »Nein« erfordert, kann auf viererlei Art beantwortet werden: entweder mit glattem »Ja«; oder mit glattem »Nein«; oder mit »Ja und Nein«, unter Anführung der näheren Bedingungen, unter denen das eine oder das andere gelten soll — also etwa mit »Je nachdem«; endlich aber auch mit »Weder ja noch nein«. Und dies kann entweder heißen: »Die Frage geht mich nichts an« oder aber: »Ich stehe oberhalb, jenseits von Ja und Nein«. Die höchste Wahrheit hat für Nagarjuna stets den Charakter dieses »weder ja noch nein«, das heißt, sie steht über und jenseits jeder Besonderung und jeder faßbaren Aussage.

3. In der sogenannten *Achtfachen Verneinung des Werdens* wendet Nagarjuna diese Art der »Weder-Noch«-Verneinung auf die Erscheinungen des Lebens an. Er lehrt: Es gibt weder Geburt noch Tod, es gibt weder Fortdauer noch Verlöschen, es gibt weder Einheit noch Vielheit, es gibt weder Kommen noch Gehen. Das heißt wiederum, daß die höchste Wahrheit jenseits aller dieser Unterscheidungen zu finden ist.

4. Die auf den eben angedeuteten Wegen zu erlangende höchste Einsicht ist das »wahre Wirkliche« oder der »*Mittlere Pfad*« — so genannt, weil der auf ihm Wandelnde sich von jeder einseitigen Abweichung nach rechts oder links, von den scheinbar unausweichlichen und sich ausschließenden Gegensatzpaaren des Denkens fernhalten muß.

Vier buddhistische Hauptsysteme. — Unter den Aussprüchen Buddhas findet sich sowohl der Satz »Alles ist« (alles existiert) wie auch die wiederholte Aussage »Nichts existiert« oder »Alles ist nichtig«[68]. Der Widerspruch, der darin zu liegen scheint, führte nach Buddhas Tode bis in die ersten Jahrhunderte nach der Zeitwende zu zahlreichen einander widerstreitenden Auslegungen. Manche Schulen knüpften an die erste Alternative an und kamen damit zu einer »realistischen« Metaphysik; andere an die zweite, wodurch »nihilistische« — das Sein verneinende — Systeme zustande kamen. Die folgende Nebeneinanderstellung der vier Hauptsysteme, die in dieser Zeit entstanden, zeigt deutlich, wie die buddhistische Logik der mehrfachen Verneinung auf das metaphysische Problem »Sein oder Nichtsein« angewandt wurde.

Um das klarzumachen, muß man ausgehen von der Vorstellung des gemeinen, unkritischen Denkens, nach der die Welt auf der einen Seite aus einer Vielheit körperlicher (physikalischer) *Objekte* besteht, denen auf der anderen Seite »*Personen*«, das heißt mit einer gewissen Dauer (Kontinuität) ausgestattete »Ichs« oder »Selbste«, gegenüberstehen, die wiederum über die körperliche Welt bestimmte Vorstellungen oder *Ideen* besitzen.

1. Das *realistische* System des *Vasubandhu* — der etwa 420 bis 500 n. Chr. lebte — richtet die Negation nur gegen den Faktor »Personen«. Es wird geleugnet, daß es beständige, durch die Zeit hindurch andauernde »Selbste« gibt — welchem Gedanken wir schon im ältesten Buddhismus begegnet sind. Die Realität der körperlichen Welt wird dagegen nicht angezweifelt — daher der Name »realistisch«.

2. Das *nihilistische* System des *Harivarman* (zwischen 250 und 350 n. Chr.) treibt die Negation einen Schritt weiter. Es gibt nach ihm weder existierende Personen, Ichs — noch wahrhaft existierende äußere Objekte — noch eine Wirklichkeit der Ideen. Es heißt darum nihilistisch.

System 1 und 2 gehören zu den Schulen des »Kleinen Fahrzeugs« (Hinayana). —

3. Das dritte System, die *idealistische* oder *Nur-Bewußtseins-Lehre*, geht ebenfalls zurück auf den unter 1. schon genannten Vasubandhu. Dieser wurde nämlich in späteren Lebensjahren durch seinen Bruder *Asanga* — der diese Richtung schon vor ihm begründet hatte — zur Nur-Bewußtseins-Lehre bekehrt. Er verfaßte daraufhin eine Reihe von Werken, die zu den maßgebenden dieser Schule wurden. Nach dieser Lehre liegt die Wahrheit nicht in der Anerkennung der Realität der Außenwelt (wie bei 1.), aber auch nicht in der Verleugnung jeder Realität überhaupt (wie bei 2). Vielmehr entsteht bei ihr aus der doppelten Negation sowohl der Individualität wie der Materie der positive Satz, daß allein den Ideen wahres Sein zukommt. Sie heißt darum idealistisch.

4. Die Logik der Verneinung erreicht ihren Höhepunkt im wiederum *nihilistischen* System des schon anfangs genannten Nagarjuna. Er zeigt, daß die drei obengenannten Schulen, in der Sprache seiner »Vierfachen Weise der Beweisführung«

ausgedrückt, die Frage »Sein oder Nichtsein« (ens oder non-ens) entweder mit »Ja« oder mit »Nein« oder mit einem »Ja und Nein«, also einem »Teils — Teils« beantworten wollen. Für ihn liegt aber die richtige Lösung im »Weder — Noch«. Der »Mittlere Pfad« des Nagarjuna (auch die anderen Schulen verwenden diese Bezeichnung für die von ihnen vertretene Antwort) liegt in der durch fortgesetzte Negation gewonnenen Erkenntnis, daß es im unaufhörlichen Fluß der Erscheinungen überhaupt keine beharrenden Substanzen (weder Dinge noch Personen, noch Ideen) geben kann, sondern nur Erscheinungen, denen ein Eigensinn abgeht. Das darf aber nicht mit der ebenfalls nihilistischen Stellung von System 2 verwechselt werden. Nagarjunas »Weder Sein noch Nichtsein« meint vielmehr, daß sämtliche Versuche, die Welt zu deuten und das Rätsel des Seins zu ergründen, notwendig in willkürliche Abgrenzungen verfallen und daß der Weise, der sich weder auf Sein noch auf Nichtsein stützt, die ganze Frage als irreführend abtut und streitlos in Schweigen verharrt[69].

System 3 und 4 gehören zu den Schulen des »Großen Fahrzeugs« (Mahayana-Buddhismus).

Vergleicht man die zeitliche Folge der vier Systeme, so ergibt sich die überraschende Tatsache, daß sie umgekehrt verläuft wie die hier versuchte systematische Ableitung! Nagarjuna, dessen Lehre als das folgerichtige Ergebnis aus der Anwendung der fortschreitenden Negation auf die anderen Schulen erschien, steht zeitlich vor der Begründung der anderen drei. Das kann man nur so erklären, daß der mit überragendem Scharfsinn begabte Nagarjuna — der ja auch die Logik der Negation begründete — in genialer Zusammenschau bereits all das vorweggenommen hat, was Schritt für Schritt spätere Jahrhunderte erst auseinanderlegen mußten[70].

Wir schalten an dieser Stelle die auf Späteres vorgreifende Bemerkung ein, daß die buddhistische Dialektik des Nagarjuna sich von der ebenfalls den Namen Dialektik führenden Denkmethode Hegels grundsätzlich unterscheidet — und auch von der der Hegelschen Methode in manchem verwandten Neigung der Chinesen, durch schrittweises Zusammenfassen von Gegensätzen zur höheren Wahrheit aufzusteigen. Bei Hegel folgt auf einen bestimmten Satz (die »These«) der diesen verneinende Gegensatz (die »Antithese«); worauf aber beide in einer auf höherer Ebene vollzogenen »Synthese« (in die beide eingehen, in der sie aber ihren gegensätzlichen Charakter verlieren) zusammengenommen werden. Bei Nagarjuna bewirkt die erste Anwendung der Negation, daß die am Anfang stehende »These« verworfen wird; die zweite Anwendung der Negation führt nicht etwa zu einer Vereinigung von

These und Antithese in einer höheren Einheit — sie bewirkt
vielmehr, daß nun auch die Antithese verworfen wird. Übrig
bleibt die jeder näheren Bestimmung entkleidete »Leere« der
höchsten Einsicht, die das Nirwana bedeutet[71].

Einiges über den Zen-Buddhismus. — Insofern der Zen-Buddhismus seine Wurzeln zwar in indischem Boden hat, seine
eigentliche Ausprägung aber in China erfuhr — dort und in
Japan hielt er sich bis zur Gegenwart —, gehört er eigentlich
nicht in den Rahmen dieses dem indischen Denken gewidme-
ten Kapitels. Wir fügen aber hier einige Bemerkungen über
ihn an, einmal, weil er in der Gesamtgeschichte des Buddhismus eine der wichtigsten und verbreitetsten Richtungen ist,
zum anderen, weil er ein gutes Beispiel bildet für eine Ausprägung buddhistischen Geistes, die in ihrer Hinneigung zur
Meditation einerseits, zum Praktischen andererseits von der
logisch-dialektischen Methode der oben behandelten vier Systeme denkbar verschieden ist.

Der Zen-Buddhismus ist keine Philosophie im gängigen Sinne
dieses Wortes. Er hat kein durchgebildetes gedankliches System. Er ist aber auch keine Religion im geläufigen Sinne.
Zwar hat er Tempel und Klöster, aber keine ausgebildete
Dogmatik, einen Glauben an klar formulierte Glaubenssätze
schreibt er nicht vor. Er nimmt insofern unter den weltan-
schaulichen Systemen aller Völker — nicht nur des Buddhismus — eine kaum vergleichbare Stellung ein. Was Zen-Buddhismus ist, kann nach Ansicht seiner Anhänger nur durch Vertiefung in die *Zen-Erfahrung* begriffen werden[72]. Für den
Außenstehenden bietet er Schwierigkeiten des Verständnisses,
die erheblicher sind als bei den rein philosophischen buddhistischen Schulen. Wir versuchen, einige Einzelheiten anzuführen, die einen ungefähren Begriff von seiner Eigenart vermitteln sollen. Die Ablehnung philosophischer Lehrsätze wie
religiöser Dogmen beruht auf einem gemeinsamen Grunde:
Die Zen-Anhänger glauben, daß Haften an Worten, Begriffen,
festen Lehrsätzen oder festgelegten Regeln des Verhaltens uns
hindert, in den eigentlichen Sinn des jeweils Gemeinten einzudringen. Das gilt selbst für die Lehren Buddhas. Seine
Predigten und überlieferten Aussprüche sind nach ihrer Meinung notwendig den besonderen Bedingungen der Sprache
unterworfen, deren sich Buddha bedienen mußte, sie sind
weiter dem Fassungsvermögen seiner jeweiligen Zuhörer angepaßt und außerdem mitbestimmt durch die äußere Umgebung, in welcher der Lehrende und seine Hörer sich befanden. Die reine, unbedingte Wahrheit liegt aber jenseits
dessen, was mit Worten gesagt werden kann. Dieser Auffassung entspricht es, daß nach der Zen-Überlieferung, die
sich selbst bis auf Buddha zurückführt, Buddhas reine Wahr-

heit von ihm in *schweigendem* Verstehen an einen Schüler
und von diesem weiter durch eine ununterbrochene Kette von
Patriarchen weitergereicht sein soll. Das besagen Kernsätze
des Zen-Buddhismus wie: »Von Geist zu Geist wurde es
überliefert«; »Nicht ausgedrückt in Worten oder geschrieben
in Buchstaben«; »Es war eine gesonderte Übertragung abseits
der heiligen Lehrtätigkeit«; »Sieh direkt in des Menschen
Seele, begreife ihre Natur und werde zum erleuchteten Buddha«; »Das heilige Wissen ist kein Wissen[73]«.
Die Zen-Buddhisten haben eine eigene Weise der Meditation.
Der nach Erleuchtung Suchende erhält ein Thema gestellt. In
einer Halle sitzen die Prüflinge unter strenger Aufsicht eines
überwachenden Priesters Tage und Nächte in genau vorge-
schriebener Haltung und meditieren. Dreifache Stille ist zu
bewahren: Während des Nachdenkens und ebenso während
der Nahrungsaufnahme und des Badens, die in geregelter
Folge jenes unterbrechen, darf kein Wort gesprochen oder
Geräusche verursacht werden. Wer — in der Regel nach mehreren Tagen — die Lösung gefunden zu haben glaubt, wendet
sich an den Priester, der danach über den Erfolg der Prüfung
entscheidet. Bei aller Pflege der Meditation sind die Zen-
Buddhisten weltzugewandte, im Praktischen aufgehende Men-
schen, denn ihre Lehre verlangt, daß sie jede gewonnene
Einsicht unmittelbar ins tägliche Leben übertragen. »Keine
Arbeit, kein Essen«; »Das Leben ist die Lehre«; »Gehen,
Stehen, Sitzen, Liegen sind die heilige Lehre« — das sind
Aussprüche von Zen-Patriarchen, die diesen praktischen Geist
widerspiegeln[74].
Die Ablehnung jeder in feste Form gegossenen Lehre und das
tätige Verhalten der Zen-Buddhisten haben eines gemeinsam:
Wortlosigkeit. In den Geschichten, die von den alten Zen-
Meistern überliefert sind, kommt diese Eigenart zu oft witzi-
gem, stets paradoxem und für uns durchweg schwer ver-
ständlichem Ausdruck. Kennzeichnend ist die Erzählung von
Daian, einem Zen-Meister des 9. Jahrhunderts, und Sozan[75].
Daian hatte den Ausspruch getan: »Sein und Nichtsein gleichen der Schlingpflanze, die den Baum umrankt«. Sozan
unternahm eine weite Reise zu Daian, um an den Meister
die Frage zu richten: »Was geschieht, wenn der Baum gefällt
wird und die Schlingpflanze dahinwelkt?« Sozan bewegte die
Frage: Wie, wenn wir die Begriffe Sein und Nichtsein aus
unserem Denken auslöschen? Ist es unentrinnbar an diesen
Gegensatz gefesselt, oder wie können wir je über diesen hin-
auskommen? — Der Meister war gerade beschäftigt,
eine Mauer aus Lehm zu errichten. Was antwortete er? Er warf
den Schubkarren um, den er führte, lachte laut und ging
davon. Der enttäuschte Sozan zog zu einem anderen Meister.

Als dieser sich aber auf Sozans Frage ähnlich verhielt wie
vorher Daian, da lächelte Sozan auf einmal verstehend, ver-
beugte sich ehrerbietig und ging hinweg. Schlagartig war ihm
aufgegangen, was der Meister ihm wortlos geantwortet hatte:
Solange dein Geist angefüllt ist mit Ideen von Sein und
Nichtsein, Geburt und Tod, Bedingtem und Unbedingtem,
Ursache und Wirkung, so lange bist du befangen in Worten
und Begriffen und noch fern der Wahrheit. Erst wenn du
nicht mehr zu den Zuschauern, Kritikern, Ideenschwärmern,
Wortemachern, Logikern gehörst, sondern dich in den Umgang mit der unmittelbaren Wirklichkeit des Lebens hinein-
begibst, wirst du die Wahrheit erahnen, die jenseits aller
Worte liegt!
Wir sehen, daß bei aller Verschiedenheit der Wege, die zu
ihr führen, die buddhistische Wahrheit am Ende doch in
allen Schulen die gleiche ist.

III. Die orthodoxen Systeme der indischen Philosophie

Den bisher besprochenen, nicht-orthodoxen Systemen, die von
den Indern Nastikas, das heißt Neinsager, genannt werden,
weil sie die Autorität der vedischen Überlieferung nicht anerkennen, stehen diejenigen Systeme gegenüber, die von der
Grundlage des alten Brahmanismus ausgehen und die in den
Veden niedergelegten Gedanken fortentwickeln. Sie werden
Astikas, Jasager, genannt.
Wie immer, wenn eine starke, anerkannte Tradition die
Grundlage des Philosophierens bildet, entfaltet sich in diesen
das philosophische Denken weitgehend in der äußeren Form
von Kommentaren zu den älteren Texten, wobei natürlich in
Wahrheit nicht nur deren Gedankeninhalt erläutert oder weitergebildet, sondern unter dieser Verkleidung auch Neues gesagt wird.
Der Eintritt der Nastikas in das indische Geistesleben forderte
den Brahmanismus zu einem gewaltigen Gegenschlag heraus.
Der Zwang, den eigenen Standpunkt zu verteidigen und gegen konkurrierende Systeme zu behaupten, führte zu einer
immer weiter gehenden Herausbildung der Upanischad-Gedanken und darüber hinaus zu einer neuen glanzvollen Blüte
der brahmanischen Philosophie. Ganz besonders der Buddhismus hat dabei anregend und befruchtend gewirkt. Vielleicht
zu keiner anderen Zeit und in keinem anderen Volke war das
Interesse an philosophischen Problemen so allgemein verbreitet wie in dieser Epoche der großen rivalisierenden Geistesrichtungen in Indien. Überall gab es Schulen der Philosophie, in denen die Schüler zu Füßen berühmter Lehrer saßen.

Philosophische Streitgespräche fanden vor breitestem Publikum statt; Fürsten und Könige beteiligten sich an ihnen oder stifteten für die Sieger solcher Wettbewerbe kostbare Preise.[76] Die Notwendigkeit ständiger Selbstbehauptung ließ insbesondere auch die Logik und die Dialektik, die Kunst der Beweisführung und Disputation, in unerhörtem Maße aufblühen. Im Zusammenhang damit mag es stehen, daß sich das indische Denken nun in stärkerem Ausmaß als früher auch dem Gegenstand der Sprache zuwandte. Grundlegend in dieser Beziehung ist das berühmte Werk des *Pannini* über die Sanskrit-Grammatik. Die *Quellen,* aus denen die Kenntnis der Fortbildung der indischen Philosophie in diesem Zeitabschnitt zu schöpfen ist, sind hauptsächlich folgende:

1. *Upanischaden,* soweit sie, im Unterschied zu den im I. Abschnitt dieses Kapitels behandelten, erst in dieser späteren Zeit verfaßt worden sind.

2. Die sogenannten *Sutras,* das sind ganz kurze Merksprüche, die als Gedächtnisregeln für die Grundgedanken der einzelnen Systeme gedacht waren und als solche dem Schüler eingeprägt wurden. Für jedes der im folgenden behandelten Systeme gibt es einige hundert Sutras. Da sie nicht zur Erklärung für Außenstehende, sondern nur als Gedächtnisstützen für den Eingeweihten dienen sollten, sind die Sutras für sich betrachtet fast unverständliche Aphorismen, die langer Kommentare bedürfen.

Solcher Kommentare gibt es viele; Kommentare zu den Sutras waren eine bevorzugte Form, auch neue Gedanken auszusprechen. Die Kommentare wurden dann wiederum durch neue Kommentare erläutert, wodurch ein schwer durchsichtiges Gewirr von Schriften entstanden ist. Ein indischer Text sagt über diese Kommentare:

> »Ist die Sache schwer verständlich,
> Sagen sie: Der Sinn ist klar.
> Wenn der Sinn vollkommen klar ist,
> Machen sie ein breit Geschwätz[77].«

Natürlich gilt das nicht für alle indischen, dafür auch für manche modernen Kommentare.

3. Das indische Nationalepos *Mahabharata,* eine Dichtung, die in über hunderttausend Doppelversen den heldenhaften Kampf zweier arischer Stämme bei der Invasion Indiens schildert und die in einzelnen Partien, besonders der berühmten *Bhagavad-Gita,* der »vom Erhabenen verkündeten Geheimlehre«, philosophische Lehren enthält.

4. Das *Gesetzbuch des Manu,* das die Gedanken der Bhagavad-Gita in mancher Beziehung ergänzt.

Unter den orthodoxen Systemen haben sich sechs zu beson-

derer Bedeutung erhoben. Anders als in der europäischen
Geistesgeschichte haben die Systeme sich nicht in historischer
Aufeinanderfolge entwickelt, sondern jahrhundertelang neben-
einander unter ständiger wechselseitiger Beeinflussung bestan-
den. Unter Verzicht auf die — annähernd festzustellende —
Reihenfolge ihrer Entstehung stellen wir sie in systematischer
Form nebeneinander und versuchen, die wichtigeren unter
ihnen kurz zu umreißen.

Je zwei von den sechs Systemen gehören paarweise zusammen, so daß sich folgende Übersicht ergibt:

1. Nyaya-System   2. Vaischeschika-System
3. Sankhya-System   4. Yoga-System
5. Purva-Mimansa-System   6. Vedanta-System

Sankhya, Yoga und Vedanta haben im indischen Denken die
größte Rolle gespielt. Alle sechs Systeme haben in sich Entwicklungen vieler Jahrhunderte durchgemacht und werden
nachfolgend nur in ihrer Hauptform beschrieben.

1. NYAYA UND VAISCHESCHIKA

Schon der Name *Nyaya*, was etwa »Beweis« oder »Regel«
heißt, zeigt den Schwerpunkt des Systems an, der auf dem
Gebiete der Logik und Dialektik liegt. Der maßgebende Text
stammt von einem gewissen *Gautama*, der darin den ersten
großen klassischen Versuch unternimmt, die Kunst des richtigen logischen Schließens darzulegen. Dieser Versuch hat den
Ausgangspunkt für alle weiteren logischen Erörterungen in
Indien gebildet[78]. Auch wurde mit ihm ein reicher Wortschatz
philosophischer Fachausdrücke geschaffen[79], an denen übrigens das Sanskrit mehr besitzt als irgendeine europäische
Kultursprache[80]. Dagegen liegt im *Vaischeschika*-System,
welches von dem sagenhaften *Kanada*, einem der größten
Denker Indiens, hergeleitet wird, der Schwerpunkt auf dem
Gebiet der Welterklärung: der Metaphysik und Naturphilosophie. Vaischeschika bedeutet etwa »Unterschied«[81]. Der
Name besagt, daß das Kennzeichen dieses Systems das Bestreben ist, durch Herausfinden und Herausarbeiten der Unterschiede in der Welt der Objekte und im menschlichen Innern
zu klarer Erkenntnis zu kommen. Schließlich beginnt ja alle
Erkenntnis mit dem Feststellen von Unterschieden.

Der Kern dieser Naturphilosophie ist eine Art Atomlehre. Es
werden kleinste, nicht weiter zerlegbare und unzerstörbare
stoffliche Bausteine des Seienden angenommen, die sich im
Laufe des Weltprozesses vereinigen und wieder trennen[82].

Beide Systeme ergänzen einander insofern, als der Nyaya im
wesentlichen die Metaphysik des Vaischeschika, dieses System

aber die Logik des Nyaya übernommen hat. In späterer Zeit sind beide zu einem einzigen System verschmolzen worden.

Die eben vorgenommene Bezeichnung eines Schwerpunktes darf nicht so verstanden werden, daß das eine System sich auf Logik, das andere auf Naturphilosophie beschränkt. Beide sind abgerundete philosophische Systeme, und beide sehen in der Erkenntnis, von der sie im einzelnen handeln, nur ein Mittel, nur einen Durchgang auf dem Wege zur Erlösung von Leid und Wiedergeburt, zur Erlösung, auf welche alle indischen Systeme hinauslaufen.

2. SANKHYA UND YOGA

Das *Sankhya*-System ist neben dem Vedanta das hervorragendste unter den sechs orthodoxen Systemen. Als sein Begründer gilt *Kapila*. Das Wort Sankhya wird hergeleitet von dem Wort für »Zahl« oder »Aufzählung«[83] und bedeutet in dieser Verwendung etwa: Das System, welches das Seiende und die Begriffe durch Aufzählung des darin Enthaltenen bestimmt.

Von der Philosophie der Upanischaden — und, wie wir gleich hinzufügen dürfen, auch von der später zu behandelnden Vedanta-Philosophie, welche die geradlinigste Fortsetzung der Upanischad-Gedanken darstellt — unterscheidet sich das Sankhya-System von vornherein dadurch, daß es nicht wie diese monistisch, sondern dualistisch ist, das heißt nicht alles Bestehende auf *ein* Weltprinzip zurückführt, sondern deren *zwei* annimmt, die in Ewigkeit getrennt sind und einander gegenüberstehen.

Die zwei Prinzipien sind auf der einen Seite die *Prakriti*, die Urnatur, ein *materielles* Prinzip, aktiv, in ständiger Bewegung, aber nicht geistig, ohne Bewußtsein ihrer selbst; auf der anderen Seite der *Puruscha*, ein rein geistiges Prinzip, nicht aktiv, aber beseelt und mit Bewußtsein ausgestattet.

Die beiden Prinzipien wurden der ursprünglichen Upanischad-Lehre, nach welcher nur der Brahman wirklich und die äußere Welt nur Schein ist, nicht einfach entgegengestellt, sondern sind in stufenweisem Fortschreiten aus dieser heraus gebildet worden, indem allmählich die dem menschlichen Verstand eigene Neigung sich durchsetzte, der stofflichen Welt eine vom Bewußtsein unabhängige Realität zuzuschreiben und so aus der bloßen Maya die Prakriti, die aus sich selbst bestehende Natur, wurde[84]. Der dieser Natur nunmehr isoliert gegenüberstehende Geist (Atman) wurde zum Puruscha, wobei man folgerichtig zuerst einen großen umfassenden Puruscha, ein göttliches Geistwesen, annahm, und neben diesem unzählige einzelne Puruschas, »Personen«, individuelle Seelen (die nun nicht mehr mit der Weltseele identisch gedacht werden). Dann wurde der allgemeine Puruscha-Begriff fallengelassen, es blieben nur die einzelnen und vielen Puruschas übrig, und das klassische Sankhya-System wurde *atheistisch*. In diesem letzteren Punkt berührt es sich mit dem Buddhismus, wobei die — als sicher anzunehmenden — gegenseitigen Einflüsse im einzelnen und insbesondere die zeitliche Priorität aber umstritten sind.

Betrachten wir zuerst die Prakriti. In ihr sind drei Entwicklungskräfte (Gunas) wirksam: ein lichtes, allem Klaren und Guten zugeordnetes Element, ein dunkles, träges, hemmendes und ein zwischen beiden stehendes Element der Beweglichkeit. Aus dem Schoße der Prakriti wird alles Seiende geboren, und zwar nicht nur die stofflichen Elemente, sondern auch die Fähigkeiten zu denken, zu fühlen, zu handeln. Dies alles gehört zur Welt der Prakriti — während wir eher geneigt wären, es der Welt des Geistes zuzurechnen. Insgesamt sind es 24 Wesenheiten, welche die natürliche Welt bilden und alle aus der Prakriti hervorgehen. In der Reihenfolge, in der sie im System aufgezählt werden, sind es:

1. die Prakriti selbst. Diese schafft
2. die Vernunft, das Organ der Unterscheidung. Diese schafft
3. den »Ich-Macher« (Ahakara), das Selbstgefühl, das die Scheidung zwischen Ich und Außenwelt vornimmt. Aus diesem gehen einerseits die Sinneskräfte und -organe, andererseits die Elemente der äußeren Welt hervor.

Die Sinneskräfte und -organe werden wie folgt aufgezählt:

4. das Sehen,
5. das Hören,
6. das Riechen,
7. das Schmecken,
8. das Fühlen.

Zu diesen Sinneskräften der inneren Welt wird, wie in Indien üblich, noch gezählt:

9. der Geist (Verstand, Begriffsvermögen, Denken).

Es folgen die fünf Sinnesorgane:

10. das Auge,
11. das Ohr,
12. die Nase,
13. die Zunge,
14. die Haut.

Nun folgen die fünf »Organe des Handelns«:

15. der Kehlkopf,
16. die Hände,
17. die Füße,

18. die Ausscheidungsorgane,
19. die Zeugungsorgane.

Die fünf Elemente der äußeren Welt sind:

20. der Äther,
21. die Luft,
22. Feuer und Licht,
23. das Wasser,
24. die Erde.

Diesen 24 Elementen stehen als

25. die Puruschas gegenüber, so daß das Sankhya-System insgesamt 25 Prinzipien »aufzählt«.

Der Weltvorgang wird so gedacht, daß die Prakriti im fortwährenden Widerspiel der drei Gunas in unermeßlichem Zyklus die ganze Welt der Materie (2 bis 24) immer von neuem hervorbringt — Weltentstehung — und wieder in sich zurücksaugt — Weltuntergang.

Welche Rolle spielen aber nun dabei die Puruschas? In welchem Verhältnis stehen sie zur Materie? Wirken sie auf diese ein und werden sie von ihr beeinflußt?

Der Geist ist vom stofflichen Geschehen durch eine tiefe und unüberschreitbare Kluft geschieden. Grundsätzlich steht er dieser in ewiger Reinheit und unbeteiligter Fremdheit gegenüber. Wie ist es aber beim lebenden Wesen, in dem doch, wie es scheinen muß, Stoffliches mit Geistigem eine unzertrennliche Einheit eingegangen ist? Der Sankhya-Philosoph sagt: Diese Einheit ist nur *scheinbar*. Wie der farblose klare Kristall rot erscheint, sobald eine rote Blüte hinter ihn gehalten wird, so erscheint der ewige Puruscha, indem sich an dem scheinbar mit ihm vereinigten Körper Veränderungen vollziehen, als handelnd, leidend usw.[85]. An dem, was wir Seele im Gegensatz zum Leib nennen, sind nach der Sankhya-Lehre zwei grundverschiedene Bestandteile zu unterscheiden: der ewige unveränderliche Puruscha und auf der anderen Seite die mannigfachen psychischen Vorgänge, Bilder, Gedanken, Gefühle, die nicht der Puruscha sind, sondern der Prakriti, der materiellen Welt, zugehören.

Warum aber, so müssen wir doch noch weiter fragen, gehen denn die an sich ewigen und rein geistigen Puruschas überhaupt eine, wenn auch scheinbare und trügerische, Beziehung zur Welt der Prakriti ein? Hier stoßen wir auf den innersten Kern der Lehre, der hier wie bei praktisch allen anderen indischen Systemen sich um Begriffe Leiden, Seelenwanderung und Erlösung (Mokscha) bewegt.

Auch die Sankhya-Denker gehen aus von der Grundtatsache des Leidens und dem Verlangen (nicht nach positiver Lust, sondern) nach Befreiung von diesem, nach absoluter Schmerzlosigkeit. Warum leiden wir? Wir leiden nur insoweit, als gewisse Verhältnisse und Vorgänge der Außenwelt auf uns einwirken. Sie können aber nur insoweit auf uns einwirken, als wir sie als eigene, als uns betreffend und zugehörig, empfinden. Darin liegt jedoch eine Täuschung: denn der Kern unseres Wesens, der Puruscha, steht ja in Wirklichkeit dem objektiven Geschehen fremd und unbeteiligt gegenüber. Er muß nur zur Erkenntnis dessen gebracht werden! Mit dieser Erkenntnis nämlich, daß die ganze Welt, die ihm gegenübersteht, ihn gewissermaßen im Innersten nichts angeht, würde jeder Schmerz aufhören. Der Puruscha wäre erlöst.

Aber auch die Prakriti, die Materie, wäre erlöst! Denn sie kann selbst als nicht-geistig, nicht-bewußt, ja gar keinen Schmerz empfinden; sie vermag dieses nur durch die Verbindung mit dem Puruscha, einem empfindenden Subjekt.

So hängt alles, im einzelnen Leben wie im großen Weltprozeß, davon ab, daß der Puruscha zur *Einsicht* kommt. Die Prakriti — ein weibliches Prinzip, und das nicht ohne tiefen Grund, indem sie zu Ihrer Erlösung eines anderen, außerhalb ihrer selbst Liegenden bedarf — muß sich so lange immer von neuem vor dem Auge des Puruscha entfalten — wie eine Tänzerin sich vor dem Zuschauer produziert —, bis dieser im Gewahrwerden seiner Andersartigkeit und Unbeteiligtheit sich von ihr abwendet und damit sie und zugleich sich selbst erlöst.

So läuft auch in der Sankhya-Lehre alles darauf hinaus, durch Tugend und Entsagung zur Erkenntnis und mit dieser zur Erlösung zu gelangen. Wie der erlöste Puruscha, nunmehr wieder zum reinen, untätigen Geist geworden, weiterexistiert, das wird einem Spiegel verglichen, »in den kein Reflex mehr fällt«[86]. Im Grunde bleibt darüber ein Schleier des Geheimnisses gebreitet.

Es ist für das brahmanische Denken bezeichnend, daß diese atheistische Philosophie gleichwohl als orthodox, als mit dem Veda vereinbar angesehen wird. Das ist — abgesehen von dem mehr äußerlichen Umstand, daß Kapila die Autorität der Veden ausdrücklich anerkennt (ohne sich im einzelnen beim Aufbau seiner Gedanken weiter um sie zu kümmern) — vornehmlich aus zwei Gründen zu verstehen: einmal daraus, daß nach indischer Auffassung die Ablehnung des Glaubens an einen göttlichen Schöpfer und Herrn der Welt sehr wohl vereinbar ist mit der Anerkennung der zahlreichen Gottheiten, die in der alten vedischen Überlieferung eine Rolle spielen; zum andern daraus, daß die Sankhya-Lehre das Kastensystem als Grundlage der Gesellschaft nicht antastet. Sobald nämlich diese Bedingung erfüllt war, genoß im brahmanischen Indien der einzelne Denker eine so gut wie unbeschränkte Gedankenfreiheit.

Der Name *Yoga* ist im europäischen Sprachgebrauch belastet mit allerlei Vorstellungen von obskuren Zauberkünsten, die zum Broterwerb, zur Befriedigung der Schaulust der Menge und ähnlichen Zwecken vollführt werden und mit ernsthaftem Wahrheitsstreben nichts gemein haben. Man darf darüber nicht verkennen, daß Yoga seinem Ursprung nach ein Lehrsystem ist, welches, ganz ähnlich wie die übrigen hier behandelten, den Weg zu Weisheit und Erlösung aufzeigen will, nur daß bei ihm das Schwergewicht auf die praktische Seite gelegt wird, auf die Angabe der Mittel und Wege, durch die man zu jenen gelangt. Mit dem Sankhya-System ist der Yoga insofern eng verbunden, als die Sankhya-Philosophie weitgehend die theoretische Grundlage auch des Yoga-Systems bildet, während umgekehrt die Sankhya-Philosophen die Yoga-Lehre als die praktische Ergänzung des von ihnen Gelehrten anerkennen.

Allerdings unterscheidet sich die Yoga-Metaphysik doch in einem grundsätzlichen Punkte von der des Sankhya: Sie kennt einen persönlichen Gott. Da jedoch der tatsächliche Weltablauf wie im Sankhya durch das polare Gegenspiel von Puruscha und Prakriti erklärt wird, kann dieser Gott kein Schöpfer und Weltregierer sein, sondern ist nur gleichsam der oberste, zugleich der einzige reine Puruscha, der von Ewigkeit an von allen Verstrickungen in die Prakriti frei und allwissend ist. In der praktischen Yoga-Lehre nimmt er deswegen auch keineswegs eine zentrale Stellung ein. Die Haupttexte des Yoga bilden die 194 Yoga-Sutras, in vier Büchern geordnet, die einem gewissen Patanjali zugeschrieben werden.

Yoga bedeutet wörtlich »Joch« (ist auch sprachlich mit diesem deutschen Worte verwandt), das heißt Selbstzucht, Disziplin.

Die dieser Lehre zugrunde liegende Vorstellung, daß der Mensch durch ein bestimmtes System asketischer Übungen, durch Meditation und Konzentration tiefste Einsicht, Entrückung und Erlösung erlangen könne, findet sich auch bei anderen Völkern; sie spielt auch schon in der vedischen Literatur, einschließlich der Upanischaden, eine Rolle.

Es ist ein langer und mühevoller Weg, der dem Yogin gewiesen wird, an dessen Ende er Erlösung von Leid und Wiedergeburt erreichen kann.

In jahrelanger geduldiger Selbstüberwindung muß er die folgenden acht Stufen durchlaufen[87]:

1. Zucht: Sie umfaßt Nicht-Schädigung (ahimsa, Gewaltlosigkeit, die gleiche Forderung wie im Jainismus und Buddhismus), Wahrhaftigkeit, Keuschheit, Aufgeben jeder Selbstsucht und aller materiellen Interessen.

2. Selbstzucht: Sie besteht in der Beachtung der fünf Gebote

Reinheit (körperlich und geistig), Genügsamkeit, Askese, Studium und Gottergebenheit.

3. Das richtige Sitzen: Hier werden bestimmte, sehr ins einzelne gehende Vorschriften gegeben für die Arten des Sitzens, die die beste Vorbedingung für die Versenkung abgeben. So heißt es zum Beispiel in einem Text der Bhagavad-Gita:

»An einem reinen Orte bereite er sich seinen bleibenden Sitz, der nicht zu hoch und nicht zu niedrig, mit einem Tuch, einem Fell oder Kuscha-Gras bedeckt sei.

Auf einem solchen Sitze sich niederlassend, richte er seinen inneren Sinn auf *einen* Punkt; die Tätigkeit der Sinne und des Denkorgans im Zaume haltend übe er Versenkung zur Läuterung des Selbstes.

Rumpf, Haupt und Hals gerade und unbeweglich haltend, blicke er, ohne sich zu rühren, auf seine Nasenspitze und schaue nach keiner Richtung hin[88].«

4. Atemregulierung: Bestimmte Regeln für das Ein- und Ausatmen und für das Anhalten des Atems.

5. Abziehen der Sinnesorgane von allen äußeren Objekten.

6. Konzentrierung der Gedanken auf einen einzigen Gegenstand unter Ausschluß aller anderen.

7. Meditation, Nachsinnen: Eine noch intensivere Konzentration, bei der das Denken vom gewählten Objekt vollständig ausgefüllt wird. Als Hilfsmittel hierzu wird das dauernde Wiederholen der heiligen Silbe »Om« empfohlen.

8. Versenkung und Verzückung, die höchste Stufe: Der Geist verliert das Bewußtsein seiner selbst als eines gesonderten Wesens. Der Yogin erlangt eine selige und gottähnliche Einsicht in den Urgrund der Welt. Keine Worte können diesen Zustand (wie schließlich die ganze Yoga-Erfahrung) dem beschreiben, der ihn nicht erlebt hat.

Als Nebenprodukte gewissermaßen fallen dem Yogin auf diesem Wege die vielfachen Zauberkräfte und übernatürlichen Fähigkeiten zu, deren Schilderung in den meisten Berichten über das indische Leben einen breiten Raum einnimmt. Als solche sind in den alten Yoga-Sutras zum Beispiel aufgezählt:

Wissen des Vergangenen und des Zukünftigen;
Verstehen der Stimmen aller Tiere;
Kenntnis der früheren Geburt;
Unsichtbarmachen des eigenen Körpers;
Kräfte eines Elefanten;
Kenntnis des Subtilen, Verborgenen und Entfernten;
Kenntnis des Weltalls;
Kenntnis der Anordnung des Leibes;
Stillung von Hunger und Durst;

Nichthaften an Wasser, Schlamm, Dornen und Herauskommen aus ihnen;

Gehen im Luftraum;

Beherrschung der Elemente;

Trefflichkeit des Leibes und Unverletzlichkeit seiner Eigenschaften;

Beherrschung der Sinnesorgane;

Oberherrschaft über alles Sein und Allwissenheit.

Daß solches alles möglich sei, wird nicht einfach behauptet, sondern aus den Begriffen der Yoga-Philosophie und dem gedachten Aufbau des Weltganzen im einzelnen erläutert.

Weder ein weiteres Eingehen auf diese Dinge noch ein abschließendes Urteil über sie ist hier möglich. Jedenfalls aber sollte ein Urteil über dieses dem Yogin Verheißene mit einiger Vorsicht gefällt werden. Wer es vorschnell abtun will, dem sei zu bedenken gegeben, wie die Erfahrung bis in die jüngste Gegenwart hinein lehrt, daß auf dem Grunde der menschlichen Seele Fähigkeiten und Kräfte schlummern, vielleicht aus unvordenklichen Zeiten ererbt, von denen sich unsere Schulweisheit nichts träumen läßt, und daß äußerste Konzentration und Sammlung aller Kräfte auf ein Ziel den Menschen zu kaum faßbaren Leistungen befähigen können.

Die Entartungen des Yoga beschäftigen uns hier nicht. Nach der reinen Yoga-Lehre sind alle Zauberkräfte bestenfalls Nebenerscheinungen und Mittel zum Zweck, für den Yogin Stufen auf dem Wege zum Ziel der Erlösung. Bleibt er an ihnen haften und erhebt sie zum Selbstzweck, so erlangt er das Heil nicht.

3. MIMANSA UND VEDANTA

Das *Mimansa*-System ist unter den sechs orthodoxen das allgemein und auch für unsere Darstellung am wenigsten bedeutsame. Wir beschränken uns deshalb auf die Feststellung, daß es sich im wesentlichen um eine Schule handelt, welche die vielen seit dem Ende der vedischen Zeit aufgetretenen Systeme, insbesondere die Sankhya-Philosophie, bekämpft und statt ihrer demütige Rückkehr zur geheiligten Überlieferung und den von dieser vorgeschriebenen Formen der Religionsübung fordert — und wenden uns dem Vedanta-System zu.

Das Wort *Vedanta* bedeutet wörtlich »Ende der Veden« und bezeichnete ursprünglich auch nichts weiter als dieses, das heißt die Upanischaden bzw. den Inbegriff der darin enthaltenen philosophisch-religiösen Lehren. Mit der Zeit ging der Name über auf diejenige philosophische Richtung, die den Kerngedanken der Upanischaden, die All-Einheit in Brahman und Atman, am folgerichtigsten fortführte; insofern hat die Übernahme des Namens ihren Sinn.

Es gibt zahlreiche Vedanta-Schulen. Als Begründer der einflußreichsten, die auch als klassischer Vedanta bezeichnet wird, gilt *Schankara*, der um 800 n. Chr., zur Zeit Karls des Großen also, lebte. Zwischen ihm und der Abfassung der Upanischaden liegt somit die Gedankenentwicklung eines guten Jahrtausends. Schankara war der größte Philosoph Indiens, der in der Arbeit seines nur 32jährigen Lebens den Upanischad-Gedanken zu neuer Macht und Blüte brachte, nachdem 1200 Jahre lang die vedische Überlieferung überschattet gewesen war von der des Buddhismus, welcher diese Autorität der Veden überhaupt leugnet, und der Sankhya-Philosophie, die ihr mehr dem Namen als dem tieferen Sinne nach verbunden war. Schankara hat seine Lehre dargestellt in der Form eines Kommentars zu den 555 Sutras, in denen die ältere Vedanta-Lehre überkommen war. Auf die Lehre Schankaras allein bezieht sich das Folgende.

Den Ausgangspunkt bilden die alten Sätze:

> tat twam asi »das bist du«
> aham brahma asmi »ich bin Brahman«[89].

Damit war gesagt: Der Brahman — das ewige Prinzip der Welt, aus dem alles hervorgeht und in dem alles ruht — ist identisch mit unserem innersten Selbst. Dieses Selbst, der Atman, ist seinem Wesen nach unerkennbar, nicht in Worte zu fassen. (»Der Atman ist unerkennbar« hatte schon Yagnavalkya gelehrt.) Es gibt nur eine einzige Wirklichkeit, den Atman, welcher Brahman ist.

Diesem Satze widerspricht allerdings der äußere Anschein. Die tägliche Erfahrung nämlich lehrt uns, daß es nicht eine Wirklichkeit, sondern eine Vielheit von Arten und Gestalten des Wirklichen gibt, und unser Selbst erscheint uns in seiner Bindung an den vergänglichen Leib als eine derselben.

Damit erhebt sich die Notwendigkeit, die Mittel unserer Erkenntnis, welche uns diese Vielheit aufzeigen, einer *Kritik* zu unterziehen. Wie ist Wissen überhaupt möglich, wie kommt es zustande und wieso ist es gültig und unzweifelhaft? Schankara stellt damit die Frage, die im Europa des achtzehnten Jahrhunderts von Kant gestellt wurde, und man kann sagen, er kommt zu Ergebnissen, die denen Kants durchaus vergleichbar sind. Alle unsere Erfahrungen erhalten wir durch Vermittlung der Sinne. Was wir Wissen nennen, ist nichts anderes als die Verarbeitung der von den Sinnen gebotenen Materialien. Haben wir damit aber die Wirklichkeit selbst in Händen? Schankara sagt: Nein. Wie später Kant, weist er darauf hin, daß alle Erfahrung uns die Dinge nicht in ihrem wahren Wesen zeigt, sondern nur so, wie sie sich unseren Sinnen darbieten, als *Erscheinung* also. Zu glauben, daß sich auf diesem Wege das Wesen der Welt erschließen kann, ist Täuschung, Maya.

Vidya, wahres Wissen, universelle Erkenntnis gewinnt erst, wer den Schleier der Maya, die Bedingtheit unserer Erfahrung durch die Sinne, durchschaut. Er erkennt dann deutlich, daß unser Selbst von allen äußeren Erscheinungen unterschieden und unabhängig, daß es — und hier trennt sich der Weg Schankaras von dem Kants — Brahman ist. Nicht vermittels äußerer Erfahrung, aber auch nicht durch Nachdenken, Reflexion, ist solche Erkenntnis zu gewinnen, sie geht allein aus der ewigen göttlichen Offenbarung des Veda, insbesondere seiner Schlußteile, der Upanischaden, hervor.

Mit der Berufung auf den Veda gerät Schankara aber in eine gewisse Schwierigkeit. Der Versuch, zu beweisen, daß der Veda die Einheit des Atman mit Brahman und die alleinige Wirklichkeit desselben lehrt, stößt auf Hindernisse, indem sich in den Upanischaden zwar (und vorwiegend) Stellen finden, die diese monistische (das heißt Einheits-)Lehre verkünden, daneben aber andere, die eine pluralistische Auffassung erkennen lassen, das heißt lehren, es gebe eine Vielheit von Brahman verschiedener individueller Wesen. Das gilt namentlich für ältere Teile des Veda. Für Schankara ist aber der ganze Veda göttlichen Ursprungs.

Diese Schwierigkeit dürfte, neben anderen Gründen, für Schankara der Anlaß gewesen sein, die für ihn charakteristische Lehre von den zwei Stufen der Erkenntnis auszubilden, einer niederen und einer höheren Stufe (welche Lehre wiederum in den Upanischaden vorgebildet war).

Auf der unteren Stufe, in der exoterischen Erkenntnis, erscheinen Welt und Gott — die für Schankara praktisch identisch sind, da er Gott als Existenz definiert[90] — in der Form der Vielheit; Gott erscheint als Ischwara oder Weltenschöpfer, allerlei Attribute werden ihm beigelegt, und das Volk verehrt ihn in vielerlei Formen. Diese Stufe ist zwar nicht die höchste Erkenntnis; sie ist gleichwohl nicht zu verwerfen, denn solche Vorstellungen sind der Fassungskraft der Menge angepaßt und bilden zumindest eine Vorhalle der wahren Erkenntnis.

Auf der höheren Stufe der esoterischen Erkenntnis steht der Philosoph. Er sieht, daß hinter dem Maya-Charakter der Erscheinungen der eine Brahman ruht, dem in Wahrheit keine Attribute beigelegt werden können, weil er ganz unerkennbar ist. Die niedere Form der Erkenntnis tadelt der Wissende nicht; er darf in jedem Tempel beten und sich vor jedem Gott neigen, da solche Formen der Verehrung des Unerkenn-

baren den menschlichen Denk- und Wahrnehmungsformen
angepaßt sind, er aber in seinem Herzen hinter diesem allem
die ewige Einheit weiß und verehrt[91]. So gibt es für Schankara zwei Formen, in denen Brahman erscheint und verehrt
wird; man kann sie fast als zwei verschiedene Götter bezeichnen.

Wie für die anderen Systeme ist für den Vedanta die Frage
aller Fragen, wie der Mensch von dem individuellen Dasein,
welches Leiden ist, erlöst werden könne. Die Antwort ist klar:
Die Erlösung besteht im Innewerden des Atman in uns. Dies
führt uns zu dem Zustand, in dem wir uns über die Kürze
und Gebundenheit unseres Daseins hinausheben und in jenem
großen Ozean des Seins aufgehen, in dem keine Sonderung,
keine Veränderung, keine Zeit, nur *Frieden* ist. Der alte Vergleich kehrt hier wieder von den Strömen, die sich, Namen
und Gestalt verlierend, in den Ozean ergießen.

Die praktische Ethik des Vedanta enthält folgende Haupt-
forderungen:

    Unterscheidung zwischen Ewigem und Nicht-Ewigem;
    Verzicht auf Lohn im Diesseits wie im Jenseits;
    Die sechs Mittel: Gemütsruhe, Selbstbeherrschung, Entsa-
    gung von Sinnengenuß, Ertragen aller Mühsale, innere
    Sammlung, Glaube;
    Verlangen nach Erlösung vom individuellen irdischen Da-
    sein.

Gute Werke sind nicht das geeignete Mittel zur Erfüllung
dieser Forderungen. Sie sind zwar nicht ganz ohne Wert, haben aber eine mehr negative Funktion, indem sie, wie auch
die Askese, die dem wahren Wissen entgegenstehenden
Hemmnisse, Anfechtungen und Gemütsregungen beseitigen
helfen. Das Mittel zum Heil ist nicht Tun, sondern richtige
Erkenntnis, die durch fromme Meditation und Vedastudium
erlangt wird. Für den Wissenden werden die Werke gleichgültig, denn er hat erkannt, daß Werke, da sie der Welt der
Erscheinungen angehören, in Wahrheit nicht seine Werke
sind[92].

    »Wer jenes Höchst-und-Tiefste schaut,
    Dem spaltet sich des Herzens Knoten,
    Dem lösen alle Zweifel sich,
    Und seine Werke werden nichts«[93].

In einer volkstümlichen indischen Darstellung der Vedanta-
Lehre heißt es: »Tor! Gib auf deinen Durst nach Reichtum,
verbanne alles Begehren aus deinem Herzen! ... Sei nicht auf
deinen Reichtum, deine Freunde, deine Jugend stolz, die Zeit
nimmt alles fort in einem Augenblick. Verlasse all das, es ist
voller Täuschung, und gehe ein in Brahman ... Das Leben

zittert wie ein Wassertropfen auf einem Lotosblatt ... Die
Zeit spielt, das Leben verwelkt — doch der Atem der Hoffnung hört nie auf ... Bewahre immer deinen Gleichmut ...«[94]
Die überragende Bedeutung des Vedanta-Systems reicht bis
in die Gegenwart. In den indischen Zusammenstellungen der
verschiedenen brahmanischen Systeme nimmt es den obersten
Platz ein. Ein zur Zeit des europäischen Mittelalters lebender
indischer Schriftsteller sagt über die Vedanta-Sutras:
»Dieses Lehrbuch ist unter allen das hauptsächlichste; alle
anderen Lehrbücher dienen nur seiner Ergänzung. Darum sollen es hochhalten, die nach Erlösung verlangen; und zwar in
der Auffassung, wie sie von dem erlauchten Schankara ...
dargelegt worden ist[95].«

IV. Ausblick auf die weitere Entwicklung der indischen Philosophie und vorläufige Würdigung

Wir haben die Darstellung auf die altindische Philosophie
beschränkt, weil das indische Denken in jener Zeit seine höchste Blüte erlebte und die Grundsteine zu allen späteren Entwicklungen in ihr gelegt wurden. Selbstverständlich ist die Entwicklung in dem bis zu unserer Gegenwart verflossenen weiteren Jahrtausend nicht stehengeblieben. Wir können sie hier
nur streifen.
Mit dem Verschwinden des Buddhismus aus Indien fehlte der
brahmanischen Philosophie der Widerpart, an dem sich der
Funke des philosophischen Denkens immer von neuem entzündet hatte. Mit dem Aufhören des Kampfs der Meinungen
und Standpunkte trat in dieser nachklassischen Periode eine
Erstarrung ein, die sich auf gesellschaftlichem Gebiet in einer
Verschärfung der Kastenscheidung, im philosophischen Denken in dogmatischer Starre und im Überhandnehmen von
Sekten äußert.
Zu diesen inneren Gründen der Unfruchtbarkeit kam die
äußere Überfremdung. Indien verlor seine Freiheit und fiel
zuerst für einige Jahrhunderte der mohammedanischen Eroberung, dann bis in die Gegenwart der britischen Herrschaft
anheim. Mit der 1947 vollzogenen politischen Befreiung Indiens, bei der sich bekanntlich die Aufspaltung in das vorwiegend hinduistische Hindostan und das vorwiegend islamische Pakistan vollzog, mag man die Hoffnung auf einen
neuen Aufschwung des indischen Geistes verbinden.
Der unschätzbare Wert der altindischen Philosophie bleibt
von der späteren Entwicklung unberührt.
Die Entdeckung der indischen Philosophie durch Europa setzte
erst spät ein und vollzog und vollzieht sich im wesentlichen

erst seit dem Beginn des vorigen Jahrhunderts. Sie wurde
eingeleitet durch den Franzosen *Anquetil Duperron*, der die
Upanischaden aus einer persischen Ausgabe — er konnte kein
Sanskrit — ins Lateinische übertrug und 1801/02 veröffentlichte[96]. Die Übersetzung war unvollkommen; einzelne Hell-
blickende erkannten jedoch alsbald die Bedeutung der hier
ruhenden Schätze. Vorher war schon eine englische Übersetzung der Bhagavad-Gita erschienen, in deren Vorwort Warren
Hastings, der Begründer der britischen Herrschaft in Indien,
geschrieben hatte: Dieses Werk werde noch leben, wenn die
englische Herrschaft über Indien längst aufgehört haben werde.
Er hat recht behalten.

Das ganze XIX. Jahrhundert hindurch entfaltete sich in
raschem Aufschwung die Wissenschaft der Indologie. Unter
ihren großen Gelehrten seien Friedrich *Schlegel*, Max *Müller*
und Paul *Deussen* genannt.

Deussen hat die Entdeckung der geistigen Welt Indiens ver-
glichen mit der erdachten Möglichkeit, daß uns plötzlich das
Denken und die Vorstellungswelt der Bewohner eines andren
Sterns offenbar würden[97]. In der Tat eröffnete sich hier der
Einblick in eine Gedankenwelt, die sich, von gewissen Berüh-
rungen der indischen Philosophie mit der Griechenlands ab-
gesehen, unabhängig und unberührt von der geschlossenen
Tradition des Vorderen Orients und Europas entwickelt hatte.
Und dabei war es das Denken eines Volkes, das in seiner
Sprache und vielleicht auch in seiner Abstammung dem uns-
rigen nahe verwandt ist!

Mit der wachsenden Kenntnis des indischen Geisteslebens begann sein Einfluß auf das europäische Denken und Schaffen.
Goethe und *Herder*, beide noch am Beginn dieser Kenntnis
stehend, haben mit prophetischem Blick den Reichtum und die
Tiefe dieser neuen Welt erkannt. Unter den großen Philosophen, die den Geist der indischen Philosophie studiert und
sich weitgehend zu eigen gemacht haben, steht an erster Stelle
Schopenhauer, dessen begeistertes Urteil über die Upanischaden oben angeführt worden ist. Ähnlich hat sich *Schelling*
geäußert.

Eine Herausarbeitung der Wesenszüge der indischen Philosophie im Gegensatz zu der des Abendlandes und eine Gegenüberstellung mit dieser werden erst am Schluß dieses Buches
möglich sein, nachdem auch die letztere in den Kreis der
Betrachtung einbezogen wurde. Hier sollen jedoch einige Charakterzüge vorläufig hervorgehoben werden:

1. Das indische Denken ist in hohem Maße *traditionsgebun-
den*. Die überwiegende Mehrzahl der Systeme gründet sich,
zum Teil in der Gedankenführung, zum Teil mehr in äußer-
licher Anknüpfung, auf die Autorität des alten vedischen

Schrifttums. An sich betrachtet und für den Inder selbst ist das kein Nachteil. Die Zugänglichkeit für den Außenstehenden und die Möglichkeit der Einflußnahme auf andere Völker werden freilich dadurch erschwert.

2. Die indischen Systeme begnügen sich nicht mit bloßer Welterklärung, mit Erkenntnis um der Erkenntnis willen, sondern haben alle eine ausgesprochene Richtung auf das *Praktische*: Sie wollen eine Anleitung zum richtigen Leben und zur Erlösung sein. Damit mag es, neben anderen, in der besonderen Veranlagung des indischen Volkes liegenden Gründen, zusammenhängen, daß die Philosophie im altindischen Leben eine so hervorragende Rolle gespielt hat wie kaum bei einem anderen Volke.

3. Ein tiefgehender Unterschied zu den meisten europäischen Anschauungen liegt darin, daß alle indischen Denker der rein verstandesmäßigen Erkenntnis nur eine untergeordnete Bedeutung zuerkennen. Sie werden nicht müde zu betonen, daß die Wahrheit »außerhalb des Verstandes liegt« und nicht mit Worten, sondern nur im Wege direkter Einfühlung, *Intuition,* zu erfassen ist. Ein westlicher Gelehrter hat in einem Upanischad-Kommentar die diesbezügliche Ansicht der indischen Philosophen wie folgt dargestellt: »Alle rationalistischen Philosophien« (das heißt alle mit dem Verstande arbeitenden) »enden, und zwar unvermeidlich, im Agonistizismus« (das heißt in der Erkenntnis, daß wir nichts erkennen können). »Dies ist das einzige logische Ergebnis des Suchens nach Wissen auf jenem Wege mittels jenes Instruments ... Inspiriert und in Bewegung gesetzt durch Intuition, wendet der rationalistische Philosoph dieser augenblicklich den Rücken zu und überantwortet die Aufgabe dem niederen Geiste, welcher unfähig ist, die Antwort zu finden. Nachdem er mit Intuition begonnen hat, sollte er auch mit dieser fortfahren[98].«

4. Vielleicht am fremdartigsten mutet den Nicht-Inder der überall wiederkehrende Gedanke der *Seelenwanderung* an, der in Europa in der Philosophie, vielleicht abgesehen von Nietzsches »ewiger Wiederkunft«, die aber auch nur eine entfernte Ähnlichkeit mit ihm besitzt, kaum Parallelen findet, höchstens in gewissen schwer zu fassenden Unterströmungen des abendländischen Geistes lebt. Dazu sei bemerkt, daß es — wenn man überhaupt irgendeine Art von Fortleben und Vergeltung nach dem Tode annehmen will — nur zwei mögliche Antworten auf die Frage gibt, was mit uns nach dem Tode geschieht. Die eine Antwort ist ewige Vergeltung, je nachdem ewige Seligkeit oder ewige Verdammnis, die andere ist der Gedanke der Wiedergeburt. Versuchen wir uns einmal von unserer Gewöhnung an christlich-abendländische Vorstellungen frei zu machen, so werden wir erkennen, daß bei un-

voreingenommener Betrachtung der Gedanke der Seelenwanderung zwei Vorzüge hat: Er vermag erstens die unleugbare, von Geburt an vorhandene Verschiedenheit in der moralischen Veranlagung der Menschen auf eine einfache, ungezwungene Weise so zu erklären, daß diese eben auf den Taten des einzelnen in einem vergangenen Leben beruht. Zweitens weist er nicht das quantitative Mißverständnis zwischen Ursache und Wirkung auf, das man zwischen der kurzen irdischen Bewährungszeit und der in Ewigkeit andauernden Vergeltung finden könnte.

5. Eine bemerkenswerte Eigenschaft der indischen Denker ist ihre großzügige *Toleranz*. In einer von Priestern beherrschten Gesellschaft konnten sich materialistische, skeptizistische, atheistische Lehren entfalten; die uns überkommenen Berichte sprechen zwar von Streitigkeiten, Debatten und Geisteskämpfen, so gut wie niemals jedoch von Lästerung, Unterdrückung oder physischer Verfolgung. Den Indern, die ja auch niemals eine mit höchster geistlicher Autorität ausgestattete Stelle wie das Papsttum besessen haben, ist der Gedanke fremd, daß die Wahrheit nur in einer Form zu finden sei. Überaus bezeichnend ist in diesem Zusammenhang, daß ein einziger brahmanischer Gelehrter im neunten Jahrhundert die Hauptwerke aller bekannten orthodoxen Systeme kommentiert und jedes System in seiner jeweiligen Richtung und Eigenart weitergebildet hat — ein Vorgang, der in Europa kaum vorzustellen wäre und nur so zu erklären ist, daß der Inder alle Denksysteme nur als unvollkommene Hilfsmittel und Annäherungsweisen an die Wahrheit ansieht.

6. Eine letzte Eigentümlichkeit, die noch hervorgehoben zu werden verdient, ist — für den europäischen Betrachter jedenfalls — eine unverkennbare Hinneigung zur *Geringschätzung des Irdischen* und zur Abwendung vom tätigen Leben; daß die Inder ihre Freiheit verloren, mag wohl mit daran gelegen haben, daß sie sie nicht in genügendem Maße der Verteidigung für wert hielten. In der Praxis werden die strengen Forderungen der Philosophen natürlich immer nur kompromiß- und annäherungsweise verwirklicht worden sein, und die Masse des Volkes wird, wie überall, im Jetzt und Hier ihr Genügen gefunden haben.

Zweites Kapitel

Die altchinesische Philosophie

China ist der zweite Kulturkreis neben dem indischen, aus dem wir Dokumente philosophischen Denkens von ungefähr dem gleichen Alter besitzen.

Auch China bildet nach Ausdehnung, Bevölkerungszahl und Eigenart eine Welt für sich, die besser mit Europa als Ganzem als mit einem einzelnen europäischen Lande verglichen werden kann, und ist in sich nach Unterschieden des Klimas, der Landschaft und auch der gesprochenen Sprache ähnlich reichhaltig gegliedert wie dieses; infolge der weitgehenden geographischen Isolierung — durch Ozeane, Gebirge und Wüste — und der durch diese bewirkten kulturellen Abgeschlossenheit, die erst vor geschichtlich kurzer Zeit durchbrochen wurde, hat es aber eine jahrtausendelange Stetigkeit der geistigen und religiösen Überlieferung und der sozialen Verhältnisse erreicht und bietet das Bild einer einheitlichen Kultur.

An die großartigen Kulturleistungen der Chinesen auf fast allen Gebieten soll hier nur erinnert werden. Sie reichen von Bodennutzung, Flußregulierung, Erfindungen, wie Porzellan, Schießpulver, Kompaß, Papiergeld, bis zum Staatswesen und der gesellschaftlichen Organisation und bis zur bildenden Kunst (besonders Malerei und Keramik) und Literatur, innerhalb deren die unvergleichliche lyrische Dichtung hervorragt.

Vorgeschichtliche Funde legen die Annahme nahe, daß die menschliche Gesittung in China auf eine ununterbrochene Entwicklung von vielen Jahrtausenden zurückblickt. Die aufgezeichnete Geschichte der Chinesen reicht zurück bis zu den Kaisern des dritten vorchristlichen Jahrtausends. Die Überlieferung schreibt diesen mythischen Herrschern die Erfindung der Schrift, die Einführung der Ehe, die Ausbildung der Musik, die Erfindung der Eßstäbchen und viele andere grundlegende Kulturleistungen zu und verdichtet so in ihnen kulturelle Errungenschaften, die wahrscheinlich in Wirklichkeit Jahrtausende oder mehr zu ihrer allmählichen Durchsetzung gebraucht haben.

Einiger besonderer Bemerkungen bedarf die chinesische Sprache und Schrift. Das Chinesische steht seiner Struktur nach

dem Deutschen und den anderen europäischen Sprachen denkbar fern. Es gehört zur Klasse der sogenannten isolierenden
oder einsilbigen Sprachen, das heißt es besteht aus lauter
einsilbigen Wörtern, die ganz unveränderlich sind, also nicht
der Beugung (Konjugation und Deklination) unterliegen,
keine Vorsilben oder Endungen annehmen usw. Die naturgemäß beschränkte — und durch andere Eigenheiten noch
weiter begrenzte — Zahl solcher Silben wird dadurch verviel-
facht, daß jede Silbe in verschiedenster Weise betont werden
kann (zum Beispiel hoch gleichbleibend, tief gleichbleibend,
mit ansteigendem, mit fallendem Ton usw.) und damit jedesmal eine andere Bedeutung hat. Der »singende« Charakter,
den das Chinesische für das europäische Ohr hat, hängt mit
diesen Eigenarten der Betonung zusammen. Manche Silben
können bis zu 50 oder 60 verschiedene Bedeutungen haben.
(Der Leser, der das gar zu merkwürdig findet, sei darauf
hingewiesen, daß auch in den europäischen Sprachen sehr
viele Wörter zwei — nämlich eine unmittelbare und eine
übertragene — und manche Wörter eine Vielzahl voneinander
abweichender Bedeutungen haben.) Was jeweils gemeint ist,
ergibt sich hauptsächlich aus der Stellung des Wortes im
Satzzusammenhang — für die demgemäß strengere Regeln
als in anders gebauten Sprachen gelten — oder durch Hinzu-
fügung näher bestimmender Wörter. (Auch dies gibt es in
gewissem Umfang in indo-europäischen Sprachen, zum Beispiel dem modernen Englisch.) Ebenfalls nur aus dem Zusammenhang ist zu ersehen, ob ein bestimmtes einsilbiges
Wort als Hauptwort, Eigenschaftswort, Tätigkeitswort oder
Umstandswort aufzufassen ist, zum Beispiel ob die Silbe
»ta« »Größe« oder »groß« oder »vergrößern« oder »sehr«
bedeutet. Ebenso stark wie die gesprochene Sprache unterscheidet sich die chinesische Schrift von der unseren. Sie ist
aus einer Bilderschrift hervorgegangen, hat diesen Charakter
noch weitgehend bewahrt und zeichnet sich vor allem dadurch aus, daß nicht nur die Laute der gesprochenen Sprache
wie bei uns, sondern vor allem die in den Wörtern ausge-
drückten Begriffe zu Papier gebracht werden. Für körperliche
Gegenstände wird also einfach ein (stilisiertes und verein-
fachtes) Abbild gezeichnet; die Zeichen für Berg, Haus, Baum,
Sonne, Mond usw. sind so gebildet. Abstrakte Begriffe, die
nicht einfach anschaulich abzubilden sind, werden durch ein
Zeichen versinnbildlicht, das damit gewissermaßen eine übertragene Bedeutung erhält, zum Beispiel der Begriff »Geist«
durch das Zeichen für »Herz«; oder durch die Verbindung mehrerer Bildzeichen; zum Beispiel Mund + Vogel = Gesang; eine
Frau mit einem Mund und noch einen Mund dazu = Streit;
Sonne + Mond = Licht; Frau + Besen + Sturm = Ehefrau.

Eine solche Schrift bietet den Vorteil, daß jeder, der nur die Bedeutung der einzelnen Bilder kennt, sie sozusagen in seiner eigenen Sprache lesen und verstehen kann, ohne die gesprochene chinesische Sprache zu kennen. Aus diesem Grunde bildet die Schrift das einigende sprachliche Band zwischen den verschiedenen chinesischen Dialekten; ferner ermöglicht sie, da die gesprochene Sprache sich gewandelt hat, die Schrift aber im wesentlichen unverändert geblieben ist, sehr alte Texte ohne große Schwierigkeiten zu lesen.

Freilich ist sie, verglichen mit unserem aus 25 Buchstaben bestehenden Abc, schwer zu erlernen. Es dauert Jahrzehnte, bis man die 40 000 zum Teil sehr komplizierten Zeichen alle beherrscht. Allerdings genügen wenige Tausend für den praktischen Gebrauch, und diese sind in einigen Jahren zu erlernen. Man vergegenwärtige sich — und deswegen wurde hier darauf eingegangen —, daß das Denken eines Volkes mit einer solchen Sprache in anderen Bahnen gehen muß als unseres — von den übrigen tiefliegenden kulturellen Unterschieden abgesehen, mit denen die Sprache selbstverständlich wiederum in engstem Zusammenhang steht. Eine wissenschaftliche Logik wie die in Griechenland und im Abendland entwickelte, die ja in unmittelbarer Verbindung mit der Grammatik der indo-germanischen Sprachen mit ihren strengen Unterscheidungen von Substantiv, Adjektiv, Verbum usw. und von Subjekt, Prädikat und Objekt entstand, konnte sich in China nicht entwickeln und hat sich auch nicht entwickelt. Wegen des unterschiedlichen Sprachaufbaus begegnet ferner die Übersetzung von Texten aus dem Chinesischen, gerade wenn diese philosophischen Inhalts sind und somit die in chinesischer Schrift sinnbildlich dargestellten abstrakten Begriffe in großer Zahl enthalten, mannigfachen Schwierigkeiten. Die vorliegenden Übersetzungen, auch wenn sie von hervorragenden Sprach- und Landeskennern stammen, weichen daher voneinander ab. Dies gilt im allgemeinen freilich mehr für Nuancen und feine Schattierungen der Begriffe als für den wesentlichen Inhalt; aber es ist klar, daß alles das, was in einem Wort, Satz oder ganzen Text an unausgesprochenem Stimmungshintergrund, an halbbewußten Gedankenverbindungen, an Atmosphäre gleichsam, mitschwingt, um so unvollkommener wiedergegeben werden kann, je weiter die betreffenden Sprachen in Aufbau und Eigenart voneinander entfernt stehen.

Einer der bedeutendsten chinesischen Gelehrten unserer Tage[1] hat die Entfaltung der chinesischen Philosophie verglichen mit einer in drei Sätzen ablaufenden geistigen Sinfonie. Im ersten Satz erklingen die drei Hauptthemen des Konfu-

zianismus, Taoismus und Mohismus, dazu die vier Neben-
themen des Sophismus, Legalismus, Neo-Mohismus und der
Yin-Yang-Lehre. Zu diesen Themen ertönen als Begleitung
zahlreiche andere, die jedoch nach einmaligem Aufklingen
nicht weiter fortgeführt werden; es sind die sogenannten
»Hundert Schulen«, deren Lehren nur bruchstückhaft überliefert sind. Dieser erste Abschnitt umfaßt die Zeit vom 6.
bis zum 2. Jahrhundert v. Chr.

Im zweiten Satz untermischen sich die verschiedenen Motive
zum Dominantakkord der mittelalterlichen chinesischen Philosophie, während der aus Indien hinzugekommene Buddhismus
den Kontrapunkt dazu bildet. Diese Periode reicht vom
2. Jahrhundert v. Chr. bis etwa zum Jahre 1000 n. Chr.

Der dritte Abschnitt erstreckt sich von da an bis in die Gegenwart. Er bietet eine Synthese der verschiedenen Elemente,
in der die beständige und einzigartige Melodie des Neu-Konfuzianismus den Ton angibt.

Mit den an Tragweite noch nicht zu übersehenden grundstürzenden Umwälzungen der jüngsten Gegenwart dürfte ein
gänzlich neuer Abschnitt seinen Anfang genommen haben.

Der musikalische Vergleich paßt schließlich insofern, als neben
Konsonanzen auch Dissonanzen auftreten.

Wir fügen hinzu, daß der erste Satz mit seinen Hauptmoti-
ven nicht unvermittelt aufklingt, sondern daß ihm ein Vor-
spiel in Gestalt einer noch früher liegenden langen Entwicklung des philosophischen Denkens in China vorausgegangen
ist. Da alles, was aus dieser Frühzeit überliefert ist, nur in
den von Konfuzius bearbeiteten klassischen Schriften auf uns
gekommen ist, widmen wir ihr keinen gesonderten Abschnitt,
sondern werden auf sie bei der Behandlung der konfuzianischen Philosophie kurz eingehen.

Im übrigen beschränken wir uns aus Raumgründen — ähnlich
wie im ersten Kapitel — im wesentlichen auf die erste Hauptperiode, weil in ihr die größten Denker aufgetreten und die
für alles Folgende grundlegenden Gedanken ausgesprochen
worden sind.

I. Konfuzius

1. DAS LEBEN DES KONFUZIUS

Konfuzius, der einflußreichste chinesische Denker und wahrscheinlich der einflußreichste aller Philosophen, die je gelebt
haben, wurde 551 v. Chr. im Fürstentum Lu (in der heutigen
Provinz Schantung) geboren. Er entstammte dem damals
schon alten adligen Geschlecht der Kung, das sich durch zwei-

einhalb Jahrtausende bis heute fortgepflanzt hat; die Zahl
der Nachkommen des Konfuzius geht inzwischen in die Zehn-
tausend. Sein chinesischer Name lautet Kung-fu-tse, das heißt
»Meister aus dem Geschlechte Kung«. Konfuzius ist eine von
Europäern eingeführte latinisierte Form dieses Namens.

In jungen Jahren schon richtete Konfuzius sein Haus als
Schule ein und lehrte die Schüler, die sich alsbald um ihn
sammelten, Geschichte, Dichtkunst und die Formen des Anstands. Im Lauf der Jahrzehnte gingen über 3000 junge Männer durch seine Schule, und sein Ruhm verbreitete sich. Obwohl er von Ehrgeiz erfüllt war und gern eine führende
Stellung im Staat eingenommen hätte, lehnte er doch alle
diesbezüglichen Angebote ab, solange er die Bedingungen
nicht mit seinen moralischen Grundsätzen vereinbaren konnte.
Er sagte: »Nicht das soll einen bekümmern, daß man kein
Amt hat, sondern das muß einen bekümmern, daß man dafür tauglich werde. Nicht das soll einen bekümmern, daß man
nicht bekannt ist, sondern danach muß man trachten, daß
man würdig werde, bekannt zu werden[2].« So dauerte es bis
zu seinem fünfzigsten Lebensjahr, ehe er Gelegenheit erhielt,
die von ihm inzwischen gefundenen und gelehrten Grundsätze einer gerechten Regierung als Beamter seines Heimatstaates in die Praxis umzusetzen. Nach der Überlieferung
erzielte er dabei außerordentliche Erfolge. Sein bloßer Amts-
antritt als Justizminister allein soll zum Beispiel schon die
Verbrecher in ihre Schlupfwinkel vertrieben und das Volk
zur Rechtschaffenheit veranlaßt haben. Der Fürst eines Nach-
barstaates, von Neid erfüllt auf das Aufblühen des Staates
Lu, sandte dessen Fürsten als Geschenk eine Schar sanges-
und tanzkundiger Mädchen und schöne Pferde und erreichte
damit, daß der Fürst sich dem Wohlleben ergab und von den
Regierungsgrundsätzen des Konfuzius abwandte, worauf dieser enttäuscht zurücktrat und sein Heimatland verließ.

Nach einem dreizehnjährigen Wanderleben ehrenvoll in die
Heimat zurückberufen, widmete sich Konfuzius dort in seinen
letzten Lebensjahren der Sammlung und Herausgabe der überlieferten Schriftdenkmäler und verfaßte eine Chronik seines
Heimatstaates. Ein öffentliches Amt nahm er nicht wieder an.
Nach seinem von ihm selbst vorausgesagten Tode wurde er
von seinen Schülern mit großem Prunk begraben. Er selbst
schied jedoch aus dem Leben voller Enttäuschung darüber,
daß keiner der Regierenden hatte auf seine Lehre hören und
seine Grundsätze verwirklichen wollen; er ahnte nicht, welch
überwältigender und lang dauernder Erfolg seinen Gedanken
beschieden sein sollte.

2. DIE NEUN KLASSISCHEN BÜCHER

Außer der Ausbildung seiner eigenen Philosophie, welche er
selbst niemals als originelle Schöpfung ausgab, sondern stets
nur als Weitergabe dessen bezeichnete, was er von den sagenhaften Kaisern der Frühzeit gelernt hatte, hat Konfuzius das
große Verdienst, die ältesten Überlieferungen des chinesischen Kulturkreises gesammelt und für die Nachwelt bewahrt
zu haben.

Von den fünf so entstandenen King oder kanonischen Büchern
stammen die ersten vier mit ziemlicher Sicherheit von Konfuzius selbst, das fünfte wahrscheinlich wenigstens mit einzelnen Partien.

1. Für die Philosophie am bedeutsamsten ist das I King oder
»Buch der Wandlungen«, möglicherweise das älteste erhaltene
Dokument philosophischen Denkens überhaupt. Nach der
Überlieferung stammt es von einem Kaiser, der fast 3000 Jahre
vor der Zeitwende lebte und regierte. Konfuzius hat es neu
herausgegeben und einen Kommentar dazu verfaßt. Er schätzte
es so hoch, daß er wünschte, er möge fünfzig Jahre Zeit
haben, darin zu studieren[3].

Den Kern des Buches bilden acht sogenannte Trigramme, das
heißt aus drei teils ganzen, teils gebrochenen Strichen bestehende Zeichnungen. Jedes Trigramm versinnbildlicht eine Na-
turkraft und zugleich in symbolischer Übertragung ein bestimmtes Element des menschlichen Lebens. Diese acht ursprünglichen Trigramme sehen folgendermaßen aus[4]:

Zeichen:	chines. Bezeichnung:	Naturkraft:	Bedeutung im menschlichen Leben:
	tien	Himmel	Stärke
	tui	See	Lust
	lî	Feuer	Glanz
	tschan	Donner	Energie
	siuen	Wind	Durchdringung
	kan	Regen	Gefahr
	kân	Berg	Stillstand
	kwun	Erde	Willfährigkeit

Durch Kombination untereinander wurde die Zahl der Zeichen
vermehrt. In den durchlaufenden Linien wird ein Element
des Hellen — Licht, Bewegung, Leben — dargestellt gedacht
(Yang), in den durchbrochenen ein Element des Dunklen —
Ruhe, Materie (Yin).

Der Auslegung läßt dieses seltsame und weltberühmte Buch

der Zeichen einen weiten Spielraum. Die Chinesen sehen in ihm ein namentlich auch zu Zwecken der Wahrsagung benutztes Kompendium der tiefsten Weisheit, die sich freilich nur dem erschließt, der sich in diese Welt der Symbole einlebt und ihren geheimen Sinn erfassen lernt. Europäische Chinakenner haben es in Tönen höchster Bewunderung gepriesen als ein Orakelbuch, das den, der darin zu lesen versteht, in keiner Lage des Lebens im Stiche lasse.

2. Das zweite der von Konfuzius herausgegebenen Bücher, das Schi King oder »Buch der Lieder«, enthält hundert Gesänge, die lange vor Konfuzius' Lebenszeiten entstanden waren und die er aus einer weit größeren Anzahl ausgewählt hat. Neben volkstümlichen Natur- und Liebesliedern finden sich Opfergesänge und politische Tendenzlieder.

3. Das Schu King oder »Buch der Urkunden« ist eine umfangreiche Sammlung von Urkunden verschiedener Art aus zweitausend Jahren chinesischer Geschichte bis an die Zeit des Konfuzius heran, meist Gesetze, Erlasse usw. von Fürsten, mit beigefügten Erläuterungen und Zwischentexten.

4. Von Konfuzius selbst verfaßt sind die »Frühlings- und Herbstannalen«, eine Chronik seines Heimatstaates Lu für die Zeit von 722 bis 480 v. Chr.

5. Das letzte der kanonischen Bücher, das Li Ki oder »Buch der Riten«, ist das umfangreichste. Es ist erst nach Konfuzius entstanden, Teile werden aber auf ihn selbst zurückgeführt. Es behandelt die — in China besonders gepflegten — Vorschriften der Etikette, Sitten und Bräuche, zum Beispiel für den Ahnenkult und für das Benehmen bei Hofe.

Den fünf kanonischen Büchern an Ansehen gleichgestellt sind vier weitere, die sogenannten »klassischen Bücher«. Diese sind nicht von Konfuzius selbst verfaßt oder herausgegeben, enthalten aber seine Lehren oder die Lehren der hervorragendsten unter seinen Schülern.

1. Das Buch Lun Yü enthält die »Unterredungen« des Konfuzius. Wie viele andere große Lehrer der Menschheit lehrte Konfuzius selbst nur mündlich. Wir kennen seine Gedanken nur aus diesen von seinen Schülern aufgezeichneten Äußerungen. Allerdings scheint die mündliche Überlieferung von literarischen Erzeugnissen und Reden großer Männer in früheren Zeiten viel zuverlässiger und exakter gewesen zu sein, als das in unserer Zeit denkbar wäre, da die Köpfe der Menschen unter der Überfülle der täglich durch Zeitungen, Rundfunk, Film und die Schnelligkeit der Ortsveränderungen auf uns einstürmenden Eindrücke schwirren und vom Wesentlichen abgelenkt werden. Neben diesen Unterredungen bildet die zweite Hauptquelle für unsere Kenntnis der konfuzianischen Philosophie

2. die »Große Wissenschaft« — Ta Hsüeh —, deren erster Teil möglicherweise authentische Aussprüche des Konfuzius enthält.

3. Das dritte der klassischen Bücher, Tschung Yung, die »Lehre von Maß und Mitte«, stammt von einem Enkel des Konfuzius, der für seine Ausführungen ebenfalls laufend Aussprüche des Meisters anführt. Aus diesem Grunde, daneben aber auch wegen seines eigenen Inhalts, nimmt das Tschung Yung in der konfuzianischen Literatur eine beherrschende Stellung ein.

4. Das letzte dieser Bücher stammt von Mencius, dem größten Schüler des Konfuzius, und wird bei der Darstellung von dessen Lehre nochmals erwähnt werden.

Die vorstehend aufgeführten Werke werden auch zusammenfassend als die »Neun klassischen Bücher« bezeichnet. Sie ragen wegen ihres ehrwürdigen Alters und der Bedeutsamkeit ihres Inhalts über die gesamte übrige philosophische Literatur der Chinesen — mit Ausnahme des Tao-te King — hinaus und bilden bis heute die Grundlage der konfuzianischen Überlieferung.

3. DER BESONDERE CHARAKTER DER KONFUZIANISCHEN PHILOSOPHIE

Der hervortretende Zug in der Philosophie des Konfuzius — und zugleich der Grundzug eigentlich allen chinesischen Philosophierens — ist das Hingewandtsein auf den Menschen und auf das praktische Leben. Sie stellt deshalb auch kein ausgearbeitetes und abgeschlossenes System von Logik, Ethik und Metaphysik dar.

Eine Logik als besondere philosophische Disziplin kennt Konfuzius nicht. Er lehrte seine Schüler nicht allgemeine Regeln des Denkens, sondern suchte sie in unablässiger Einwirkung zum selbständigen und richtigen Denken zu bringen. (Überhaupt ist derjenige, der die abstrakten Regeln der Logik am besten beherrscht, keineswegs damit der beste Denker — wie auch Mephisto im »Faust« bemerkt.)

Auch eine ausgebildete Metaphysik hat Konfuzius nicht hinterlassen. Er liebte es nicht, sich über allgemeine metaphysische Probleme zu äußern. Als ein Schüler ihn über den Dienst an den Geistern und über den Tod befragte, sprach er: »Wenn wir noch nicht einmal wissen, wie wir den Menschen dienen sollen, wie können wir wissen, wie wir den Geistern dienen? Wenn wir nichts über das Leben wissen, wie können wir etwas über den Tod wissen?[5]« So gilt er allgemein als Agnostiker, als ein Mensch, der überzeugt ist, daß wir über metaphysische Fragen und über das Jenseits nichts wissen können.

Der überlieferten chinesischen Reichsreligion mit ihrer Verehrung des Himmels (als einer unpersönlich gedachten Macht, sie kennt keinen persönlichen Gott), der Geister und der Manen der Verstorbenen stand er allerdings positiv gegenüber; jedenfalls wies er seine Schüler an, deren rituelle Vorschriften zu befolgen — es bleibt unentschieden, ob aus religiöser Überzeugung oder aber aus seiner allgemein konservativen, stets auf die Wahrung des Althergebrachten bedachten Grundhaltung heraus.

An unbedingt erster Stelle steht jedenfalls für ihn die Wohlfahrt des Menschen. So ist seine ganze Lehre im wesentlichen eine Sammlung von Verhaltensgrundsätzen und moralischen Vorschriften, die diesem Ziel dienen; das heißt, sie ist hauptsächlich Ethik und — da Konfuzius den Menschen nie als isolierten Einzelnen, sondern immer im natürlichen Zusammenhang von Familie, Gesellschaft und Staat sieht — zugleich Gesellschaftslehre oder Politik.

4. DAS SITTLICHE IDEAL

Entsprechend dem im wörtlichen Sinne »humanistischen« — auf den Menschen bezogenen — Charakter des konfuzianischen Denkens ist das Ideal nicht der weltabgewandte, asketische Heilige, sondern der abgeklärte, Welt und Menschen kennende und in allem das richtige Maß haltende *Weise*. Unablässige Selbsterziehung, sittlicher Ernst in allen Angelegenheiten und Aufrichtigkeit im Umgang mit den Mitmenschen zeichnen den Edlen aus. Stellung und materielle Güter verschmäht er nicht, aber er ist zu jeder Zeit bereit, sie aufzugeben um seiner moralischen Grundsätze willen.

Güte vergilt er mit Güte, der Schlechtigkeit begegnet er mit Gerechtigkeit. Indem er seinen eigenen Charakter formt, hilft er zugleich anderen, den ihren zu bilden. Äußeres und Inneres stehen bei ihm im rechten Gleichgewicht, denn: »Bei wem der Gehalt die Form überwiegt, der ist ungeschlacht; bei wem die Form den Gehalt überwiegt, der ist ein Schreiber. Bei wem Form und Gehalt Gleichgewicht sind, der ist ein Edler[6].«

Befragt über die vollkommene Tugend, antwortete Konfuzius mit dem Satz, der unmittelbar neben die christliche Idee der Nächstenliebe zu stellen ist und der als »Goldene Regel« des menschlichen Verhaltens bei vielen Völkern wiederkehrt: »Was du selbst nicht wünschst, tu nicht den andern!«

Seine Forderungen nach Strenge, Ernst, Respekt gegenüber sich selbst und andern, vorbildlichem Verhalten in jeder Lebenslage soll Konfuzius an sich selbst in so hohem Maße verwirklicht haben, daß von ihm der Eindruck einer geradezu bedrückenden Vollkommenheit ausging.

5. STAAT UND GESELLSCHAFT

Wie für das Leben des einzelnen, erhebt Konfuzius auch für
das Leben der Gesamtheit die Forderung nach Rechtschaffenheit, Ernst, vorbildlichem Verhalten der Regierenden, Erhaltung der traditionellen Bindungen.

Diese ständige Betonung moralischer Forderungen ist nur
richtig zu verstehen, wenn man sich vergegenwärtigt, daß
dem Wirken des Konfuzius allem Anschein nach eine Zeit
der Auflösung moralischer Bindungen, Lockerung der Sitten
und Freigeisterei unmittelbar vorausgegangen war. Lehrer
waren aufgetreten, spitzfindige Sophisten, die Kritik übten
sowohl an der hergebrachten Religion wie an den Regierun-
gen, die die Relativität von Gut und Böse behaupteten; Menschen, die an allem zweifelten und jedes Ding und sein Gegenteil gleichgut beweisen zu können glaubten. Die Herrschenden führten einen erbitterten Kampf gegen diese Sophisten.
Konfuzius selbst soll während seiner Amtstätigkeit einen von
ihnen wegen der Gefährlichkeit seines demagogischen Auf-
tretens zum Tode verurteilt haben. Ohne moralische Bindung,
setzten diese Sophisten ihre dialektische Kunst für jeden Zweck
und für jeden ein. Von einem von ihnen, einem gewissen
Teng Schi, wird folgende kennzeichnende und ergötzliche Geschichte erzählt: »Ein Fluß war angeschwollen und ein reicher
Mann ertrunken. Ein Fischer fand den Leichnam. Die Familie
wollte ihn loskaufen, aber der Fischer verlangte zuviel Geld.
Da sagten sie es Teng Schi. Der sprach: ›Ihr könnt ruhig
sein, es kauft ihm sonst niemand seinen Fund ab.‹ Der Fischer
ward besorgt und wandte sich ebenfalls an Teng Schi. Der
sprach abermals: ›Du kannst ruhig sein, sie können ihn sonst
nirgends kaufen[7].‹« Auch dieser Teng Schi soll auf dem
Schafott geendet haben.

In dieser Zeit des drohenden oder bereits eingerissenen moralischen Verfalls erhebt Konfuzius seine Stimme und ruft sein
Volk und seine Herrscher in erhabenem Ernst zur Rückkehr zu
den bewährten und uralten Grundsätzen seiner gesellschaftlichen
Ordnung. Der Kern seiner Lehre ist in der folgenden berühmten
Stelle aus der »Großen Wissenschaft« ausgesprochen: »Wenn
die Alten die lichte Tugend offenbar machen wollten im Reiche,
ordneten sie zuvor ihren Staat; wenn sie den Staat ordnen
wollten, regelten sie zuvor ihr Hauswesen; wenn sie ihr Hauswesen regeln wollten, vervollkommneten sie zuvor ihre eigene
Person; wenn sie ihre eigene Person vervollkommnen wollten,
machten sie zuvor ihr Herz rechtschaffen; wenn sie ihr Herz
rechtschaffen machen wollten, machten sie zuvor ihre Gedanken
wahrhaftig; wenn sie ihre Gedanken wahrhaftig machen wollten, vervollständigten sie zuvor ihr Wissen[8].«

Hier ist die Erkenntnis ausgesprochen, daß, um Ordnung im
Staate und Wohlfahrt der Gesamtheit herzustellen, jeder zunächst bei sich selbst, in seinem eigenen Innern, anfangen
müsse — eine Erkenntnis, die heute wieder zum Beispiel von
der sogenannten Moralischen Aufrüstung (Caux) verfochten
wird. Dies gilt nach Konfuzius nicht nur für jeden einzelnen,
sondern in ganz besonderm Maße für die Regierenden, die
nicht durch Gewalt, auch nicht durch viele Gesetze, sondern
durch die ausstrahlende Kraft ihres Beispiels das Volk führen
und sein Vertrauen, die wichtigste Grundlage des Staates, erhalten sollen:

Einem Fürsten, der ihn fragte, ob derjenige, der die Gesetze
übertritt, getötet werden solle, antwortete Konfuzius: »Wenn
Eure Hoheit die Regierung ausübt, was bedarf es dazu des
Tötens? Wenn Eure Hoheit das Gute wünscht, so wird das
Volk gut. Das Wesen des Herrschers ist wie der Wind. Das
Wesen des Geringen ist wie das Gras. Das Gras muß sich
beugen, wenn der Wind darüber hinfährt.« Und: »Wer kraft
seines Wesens herrscht, gleicht dem Nordstern, der an seinem
Orte verweilt, und alle Sterne umkreisen ihn[9].«

Daß in den Köpfen und Herzen der Menschen zunächst Ordnung werde, erfordert vor allem, daß die Dinge bei ihren einfachen und richtigen Namen genannt werden. Weniges ist
nach Konfuzius für Frieden, Rechtschaffenheit und Wohlfahrt
so verderblich wie Verwirrung der Namen und Begriffe. Der
Vater sei Vater, der Sohn Sohn, der Fürst Fürst, der Diener
Diener! Das ist das ganze Geheimnis der guten Regierung.
Als Konfuzius einmal gefragt wurde, welche Maßnahmen im
Staate er zuerst ergreifen würde, wenn er Macht hätte zu
bestimmen, antwortete er: Sicherlich die Richtigstellung der
Begriffe! Uns Heutigen, die wir uns einer erdrückenden Flut
dringendster praktischer Aufgaben im öffentlichen Leben ge-
genübersehen, mag es auf den ersten Blick vielleicht etwas
abwegig erscheinen, als erste und wichtigste Aufgabe ausge-
rechnet die Richtigstellung der Begriffe anzusehen. Man über-
lege aber immerhin einmal, um wieviel die heutige verworrene Weltlage einfacher und durchsichtiger erscheinen und um
wieviel es Millionen Menschen ihre Entscheidungen erleich-
tern würde, wenn der mit Propaganda und Schlagworten auf
allen Gebieten getriebene Mißbrauch eingedämmt würde und
Begriffe wie »Freiheit«, »Demokratie«, »Sozialismus«, »Ag-
gression«, »Sklaverei« nur in ihrer klaren ursprünglichen Bedeutung gebraucht würden.

Von entscheidendem Wert für die Erhaltung und Stärkung
von Staat und Gesellschaft ist die Erziehung. Konfuzius verlangt eine Vermehrung und Verbesserung des allen in gleicher
Weise zugänglichen öffentlichen Unterrichts. Tatsächlich wur-

den seine diesbezüglichen Gedanken nach seinem Tode für
Jahrhunderte zur Grundlage des chinesischen Erziehungssy-
stems gemacht. Mehr noch als bloßes Wissen betont er die
Wichtigkeit der Ausbildung des künstlerischen Empfindens
und der Erziehung zu Anstand und Sitte. Er hebt den Nutzen
der Literatur hervor, die die Gefühle anregt, zur Pflichterfüllung hilft, den Gesichtskreis und die Kenntnis von Welt
und Menschen, von Tieren und Pflanzen erweitert. Von mindestens gleicher Bedeutung ist ihm die Musik, die er zu einem
Grundpfeiler der allgemeinen Bildung erklärt. Musik ist der
Güte verwandt, und durch die Beschäftigung mit ihr gewinnt
man ein gutes, aufrichtiges und natürliches Herz.
Von den Regeln des Anstands und der Sitte, auf die er größtes Gewicht legt, meint er, daß sie zumindest den äußeren
Charakter formen und dem Volk als ein Schutzwall gegen
gefährliche Ausschreitungen dienen. Er ruft aus: »Derjenige,
der glaubt, daß dieser Schutzwall nutzlos sei, und ihn daher
zerstört, kann sicher sein, daß er unter den Verwüstungen
der dann hereinbrechenden Fluten zu leiden hat[10]« — eine
prophetische Warnung, die für unser Volk und unsere Zeit
nicht weniger gültig ist als für das versunkene China des
Kung-fu-tse!

II. Lao Tse

1. DAS LEBEN DES LAO TSE

Wie Platon und Aristoteles in Griechenland, so lebten in China
die beiden Denker, die dem chinesischen Geist für seine ganze
weitere Entwicklung die Richtung gegeben haben, fast gleichzeitig, nur durch den Abstand einer Generation getrennt, nebeneinander. Man kann hier allerdings nicht den einen den
Schüler des andern nennen. Wohl aber sind beide, wenn wir
der chinesischen Überlieferung glauben dürfen (Lao Tse ist
überhaupt als geschichtliche Persönlichkeit umstritten), einmal
in persönliche Berührung gekommen. Lao Tse war der ältere
von beiden; seine Geburt wird um das Jahr 600 v. Chr. angenommen. In unserer Darstellung wurde Konfuzius deshalb
vor ihm behandelt, weil er auf älteste Überlieferung zurück-
greift, die wir nur durch seine Vermittlung kennen. Auch Lao
Tse hat jedoch wahrscheinlich aus älterem Gedankengut geschöpft, über welches aber so gut wie nichts mehr bekannt ist.
Über sein Leben wissen wir kaum mehr als das, was ein
chinesischer Historiker wie folgt berichtet:
»Lao Tse war ein Mann aus dem Dorfe Kü-dschen, Bezirk
Li Kreis Ku, im Lehenstaate Tschou. Sein Familienname war

Li (Lao Tse ist ein später aufgekommener Beiname, es bedeutet ›der alte Meister‹), sein Rufnahme Ri, sein Mannesname Pohyang, sein posthumer Ehrentitel Tan. Er war Geschichtsschreiber des Staatsarchivs im Staat Tschou.

›Kong Tse‹ (das ist Konfuzius) begab sich nach Tschou, um Lao Tse über das Zeremoniell zu befragen. Lao Tse sprach: ›Die Menschen, von denen du sprichst, sind samt ihren Gebeinen bereits vermodert, und nur ihre Worte sind noch vorhanden.‹ Und weiter sprach er: ›Wenn ein Edler seine Zeit findet, so steigt er empor; findet er seine Zeit nicht, so geht er hin und läßt das Unkraut wachsen. Ich habe gehört, ein guter Kaufmann verberge tief seine Schätze, als wäre es bei ihm leer; und ein Edler von vollendeter Tugend erscheine in seinem äußeren Wesen als einfältig. Stehe ab, Freund, von deinem hoffärtigen Wesen und von deinen vielerlei Wünschen, von deinem äußeren Gebaren und deinen hochfliegenden Plänen. Das alles ist ohne Wert für dein eigenes Selbst. Weiter habe ich dir nichts zu sagen!‹

Kong Tse ging von dannen und sprach zu seinen Jüngern: ›Die Vögel — ich weiß, daß sie fliegen können; die Fische — ich weiß, daß sie schwimmen können; das Wild — ich weiß, daß es laufen kann. Die Laufenden fängt man mit Schlingen, die Schwimmenden fängt man mit Netzen, die Fliegenden trifft man mit Pfeilen. Aber vom Drachen begreife ich nicht, wie er auf Wind und Wolken dahinfährt und zum Himmel aufsteigt. Heute habe ich den Lao Tse gesehen; ich glaube, er ist dem Drachen gleich.‹

Lao Tse befliß sich des Tao und der Tugend. Seine Lehre setzt als Ziel, verborgen zu bleiben und namenlos zu sein. Lange lebte er in Tschou. Er sah den Verfall von Tschou und zog davon. Er kam an den Grenzpaß. Der Paßaufseher Yin Hin sprach: ›Ich sehe, Herr, daß du in die Einsamkeit gehen willst; ich bitte dich um meinetwillen, schreibe deine Gedanken in einem Buche nieder.‹ Und Lao Tse schrieb ein Buch, bestehend aus zwei Abschnitten in fünftausend und einigen Wörtern, welches vom Tao und der Tugend handelt. Dann zog er von dannen. Niemand weiß, wo er geendet hat[11].«

Dieser Grenzwächter hat um die Geschichte der Philosophie ungefähr das gleiche Verdienst wie Lao Tse selbst. Hätte nicht er den Meister zur Niederschrift seiner Gedanken genötigt, so wäre die Literatur der Welt um eines ihrer erhabensten Bücher ärmer, und die Gedanken eines der größten Weisen aller Zeiten und Völker wären in ihm verschlossen geblieben, ohne der Nachwelt eine Spur zu hinterlassen. Bei wieviel anderen Weisen mag das schon der Fall gewesen sein? Wenn man einmal den utopischen Gedanken erwägt, daß alle je gedruckte Bücher der Vernichtung anheimgegeben würden bis auf drei, und man selbst die Wahl hätte, die drei zu bewahrenden zu bestimmen, so sollte das Tao-te King, das Buch des Alten Meisters vom Weg und der Tugend, zu ihnen gehören. Es enthält in zwei Büchern und 81 Kapiteln, ohne strenge Ordnung, die metaphysischen, ethischen und politischen Anschauungen des Lao Tse.

2. DAS TAO UND DIE WELT — TAO ALS PRINZIP

Tao, der Grundbegriff der Philosophie des Lao Tse, bedeutet erstens »Weg« und zweitens »Vernunft«[12]. Der Begriff Tao als Weg oder Gesetz des Himmels kommt schon in der älteren chinesischen Reichsreligion vor; er wird ferner auch von Konfuzius und seiner Schule verwendet, freilich in anderem Sinne; vor allem nimmt er dort nicht die zentrale Stelle ein wie bei Lao Tse. Die Lehre des Lao Tse und die sich an ihn anschließende philosophische (und religiöse) Richtung in China wird nach dem Tao Taoismus genannt.

Tao ist der im Grunde unfaßliche Urgrund der Welt. Es ist das Gesetz aller Gesetze, das Maß aller Maße. Wir sehen schon hier am Anfang, wie das Denken des Lao Tse eine gegenüber Konfuzius ganz andere, nämlich metaphysische Richtung einschlägt. (Der Mensch richtet sich nach dem Maße der Erde, die Erde nach dem Maße des Himmels, der Himmel nach dem Maße des Tao, das Tao nach dem Maße seiner selbst[13].«) Insofern das Tao als Un-Bedingtes in sich selber ruht, kann es in der Sprache der europäischen Philosophie als das »Absolute« bezeichnet werden. Dazu stimmt es, daß das Tao unbegreiflich und nicht nennbar ist. Lao Tse wird nicht müde zu betonen: »Das ewige Tao hat keinen Namen«; »Tao ist verborgen, namenlos«; »Ich weiß seinen Namen nicht, nenne es aber Tao[14].«

Da das Tao unfaßbar ist, so ist das Höchste, was wir an Erkenntnis erlangen können, die Gewißheit unseres Nichtwissens. »Erkennen des Nichterkennens ist das Höchste[15].«

Können wir auch das Tao nicht eigentlich greifen und erkennen, so können wir seiner doch innewerden, indem wir demütig und hingegeben sein Walten in den Gesetzen der Natur und des Weltablaufs erfühlen und zum Richtmaß auch unseres menschlichen Lebens machen. Das setzt allerdings voraus, daß wir uns innerlich von allem radikal befreien, was uns vom Wege des Tao ablenkt und den Blick auf dieses hindert, daß wir, wenn auch äußerlich vielleicht im Getriebe der Welt stehend, uns innerlich gelöst dem einen öffnen, das Erde und Himmel durchwaltet; und damit haben wir uns bereits der Ethik des Tao-te King zugewandt.

3. TAO ALS WEG DES WEISEN

Wer die Wertlosigkeit aller Dinge außer dem Tao erkannt hat, der kann nicht eine Ethik des Handelns um des Handelns oder des Erfolges willen lehren. Aber Lao Tse lehrt auch nicht reine Weltflucht und Askese. Er strebt, und das ist ein Grundzug allen chinesischen Denkens, nach der rechten Mitte. Der Mensch soll in der Welt stehen und wirken, aber so, daß er zugleich innerlich gleichsam »nicht von dieser Welt« ist. Er sieht und liebt Menschen und Dinge, aber er soll ihnen nicht verfallen, sondern immer eingedenk sein: »Des Heiligen Reich ist seine Brust, nicht Augenlust.«

Im vorstehenden wie im folgenden wird die innere Verwandtschaft des (ursprünglichen) Taoismus mit Gedanken der indischen Religion und Philosophie besonders deutlich. Manche Forscher haben aus dieser Ähnlichkeit sogar auf eine tatsächliche Beeinflussung geschlossen. Der indische Begriff »karma-yoga« — Handeln und seine Pflicht erfüllen, indem man doch innerlich frei und unabhängig bleibt und gerade dadurch sich selbst und die Dinge meistert — besagt dasselbe wie die Forderung des Lao Tse: Handeln durch Nicht-Tun, die Dinge handhaben, ohne Besitz von ihnen zu ergreifen, Arbeit zu vollenden, ohne Stolz darauf zu haben. Aber auch das Paulus-Wort vom »Haben, als hätte man nicht« ist aus der gleichen Haltung gegenüber der Welt geboren. — Die indische Lehre vom Brahman, das in allen und auch in uns selbst ist und in dem wir aufgehen müssen, um Frieden und Erlösung zu finden, ist gleichermaßen mit der Lehre vom Tao zu vergleichen.

In der praktischen Ethik, in der Auffassung des Verhältnisses zum Mitmenschen, drängt sich wiederum die Parallele zum Christentum auf. »Wer nicht streitet, mit dem kann niemand auf der Welt streiten ... Vergilt Freundschaft durch Tugend! ... Den Guten behandle ich gut, und den Nicht-Guten behandle ich auch gut, und so erlangt er Güte. Den Wahrhaftigen behandle ich wahrhaftig, und den Nicht-Wahrhaftigen behandle ich auch wahrhaftig, und so erlangt er Wahrhaftigkeit ...[16].«

Lao Tse geht hier noch einen Schritt weiter als Konfuzius, der Güte zwar ebenfalls mit Güte, Schlechtigkeit aber nicht auch mit Güte, sondern mit »Gerechtigkeit« vergelten wollte.

Das Schlüsselwort zur Ethik des Tao-te King ist *Einfachheit*. Das einfache Leben verschmäht Gewinn, Klugheit, Künstelei, Selbstsucht und hochfliegende Wünsche. »Der vollkommene Mensch wünscht, nicht zu wünschen, und schätzt nicht schwer zu erlangende Güter ... Schaffen wir höchste Leere, wahren wir feste Stille[17].«

In der Stille und in der hingegebenen Beobachtung des Natur-
ablaufes, in welchem das Tao seine Außenseite hat, können
wir durch Innewerden des Tao zur Ruhe und zur Erleuchtung
kommen. »Wenn alle Wesen und Dinge sich regen, schaue
ich, wie sie sich wenden. Ja, die Dinge blühen und blühen,
und jedes kehrt zurück zu seiner Wurzel. Rückkehr zur Wurzel ist Stille, und das heißt: sich zur Bestimmung wenden.
Wendung zur Bestimmung ist Ständigkeit. Erkenntnis der
Ständigkeit ist Erleuchtung[18].«
Der Erleuchtete ist unbefangen und kehrt ein zur Einfalt
des Kindes. Er ist gelöst, ja weich, und vermag gerade dadurch alles zu überwinden. Denn das Weiche überwindet das
Harte. »Nichts in der Welt ist weicher und schwächer denn
das Wasser, und nichts, was Hartes und Starkes angreift,
vermag es zu übertreffen. Es hat nichts, wodurch es zu er-
setzen wäre. Schwaches überwindet das Starke[19].« Indem der
Weise genügsam und bescheiden wie das Wasser lebt, verbreitet er Wohltaten um sich her. »Der höchst Gute ist wie
Wasser; Wasser ist gut, allen Wesen zu nützen, und streitet
nicht; er bewohnt, was die Menschen verschmähen; darum
ist er nahe am Tao[20].«
Wes Tun mit dem Tao übereinstimmt, der wird eins mit Tao.
Wer das höchste Ziel erreicht und unter völliger Selbstentäußerung im Tao aufgeht, der erlangt auch — in diesem Sinne
— Unsterblichkeit. »Wer das Ewige kennt, ist umfassend; umfassend, daher gerecht; gerecht, daher König; König, daher
des Himmels; des Himmels, daher Taos; Taos, daher fort-
dauernd; er büßt den Körper ein ohne Gefährde[21].«
Entäußerung seiner Selbst, Selbstlosigkeit, ist das eigentliche
Kennzeichen des Edlen. »Sich selbst zurückziehen, ist des Himmels Weg[22].« — »Daher der heilige Mensch umfaßt das Eine
und wird der Welt Vorbild. Nicht sich siehet er an, drum
leuchtet er; nicht sich ist er recht, drum zeichnet er sich aus;
nicht sich rühmt er, drum hat er Verdienst; nicht sich erhebt er, drum ragt er hervor[23].« — »Wer andere überwindet,
hat Stärke; wer sich selbst überwindet, ist tapfer[24].« — »Daher der heilige Mensch hintansetzt sein Selbst und selbst vor-
ankommt; sich entäußert seines Selbst und selbst bewahrt
wird[25].« Glauben wir dabei nicht eine andere Stimme zu hören: »Wer sich selbst erhöht, der wird erniedrigt werden?«
Dem Vollkommenen, der sich von allem löst und der niemand
und nichts nachläuft, dem fallen gerade dadurch alle Dinge
zu. »Nicht ausgehend zur Tür, kennt man die Welt; nicht
ausblickend durchs Fenster, kennt man des Himmels Weg.
Je weiter man ausgeht, desto weniger kennt man . . .[26].« —
»Wer verzichtet, gewinnt[27].«
Wandelnd im Tao, ist der Vollkommene in seinem Gleich-

mut durch keinerlei äußere Gefahren oder Verlockungen mehr zu erschüttern. »Er kann weder vertraut gemacht noch ferngehalten werden, ihm kann weder Gewinn gebracht noch geschadet werden, er kann weder zum Edlen noch zum Gemeinen gemacht werden, darum ist er der Edelste in der Welt[28].« — »Das Ruhige ist des Unruhigen Herr; daher der Weise den ganzen Tag wandelt, ohne zu weichen von ruhigem Ernst. Hat er gleich Prachtpaläste, gelassen bewohnt er sie und verläßt sie ebenso . . .[29].«

4. STAAT UND GESELLSCHAFT

Wirken durch Nicht-Tun, durch anstrengungsloses, gelöstes Ruhen im Tao, ist das Gebot nicht für den Weisen, sondern auch für den Regierenden. Ohne viel Worte, ohne viel Gesetze, Ge- und Verbote, nur durch die Ausstrahlung seines eigenen ruhevollen und tugendhaften Seins soll der Herrscher regieren. »Je mehr Verbote es gibt im Reiche, desto ärmer wird das Volk. Je mehr Mittel zum Gewinn das Volk hat, desto mehr geraten Staaten und Familien in Verwirrung. Je erfindungsreicher und schlauer die Menschen sind, desto mehr listige Dinge kommen auf. Je mehr Gesetze und Erlasse verkündet werden, um so mehr Räuber und Diebe gibt es. Darum sagt der vollkommene Mensch: Ich wirke nicht, und das Volk wandelt sich von selbst; ich liebe die Stille, und das Volk wird von selber recht; ich habe keine Geschäfte, und das Volk wird von selber reich; ich habe keine Wünsche, und das Volk wird von selber ursprünglich einfach . . .[30].«
Hier ist noch eine gewisse Verwandtschaft zur Lehre des Konfuzius zu erkennen, der auch vom Herrschenden verlangt, daß er durch sein Vorbild vor allem wirke. Der Unterschied zwischen beiden tritt aber alsbald wieder hervor in der Einschätzung von Wissen und Bildung. Nicht Vielwissen, sondern Einfachheit und Einfalt machen die Menschen glücklich. Die von Kung Tse so hoch geschätzte Musik wird abgelehnt, ebenso die von diesem in den Vordergrund gestellten Vorschriften der äußeren Sitte und Konvention. »Die Herrscher der alten Zeit, die nach dem Tao zu wirken verstanden, machten damit nicht das Volk klug, sondern suchten es damit zur Einfalt zu bringen. Ist das Volk schwer zu lenken, so kommt es daher, daß es zuviel Wissen hat. Darum ist der, der das Land durch Wissen lenkt, des Landes Räuber, und der es nicht durch Wissen lenkt, des Landes Glück[31].«
So wie der Weise in seiner Person, soll der Fürst das Tao im ganzen Reiche zur Herrschaft bringen. »Wenn Fürsten und Könige die Schlichtheit des Tao zu bewahren wüßten, alle Wesen würden von selbst huldigen; Himmel und Erde

würden sich vereinigen, erquickenden Tau herabzusenken;
niemand würde dem Volke gebieten, und es würde von selbst
das Rechte tun[32].«

Friede würde herrschen, wo das Tao herrscht. Denn der Weise
verabscheut Waffen und Krieg. Ist er gezwungen, zur Waffe
zu greifen, so tut er es nur notgedrungen und mit Wider-
willen. Es mit Freude zu tun, hieße Freude daran haben,
Menschen zu morden. »Der Gute siegt, und damit genug,
er siegt und ist nicht stolz; siegt, und triumphiert nicht;
siegt, und überhebt sich nicht; er siegt und kann's nicht vermeiden; siegt, und vergewaltigt nicht[33].«

Der Idealzustand der Gesellschaft, der sich unter der Herrschaft des Tao ergeben würde, in dem das Volk in Einfachheit, Einfalt, Frieden und Wohlfahrt leben könnte, wird vom
Philosophen mit folgenden Worten beschworen: »Machet, daß
das Volk ungern sterbe! daß es nicht in die Ferne auswan-
dere! daß es Schiffe und Kriegswagen habe, und sie nicht
besteige, daß es Panzer und Waffen habe und sie nicht anlege,
daß ihm süß seine Speise, schön seine Kleidung, behaglich
seine Wohnung, lieb seine Sitte. Das Nachbarland ist gegenüber zu hören, und das Volk erreicht Alter und Tod, ohne
hinübergekommen zu sein[34].«

5. ZUR SPÄTEREN ENTWICKLUNG DES TAOISMUS

Es will uns scheinen, als ob die gegenüber dem hohen Gedankenflug des Lao Tse etwas nüchterne, fast altväterlich-
hausbackene und auf die menschliche Natur zugeschnittene
Lehre des Konfuzius eher als jene geeignet sei, das Leben
der Gesellschaft in der Praxis auf sie zu gründen. Die Lehren
des Lao Tse haben etwas Aristokratisches — sagt er doch,
daß nur wenige berufen sind, den Weg der Tugend zu be-
schreiten, denn wenn ein Hochgebildeter vom Tao hört, so
wird er eifrig und wandelt in ihm; die Niedriggebildeten aber
verlachen es. »Lachten sie nicht, so würde es eben nicht das
Tao sein[35].« Tatsächlich ist der Konfuzianismus, worauf am
Schluß dieses Kapitels zurückzukommen ist, auf lange Zeit
zur bestimmenden Geistesrichtung im chinesischen Leben geworden, während die reine Lehre des Tao-te King kaum
Nachfolge gefunden hat. Bei ihrer Wiederaufnahme und Fortbildung durch spätere Denker und bei ihrer Popularisierung
ist sie in stets zunehmendem Maße verwässert und verfälscht
worden. Zwar drang sie in breite Kreise des Volkes, aber sie
wurde dabei so sehr mit Aberglauben durchsetzt, mit Prak-
tiken der Geisterbeschwörung und Magie, mit Versuchen der
Goldmacherei und Lebensverlängerung, daß sie mit der ursprünglich reinen Lehre des alten Meisters nur noch den

Namen Taoismus gemeinsam hat — weshalb sie in unserer
Darstellung übergangen werden kann.

III. Der Mohismus und einige weitere Richtungen

1. MO TSE

Die dritte tonangebende Geistesströmung im altchinesischen
Denken, der Mohismus, hat seinen Ausgang genommen von
dem zwischen 500 und 396 v. Chr. lebenden Philosophen Mo
Tse, von dem er auch den Namen hat.

»Die allgemeine Wohlfahrt fördern und das Übel bekämpfen« — das ist das Motto dieser ganzen Bewegung. Es ist
rein praktische Nützlichkeitsphilosophie. Denn was zur allgemeinen · Wohlfahrt gehört, erklärt Mo Tse ganz genau: Die
alten Herrscher, sagt er, zielten bei der Verwaltung des Reiches auf zwei Dinge — Reichtum für das Land und Vermehrung der Bevölkerung. Jede Theorie und jede praktische Maß-
nahme sind an dem Maßstab zu messen, ob sie Wohlstand
und Wachstum der Bevölkerung hemmt oder fördert[36]. Hem-
mend wirkt vor allem der Krieg, der den Reichtum zerstört,
die Familien auseinanderreißt und die Bevölkerung vermin-
dert. Kriege werden daher von Mo Tse und allen seinen An-
hängern schärfstens verurteilt; sie führten regelrechte Abrü-
stungsfeldzüge durch[37]. Die konfuzianische Hochschätzung
der Musik und der Künste findet aus den gleichen Gründen
bei Mo Tse keinen Beifall. Musik, sagt er, führt zu erhöhten
Steuern und Belastungen für das Volk, wenn sich die Regierenden ihr hingeben; und wenn sich die Bauern, Kaufleute
oder Beamten an ihr erfreuen, werden sie dadurch von pro-
duktiver Beschäftigung ferngehalten[38].

Entsprechend dem durch und durch praktischen Charakter seiner Philosophie ist Mo Tse undogmatisch. Alles ist auf die
tatsächliche Lebenserfahrung abgestellt. Jede philosophische
Theorie muß nach ihm drei Erfordernissen genügen: Sie muß
eine tragfähige Grundlage haben, sie muß einer kritischen
Prüfung standhalten, und sie muß praktisch angewendet werden können. Als Basis jeder Lehre kommen auch für Mo Tse
nur »die Taten der alten weisen Herrscher« in Betracht. Als
Prüfstein einer kritischen Untersuchung soll die tatsächliche Erfahrung der Menschen dienen, was die Menschen sehen und
hören. Ob es zum Beispiel so etwas wie »Schicksal« gibt,
diese Frage muß entschieden werden danach, ob dieses Schicksal in der tatsächlichen Erfahrung der Menschen vorkommt.
»Wenn die Leute es gesehen oder gehört haben, so werde ich
sagen, es gibt ein Schicksal. Wenn keiner es gesehen oder ge-

hört hat, so werde ich sagen, es gibt kein Schicksal[39].« Die praktische Erprobung einer Lehre endlich soll so vor sich gehen, daß man sie in Gesetzgebung und Verwaltung einführt und dann prüft, ob ihre Auswirkungen der allgemeinen Wohlfahrt günstig sind, das heißt also Vermehrung des Reichtums und der Volkszahl im Gefolge haben. Mag uns der »erkenntnistheoretische« Teil von Mo Tses Philosophie, wie das oftmals bei ganz dem Praktischen zugewandten Denkern der Fall ist, etwas primitiv anmuten – in seinen ethischen Forderungen erhebt er sich zu beachtlicher Höhe. Vierhundert Jahre vor Christus stellt er sein berühmtes Prinzip der allgemeinen Menschenliebe auf. Jedermann, verlangt er, »behandle andere Länder wie sein eigenes, behandle andere Familien wie seine eigene, behandle andere Menschen wie sich selbst[40]!« Würde dieses Gebot allgemein befolgt, so wäre – darin kann man Mo Tse sicher beistimmen – Frieden und allgemeine Wohlfahrt die Folge; seine Nichtbeachtung ist die Ursache aller gesellschaftlichen Unordnung. Aber auch dieser ideale Grundsatz der allgemeinen Liebe ist bei Mo Tse von Nützlichkeitserwägungen nicht frei: »Diejenigen, die andere lieben, werden wieder geliebt werden[41].«

Der hergebrachten chinesischen Religion steht Mo Tse positiv gegenüber. Er verteidigt sie mit größerem Nachdruck als Konfuzius, wiederum freilich aus praktischen Gründen: »Wenn jedermann an die Macht der Geister glaubt, das Gute zu belohnen und das Schlechte zu verdammen, so wird es keine Unordnung geben[42].« Man kann sagen, daß in der Stellungnahme zur überlieferten Religion und zum Glauben an übernatürliche Mächte überhaupt Lao Tse unter den großen chinesischen Denkern am weitesten »links« steht, das heißt sich kritisch bis ablehnend verhält; Mo Tse am weitesten »rechts«, indem er im alten China zum Hauptverteidiger der Religion wurde, während Konfuzius hier wie in allem einen goldenen Mittelweg sucht[43].

2. DIE SOPHISTEN

Wie zu erwarten war, hatte die mit gewaltsamen Mitteln durchgeführte Bekämpfung der Sophisten zur Zeit des Konfuzius deren Geistesrichtung keineswegs auf die Dauer unterdrücken können. Vielmehr traten besonders in dem Jahrhundert, das auf den Tod des Meisters Mo folgte, wiederum Sophisten auf, unter denen Hui Schih und Kung-sun Lung die berühmtesten sind. Ihre logischen Haarspaltereien führten sie zu solchen Sätzen wie: »Ein braunes Pferd und ein dunkler Ochse sind zusammen drei«; »Ein weißes Pferd ist kein Pferd«; »Der Schatten eines fliegenden Vogels bewegt sich nicht[44].«

Aber abgesehen von ihren begrifflichen Spielereien und deren paradoxen Ergebnissen, die selbstverständlich zum großen Teil bewußte Überspitzungen sind — denn der Sophist muß, um sich entfalten zu können, mit seinem Partner zunächst ins Gespräch kommen, und dazu fordert er ihn durch zum Widerspruch aufreizende Behauptungen heraus —, finden wir in den Lehren jener alten Sophisten Gedankengänge, die uns fast modern und europäisch anmuten. Sie beschäftigen sich mit Begriffen wie Raum und Zeit, Bewegung und Ruhe, Substanz und Qualität und stellen die höchst moderne Theorie auf, daß die »Festigkeit« und die »Weisheit« eines weißen Steines von der »Substanz« des Steines unabhängig seien!

3. DER NEU-MOHISMUS

Es versteht sich, daß die drei beherrschenden Richtungen der alten chinesischen Philosophie, nämlich Konfuzianismus, Taoismus und Mohismus, welche alle, wenn auch in verschiedener Weise, ihr Hauptaugenmerk nicht auf logische Erörterungen, sondern auf die richtige Lebensführung richten, den Sophisten schärfsten Kampf ansagten. Besonders die weitere Entwicklung der mohistischen Philosophie nach dem Tode ihres Begründers erfolgte in Auseinandersetzung und enger Wechselwirkung mit den wiederauflebenden sophistischen Lehren. Diese Neu-Mohisten empfanden aber nun dabei die Notwendigkeit, ihre eigene Lehre gegen die kritischen Einwände der Sophisten zu sichern, indem sie ihr selbst eine tragfähige logische Grundlage gaben. Es zeigt sich hier wie später bei anderen Völkern, daß die Sophisten zwar einerseits zersetzend, auf der anderen Seite aber anregend und befruchtend wirken, indem sie ihre Gegner zum schärferen Durchdenken ihrer eigenen Grundbegriffe zwingen und damit dem Denken neue Wege öffnen. Dementsprechend begaben sich die Neu-Mohisten, der sophistischen Herausforderung folgend, ihrerseits auf das Gebiet der Logik und Erkenntnistheorie, aber nicht, um wie diese darin steckenzubleiben, sondern um am Ende beweisen zu können, daß Logik und Erkennen den Zwecken des praktischen Handelns untergeordnet und unterzuordnen sind. Sie bestehen darauf, daß der Mensch in allem »Erkennen«, sei es Forschen, Experimentieren, Lernen oder bloßes Verstehen, in der Auseinandersetzung mit seiner leibhaftigen Umwelt steht und daß die einzige Funktion des Wissens die ist, ihm die richtigen Entscheidungen zu ermöglichen. Die richtige Möglichkeit, die es zu erkennen und zu begreifen gilt, ist aber diejenige, die der »allgemeinen Wohlfahrt und Bekämpfung des Übels« am besten dient — womit der Anschluß an die Lehre des Meisters Mo wiederhergestellt ist.

Es ist nicht zu verwundern, daß die Gedanken der Sophisten und ihrer neomohistischen Gegenspieler in neuerer Zeit, als der chinesische Geist sich der Berührung mit der abendländischen Wissenschaft und Technik öffnete, in China selbst ein verstärktes Interesse gefunden haben; denn die analytische, auf Erkennen um des Erkennens willen ausgehende, an der unmittelbaren praktischen Auswirkung desinteressierte Denkweise der Sophisten ist jener entschieden verwandt[45]. Im alten China jedoch starb diese Bewegung einen frühen Tod.

4. DIE LEGALISTEN

Mit diesem Namen wird eine Gruppe von Denkern benannt, die auch noch in die älteste Periode der chinesischen Philosophie gehören. Den von Konfuzius und anderen gelehrten Regierungsgrundsatz, daß das Volk am besten durch gutes Beispiel von oben gelenkt und im übrigen der Richtschnur der überlieferten Sitte und Gewohnheit überlassen werde, sehen sie als ungenügend an. Sie betonen an Stelle dessen die Notwendigkeit, durch ausgearbeitete, ins einzelne gehende Gesetzgebung die Befolgung der richtigen Grundsätze sicherzustellen. Ihre Grundsätze entsprechen weitgehend denen des Konfuzianismus.

Die Übereinstimmung im Grundsätzlichen hinderte nicht, daß sich in der Praxis schwere Kämpfe zwischen beiden Richtungen entspannen. So waren die Legalisten, die sich zeitweilig eines beachtlichen Einflusses vor allem bei den Regierenden erfreuten, unter den maßgebenden Befürwortern der großen Bücherverbrennung des Jahres 213 v. Chr. Damals wurden auf Anordnung eines Herrschers alle konfuzianischen Schriften aus den öffentlichen Bibliotheken entfernt und verbrannt, ihr Besitz durch Privatpersonen wurde unter schwere Strafen gestellt. Viele tapfere Gelehrte und Studenten verwahrten sie jedoch unter Einsatz ihres Lebens, und nach der glänzenden Wiederherstellung des Konfuzianismus unter der folgenden Dynastie stieg dessen Einfluß weiter von Jahrhundert zu Jahrhundert.

IV. Die großen Schüler des Konfuzius

1. MENCIUS

Unter allen Schülern des Konfuzius hat Mencius in China das größte Ansehen erlangt. Meng Tse, wie sein chinesischer Name lautet — Mencius ist die latinisierte Form —, lebte von 371 bis 289 v. Chr. In zweierlei Hinsicht hat er die Lehren seines Meisters ergänzt und weitergebildet. Er hat einerseits dem Konfuzianismus eine psychologische Grundlage zu geben versucht, indem er ganz bestimmte Ansichten über den menschlichen Charakter entwickelte; zum andern ist er bedeutend als politischer Denker, als »Berater der Fürsten«.

Meng Tses Ansicht über den Menschen lautet kurz und bündig: »*Der Mensch ist gut.*« — »Die menschliche Natur folgt dem Guten geradeso, wie das Wasser stets abwärts fließt[46].« Wir tragen in uns ein angeborenes Wissen, dessen Schätze wir nur zu heben brauchen, um den rechten Weg zu finden. Um das Wesentliche zu erkennen, brauchen wir nicht die Natur zu beobachten (wie Lao Tse gefordert hatte), wir brauchen noch nicht einmal auf das Vorbild des Weisen zu sehen, denn »er ist von derselben Art wie wir«; wir alle tragen in uns den Schlüssel zum harmonischen Leben, welches bei seiner Verwirklichung von selber die richtige soziale Ordnung herbeiführt.

Wenn nun die Menschen — was natürlich auch Mencius sieht — sich in der Wirklichkeit des Lebens keineswegs immer diesem inneren Gesetz gemäß verhalten, so kann die Ursache dafür nicht in ihrer eigenen Natur liegen — diese ist im Grunde gut, und die Stimme des Gewissens spricht in jedem von uns —; der Fehler muß in den äußeren Einrichtungen liegen, in den Unvollkommenheiten der Gesellschaftsordnung und den Fehlern der Regierenden.

Damit wendet sich das Interesse des Mencius dem politischen Denken zu, der gläubige Bejaher des Guten im Menschen wird zum Gesellschaftskritiker und fast zum Revolutionär (soweit das im Rahmen des konservativen Konfuzianismus überhaupt denkbar ist) — ein Vorgang, der in der späteren Geschichte der europäischen Philosophie seine Parallelen hat.

Was Mencius auf politischem Gebiet vorträgt, bewegt sich naturgemäß zum größten Teil in den Bahnen seines Meisters, so eine Verwerfung des Krieges — »Es hat nie einen gerechten Krieg gegeben« — und sein Kampf gegen Prunksucht und Verschwendung öffentlicher Mittel. Was ihn von Konfuzius unterscheidet, ist eben seine andersgeartete Ansicht über das Verhältnis von Volk und Herrscher. Zwar zieht auch er die Monarchie einer demokratischen Staatsform vor, denn, so sagt er, in einer Demokratie müßte man jeden einzelnen erziehen, in der Monarchie braucht man nur den Fürsten selbst in die richtige Bahn zu lenken, um einen befriedigenden Zustand des Gemeinwesens herzustellen. Und doch liegt für seine Betrachtung der Schwerpunkt nicht beim Herrscher, sondern beim Volk. Auf das Wohlergehen des Volkes kommt es an, der Herrscher ist nicht wichtig. Daraus zieht er die radikale Folgerung, daß das Volk jederzeit berechtigt und verpflichtet

sei, einen Herrscher, der seine Pflichten nicht zum Wohle
der Allgemeinheit erfüllt, abzusetzen und sogar zu töten.
»Mencius sprach: ›Wenn der Herrscher schwere Fehler hat, so
machen sie ihm Vorstellungen. Wenn er auf wiederholte Vorstellungen nicht hört, so setzen sie einen anderen Herrscher
ein.‹ Mencius fuhr fort: ›Wenn der Kerkermeister nicht imstande ist, seinen Kerker in Ordnung zu halten, was soll mit
ihm geschehen?‹ Der König sprach: ›Er soll verworfen werden.‹ Mencius fuhr fort: ›Wenn Unordnung im ganzen
Lande herrscht, was soll da geschehen?‹ Der König wandte
sich zu seinem Gefolge und redete von anderen Dingen . . .[47]«
Seine Lehre vom »*Recht zur Revolution*« hat dem Mencius
verständlicherweise nicht immer die Gunst der Herrschenden
eingetragen — sein Bild und seine Schriften wurden zeitweilig
aus den konfuzianischen Tempeln verbannt. In der chinesischen Geschichte ist von ihr des öfteren Gebrauch gemacht
worden.

2. HSÜN TSE

Hsün Tse, ein Zeitgenosse des Mencius — er lebte von 355
bis 288 v. Chr. —, nimmt in der Einschätzung des menschlichen Charakters genau den entgegengesetzten Standpunkt
ein. »*Die Natur des Menschen ist böse*, sein Gutes ist künstlich. Denn der Mensch hat von Natur schon bei seiner Geburt das Begehren nach Nutzen. Folgt man dem, so entstehen
Zank und Streit, und Nachgiebigkeit und Freundlichkeit gehen
zugrunde. Von Geburt an hat er die Begierden von Auge und
Ohr, die Lust an Tönen und Farben; folgt man diesen, so
entstehen Unzucht und Unordnung, und die Linien von Sitte
und Recht gehen zugrunde. So hat also das Nachgeben gegen
die Natur des Menschen und das Ausleben der Leidenschaften
des Menschen zur Folge, daß es Zank und Streit gibt, daß
man seine Stellung übertritt, die Ordnung sich verwirrt und
in Wildheit verfällt. Darum bedarf es notwendig des Einflusses der Erziehung, des Weges von Sitte und Recht, damit
Nachgiebigkeit und Freundlichkeit entstehen, daß die Ordnung
befolgt wird und alles der Regel entspricht. Von hier aus
gesehen, ist es ohne weiteres klar, daß die Natur des Menschen
böse und sein Gutes künstlich ist[48].« Der gleiche Gegensatz
zu Mencius wie in der Einschätzung des Menschen und damit
der Bewertung von Erziehung und Recht zeigt sich in der
Stellung des Hsün Tse zur uns umgebenden Natur. Während
wir nach Mencius die äußere Natur kaum zu beachten brauchen, sondern in uns selbst hineinhorchen sollen, fordert
Hsün Tse die tätige Beherrschung der Natur durch den Menschen:

»Du rühmst die Natur und grübelst über sie:
Warum nicht sie zähmen und regulieren?
Du gehorchst der Natur und singst ihr Lob:
Warum nicht ihren Lauf beherrschen und nützen?
Du schaust die Jahreszeiten mit Verehrung und erwartest
sie:
Warum nicht ihnen mit jahreszeitlichen Tätigkeiten ent-
sprechen?
Du hängst von den Dingen ab und bestaunst sie:
Warum nicht deine eigene Tätigkeit entfalten und sie um-
formen?
Du sinnst, was ein Ding zum Ding mache:
Warum nicht die Dinge so ordnen, daß du sie nicht ver-
schwendest?
Du suchst vergebens die Ursache der Dinge:
Warum nicht sie aneignen und genießen, was sie hervor-
bringen? . . .[49]«

3. DAS BUCH TSCHUNG YUNG

Der Lehre von »Maß und Mitte« oder von der »goldenen
Mitte« sind wir schon in der Ethik des Konfuzius begegnet.
In dem von einem Enkel des Meisters verfaßten Buch erfährt
dieser Gedanke eine metaphysische Wendung. Die goldene
Mitte erscheint hier nicht nur als Richtschnur für das Handeln des Edlen und Weisen, sondern zugleich als umfassendes
Prinzip allen Seins — wobei unentschieden ist, wieviel von diesem Gedanken von Konfuzius selbst stammt und wieviel von
seinem Enkel. *Harmonie* erscheint hier als das universale Gesetz. »Wenn unser innerstes Selbst und die Harmonie verwirklicht werden, dann wird das All zum (geordneten) Kosmos, und
alle Dinge erlangen volles Wachstum und Entfaltung.«
Die allumfassende Harmonie, die als Gesetz der Welt zugrunde liegt, sollen wir Menschen in uns selbst verwirklichen.
Sich selbst treu sein, das ist das Gesetz des Himmels; zu
versuchen, sich selbst treu zu sein, das ist das Gesetz des
Menschen[50].
In der Ethik des Tschung Yung finden sich Stellen von er-
hebender Größe. »Der Edle stellt Anforderungen an sich
selbst, der Gemeine stellt Anforderungen an die anderen Menschen[51].« »Der Edle bewegt sich stets so, daß sein Auftreten
zu jeder Zeit als allgemeines Beispiel dienen kann; er be-
nimmt sich so, daß sein Verhalten zu jeder Zeit als allgemeines Gesetz dienen kann; und er spricht so, daß sein Wort
zu jeder Zeit als allgemeine Norm gelten kann[52].« Das
stimmt fast bis in den Wortlaut überein mit dem kategori-
schen Imperativ Immanuel Kants!

V. Ausblick auf die weitere Entwicklung und vorläufige Würdigung

Die großen Schüler des Konfuzius haben wir an den Schluß unserer Übersicht über die altchinesische Philosophie gestellt, weil der von ihnen fortgeführte Konfuzianismus diejenige philosophische Richtung ist, die die ganze weitere Entfaltung des chinesischen Denkens bis an die Gegenwart heran überschattet und beherrscht hat. Versuchen wir nun, über den rund zweitausend Jahre umfassenden Zeitabschnitt vom Ausgang der ältesten Periode bis zum 20. Jahrhundert einen summarischen Überblick zu geben, indem wir wenigstens einige Hauptentwicklungslinien skizzieren.

1. DIE PHILOSOPHIE DES CHINESISCHEN MITTELALTERS

Das chinesische Mittelalter, etwa die Zeit von 200 v. Chr. bis 1000 n. Chr. ausfüllend, ist als ein dunkles Zeitalter der chinesischen Philosophie bezeichnet worden.[53] Der Konfuzianismus erstarrte zu einem staatlichen Kultus. Der Taoismus erlebte den schon erwähnten Niedergang in Alchimie und Aberglauben. Das alte »Buch der Wandlungen« wurde zum Ausgangspunkt einer Flut von erläuternden und ergänzenden Schriften, es entstand über die Zukunftsdeutung aus den geheimnisvollen Trigrammen des sagenhaften Kaisers eine ganze Pseudowissenschaft, der oftmals sogar Einfluß auf wichtige Staatsentscheidungen eingeräumt wurde.

Natürlich kann man eine allgemeine Charakterisierung eines so riesigen Zeitabschnittes nur mit äußerstem Vorbehalt vornehmen. Zwar suchen wir im Mittelalter vergeblich nach so überragenden Denkerpersönlichkeiten wie Konfuzius und Lao Tse oder nach einer solchen Fülle verschiedenster Geistesströmungen wie im chinesischen Altertum; doch kam das philosophische Denken nicht zum Stillstand. Im Konfuzianismus, in geringerem Maße im Taoismus, traten Denker auf, die an die Tradition der klassischen chinesischen Philosophie anzuknüpfen und sie in mancher Richtung auch weiterzuführen suchten.

Die Werke des Mo Tse und seiner Schule waren bei der großen Verbrennung der konfuzianischen Literatur gleichfalls verfemt und vernichtet worden. Im Gegensatz zum Konfuzianismus, der eine glänzende Auferstehung erlebte, erholte sich der Mohismus von diesem Schlag niemals wieder. So bilden Konfuzianismus und Taoismus die beherrschenden Strömungen des Mittelalters, zu denen als dritte der aus Indien gekommene und nun sich auf chinesischem Boden verbreitende

Buddhismus tritt. Wir wollen die Veränderungen im Gedankengut der Schulen nicht im einzelnen verfolgen, dagegen drei wesentliche Momente aus der Gesamtentwicklung hervorheben: die in scharfer Opposition zu dem mittelalterlichen Aberglauben stehende kritische Strömung, die in Wan Tschung ihren Gipfel erreicht; die wachsende Bedeutung der Yin-Yang-Lehre und im Zusammenhang damit die gegenseitige Durchdringung und Vermischung der Schulen; endlich die Umgestaltung des Buddhismus im chinesischen Bereich.

a) Wan Tschung

Wan Tschung lebte im ersten Jahrhundert nach der Zeitenwende. Er ist der führende Kopf einer Bewegung, die sich durch mehrere Jahrhunderte erstreckt. Er unterzieht die mittelalterliche Erstarrung des Konfuzianismus einer leidenschaftlichen Kritik vom Boden einer kühlen, kritischen Vernunft aus. Unter Berufung auf Erfahrung und Vernunft greift er alle Arten von Irrglauben an. Er spottet über die abergläubische Vorstellung, die im Donner eine Zornesäußerung des Himmels und in jedem Mißgeschick eine vom Himmel gesandte Strafe sieht, über jede Art von Geisterglauben, über die vom Konfuzianismus geförderte Ansicht, daß die ferne, sagenhafte Vergangenheit Chinas seiner Gegenwart in jeder Weise überlegen sei. Zu denken — so ruft er aus —, daß der Himmel das Korn wachsen lasse mit dem ausdrücklichen Zweck, den Menschen Nahrung zu geben, bedeute nichts anderes, als den Himmel zum Ackerbauer der Menschheit zu erniedrigen. Er bekämpft den Glauben an Unsterblichkeit und an eine göttliche Vorsehung; denn wenn der Himmel seine Geschöpfe planmäßig geschaffen hätte — meint er —, würde er sie gelehrt haben, einander zu lieben, anstatt sich gegenseitig zu berauben und umzubringen[54].

Der in Wan Tschung verkörperte Geist nüchterner verstandesmäßiger Kritik brachte in der Folge eine eingehende Textkritik der überlieferten Schriften und auch eine Bewegung freieren politischen Denkens hervor. Die dogmatische Erstarrung des Konfuzianismus und den Niedergang des Taoismus hat er nicht zu durchbrechen vermocht.

b) Die Lehre von Yin und Yang

Dem alten Buch der Wandlungen lag schon der Gedanke zugrunde, daß in allem Bestehenden zwei entgegengesetzte Prinzipien wirksam seien, ein männliches, aktives (Yang), und ein weibliches, passives (Yin). Dieser Gedanke wurde im chinesischen Mittelalter, teils wegen der damals allgemein hohen Bewertung dieses Buches, vor allem aber auch, weil er dem chinesischen Empfinden in besonderem Maße zu entsprechen scheint, geradezu zur zentralen Idee der Philosophie;

und zwar nicht sowohl in Gestalt einer besonderen Schule
(die auch zeitweilig bestand), sondern hauptsächlich dadurch,
daß konfuzianische und taoistische Denker ihn aufnahmen
und in den Mittelpunkt ihrer Welterklärung stellten.

So lehrt der frühmittelalterliche konfuzianische Philosoph
Tung Tschung-schu: »Alle Dinge haben ihre Ergänzungen
von Yin und Yang... Die zugrunde liegenden Prinzipien
von Fürst und Diener, Vater und Sohn, Mann und Weib
sind alle von Yang und Yin abgeleitet. Der Fürst ist Yang,
und der Diener ist Yin. Der Vater ist Yang, und· der Sohn
ist Yin. Der Gatte ist Yang, und das Weib ist Yin . . .[55]«

Ähnliche Gedanken finden sich bei dem Taoisten Huainan
Tse, und auch der Kritiker Wan Tschung lehrt, daß alle Dinge
durch die Durchdringung von Yin und Yang entstehen[56].

Die Yin-Yang-Lehre wurde so zu dem gemeinsamen Boden,
auf dem eine weitgehende Durchdringung und Annäherung der
bis dahin auseinanderstrebenden Schulen stattfand.

2. DER BUDDHISMUS IN CHINA

Einige Jahrzehnte nach der Zeitwende — gleichzeitig mit der
beginnenden Ausbreitung des Christentums im Mittelmeer-
raum — fand der Buddhismus unter dem Kaiser Ming-ti Eingang in China. Der Kaiser, nach der Überlieferung unter
dem Eindruck eines Traumes, in dem er eine (als Buddha
gedeutete) goldene Götterstatue über seinem Palast schweben
sah, holte buddhistische Mönche aus Indien in sein Land,
deren Zahl sich, trotz zeitweiliger Verfolgung, beständig ver-
mehrte. Gleichzeitig begannen buddhistische Pilger aus China
nach Indien zu reisen. Es entspann sich ein reger Austausch.
Die klassische Literatur des indischen Buddhismus wurde ins
Chinesische übersetzt — womit manches Werk bewahrt wurde,
das in Indien selbst verlorenging. Buddhistische Tempelbauten
begannen die chinesische Baukunst, Buddha-Statuen und -bil-
der die chinesische Plastik und Malerei zu bereichern[57].

Ursprünglich wurden alle Schulen des indischen Buddhismus
nach China eingeführt. Aber nur die, die dem chinesischen
Volkscharakter entsprachen oder sich ihm anzugleichen verstanden, behaupteten sich auf die Dauer. Die Auswahl, die so
getroffen wurde — und nur dieser allgemeine Gesichtspunkt
soll hier hervorgehoben werden —, wirft ein bezeichnendes
Licht auf die Eigenart des chinesischen Geistes. Es konnten
sich nämlich diejenigen Richtungen nicht halten, die in irgendeiner Weise zum Radikalen und Extremen neigten. Die Hinneigung des Chinesen zur goldenen Mitte, das Bestreben, das
Gegensätzliche und Auseinanderstrebende in einer höheren
Einheit auszugleichen, sind uns aus der Geschichte der alt-

chinesischen Philosophie bekannt. Sie ist das Leitmotiv des Konfuzianismus; wir begegnen ihr bei Lao Tse (für den »Tao« »das Seiende und zugleich Nicht-Seiende« ist); die Yin-Yang-Schule lehrt die Vereinigung und das Zusammenwirken von Gegensätzen; und die mittelalterliche Philosophie als Ganzes ist nichts anderes als der Versuch einer Synthese der widerstrebenden Richtungen.

So tragen auch die fünf hauptsächlichsten Buddhistischen Schulen, die sich in China bis heute erhalten haben, einen allem Extremen abgeneigten Charakter. Die charakteristischste unter diesen ist der Zen-Buddhismus — eine wesentlich chinesische Schöpfung —, den wir bereits bei der Behandlung des indischen Buddhismus erwähnt haben.

3. DAS ZEITALTER DES NEU-KONFUZIANISMUS

Der Eintritt eines neuen Faktors in einen abgeschlossenen geistigen Bereich kann dazu führen, daß die alten Überlieferungen unter dem Ansturm neuer Ideen zusammenbrechen. Er kann aber auch, wenn das Alte nur lebenskräftig genug ist, befruchtend wirken und zu einer tiefgehenden Besinnung und Wiedererstarkung auf der Seite der althergebrachten Kulturbestandteile führen. Wir haben gesehen, wie in Indien das Erscheinen des Buddhismus und der anderen nicht-orthodoxen Systeme zu einer neuen Blüte der auf der alten vedischen Tradition fußenden brahmanistischen Religion und Philosophie führte. Wir wissen, daß in Europa die religiöse Umwälzung der Reformation eine Selbstbesinnung und ein glänzendes Wiedererstarken des Katholizismus im Gefolge hatte. In ähnlicher Weise hat das Eindringen des Buddhismus in China gewirkt. Nicht nur, daß der chinesische Volkscharakter stabil genug war, diese — an sich in ihrem innersten Gehalt fremde — Religion sich anzugleichen und dem Gesamtzusammenhang seiner Kultur einzufügen; der Konfuzianismus holte nun zu einem Gegenschlag aus, der mit scharfer Kritik am Buddhismus beginnt und eine stetige, bis ins 20. Jahrhundert anhaltende lebendige Weiterentwicklung seines Grundgehaltes einleitet. Die Geschichte dieses Neu-Konfuzianismus ist praktisch identisch mit der Geschichte der neueren chinesischen Philosophie vom Ausgang des chinesischen Mittelalters bis zur chinesischen Revolution von 1911; sie bildet den dritten Satz der geistigen Sinfonie.

Die Argumente, die gegen den Buddhismus ins Feld geführt werden, zeugen vom besten konfuzianischen Geist: Die buddhistische Lehre der Entsagung sei unhaltbar; denn selbst wenn ein Mensch die Familienbande abbreche, so könne er doch, solange er seinen Fuß auf die Erde setzt, niemals der menschlichen Gesellschaft entfliehen. Es sei offensichtlich, daß auch der Buddhist den zwischenmenschlichen Beziehungen nicht entkommen könne, denn indem die Buddhisten ihre Heimat und Verwandtschaft im Stich ließen, begründeten sie doch zugleich wieder eine neue Gesellschaftsordnung in ihren Klöstern, Orden und dem Verhältnis von Schüler und Meister. Die Furcht der Buddhisten vor Geburt und Tod zeuge von Selbstsucht; es sei feige und unwürdig, sich der sozialen Verantwortung zu entziehen. — Es sei unsinnig, die handgreifliche Realität zu leugnen; die Buddhisten erklärten Nahrung, Kleidung und alle äußeren Lebensnotwendigkeiten als nichtig und seien doch jeden Tag auf diese angewiesen. — Überhaupt zeuge die buddhistische Theorie von der Nichtigkeit alles Bestehenden von mangelndem Verständnis des wahren Wesens der Welt[58].

Wir sehen, wie in diesen Beweisgründen die eingewurzelte chinesische Ansicht vom Menschen, die diesen in seiner unlösbaren Einordnung in seine natürliche und gesellschaftliche Umwelt und seine wesentlichen Aufgaben im Diesseits sah, zum Durchbruch kommt.

Die lange Geschichte des Neu-Konfuzianismus vollzog sich in drei Hauptabschnitten, deren jeder mit der Regierungszeit einer chinesischen Dynastie zusammenfällt und deshalb auch nach dieser benannt wird.

Der hervorragendste Denker der ersten Periode, der *Sung-Zeit* — nach der Dynastie Sung, 960—1279 —, und zugleich der bedeutendste Philosoph des Neu-Konfuzianismus ist *Tschu Hsi*, der von 1130—1200 lebte. Tschu Hsi vereinigte die älteste Überlieferung des Konfuzianismus, dessen klassische Schriften er überarbeitete und neu herausgab, und die seither vorgenommenen Fortbildungen derselben in einem umfassenden Gedankengebäude, das seitdem die Grundlage der neu-konfuzianischen Philosophie bildet. Er ist darum seiner Stellung in der Geschichte der chinesischen Philosophie nach mit Schankara in Indien und mit Thomas von Aquin im Abendland verglichen worden. Die beiden Grundbegriffe seiner Philosophie sind Li, eine umfassende Weltvernunft, und die Materie (Ki), die jener gegenübergestellt wird. Dieser Gegensatz fällt für ihn mit dem von Yin und Yang zusammen. Beide werden in untrennbarer Bezogenheit aufeinander gedacht. »Inmitten des Himmels und der Erde gibt es Vernunft, gibt es Materie. Was die Vernunft anlangt, so ist sie hinsichtlich der Erscheinungen oberste Norm, die Wurzel, aus welcher die Dinge hervorgehen. Was die Materie anlangt, so ist sie hinsichtlich der Erscheinungen unterste Anlage, der Stoff, aus dem die Dinge hervorgehen. — Die Vernunft ist nie von der Materie getrennt gewesen. Immerhin ist die Vernunft hinsichtlich der

Erscheinungen das Obere, die Materie hinsichtlich der Erscheinungen das Untere. Es ist zulässig zu sagen, Vernunft
und Materie hätten ursprünglich kein Früher und Später; will
man jedoch durchaus ihrem Ursprung auf den Grund gehen,
so wird man sagen müssen, daß die Vernunft das Frühere
sei. Doch bildet sie auch wiederum nicht ein gesondert für
sich bestehendes Wesen, vielmehr ist sie in der Materie enthalten. Gäbe es keine Materie, so fände auch die Vernunft
keinen Anhaltspunkt. — Existiert diese Vernunft, so existierten
auch Himmel und Erde, gleichwie ohne die Vernunft weder
Himmel noch Erde, noch Menschen, noch Dinge existieren. —
Gibt es Vernunft, so gibt es auch Materie, welche alle Dinge
zur Erscheinung bringt und erhält. — Spricht man von Himmel und Erde, so ist in Himmel und Erde das Urprinzip enthalten; spricht man von allen Dingen, so ist in allen Dingen,
und zwar in jedem einzelnen, das Urprinzip enthalten[59].«
Die Philosophie der Sung-Zeit, in der neben Tschu Hsi noch
andere bedeutende Denker auftraten, wird auch als rationalistische oder *Vernunft-Schule* bezeichnet.
Die zweite neu-konfuzianische Epoche fällt zusammen mit
der Regierungszeit der Dynastie *Ming*, 1368—1644. In ihr
ragt als führender Denker und größter Widersacher des Tschu
Hsi der von 1473—1529 lebende *Wang-Yang-ming* hervor.
Der Neu-Konfuzianismus erfährt bei ihm eine *idealistische*
Wendung. Die beherrschende Strömung der dritten und letzten Periode, der von 1644—1911 reichenden *Tsching-Zeit*, ist
mit dem Namen des *Tai Tung-yüan* (1723—1777) verknüpft.
Sie stellt einen Versuch dar, den gesamten Gehalt des alten
klassischen, des mittelalterlichen und des bis dahin entwickelten Neu-Konfuzianismus in einer *Synthese* zu vereinigen. Sie
wird, da der Erfahrung darin besonderer Wert beigemessen
wird, auch *empiristische* Schule genannt.
Am Schluß dieser gedrängten Übersicht über die Fortwirkung
der konfuzianischen Philosophie mag die Lobrede nicht mehr
allzu vermessen klingen, die der Enkel des Konfuzius und
Verfasser des Tschung-Yung seinem Meister gewidmet hat:
»Er kann Himmel und Erde verglichen werden in ihrer Fähigkeit, alle Dinge zu stützen und zu erfassen, zu beschatten
und zu verhüllen. Er gleicht den vier Jahreszeiten in ihrem
Wechsel und Wandel und Sonne und Mond in ihrem ständig
aufeinanderfolgenden Glanz.
Wie der Himmel ist er allumfassend und weit. Unergründlich
und tätig wie ein Quelle, gleicht er dem Abgrund. Wird er
gesehen, so verharrt das Volk in Ehrfurcht vor ihm; spricht
er, so glauben ihm alle; handelt er, so ist das ganze Volk
mit ihm zufrieden.
Daher erfüllt sein Ruhm das Reich der Mitte und reicht bis

zu den barbarischen Stämmen ... Daher heißt es: ›Er gleicht
dem Himmel[60]‹.«

4. ALLGEMEINER CHARAKTER UND BEDEUTUNG
DER CHINESISCHEN PHILOSOPHIE

Vergegenwärtigen wir uns eine Reihe von Charakterzügen
der chinesischen Philosophie, wie sie uns im Laufe unserer
Betrachtung aufgefallen sind:
1. Als Grundmotiv des philosophischen Denkens der Chinesen
können wir das Streben nach *Harmonie* ansehen. Vorwiegend
im Konfuzianismus, aber keineswegs nur in diesem, sehen
wir ständig »Maß und Mitte«, die »Goldene Mitte«, ein harmonisches Gleichgewicht als Ziel aufgerichtet.
2. Dieses Bestreben führt in allen philosophischen Schulen zur
Idee des *Einklangs von Mensch und All.*
3. Es führt ferner, besonders deutlich sichtbar bei Lao Tse,
zur Idee des *Einklangs von Mensch und Natur.*
4. Mit dem Harmoniestreben hängt eng zusammen die *Ab-
neigung* des Chinesen *gegen* jede Art von *Einseitigkeit und
Extrem.* Dem »Entweder-Oder« wird überall das »Sowohl-
als-auch« vorgezogen. Man bleibt nicht beim Gegensatz stehen, sondern sucht Entgegengesetztes in seiner gegenseitigen
Bedingtheit zu sehen und so von einem höheren Blickpunkt
aus zu vereinigen.
5. Hiermit ist der Gedanke der *Wechselwirkung zweier Prinzipien* eng verschwistert. Wir begegnen dem aktiven und passiven Prinzip als Yang und Yin, als Li und Ki, als Vernunft und Materie fast in allen Schulen.
6. Mit der Neigung, Gegensätze sich nicht ausschließen zu lassen, sondern die Synthese zu suchen, muß man auch die bemerkenswerte *Toleranz* des Chinesen in weltanschaulicher Hinsicht in Verbindung bringen, die so weit geht, daß sie dem
Abendländer kaum begreiflich erscheint. Ein chinesisches
Sprichwort sagt: »Drei Lehren, eine Familie.« Gemeint sind
Konfuzianismus, Taoismus und Buddhismus und das Sprichwort besagt, daß die drei Religionen (bzw. Philosophien, was
hier so wenig zu trennen ist wie in Indien) verhältnismäßig
einträchtig nebeneinander lebten und leben. Einträchtig insofern, als es zwar Auseinandersetzungen mit geistigen Waffen
zwischen ihnen genug gegeben hat, Bekehrungs- oder Unter-
drückungsversuche mit gewaltsamen Mitteln jedoch bis auf
wenige Ausnahmen nicht vorgekommen sind. Das war in
China schon deshalb ganz undenkbar, weil die Masse der Bevölkerung dort nie europäische einer bestimmten
Religion anhing. Vielmehr waren nur die jeweiligen Priester
des Taoismus, Konfuzianismus oder Buddhismus auf ihre Re-

ligion eingeschworen, während das Volk je nach Bedarf und Geschmack bei verschiedenen Anlässen einmal bei den Priestern der einen, dann bei denen der andern Religion seine Zuflucht suchte, und zwar bei traurigen Anlässen, dem Charakter dieser Lehre entsprechend, meistens bei den buddhistischen[61].

7. Eine so weitreichende Toleranz ist natürlich von Gleichgültigkeit nur noch schwer abzugrenzen. Sie ist von ganz anderer Art als die indische. Die indische Auffassung läßt zwar im allgemeinen auch jeden »nach seiner Fasson« selig werden — aus der Erkenntnis, daß jede Lehre vielleicht nur einen Zipfel der göttlichen Wahrheit erfaßt —, aber der Inder bekennt sich doch zu einer bestimmten Religion unter Ausschluß der andern. Die chinesische Art von Duldsamkeit ist offenbar nur denkbar in einem Volke, das — in ausgesprochenem Gegensatz zum indischen — das Schwergewicht seines Lebens im Diesseits sieht. Das chinesische Denken hat den Charakter der *Weltlichkeit*.

8. Mit dieser Eigenart hängt der *Humanismus* der chinesischen Philosophie zusammen. Es gibt kein chinesisches System, in dem nicht der Mensch im Mittelpunkt steht. Das gilt in ungefähr gleichem Maße, wenn auch in verschiedener Weise, für die beiden Hauptrichtungen der altchinesischen Philosophie, Konfuzianismus und Taoismus. Das Hauptinteresse bei beiden ist das menschliche Leben und seine richtige Gestaltung; der Unterschied liegt nur darin, daß nach Lao Tse das vollkommene Leben durch Einfügung in die Natur und Achtung ihrer Gesetze, nach Konfuzius durch die volle Entfaltung des Menschen selbst zu erreichen ist. Jedenfalls ist dies die einhellige Meinung der chinesischen Gelehrten, die gegenüber dem Gegensatz, den europäische Forscher zwischen beiden Richtungen zu sehen glauben, stets das Gemeinsame in diesem Punkte betonen[62].

9. Wir bemerken, daß Genügsamkeit, Maßhalten, innere Ausgeglichenheit und *Seelenfrieden* nach chinesischer Auffassung zum menschlichen Glück unerläßlich sind.

10. In bezug auf die Einschätzung der menschlichen Natur sind diejenigen Denker weit in der Überzahl, die den Satz des Meng Tse: *Der Mensch ist gut,* anerkennen.

11. Reines Erkennen als Ideal begegnet uns fast nirgends. Alle chinesische Philosophie sieht ihren Endzweck in der Anleitung zum richtigen Verhalten und Handeln, ist daher wesentlich *Ethik*.

12. Da die chinesischen Philosophen den Menschen nicht nur in den Naturzusammenhang, sondern immer auch in den von Familie, Gesellschaft und Staat eingefügt sehen, ist alle chinesische Philosophie Politik und *Sozialphilosophie*.

13. Endlich ist dem chinesischen Denken, wie der chinesischen
Kultur überhaupt, eine gewisse Isolierung und *Selbstgenüg-
samkeit* eigen. Der Buddhismus ist bis an den Beginn der
Neuzeit die einzige geistige Bewegung geblieben, die, aus
fremdem Boden kommend, in China dauernd Fuß fassen konnte. Wieweit diese Eigenschaft in einem unveränderlichen Cha-
rakterzug des Chinesen begründet liegt und nicht vielmehr
in der langen geographischen Isolierung und im geschichtlichen Schicksal, ist schwer zu sagen. Jedenfalls haben zumindest manche Schichten des chinesischen Volkes nach dem Ein-
bruch westlicher Ideen diese geradezu mit Heftigkeit aufgenommen, und in westlichen Ländern lebende Chinesen haben
eine bemerkenswerte Anpassungsfähigkeit gezeigt.

Wohin die gegenwärtige revolutionäre Umwälzung in China
auf religiösem und philosophischem Gebiet führen kann, vermögen selbst hervorragende westliche Kenner des Landes und
wahrscheinlich nicht einmal die Chinesen selbst zu sagen. Man
wird aber sagen dürfen, daß keine wie immer sonst geartete
Ideologie sich in China auf lange Sicht wird behaupten können, die sich nicht den tiefeingewurzelten, in den oben auf-
gezählten Eigentümlichkeiten chinesischen Denkens zutage tretenden Besonderheiten des chinesischen Geistes anzupassen
versteht.

Die Kenntnis der chinesischen Philosophie wie des ganzen chinesischen Kulturkreises erschloß sich erst spät den europäischen Völkern. Ende des 13. Jahrhunderts gelangten venezia-
nische Kaufleute, unter ihnen der berühmte Marco Polo, auf
einer Handelsreise über den Vorderen Orient bis an den Hof
des chinesischen Kaisers. Sie blieben einige Jahrzehnte im
Lande. Nach ihrer Rückkehr wurden die Berichte des Marco
Polo von diesem fernen Reiche mit seinen zahllosen volk-
reichen Städten und seiner blühenden Kultur als die phantastischen Aufschneidereien eines Narren verlacht. So blieb dieses reizvolle Kapitel der Kulturgeschichte eine Episode.

Leibniz war der erste bedeutende europäische Denker, der die
Größe und den kulturellen Hochstand dieser fernen Welt erkannte. Er versuchte einen kulturellen Austausch zwischen
China und Europa in Gang zu setzen und schlug unter anderem dem russischen Zaren vor, zur Förderung dieses Austausches einen Landweg durch sein Reich nach China zu
bauen. Er verglich die geistige und moralische Verfassung
Chinas mit der Europas und kam zu folgendem Ergebnis:
»Derart scheint mir die Lage unserer Verhältnisse zu sein, daß
ich, da Sittenverderbnis ins Unermeßliche anschwillt, es fast
für notwendig halte, daß chinesische Missionare zu uns geschickt werden... Daher glaube ich, wenn ein weiser Mann

zum Richter bestellt würde... über die Vorzüglichkeit der
Völker, daß er den goldenen Apfel den Chinesen reichen
würde[63].«

Im 18. Jahrhundert gelangte mit dem anhebenden Interesse
für chinesische Gartenkunst, Porzellan und ähnliches — »Chi-
noiserie« — auch genauere Kunde von den Leistungen der
Chinesen in der Philosophie nach Europa. Der Hallenser Philosoph Christian *Wolff*, *Diderot*, *Voltaire* und *Goethe* waren
unter denen, die chinesische Philosophie studierten und sie
hochschätzten. Diderot schrieb: »Diese Völker sind allen anderen Völkern überlegen an Alter, Geist, Kunst, Weisheit,
Politik...« Voltaire urteilte: »Man muß nicht auf das Verdienst der Chinesen versessen sein, um doch anzuerkennen,
daß die Einrichtung ihres Reiches in Wahrheit die vorzüg-
lichste ist, welche die Welt je gesehen hat...[64]« Ein vielseitiger und weltaufgeschlossener Philosoph unserer Zeit, Graf
Hermann Keyserling, schrieb: »Das bisher vollkommenste
Menschentum als Normalerscheinung überhaupt hat China
herausgearbeitet... Wie der moderne Westen die bisher höchste Könnenskultur erschaffen hat, so Alt-China die bisher
höchste allgemeine Seinskultur...[65]« An dieser Kulturleistung
haben die großen Denker, deren Werk aus jener Zeit bis an
die Schwelle der Gegenwart fort wirkt, einen entscheidenden
Anteil.

Zweiter Teil

Die griechische Philosophie

Indem wir im Geiste den Boden Griechenlands betreten und uns anschicken, die dort entstandene Philosophie zu studieren, befinden wir uns zeitlich nur um ein geringes, räumlich dagegen um vieles unserer Gegenwart und unserem heimatlichen Kulturkreis näher gerückt. Aber was bedeutsamer ist: Das Denken der alten Inder und Chinesen, das wir im ersten Teil betrachteten, ist in Kulturen erwachsen, die der unseren nicht nur räumlich und zeitlich fern stehen; es hat sich auch völlig abgeschlossen von dem unseren entfaltet, oder richtiger das unsere von jenem, und gegenseitige Berührungen sind erst in geschichtlich später Zeit erfolgt. Von den Griechen aber und ihrem Denken zieht sich ein manchmal mächtig fließender, zuzeiten abschwellender und fast versiegender, niemals aber ganz unterbrochener Strom geistiger Überlieferung bis auf uns herab. Die Begründer der griechischen Philosophie sind zugleich die Stammväter unserer eigenen.

Um die Zeit, da unsere Betrachtung einsetzt, waren die großartigen alten Kulturen des östlichen Mittelmeergebietes — die der Ägypter, der Assyrer und Babylonier, die kretische — von deren »Philosophie«, sofern man von solcher sprechen kann, wir kaum etwas wissen, schon den langsamen Tod der Erstarrung oder den schnellen der katastrophenartigen Vernichtung gestorben. Das Volk der Griechen, nunmehr Träger der weltgeschichtlichen Entwicklung, näherte sich bereits dem Höhepunkt seiner Geschichte, dem »Goldenen Zeitalter« des Perikles. Handel und Schiffahrt der Griechen erstreckten sich über die ganze mittelmeerische Welt. Rund um dieses Meer, bis zur Straße von Gibraltar im Westen — der dunklen Pforte, die antike Schiffer selten zu durchschreiten wagten — bis zum Schwarzen Meer im Osten, hatten griechische Kolonisten sich niedergelassen. An den Küsten von Spanien, Südfrankreich, Nordafrika, vornehmlich aber in Unteritalien und Sizilien sowie an der dem griechischen Mutterland gegenüberliegenden und mit ihm durch die Kette der Ägäischen Inseln verbundenen Westküste Kleinasiens, bestanden griechische Städte.

Im Verein mit dem Wohlstand, den Seefahrt und Handel in

diese Küstenstädte brachten, erwuchsen die Grundlagen einer
allgemeinen Bildung. Immer und überall in der Geschichte hat
das Meer und die durch es vermittelte Berührung mit fremden
Völkern und deren Denkweise auf das geistige Leben einen
befördernden und befreienden Einfluß gehabt. (Man muß sich
vor Augen halten, daß bis zur Ausbildung der modernen
Technik der Verkehr über Wasser leichter war als der Land-
verkehr über große Strecken. Zumal Griechenland mit seiner
zerklüfteten Bodengestalt im Innern, der Fülle seiner nach
außen, zum Meer sich öffnenden Tallandschaften, verwies
seine Bewohner mit natürlicher Notwendigkeit auf das Meer.)
Die alten Kaufleute und Seefahrer sind sicher die ersten
Zweifler an den überlieferten Lebensformen, Denkweisen und
religiösen Vorstellungen ihrer jeweiligen Heimat gewesen. Wo
viele Glaubensbekenntnisse aufeinander trafen, die alle die
Wahrheit zu vertreten vorgaben, konnte leicht der Zweifel
an allen sich breitmachen. Die Küstenstädte und Handels-
plätze, zuerst an der griechisch besiedelten kleinasiatischen
Küste, dann in Italien, später erst an der Küste des Mutterlandes — allen voran Athen — waren es daher, in denen sich
philosophisches und wissenschaftliches Denken zuerst regte,
gefördert auch durch freiheitliche und demokratische Verfassungen und die durch diese bedingte Entwicklung der freien
öffentlichen Rede. Zu den günstigen geographischen und gesellschaftlichen Vorbedingungen trat der glückliche geschichtliche Umstand, daß die Griechen zwar in regen kulturellen
Austausch mit den älteren Kulturen des Ostens traten, ja
viele Grundlagen ihrer Zivilisation von dort entlehnten, in
der entscheidenden Zeit aber von keinem der älteren Reiche
des Ostens unterjocht wurden — so daß der griechische Geist
die fremden Anregungen ohne Überfremdung nach seiner
Eigenart verarbeiten konnte. Und hierzu trat die glückliche
natürliche Veranlagung des griechischen Volkes, in der reiche
geistige und künstlerische Begabung mit gesundem Wirklich-
keitssinn, Aufgeschlossenheit für das Individuelle und Besondere mit einem Sinn für Ordnung und Maß im ganzen
glücklich gepaart waren[1], um die Vorbedingungen zu schaffen für die staunenswerte Blüte des philosophischen Denkens
und Forschens im alten Griechenland.
Vornehmlich aus den unsterblichen Dichtungen *Homers* kennen wir das damals bereits versunkene heroische Zeitalter
der Griechen; aus ihnen, aus dem Werke des *Hesiod* — hauptsächlich der »Theogonie« = »Entstehung der Götter« — und
aus anderen Quellen vermögen wir uns ein Bild von der
griechischen *Religion* zu machen. Für das Verständnis der
griechischen Philosophie ist die Kenntnis der altgriechischen
Religion nicht in gleichem Maße unerläßlich, wie das etwa in

Indien der Fall ist. Wir heben deshalb hier nur eines hervor. Der europäische Gebildete denkt beim Thema: Religion der Griechen sogleich an die strahlende Götterwelt der sogenannten homerischen Religion — die natürlich nur nachträglich so benannt wurde, weil eben aus dem Homer unsere Kenntnis derselben hauptsächlich stammt; freilich mag der nach der Sage blinde Seher auch an der Schaffung dieser Göttergestalten und ihrer Einführung als beherrschende Figuren des griechischen Götterhimmels einen schwer abzugrenzenden, aber möglicherweise sehr maßgeblichen Anteil gehabt haben. Dieser Welt von schönen, gütigen, sehr menschliche Züge tragenden Göttern, denen der Grieche sehr frei gegenübertrat, steht aber im griechischen Leben, vielleicht von Anbeginn an, jedenfalls aber schon zu der Zeit, mit der wir uns beschäftigen, eine andersartige religiöse Strömung von ungefähr gleicher Mächtigkeit gegenüber. Diese »Unterströmung« ist sicherlich in großen Teilen nicht griechischen Ursprungs, sondern hat aus dem Orient nach Griechenland hinübergegriffen. Sie ist im Unterschied zu der ganz Diesseitigkeit und Helle atmenden homerischen Religion dem Dunklen und dem Jenseits zugewandt, kennt Begriffe wie Sünde, Buße und Reinigung. Die in diese Richtung gehörenden Mysterienkulte (Eleusinische Mysterien, Dionysoskult, Orphik) trugen durchweg den Charakter von Geheimlehren — woraus die spärlichen Kenntnisse der Nachwelt über sie zu erklären sind. Große Teile der griechischen — später auch der römischen — Bevölkerung hingen ihnen an. In der Philosophie erlangten aus dieser Strömung stammende Elemente mehrfach eine hervorragende Bedeutung, so bei den Pythagoreern, bei Platon und im späteren Neuplatonismus.

Vermerken wir noch zu den äußeren Formen des religiösen Lebens, daß die Griechen zu keiner Zeit, weder später noch in der Frühzeit, einen Priesterstand besessen haben, der an gesellschaftlicher Macht oder geistigem Einfluß mit dem indischen oder ägyptischen zu vergleichen wäre. Die griechischen Priester haben daher im ganzen betrachtet weder die Entfaltung freien Denkens entscheidend gehemmt wie in Ägypten, noch an der Weiterbildung religiöser Ideen zu religiös-philosophischen Systemen maßgebend mitgewirkt wie in Indien.

Die Zeit, in der der griechische Geist unter allmählicher Loslösung von der überlieferten Religion und teilweise unter lebhafter Kritik an deren Vorstellungswelt mit dem Versuch beginnt, mit dem Mittel selbständigen, vernunftmäßigen *Denkens* die Welt aus *natürlichen* Ursachen zu erklären — was wir am Anfang dieses Buches als das maßgebende Kennzeichen angesehen haben, um von Philosophie im eigentlichen Sinne sprechen zu können —, liegt um das Jahr *550 v. Chr.*

Blicken wir zurück auf die in den beiden vorangegangenen
Kapiteln gemachten Zeitangaben, so ergibt sich die höchst
merkwürdige Tatsache, daß dieser weltgeschichtlich entscheidenden Wendung in Griechenland geistige Umwälzungen von
ähnlicher Tragweite in Indien und China zeitlich entsprechen.
In China muß das Wirken des Lao Tse (etwa 609—517 v.
Chr.) um die Mitte des 6. Jahrhunderts gelegen haben. Das
des Konfuzius folgte unmittelbar darauf. In Indien traten zur
gleichen Zeit Mahavira, der Stifter des Jainismus (etwa 599 bis
527), Buddha (etwa 563—483) und andere bedeutende Persönlichkeiten auf. In Griechenland erstand, fast möchte man
sagen schlagartig, zu dieser Zeit eine Reihe von Denkern,
die die Begründer der griechischen Philosophie (und Wissenschaft überhaupt) wurden. Das Bild vervollständigt sich, wenn
man in Betracht zieht, daß um dieselbe Zeit im alten Judentum die Prophetengestalten eines Jeremia (um 600 in Jerusalem) und Hesekiel (um 580 in Babylon) erschienen und daß
möglicherweise auch Zarathustra, der Stifter der alten persischen Religion, in die gleiche Zeit gehört (dies letztere ist
sehr umstritten).
Die Tatsache, daß an verschiedenen Stellen des Erdballs, in
zahlreichen gegeneinander so gut wie abgeschlossenen Kultur-
kreisen, zur gleichen Zeit der Menschengeist einen gewaltigen
Schritt vorwärts tat und in den genannten Persönlichkeiten
gleichsam zu sich selbst kam, ist für uns ebenso erstaunlich
wie unerklärlich. Es sträubt sich etwas in uns dagegen, angesichts dieser einzigartigen Häufung von bloßem »Zufall«
zu sprechen. Eine überzeugende »Erklärung« dieses Zusam-
mentreffens ist jedoch bisher ebensowenig gelungen. Möglicherweise wird es auf immer ein Geheimnis bleiben. Ein
zeitgenössischer deutscher Philosoph hat diese Zeit die »Ach-
senzeit der Weltgeschichte« genannt[2].
Die Geschichte der griechischen Philosophie — und der römischen, die man im wesentlichen als einen Abkömmling der
griechischen behandeln kann — füllt den Zeitraum eines
runden Jahrtausends aus. Sie beginnt mit dem 6. Jahrhundert
v. Chr. und endet mit dem 6. Jahrhundert n. Chr. Für die
überschauende Betrachtung teilt sie sich gleichsam von selbst
in drei deutlich abgrenzende Hauptperioden.
Die *älteste Periode* setzt ein mit dem nahehezu gleichzeitigen
Auftreten einer Reihe von Denkern, die alle das eine gemeinsam haben, daß sie — unter Befreiung von theologischen
Vorstellungen — nach einem *Urstoff* auf die Suche gehen. Man
bezeichnet diese Richtung als die ältere Naturphilosophie. Auf
sie folgen einerseits Pythagoras, dessen Denken eine mystische, am Begriff der Zahl orientierte Richtung einschlägt, andererseits die jüngeren Schulen der Naturphilosophie. Allen

ist als Ziel gemeinsam, daß sie auf Erklärung der natürlichen
Welt ausgehen und insofern *Naturphilosophie* sind; als Methode, daß sie mit »naiver«, das heißt noch nicht durch
kritische Besinnung hindurchgegangener Spekulation arbeiten
und insofern *dogmatisch* sind[3]. Zusammenfassend bezeichnet
man die Philosophie dieser Epoche als »*Vorsokratiker*«, da
sie vor dem Auftreten des Sokrates wirkten. Diese ältere Periode reicht etwa von 600 v. Chr. bis an den Beginn des
4. Jahrhunderts.
An der Schwelle von der ersten zur *zweiten Hauptperiode*
stehen die griechischen Sophisten, die, nach rückwärts betrachtet, die Widersprüche im bisherigen philosophischen Denken aufdecken und indem sie dieses als ungenügend erweisen,
zugleich den Weg bereiten für die drei größten Denker, die
das Griechentum hervorgebracht hat: *Sokrates, Platon, Aristoteles,* von denen der Jüngere jeweils der Schüler des Älteren
war. In diesen erreicht das griechische Denken seine einzigartige Höhe. Alle auch uns bekannten Zweige philosophischer
Arbeit werden ausgebildet: Logik, Metaphysik, Ethik, Natur-
und Gesellschaftsphilosophie, Ästhetik, Pädagogik — und zu
umfassenden Systembauten vereinigt. Diese eigentliche Blütezeit der griechischen Philosophie, in der Athen ihr Mittelpunkt ist und die darum auch attische genannt wird, beginnt
mit dem Auftreten der Sophisten um die Mitte des 5. Jahrhunderts und reicht bis zum Tode des Aristoteles im Jahre
322 v. Chr. Gemessen an der politischen Geschichte der Griechen, liegt der Schwerpunkt dieser Periode bereits jenseits
des Goldenen Zeitalters in der Zeit des beginnenden politischen Niedergangs. Wie andere Völker haben die Griechen
ihre höchste geistige Reife erst erreicht, als ihre Freiheit verloren war und die Schatten des Untergangs sich über ihr
Reich herabsenkten — erst in der Dämmerung entfalten die
Eulen der Minerva ihren Flug, wie Hegel gesagt hat. Dieser
Hauptperiode widmen wir in unserer Darstellung den breite-
sten Raum.
Die *dritte* und längste *Periode* umgreift die Zeit vom Tode
des Aristoteles bis zur allmählichen und endlichen Auflösung
in den nachchristlichen Jahrhunderten. Sie ist dadurch gekennzeichnet, daß der Sinn für Naturforschung im Rückgang begriffen ist. Die diesen Abschnitt zunächst beherrschenden
Schulen der *Stoiker und Epikureer* richten ihr Hauptinteresse
auf den Menschen und auf die Ethik. Ähnliches gilt für die
gleichzeitig in Erscheinung tretenden *Skeptiker.* Aus der Vermischung dieser und der vorangegangenen Systeme entstand
der sogenannte *Eklektizismus.* In nachchristlicher Zeit wurden
platonische Gedanken mit Elementen orientalischer Religiosität vermischt im *Neu-Platonismus.* Die Philosophie dieser

dritten Periode wird auch als nach-aristotelische bezeichnet.
Mit dem 6. Jahrhundert n. Chr. verschwand die griechische
Philosophie als selbständige Erscheinung vom Schauplatz der
Geschichte.

Ihre weltgeschichtliche Rolle war damit nicht ausgespielt. Gemeinsam mit den anderen Elementen griechischer Bildung
wurde sie neben dem Christentum zum zweiten Grundpfeiler
der abendländischen Kultur.

Die vorsokratische Philosophie bis zum Auftreten der Sophisten

Von keinem einzigen Philosophen der vorsokratischen Zeit ist das Werk oder auch nur eine einzelne Schrift vollständig erhalten. Teils haben diese Denker überhaupt nichts Schriftliches hinterlassen, teils sind ihre Werke verlorengegangen.

Angesichts dieses Umstandes muß die bis heute anhaltende, ja heute verstärkt auflebende Nachwirkung dieser Männer, die die Früh- und Urgedanken des Abendlandes gedacht haben, um so erstaunlicher erscheinen. An *unmittelbaren Quellen*, das heißt von den Denkern selbst stammenden Zeugnissen, besitzen wir daher für diese ganze Zeitspanne nur Bruchstücke, die sogenannten *Fragmente der Vorsokratiker*.

Wären wir auf diese Fragmente allein angewiesen, würden wir beinahe ganz im dunkeln tappen, wenn uns nicht mannigfache *mittelbare* Quellen zu Gebote stünden. Diese bestehen zum einen Teil in Werken späterer Philosophen, die der Darlegung ihrer eigenen Ansicht eine Auseinandersetzung mit den einschlägigen Meinungen ihrer Vorgänger vorangehen ließen — eine Übung, die namentlich durch das Vorbild des Aristoteles allgemein wurde.

Zum anderen Teil bestehen die mittelbaren Quellen in den vollständiger erhaltenen Werken solcher Gelehrter, die sich die Darstellung der Geschichte der Philosophie zur ausdrücklichen Aufgabe setzten — wozu die Anregungen ebenfalls von Aristoteles ausgegangen sind. Als Beispiel für diese letzteren nennen wir die zehn Bücher des *Diogenes Laertios* (um 220 n. Chr.) über Leben und Lehre der namhaften Philosophen.

Antike Werke, in denen die Lehren (griechisch doxai) verschiedener Philosophen zu bestimmten Fragen in Form einer Übersicht nebeneinandergestellt wurden, werden Doxographien genannt.

I. Die milesischen Naturphilosophen

Auf schmalem Küstensaum am Westrande Kleinasiens entlang der Ägäis hatten die Ionier, der genialste griechische Stamm, zwölf blühende Städte gegründet. Hier endeten die großen

Karawanenstraßen, die aus dem Innern des asiatischen Kontinents kamen, hier wurden die von dort ankommenden Waren auf Schiffe verladen und nach Griechenland verfrachtet. Mit dem Warenstrom aus dem Osten kam die Kenntnis vieler kultureller Errungenschaften der asiatischen Völker auf diesem Wege zu den Griechen. Astronomie und Kalender, Münzen und Gewichte, vielleicht auch die Schrift, kamen aus dem Osten zunächst zu den kleinasiatischen Ioniern und wurden von ihnen den übrigen Griechen vermittelt. Die südlichste der zwölf ionischen Städte war Milet, im 6. Jahrhundert ein bedeutender Handelshafen und vielleicht die reichste Stadt der damaligen griechischen Welt. Diese Stadt, in der sich Rassen, Sprachen und Religionen kreuzten, ist die Geburtsstätte der griechischen und damit auch der abendländischen Wissenschaft und Philosophie.

1. THALES

Der erste der milesischen Naturphilosophen, Thales, wurde etwa 640 v. Chr. geboren, sein Wirken fällt in die erste Hälfte des 6. Jahrhunderts. Thales war erstens ein weitgereister und weltgewandter Kaufmann, der unter anderem Ägypten bereist hatte. Zweitens war er Staatsmann, drittens ein vielseitiger Naturforscher; er hatte wahrscheinlich aus dem Osten bezogene astronomische Kenntnisse und sagte zum Erstaunen seiner Zeitgenossen eine Sonnenfinsternis richtig voraus; er beschäftigte sich mit Magnetismus; er ermittelte die Höhe der ägyptischen Pyramiden durch Messung ihres Schattens zu bestimmter Tageszeit; er fand eine Anzahl grundlegender Lehrsätze der Mathematik, deren einer noch seinen Namen trägt. Endlich war er Philosoph und galt bis vor kurzem als Ahnherr der antiken und modernen Philosophie.

Unbestritten ist der Ruhm des Thales als des ersten Griechen, der das orientalische Wissen auf den Gebieten der Mathematik und Astronomie aufnahm und selbständig weiterverarbeitete. Den Griechen galt er als der erste der »Sieben Weisen« der alten Welt. Wahrscheinlich ist, daß ein so überragender Kopf mit so ausgedehntem Wissen sich auch seine eigenen Gedanken über das tiefere Wesen der Dinge gemacht hat. Nach antiker Überlieferung antwortete er auf die Frage, was am schwersten von allen Dingen sei: »Sich selbst kennen«, was am leichtesten sei: »Anderen Rat geben«; was Gott sei: »Das, welches weder Anfang noch Ende hat«; und wie man vollkommen tugendhaft leben könne: »Indem wir niemals das tun, was wir an anderen verurteilen[4].« Zweifelhaft ist, inwieweit Thales zu allgemeinen philosophischen Schlußfolgerungen gekommen ist. Eine philosophische Schrift von ihm ist nicht bekannt[5]. Und was bis vor kurzem als Grundgedanke seiner Naturphilosophie galt: daß das Wasser der Urstoff sei, aus dem alles hervorgegangen ist — das wird neuerdings manchmal gar seinem Nachfolger zugeschrieben[6].

2. ANAXIMANDROS

Anaximandros war nicht nur milesischer Mitbürger, sondern auch ungefährer Zeitgenosse des Thales. Seine Lebenszeit wird von 611—549 v. Chr. angesetzt[7]. In ihm müssen wir, nachdem der Ruhm des Thales schwankt, den eigentlichen Begründer der Philosophie als selbständiger Wissenschaft erblicken. Seine Ansichten legte er in einer — nicht erhaltenen — Schrift nieder, die wahrscheinlich den später vielfach verwendeten Titel »Über die Natur« führte[8]. Urprinzip der Welt und Ursache allen Seins ist ihm ein Unbestimmtes und Grenzenloses (griech. apeiron), aus dem sich Kaltes und Warmes, Trockenes und Feuchtes sonderten. Mit dem Gedanken, daß die Erde — die er frei im Raum schwebend denkt — zuerst in flüssigem Zustand gewesen sei und bei ihrer allmählichen Austrocknung die Lebewesen hervorgebracht habe, wobei diese zunächst im Wasser lebten und später auf das Land überwechselten[9], hat er ein Stück der modernen Entwicklungslehre vorweggenommen. Mit seiner Lehre, daß ein ursprünglich die Erde umgebender Feuerkreis nach seinem Zerspringen, Feuer ausströmend, um die Erde rotiere[10], macht er den ersten Versuch, die Bewegung der Gestirne auf physikalische Weise zu deuten. Nach ewigem Gesetz gehen aus dem Unbestimmt-Grenzenlosen immer neue Welten hervor und kehren wieder in dasselbe zurück, »einander Strafe und Buße gebend für die Ungerechtigkeit nach der Ordnung der Zeit«, wie die Schlußworte des einzigen wörtlich erhaltenen Fragments lauten[11], die die dunkle Tiefe seiner Lehre wenigstens erahnen lassen.

3. ANAXIMENES

Der dritte der milesischen Naturphilosophen, Zeitgenosse des Anaximandros, hat die Luft als den Urstoff angesehen, freilich wohl nicht im wörtlichen Sinne, denn er begreift darunter (als belebenden Atem) auch die Seele. Auch er lehrte einen periodischen Wechsel von Weltentstehung und Weltzerstörung.
Das Gemeinsame in den Lehren der drei Milesier liegt in dem Bestreben, die Entstehung alles Seienden aus einem letzten Urstoff oder stofflich aufgefaßten Urprinzip zu erklären. Ihre

Bedeutsamkeit für die weitere griechische Philosophie und für
uns liegt weniger in der Art und Weise, wie sie dies im
einzelnen versuchen — so interessant manche Einzelheit im
Lichte neuerer wissenschaftlicher Erkenntnis sein mag —, sondern in der Tatsache, daß sie erstmalig den Versuch machen,
an diese Frage unvoreingenommen mit naturwissenschaftlichem Denken heranzugehen, und in der Kühnheit, mit der
sie die Vielfalt der Erscheinungen auf *ein* Urprinzip zurückzuführen suchen.

II. Pythagoras und die Pythagoreer

1. LEBEN UND LEHRE DES PYTHAGORAS

Der Ruhm, die griechische Wissenschaft, insonderheit die
Mathematik, begründet zu haben, kann mit gleichem Recht
wie den Milesiern auch dem Pythagoras zugebilligt werden.
Dieser aus Samos gebürtige Mathematiker, Astronom und
Philosoph lebte zwischen 580 und 500. Nach langen Wander-
jahren, die ihn nach antiken Quellen auch nach Ägypten und
in den Orient geführt haben sollen — vieles in seiner Lehre
spricht auch dafür —, entfaltete er seine Wirksamkeit als
Lehrer und Begründer eines religiösen Ordens in Kroton, dem
heutigen Cotrone, in Unteritalien.
In der Mathematik ist der Name des Pythagoras vor allem
mit dem Lehrsatz verknüpft, daß das Quadrat über der
längsten Seite eines rechtwinkligen Dreiecks gleich groß ist
wie die Summe der Quadrate über den beiden anderen Drei-
ecksseiten (Lehrsatz des Pythagoras). Auch die Erkenntnis, daß
die Summe der Winkel eines Dreiecks gleich zwei rechten
ist, wird auf ihn zurückgeführt. Aber Pythagoras betrieb die
Mathematik nicht als Selbstzweck oder begrenzte Fachwissen-
schaft. Er stellte sie, vor allem die Lehre von den *Zahlen*,
in den Mittelpunkt seiner Philosophie. Übrigens war Pythagoras nach alter Überlieferung der erste, der das Wort »Philosophie« in dem uns geläufigen Sinne verwandte. Es erschien
ihm nämlich anmaßend, sich nach der bis dahin üblichen
Manier einen »sophos«, das heißt einen Weisen, zu nennen,
und so nannte er sich bescheidener einen »philosophos«, einen
Freund oder Liebenden der Weisheit.
In den Zahlen sieht die pythagoreische Lehre das eigentliche
Geheimnis und die Bausteine der Welt. Jede der Grundzahlen
von 1 bis 10 hat ihre besondere Kraft und Bedeutung, allen
voran die vollkommene und umfassende Zehn. Die Harmonie der Welt — Pythagoras war der erste, der die Welt einen
»Kosmos« nannte — beruht darauf, daß alles in ihr nach

Zahlenverhältnissen geordnet ist. Das erweist sich für Pythagoras vor allem an der *Musik*. Er scheint der erste gewesen zu sein, der den harmonischen Zusammenklang der Töne und die Stufen der Tonleiter auf zahlenmäßige Verhältnisse zurückgeführt hat, nicht zwar Verhältnisse der Schwingungszahl, aber der Länge der klingenden Saiten.

Die musikalische Harmonie findet Pythagoras im Aufbau des Weltalls wieder. Wie jeder bewegte Körper ein Geräusch verursacht, das von dessen Größe und der Schnelligkeit der Bewegung abhängt, so rufen die Himmelskörper beim Durchlaufen ihrer Bahn eine ununterbrochen erklingende, nur von uns nicht wahrgenommene »Sphärenmusik« hervor. Dieser schöne Gedanke einer (musikalisch verstandenen) Harmonie des Weltalls ist seit Pythagoras nicht nur als dichterisches Bild, sondern auch in der physikalischen und astronomischen Wissenschaft immer wieder aufgetaucht. Der große Kepler hat ihm ein Buch gewidmet. In neuester Zeit scheinen verwandte Gedanken erneut Bedeutung zu gewinnen[12].

Wir sehen, daß Pythagoras das Geheimnis der Welt nicht wie die Milesier in einem *Urstoff* sucht, sondern in einem *Urgesetz*, nämlich der unveränderlichen zahlenmäßigen Beziehungen unter den Bestandteilen unserer Welt. Wer das periodische System der Elemente und seine Ausdeutung durch die moderne Naturwissenschaft kennt, dem muß dieser Gedanke als geniale Vorahnung unserer Erkenntnisse erscheinen.

Mit der Zahlenlehre sind bei Pythagoras tiefreligiöse und mystische Ideen von wahrscheinlich orientalischem Ursprung verbunden, insbesondere ein dem indischen eng verwandter Seelenwanderungsglaube. Danach durchläuft die unsterbliche Menschenseele einen langen Läuterungsprozeß durch immer erneute Wiederverkörperungen, die auch in Tiergestalt erfolgen können. Dementsprechend findet sich wie in Indien das Gebot, kein Tier zu töten oder zu opfern und kein Fleisch zu sich zu nehmen. Da es als Ziel des Lebens angesehen wird, die Seele durch Reinheit und Frömmigkeit vom Kreislauf der Wiedergeburten zu erlösen, zeigt auch die pythagoreische Ethik der indischen verwandte Züge: Selbstdisziplin, Genügsamkeit, Enthaltsamkeit werden gefordert.

2. DIE PYTHAGOREER

Eine Reihe strenger Regeln machte den von Pythagoras begründeten religiösen Bund zu einer nach außen abgeschlossenen und ihre Geheimnisse wahrenden Gemeinschaft, zu einem Staat im Staate. Die Mitglieder mußten bei der Aufnahme geloben, enthaltsam und bescheiden zu leben, kein Tier zu töten, das nicht den Menschen angreift, und jeden Abend ihr

Gewissen zu prüfen, welche Fehler sie begangen, welche Gebote sie vernachlässigt hätten[13]. Auch waren sie zu unbedingtem Gehorsam und zur Verschwiegenheit verpflichtet. Der Bund nahm auch Frauen auf, und die in Philosophie und Literatur, aber auch in fraulichen und häuslichen Fertigkeiten gebildeten »pythagoreischen Frauen« sollen im Altertum als der höchste Frauentypus, den Griechenland je hervorbrachte, verehrt worden sein[14]. Vorgeschrieben war ferner ein fünfjähriges, unter Bewahrung strikten Schweigens zu absolvierendes Studium. Die wissenschaftliche Bildung wurde neben Musik, Gymnastik, Heilkunde von den Pythagoreern besonders hochgehalten und gefördert. Die Autorität des Meisters stand dabei stets über allem; die im Orden gemachten wissenschaftlichen Entdeckungen wurden ihm zugeschrieben, und »autos epha« — »er selbst hat es gesagt« — wurde zur stärksten denkbaren Bekräftigung irgendeines Satzes.

Der Versuch, das Gewicht des pythagoreischen Bundes auf dem Felde der Politik einzusetzen, und zwar — nach Pythagoras' eigener Einstellung — mit ausgesprochen aristokratischer Tendenz, führte bald zu Angriffen gegen ihn und schließlich zu seiner gewaltsamen Zersprengung durch Niederbrennung des pythagoreischen Versammlungshauses in Kroton. Nach manchen Berichten soll Pythagoras selbst dabei mit vielen seiner Anhänger ums Leben gekommen sein, nach anderen verließ er den Ort und starb im hohen Alter in Metapont. Geschichtlich bleibt der Bund der Pythagoreer bedeutsam als ein bemerkenswerter Versuch, religiöse und philosophische Gedanken in einer abgeschlossenen und disziplinierten Gemeinschaft in die Praxis umzusetzen.

Die Lehren des Pythagoras sind uns hauptsächlich aus den später abgefaßten Schriften des Philolaos bekannt; vom Meister selbst ist keine Zeile erhalten. Ihr Einfluß war nicht mit dem Untergang des Ordens zu Ende. Er erstreckt sich vielmehr, weit über den Kreis ihrer unmittelbaren Anhänger hinaus, durch das ganze Altertum. In den nach-christlichen Jahrhunderten kam die an Pythagoras anknüpfende Schule des Neu-Pythagoreismus eine Zeitlang zu Blüte und Ansehen.

III. Die Eleaten

An der italienischen Westküste südlich des heutigen Salerno lag Elea. Hier, also wiederum im italienischen Kolonisationsraum der Griechen, erstand gleichzeitig mit Pythagoras eine Schule von Philosophen, die nach ihrem Heimatort die Eleaten genannt werden. Ihre bedeutendsten Vertreter sind die folgenden drei, von denen der spätere jeweils auf den Gedanken des Vorangegangenen aufgebaut hat.

1. XENOPHANES

Wahrscheinlich um 580 v. Chr. geboren und von der griechisch besiedelten Westküste Kleinasiens stammend, durchwan-
derte Xenophanes jahrzehntelang als fahrender Dichter und
Sänger die Städte der Griechen, bis er schließlich in Elea
eine bleibende Stätte fand und zum Begründer der dortigen
Philosophenschule wurde.

Xenophanes ist es, der den Sturmangriff der Philosophie
gegen die alte griechische Religion mit einer kühnen Attacke
eröffnet. Unwürdig des göttlichen Namens erscheinen ihm die
viele menschliche — und allzu menschliche — Züge tragenden
Götter seiner Zeit. Homer und Hesiod wirft er vor, Taten,
die unter den Menschen als schändlich gelten, wie Diebstahl,
Betrug und Ehebruch, den Göttern angedichtet zu haben. In
dem von ihm stammenden Lehrgedicht, von dem Teile erhalten sind, macht er die vermenschlichte (anthropomorphe)
Vorstellung von den Göttern lächerlich: Die Menschen bilden
sich ein, daß die Götter wie sie geboren werden, menschliche
Gestalt haben, sich von Ort zu Ort bewegen, Kleidung tragen usw. Besäßen aber Ochsen, Pferde und Löwen Hände
und könnten damit Bilder oder Statuen ihrer Götter anferti-
gen, so würden sie ohne Zweifel ihren Göttern die Gestalt
von Ochsen, Pferden, Löwen verleihen, so wie die Menschen
den ihren die menschliche Gestalt. Die Neger bilden ihre
Götter schwarz und stumpfnasig, die Thraker die ihren blau-
äugig und rothaarig. In Wahrheit haben die Menschen niemals Gewisses über die Götter gewußt und werden es auch
niemals wissen. Eines nur ist für Xenophanes gewiß: Es
kann nicht eine Vielheit von Göttern geben, es kann nicht ein
Gott über den anderen herrschen. Das Höchste und Beste
kann nur eines sein. Dieser eine Gott ist allgegenwärtig und
den Sterblichen weder an Gestalt noch an Gedanken vergleichbar. Der höchste Gott ist aber für Xenophanes zugleich identisch mit der Einheit des Weltganzen, so daß man seine
Lehre eine pantheistische nennen kann.

Xenophanes ist so einerseits der erste unter den griechischen
Philosophen, der als nüchterner Logiker gegen die herge-
brachte Religion, zugleich gegen jede Art von Aber- und
Wunderglauben, auch gegen die Seelenwanderungslehre, zu
Felde zieht. Mit seiner Gleichsetzung des höchsten Wesens
mit der Einheit des Weltganzen ist er zugleich Begründer
der Lehre von einem ewigen, unveränderlichen Sein hinter
der Mannigfaltigkeit der Erscheinungen — welche Lehre von
seinen Schülern folgerichtig durchgebildet wurde.

2. PARMENIDES

Geboren um 540 v. Chr. in Elea und später angesehener
Bürger daselbst, wurde Parmenides, der Schüler des Xenophanes, zum bedeutendsten Denker der eleatischen Schule.
Im Altertum war er einer der angesehensten Philosophen. Er
hat den Gedanken des Xenophanes vom einen unveränderlich Seienden aufgegriffen und ihm eine systematische Form
gegeben.
In seinem in Bruchstücken erhalten gebliebenen Lehrgedicht
werden Wahrheit und Wissen einerseits, Schein und bloße
Meinung andererseits gegenübergestellt. Wahres Wissen wird
erlangt durch reine Vernunfterkenntnis. Diese aber lehrt, daß
es nur ein Sein, nicht aber Nichtseiendes geben kann. »Nur
das Seiende ist, das Nichtseiende ist nicht und kann nicht
gedacht werden[15].« Unter Seienden ist dabei Raumerfüllen-
des verstanden, geleugnet wird also die Möglichkeit eines
leeren Raumes. Die Annahme einer Bewegung setzt immer
Nichtseiendes voraus — denn damit sich ein Körper an einen
bestimmten Ort bewegen kann, muß vorher dort leerer Raum,
also nichts gewesen sein. Ebenso verhält es sich mit der Annahme einer Entwicklung, eines Werdens — denn was erst
»werden« soll, »ist« zuvor noch nicht. Hieraus folgt für Parmenides der kühne Schluß, daß es in Wahrheit weder Werden
noch Bewegung geben kann, sondern nur unveränderlich beharrendes Sein. Da das Seiende alles erfüllt, gibt es auch
kein dem Sein gegenüberstehendes Denken. Vielmehr ist Denken und Seiendes eins. Die Sinne, die uns eine Welt ständigen
Werdens und Vergehens und steter Bewegung vorführen,
täuschen; sie sind die Quelle allen Irrtums[16].

3. ZENON VON ELEA

Die Lehre des Parmenides mit ihrer Leugnung der Veränderung klingt sehr angreifbar, und an Angriffen gegen sie
scheint es auch von Anfang an nicht gemangelt zu haben.
Jedenfalls betrachtete es sein Schüler Zenon, den von Parmenides der gleiche Altersunterschied von etwa vierzig Jahren
trennte wie diesen von seinem Lehrer Xenophanes, als seine
Hauptaufgabe, die Lehre des Parmenides gegen kritische Einwände zu verteidigen. Dabei entwickelte er eine so scharf-
sinnige und überspitzte Kunst der Beweisführung, daß er als
Begründer der in Griechenland später zur hohen Blüte gelangten Dialektik angesehen worden ist[17].
Zenon geht aus von dem Vorwurf der Widersprüchlichkeit,
der gegen die von Parmenides gelehrte Leugnung der Vielheit und der Veränderung erhoben worden war, und macht

sich daran, zu beweisen, daß vielmehr gerade die Annahme einer Vielheit des Seienden und die Annahme der Realität der Bewegung zu unauflöslichen Widersprüchen führen. Als Beispiel seiner Argumentation führen wir zwei seiner Beweisgründe gegen die Bewegung an:

1. Bei einem Wettlauf zwischen Achilles und einer Schildkröte, bei dem diese auch nur den geringsten Vorsprung (Vorgabe) hätte, könnte Achill sie niemals einholen. Denn in dem Augenblick, in dem Achilles einen bestimmten Punkt A erreicht, an dem sich die Schildkröte unmittelbar vorher befand, ist diese gerade bereits nach Punkt B weitergerückt. Erreicht er den Punkt, hat die Schildkröte diesen gerade wieder verlassen und rückt nach C weiter, und so fort. Der Vorsprung kann also zwar geringer, aber niemals eingeholt werden!

2. Ein fliegender Pfeil, in jedem beliebigen Einzelmoment seines Fluges betrachtet, befindet sich an einer bestimmten Stelle des Raumes, an der er in diesem Moment ruht. Wenn er aber in jedem einzelnen Zeitpunkt seines Fluges ruht, so ruht er auch im ganzen; das heißt, der fliegende Pfeil bewegt sich nicht, es gibt keine Bewegung.

Es ist natürlich nicht anzunehmen, daß Zenon im Ernst überzeugt war, die Schildkröte sei nicht einzuholen. Der Zweck seiner Argumente — die im Altertum Berühmtheit erlangten — war ein negativer. Er wollte den Gegnern des Parmenides zeigen, daß es leicht sei, auch in ihren eigenen Ansichten Widersprüche nachzuweisen. Doch darf uns der von Zenon aufgewendete Scharfsinn nicht über die Schwäche seiner Beweisführung hinwegtäuschen. *Wenn* ich die Zeit, in der der Pfeil fliegt, in eine Reihe von Einzelmomenten zerlege, so muß freilich, wenn ich die Einzelmomente annähernd unendlich kurz wähle, der Pfeil in jedem von ihnen als ruhend erscheinen. Die Zeit besteht aber in Wirklichkeit nicht aus einer Reihe von Zeitpunkten; ihr Wesen ist gerade ein stetiges, durch jeden Punkt hindurchlaufendes Fließen. Die Zerhackung in Einzelmomente ist nicht der Zeit eigen, sondern stammt aus unserem Denken!

Daß es so gewundener Wege bedurfte, um die eleatische Lehre zu stützen, beleuchtet ihre Schwäche. Diese liegt in der Einseitigkeit, mit der sie unter Verleugnung des Werdens am starren Sein haftet — eine Auffassung übrigens, die kaum als dem griechischen Wesen zutiefst entsprechend angesehen werden kann.

IV. Heraklit und die Naturphilosophen des 5. Jahrhunderts

1. HERAKLIT

Immer noch in dem staunenswerten 6. Jahrhundert, und immer noch auf griechischem Kolonialboden außerhalb des Mutterlandes, diesmal wieder im kleinasischen Ionien, begegnen wir dem tiefsten Denker in der Reihe der Begründer griechischer Philosophie. In Ephesos, einer damals blühenden Stadt — sie barg in ihren Mauern den größten, unter die sieben Wunder der Alten Welt gerechneten ionischen Tempel —, wurde aus vornehmer Familie um das Jahr 540 v. Chr. Heraklit geboren, dem die Nachwelt den Beinamen des Dunklen verliehen hat.

Einzelgänger, Verächter der Masse und Feind der Demokratie, suchte Heraklit im Leben wie im Denken eigene, bis dahin unbetretene Wege. Seine Gedanken legte er in einer Schrift über die Natur nieder. Sie ist in einem höchst zugespitzten und eigenwilligen, an Bildern und Vergleichen reichen Stil gehalten, auf knappsten Ausdruck bedacht und wegen ihrer aphoristischen Kürze — wahrscheinlich auch absichtlich — dunkel. Jedenfalls vermitteln die mehr denn hundert einzelnen Bruchstücke, die von ihr erhalten sind, diesen Eindruck. Im hohen Alter soll sich Heraklit gänzlich abgesondert und in den Bergen, von Gras und Pflanzen sich nährend, das Leben eines Einsiedlers geführt haben — wahrscheinlich der erste Einsiedler auf europäischem Boden.

Gelehrtheit im Sinne bloßer Vielwisserei schätzt Heraklit gering. Sie formt nicht den Geist; könnte sie das — so sagt er mit einem Seitenhieb auf einige vor ihm lebende Denker —, so würde sie sicher Hesiod, Pythagoras und Xenophanes erleuchtet haben. Es kommt darauf an, den einen Gedanken zu finden, der das Geheimnis der Welt aufschließt.

Auch Heraklit sieht ein Einheitliches jenseits der Vielheit. Aber er sieht es nicht, wie etwa Parmenides, einfach in einem unabänderlich beharrenden Sein, und in Werden und Vielheit bloße Täuschungen. Er sieht es aber auch nicht im Gegenteil, also in einem endlosen Fließen aller Dinge. Hierin ist er oft mißverstanden worden, sowohl von späteren Beurteilern wie schon von Zeitgenossen, zum Beispiel dem Parmenides, dessen Lehre vom Sein geradezu in Opposition zu Heraklit formuliert sein dürfte. Heraklit hat allerdings den Ausspruch getan: »Wir können nicht zweimal in denselben Fluß steigen« (denn neue Wasser sind inzwischen herangeströmt, und auch wir selber sind beim zweitenmal schon andere geworden); und das berühmte Wort »Alles fließt, nichts besteht« findet sich zwar nicht unter den erhaltenen Fragmenten, wird ihm aber von den antiken und den neuen Gelehrten einhellig zugeschrieben[18]. Wohl also hat er das Geheimnis der Zeit und des ewigen Wandels so tief wie wenig andere empfunden[19]. Aber nicht darin liegt die Größe seiner Erkenntnis, sondern erst darin, daß er hinter und in dem unaufhörlichen Fluß doch eine Einheit, nämlich ein einheitliches *Gesetz*, erblickt. Einheit *in* der Vielheit und Vielheit *in* der Einheit[20]!

Auch Heraklit scheint eine Ursubstanz angenommen zu haben, aber nicht wie die Milesier das Wasser oder die Luft. Er spricht von einem Urfeuer, aus dem nach ewigem Gesetz — »nach Maßen« — indem es aufbrennt und wieder verlöscht, die Welt mit ihren Gegensätzen hervortritt und in das sie wieder zurückfällt. Wahrscheinlich denkt er dabei nicht so sehr an Feuer im wörtlichen Sinne als vielmehr in einer allgemeineren und übertragenen Bedeutung, wir würden etwa sagen im Sinne von Ur-Energie. Dafür spricht, daß das Urfeuer ihm zugleich das Göttliche ist und er in der menschlichen Seele einen Teil desselben sieht.

Das große Gesetz, nach dem sich aus der einen Ur-Energie unablässig die Vielheit entfaltet, ist die *Einheit der Gegensätze*. Alle Entwicklung geschieht im polaren Zusammenspiel gegensätzlicher Kräfte. »Gott ist Tag und Nacht, Winter und Sommer, Krieg und Frieden, Überfluß und Hunger.« Im Kampf zwischen Idee und Idee, Mensch und Mensch, Mann und Weib, Klasse und Klasse, Volk und Volk gestaltet sich die harmonische Ganzheit der Welt. In diesem Sinne ist Kampf, ist Krieg »aller Dinge Vater, aller Dinge König«. Jedes Ding bedarf zu seinem Sein seines Gegenteils. »Sie verstehen nicht, wie es auseinandergetragen mit sich selbst im Sinn zusammengeht: gegenstrebige Vereinigung wie die des Bogens und der Leier[21].« Darum haben diejenigen unrecht, die ein Ende allen Kampfes in einem ewigen Frieden herbeisehnen. Denn mit dem Aufhören der schöpferischen Spannungen würde totaler Stillstand und Tod eintreten. Darum auch wäre es dem Menschen nicht gut, wenn er ans Ziel aller seiner Wünsche käme. Denn es ist die Krankheit, die die Gesundheit angenehm macht, nur am Übel gemessen tritt das Gute in Erscheinung, am Hunger die Sättigung, an der Mühsal die Ruhe.

Mit dieser Lehre vom Zusammengehören und Zusammenwirken des Gegensätzlichen schuf Heraklit das Modell der dialektischen Entwicklungslehre, die mehr als zwei Jahrtausende nach seinem Tode bei Hegel und im dialektischen Materialismus der Marxisten wieder auferstand und die vielleicht den bisher gelungensten Versuch des Menschengeistes darstellt, dem Geheimnis des Werdens mit dem Denken beizu-

kommen. (Es ist zu beachten, daß »Dialektik« in einem doppelten Sinne verwendet werden kann: im ursprünglichen, bei
den Griechen aufgekommenen Sinne als Kunst der Beweisführung in Rede und Gegenrede — das Wort leitet sich ja
von dem griechischen Wort für »sich unterreden« her; und
im moderneren Sinne für eine Entwicklungslehre, die das
Gesetz des Fortschreitens im Fluß des Werdens in dem ständig auf anderer Ebene erneuerten Widerspiel gegensätzlicher
Kräfte erblickt — wobei also die »Zwiesprache« nicht zwischen
den streitenden Philosophen, sondern zwischen den widerstreitenden Kräften der Wirklichkeit selbst vonstatten geht.)
Für das Weltgesetz verwendet Heraklit erstmalig das Wort
»Logos« — im Griechischen zunächst einfach »Wort«, dann
»vernünftige Rede«, dann Vernunft überhaupt bedeutend. Aufgabe des Menschen ist es, den Logos, die alles durchwaltende
Weltvernunft, zu erkennen. Weise ist es, sich ihren Gesetzen
zu beugen. Je mehr wir erkennen, daß unsere Seele nur ein
Teil des allgewaltigen Logos ist, in den sie nach dem
Tode zurückfällt — »wie ein Licht, das in der Nacht verlöscht« —, desto mehr werden wir lernen, unseren Eigen-
willen in freiwilliger Ergebung ihm unterzuordnen und jenen
Seelenfrieden erlangen, in dem der Mensch allein Glück finden kann. Denn »für Gott sind alle Dinge schön und gut
und gerecht; die Menschen halten das eine für gerecht, das
andere für schlecht«.
In der Lehre des Heraklit von Ephesos haben wir das erste
umfassende philosophische System auf griechischem Boden
vor uns. Heraklit blickt nicht nur wie seine Vorgänger und
Zeitgenossen auf die stoffliche Welt und ihre vermeintlichen
Ursachen. Er blickt zugleich in die Tiefen der menschlichen
Seele — »Mich selbst habe ich erforscht«, lautet ein stolzes
Wort von ihm — und ordnet den Menschen und sein Verhalten in einen metaphysischen Sinnzusammenhang ein[22].
Nur in Platon und Aristoteles erreicht das griechische philosophische Denken eine ihm vergleichbare Tiefe und alles um-
greifende Weite.
Die Nachwirkung der Heraklitschen Gedanken liegt weniger
in einer besonderen Schule — eine solche hat es auch gegeben —, sie reicht ungeschwächt bis in unsere Zeit. Der von
ihm eingeführte Begriff des Logos wurde zum göttlichen
Wort der christlichen Theologie. Wir sagten bereits, daß seine
Lehre von der Einheit der Gegensätze bei Hegel wiederkehrt.
Auch die Entwicklungslehre Herbert Spencers ist ihr verwandt. Heraklits Gedanke vom Kampf als Vater aller Dinge
klingt wieder auf bei Nietzsche und Darwin. Die Fragmente,
die diese dunkle und von Geheimnis umwitterte Gestalt in der
Geschichte der Philosophie hinterlassen hat, bestehen weiter

wie niemals ausgeschöpfte tiefe Brunnen eines halbverschütteten, urtümlichen Wissens.

2. EMPEDOKLES

Empedokles, etwa 490 v. Chr. in Akragas auf Sizilien geboren, Staatsmann, Dichter, Religionslehrer, Prophet, Arzt, Wundertäter und Philosoph, ist für die Geschichte der Philosophie weniger als origineller Denker bedeutsam denn als ein Mann, der aus vorausgegangenen Systemen Gedanken auswählte und sie zu einem neuen Ganzen zusammenzufügen suchte. Man hat ihn deshalb einen Eklektizisten (»Auswähler«) genannt. Wir begegnen in den Bruchstücken der von ihm verfaßten Lehrgedichte zum Beispiel in dichterisch schöner Form dem auch von Pythagoras vertretenen und uns aus Indien bekannten Gedanken der Seelenwanderung. Wir begegnen dem von Heraklit und anderen entwickelten Gedanken eines periodischen Wechsels von Weltentstehung und Weltvernichtung. Manche Gedanken aber wurden von Empedokles zuerst, jedenfalls in der bei ihm geprägten Form, ausgesprochen, und auf diesen beruht hauptsächlich seine bleibende Bedeutung. Wir heben die wichtigsten hier kurz hervor.

1. In der milesischen Naturphilosophie war zuerst das Wasser, später die Luft, von Heraklit war das Feuer zum Urstoff erklärt worden. In der eleatischen Philosophie war die Erde als Urstoff stärker in Betracht gezogen worden. Empedokles stellt nun erstmalig diese vier Grundstoffe gleichberechtigt nebeneinander und begründet damit die im Volksbewußtsein, auch bei uns, bis heute erhaltene Vorstellung von den *»vier Elementen«* Feuer, Wasser, Luft und Erde. Er bringt damit die auf einen Urstoff ausgehende alte Naturphilosophie zu einem gewissen Abschluß[23].

2. Als treibende und formende Kräfte allen Geschehens erscheinen bei Empedokles eine vereinigende und eine trennende, die er *Liebe* und *Haß* nennt. In dem Entwicklungsgang der Welt herrscht abwechselnd die eine und die andere Kraft vor. Bald sind alle Elemente durch die »Liebe« zu vollkommener, seliger Einheit zusammengeführt, bald sind sie durch den »Haß« auseinandergerissen. Dazwischen liegen die Übergangszustände, in denen die Einzelwesen entstehen und vergehen[24].

3. Die Entstehung der Lebewesen ist nach Empedokles so vor sich gegangen, daß erst niedere, dann die höheren Organismen entstanden, erst Pflanzen und Tiere, dann die Menschen; daß erst Wesen vorhanden waren, die beide Geschlechter in sich vereinigten, später die Geschlechter in zwei selbständige Individuen auseinandertraten. Das sind Vor-

stellungen, die Anklänge an die spätere und moderne Entwicklungslehre aufweisen.

4. Für die Erkenntnis stellt Empedokles den Grundsatz auf, daß jedes Element der Außenwelt durch ein gleichartiges Element in uns erkannt wird — ein Gedanke, der in dem Wort Goethes aufklingt:

> »Wär' nicht das Auge sonnenhaft,
> die Sonne könnt' es nie erblicken . . .[25].«

Um die zu seinen Lebzeiten verbreitete Ansicht von seiner Göttlichkeit — er selbst war von dieser überzeugt — zu stützen, soll sich Empedokles nach antiker Überlieferung in den Krater des Ätna gestürzt haben, auf daß jede Spur von seinem Tode getilgt werde und eine Legende von einem übernatürlichen Ende sich bilde. Jedoch soll der Vulkan diese seine Absicht vereitelt haben, indem er einen Schuh des Empedokles wieder ausspie.

3. DIE ATOMLEHRE VON LEUKIPP UND DEMOKRIT

Wenig ist über Leukippos, den Begründer des bedeutendsten naturphilosophischen Systems der alten griechischen Philosophie, bekannt. Er stammte aus Milet oder aus Abdera, in Thrakien an der Nordküste der Ägäis gelegen, wo er um die Mitte des 5. Jahrhunderts gewirkt hat. Ein einziges Fragment seiner Lehre ist im Wortlaut erhalten: »Kein Ding entsteht planlos, sondern alles aus Sinn und unter Notwendigkeit[26].« Dies ist wahrscheinlich die erste klare Formulierung des Kausalgesetzes. Seine Atomlehre kennen wir nur durch seinen großen Schüler Demokritos, der vermutlich alles von Leukipp Gelehrte in sein System aufgenommen hat.

Demokritos stammte aus Abdera, der Wirkungsstätte seines Lehrers, und lebte etwa von 470—360 v. Chr. — er soll nämlich ein Alter von 109 Jahren erreicht haben.

Zu der verschiedenen Schreibung seines Namens — Demokrit und Demokritos — sei folgendes bemerkt: Die griechische Form des Namens ist Demokritos, die lateinische Democritus. In beiden wird die zweite Silbe — also das »o« — betont. Die Übung, die Endung wegzulassen und die dritte Silbe zu betonen, ist französischen Ursprungs. Aus Gründen sprachlicher Reinheit wäre an sich vorzuziehen, die griechischen Namen auch in der griechischen Form zu verwenden. Entsprechendes gilt für viele andere griechische Namen, zum Beispiel griechisch Hesiodos, französisch Hésiode, daraus die deutsche Schreibung Hesiod. Wir bleiben in diesem Fall bei Demokrit, weil diese Form die allgemein eingebürgerte ist. Die richtige Grenze wird hier wie anderswo durch den Sprachgebrauch bestimmt, und ob der Grundsatz »Graeca graece«, das heißt »Griechisches griechisch«, allgemein durchzusetzen ist, ist angesichts des Rückgangs der humanistischen Bildung zweifelhaft.

Sein ererbtes beträchtliches Vermögen gab Demokrit für Studienreisen aus, die ihn bis nach Ägypten, Persien und Indien geführt haben sollen. Jedenfalls hat er von sich gesagt: »Ich aber bin von meinen Zeitgenossen am weitesten auf der Erde herumgekommen, wobei ich am weitgehendsten forschte, und habe die meisten Himmelsstriche und Länder gesehen und die meisten gelehrten Männer gehört . . .[27].«

Nach seiner Heimkehr führte er bis an sein Lebensende in seiner Vaterstadt in bescheidener Zurückhaltung ein ganz dem Studium und dem Nachdenken gewidmetes Leben. Von öffentlichen Debatten hielt er sich fern, begründete auch keine Schule. Von seiner Vielseitigkeit gewinnen wir einen Begriff, wenn wir hören, daß seine Veröffentlichungen sich nach antiker Quelle auf Mathematik, Physik, Astronomie, Navigation, Geographie, Anatomie, Physiologie, Psychologie, Medizin, Musik und Philosophie erstreckten[28]. Demokrit hat das von Leukipp Gelehrte zu einem geschlossenen System ausgebaut.

Volles und Leeres. — Die eleatischen Philosophen, insbesondere Parmenides, hatten gezeigt, daß Vielheit, Bewegung, Veränderung, Entstehung und Vergehen nicht denkbar sei, wenn man nicht ein Nicht-Seiendes, den völlig leeren Raum, als existierend annehme; und da ihnen diese Annahme unmöglich schien, waren sie dazu gekommen, Bewegung, Vielheit usw. zu leugnen und die alleinige Wirklichkeit eines unveränderlichen Seienden zu behaupten. Demokrit nun war einerseits überzeugt, daß ein absolutes Entstehen aus dem Nichts undenkbar sei — dies hätte auch dem Satz des Leukipp von der Notwendigkeit allen Geschehens widersprochen. Andererseits erschien es ihm aber auch nicht haltbar, wie die Eleaten Bewegung und Vielheit überhaupt zu leugnen. So entschloß er sich, im Gegensatz zu Parmenides doch ein Nichtseiendes, eben leeren Raum, als bestehend anzunehmen. Demnach besteht die Welt nach Leukipp und Demokrit aus einem raumerfüllenden Vollen, dem Seienden, und einem nichtseienden Leeren, dem Raum[29].

Die Atome. — Das den Raum füllende Volle ist nun aber nicht Eines. Es besteht aus zahllosen winzigen, wegen ihrer Kleinheit nicht wahrnehmbaren Körperchen. Diese selbst haben kein Leeres in sich, sondern füllen ihren Raum vollständig aus. Sie sind auch nicht teilbar, weshalb sie »Atome«, das heißt Unteilbare, genannt werden. Damit werfen Leukipp und Demokrit diesen Begriff zum erstenmal in die wissenschaftliche Debatte. Sie konnten nicht ahnen, welche theoretische und praktische Bedeutung er dereinst haben sollte. Die Atome sind unvergänglich und unveränderlich, bestehen alle aus dem gleichen Stoff, sind dabei aber von verschiedener Größe und einem dieser entsprechenden Gewicht. Alles Zusammengesetzte entsteht durch Zusammentreten getrennter Atome. Alles Vergehen besteht im Auseinandertreten bis dahin verbundener Atome[30].

Primäre und sekundäre Eigenschaften. — Alle Eigenschaften der Dinge beruhen auf den Unterschieden in der Gestalt, Lage, Größe und Anordnung der Atome, aus denen sie zusammengesetzt sind. Jedoch kommen nur die Eigenschaften der Schwere, Dichtigkeit (Undurchdringlichkeit) und Härte den Dingen an sich zu, das heißt sie sind, wie man später sagte, »primäre« Eigenschaften. Alles andere, was uns als Eigenschaft eines Dinges erscheint, wie Farbe, Wärme, Geruch, Geschmack, Töne, die es hervorbringt — all das liegt nicht in den Dingen selbst, sondern hat seine Ursache nur in der Eigenart unserer Sinne und unseres Wahrnehmungsvermögens, ist Zutat, die wir zu den Dingen hinzutun, hat nicht objektive, sondern nur subjektive Realität, ist »sekundäre« Eigenschaft. »Der gebräuchlichen Redeweise nach gibt es Farbe, Süßes, Bitteres, in Wahrheit aber nur Atome und Leeres[31].«

Die Bewegung der Atome. — Von Ewigkeit her bewegen sich die unzähligen Atome nach dem Gesetz der Schwere im unendlichen Raum. Aus ihrem Zusammenstoß und Abprallen entstehen Wirbelbewegungen, in denen die Atome zu Zusammenballungen, Atomkomplexen, zusammengeführt werden. So wird Gleiches zu Gleichem gefügt und es entstehen die sichtbaren Dinge, so entstehen und vergehen von Ewigkeit her zahllose Welten, deren einer wir angehören. Solche Weltentstehung erfordert keinen planenden und lenkenden Geist, auch keine bewegenden Kräfte wie Liebe und Haß des Empedokles, aber ebensowenig ist sie dem Zufall unterworfen — den Demokrit ausdrücklich verwirft als eine Erfindung, die nur unsere Unkenntnis verhüllen soll. Sondern alles geschieht mit eherner, dem Seienden innewohnender (immanenter) Gesetzmäßigkeit.

Des Menschen Seele. — Auch der Mensch, Leib und Seele, besteht aus Atomen. Die Seele ist insofern etwas, wenn auch sehr feines, Körperliches. Nach dem Tode zerstreuen sich die Seelenatome.

Ethik. — Die für Menschen erreichbare Glückseligkeit besteht in heiterer Zufriedenheit des Gemüts (griechisch ataraxia). Der Weg zu dieser ist Mäßigung, Geringschätzung des Sinnengenusses, vor allem aber Hochschätzung der geistigen Güter. Körperkraft ist bei Lasttieren gut, des Menschen Adel aber

ist Seelenstärke. Und: »Ich entdeckte lieber einen einzigen
Beweis (in der Geometrie), als daß ich den Thron Persiens
gewönne[32].« Wie man sieht, erhebt sich die Ethik des Demokrit etwas unvermittelt neben seinem naturphilosophischen
System. Dieses ist mit einzigartiger Folgerichtigkeit durchgeführt. Es heißt materialistisch, weil in seiner Welt nur die
stofflichen Atome vorkommen, und ist das klassische materialistische System des Altertums, ohne das alle späteren gleich-
gerichteten Systeme nicht denkbar sind. Sein Einfluß reicht
in ununterbrochener Linie bis in das wissenschaftliche Weltbild der Gegenwart, ja hat in diesem vielleicht erst seinen
Höhepunkt erreicht. Allerdings ist das, was bislang Atom
hieß, nun als ein weiter Teilbares erkannt, und man sollte
bei den Atomen des Demokrit vielleicht besser an die nunmehr als kleinste Bestandteile des Seienden angesehenen Teil-
chen denken.

Anscheinend hat Demokrit keinen Versuch gemacht, seine
Ethik mit seiner Atomtheorie wissenschaftlich zu verknüpfen
und so in ein beide umfassendes philosophisches System einzufügen. Deshalb wird er noch unter die *Natur*philosophen
gerechnet.

4. ANAXAGORAS

Auch Anaxagoras entstammte, wie alle bisher behandelten
Denker, dem griechischen Kolonialreich. Er wurde um 500
in Klazomenai in Kleinasien geboren. Er ist aber der erste
gewesen, der die Philosophie nach Athen gebracht hat, der
Stadt, in der sie nach ihm ihre höchste Blüte entfalten sollte.
Zur Zeit des Anaxagoras fand sie allerdings noch keinen
günstigen Boden. Die Aufnahme, die ihm in Athen zuteil
wurde, das Schicksal, das ihm dort, wie nach ihm dem Sokrates, bereitet wurde, beweisen es.

Wie sich jetzt zeigte, war es kein Zufall gewesen, daß das
freie philosophische Denken sich bis dahin nur in den kleinasischen, unteritalienischen und thrakischen Kolonien der
Griechen hatte entfalten können. Offenbar war die dem Mutterland und seinen festgewurzelten Traditionen ferngerückte
Atmosphäre des kolonialen Neulandes dem Aufkommen freier
Geistesrichtungen viel günstiger als Athen und das Mutterland, wo diese Traditionen, insbesondere die religiösen, in
kaum verminderter Stärke fortwirkten — ein Vorgang, der
sich in ähnlicher Form später im Verhältnis Nordamerikas zu
Europa wiederholt hat. Anaxagoras, der sein Interesse vor
allem den Himmelserscheinungen zuwandte und diese auf
natürlichem Wege zu erklären unternahm, geriet in Athen
in solchen Widerstreit zu den konservativen Anschauungen

der Eingesessenen, daß ihm der Prozeß wegen Gottlosigkeit
gemacht wurde. Auch der Einfluß des ihm befreundeten
Staatsmannes Perikles konnte ihn davor nicht bewahren. Der
Vollstreckung des Todesurteils konnte er sich nur durch die
Flucht entziehen. Er starb im Exil.

Die philosophischen Ansichten des Anaxagoras sind denen
der anderen Naturphilosophen verwandt. Während aber die
alten Milesier nur einen Urstoff annahmen, Empedokles deren
vier, und die atomistische Schule gegenüber diesen eine quantitative Vielheit der Weltbausteine lehrt, nimmt Anaxagoras
eine unbegrenzte Vielheit voneinander qualitativ verschiedener
Urstoffe an, die er »Samen« oder »Keime« der Dinge
nennt.

Was Anaxagoras jedoch von jenen weit stärker unterscheidet,
und worauf zugleich seine eigentliche Bedeutung beruht, ist
die von ihm erstmalig vorgenommene Einführung eines abstrakten philosophischen Prinzips, des Nous, eines denkenden,
vernünftigen und allmächtigen, dabei unpersönlich gedachten
Geistes. Dieser besteht durchaus für sich, ist »mit nichts vermischt«, »das reinste und feinste von allen Dingen«. Dieser
Geist hat den Anstoß dazu gegeben, daß sich aus dem ursprünglichen Chaos das schöne und zweckvoll geordnete
Ganze der Welt bildete. Hierin allerdings erschöpft sich auch
bei Anaxagoras die Wirksamkeit des Nous. Überall, wo
Anaxagoras im einzelnen die Erscheinungen und ihre Ursachen erforscht, sucht er rein natürliche, mechanische Ursachen
auf. (Seine Beschreibung der — im Volksglauben noch als
Gott geltenden — Sonne als einer »glühenden Steinmasse«
war es auch, die ihm im Prozeß als Gottlosigkeit vorgewor-
fen wurde.) Es scheint also, daß Anaxagoras den göttlichen
Geist nur als den »ersten Beweger« angesehen hat, der der
Schöpfung zwar den ersten bewegenden Anstoß gegeben, sie
dann aber ihrer eigengesetzlichen Entwicklung überlassen hat.
Aristoteles, dem freilich, wie wir sehen werden, der Gedanke
eines die Materie formenden und beherrschenden Geistes sehr
nahe lag, hat später von Anaxagoras gesagt, dieser sei mit
seinem Begriff eines weltordnenden Geistes unter die vorsokratischen Philosophen wie ein Nüchterner unter Trunkene
getreten[33].

Zweites Kapitel

Die Blütezeit der griechischen Philosophie

I. Die Sophisten

1. ALLGEMEINES

Das 6. und 5. Jahrhundert v. Chr., in denen an den verschiedensten Stellen des griechischen Lebensraumes nahezu gleichzeitig das philosophische Denken erwacht und sich in zahlreichen höchst originellen Köpfen zu philosophischer Weltansicht verdichtet, bietet ein Schauspiel, das in der Geistesgeschichte kaum seinesgleichen hat. Gleichsam in voller Jugendfrische treten uns die mannigfachsten Möglichkeiten einer natürlichen Welterklärung entgegen. Alle Richtungen der griechischen und abendländischen Philosophie haben hier ihre Wurzeln und ihre Vorgänger. Es ist nicht zuviel gesagt, daß es kaum ein Problem gibt, das in der späteren Philosophie eine Rolle gespielt hat und das nicht schon in jener Zeit vorgedacht und wenn nicht gelöst, doch wenigstens gestellt und diskutiert worden wäre — mit Ausnahme allerdings der aus dem abendländischen Industriezeitalter erwachsenen und uns jetzt bewegenden Existenzfragen der ganzen Menschheit. Die Fragmente der Vorsokratiker stehen vor uns wie ungeheure Blöcke, für die Nachwelt vieldeutiger Auslegung fähig und in ihrer ursprünglichen Ganzheit nur noch zu erahnen.

Gerade die Vielzahl der Systeme und die zwischen ihnen bestehenden Widersprüche waren es nun aber, die den nächsten Schritt in der philosophischen Entwicklung fast zwangsläufig herbeiführten. Je mehr Systeme es gab, um so näher lag die Möglichkeit, und um so mehr drängte sich die Notwendigkeit auf, zu prüfen und zu vergleichen und den Widersprüchen nachzugehen. Und aus dem Mißtrauen, das manche Philosophen gegen die Zuverlässigkeit der sinnlichen Wahrnehmung als Erkenntnismittel verbreitet hatten, konnte leicht ein allgemeiner Zweifel an der Erkenntnisfähigkeit des Menschen überhaupt werden[1]. Eben damit begann die Tätigkeit der *Sophisten*.

Man kann aber diesen Männern und ihren besonderen Leistungen nur gerecht werden, wenn man außer der damaligen Lage der Philosophie die großen Umwälzungen berücksichtigt, die inzwischen im politischen und gesellschaftlichen Leben Griechenlands vor sich gegangen waren. Seit der siegreichen

Verteidigung der griechischen Freiheit in den Kriegen gegen
die Perser (500—449 v. Chr.) entstand in Griechenland und
vor allem in Athen, das nun zum geistigen und politischen
Mittelpunkt wurde, Wohlstand, ja Reichtum und Luxus, und
damit auch das Bedürfnis nach höherer Bildung. Die demokratische Verfassung erhob die Kunst der öffentlichen Rede
zu wachsender Bedeutung. In den Volksversammlungen und
vor den Volksgerichtshöfen hatte derjenige den Vorteil, der
seine Sache mit den besten Argumenten und in der geschicktesten Form zu vertreten wußte. Wer Karriere machen wollte
— wozu grundsätzlich jedem Bürger der Weg offenstand —,
bedurfte einer gründlichen Ausbildung als Staatsmann und
Redner.

Diesem Bedürfnis kamen die Sophisten entgegen. Das griechische Wort »Sophistai« heißt »Lehrer der Weisheit«. Zunächst hatte es auch nur diese Bedeutung, ohne jeden Beigeschmack. Die Sophisten zogen als Wanderlehrer von Stadt
zu Stadt und erteilten gegen entsprechende Bezahlung Unterricht in den verschiedensten Künsten und Fertigkeiten, vornehmlich aber in der Beredsamkeit. Sie waren also keine
Philosophen im eigentlichen Sinne, sondern Praktiker, und
wie alle Praktiker maßen sie theoretischen Erkenntnissen nur
geringen Wert bei. Dieser Umstand wirkte zusammen mit
der geschilderten Situation der Philosophie dahin, daß die
meisten Sophisten sich alsbald die Auffassung zu eigen machten, eine objektive Erkenntnis sei überhaupt unmöglich. Dabei wirkte auch mit, daß die steigende Bildung weiterer
Kreisen die Möglichkeit eröffnet hatte, fremde Völker, Sitten
und Religionen kennenzulernen, wodurch natürlich bis dahin
nicht erschütterte Vorurteile ins Wanken geraten waren. Gibt
es aber keinen objektiven Maßstab, um zu entscheiden, wer
in einer bestimmten Frage recht *hat*, so wird es eben darauf
ankommen, wer recht *behält*, das heißt wer seinen Standpunkt am geschicktesten durchzusetzen versteht.

Diese zunächst theoretische Skepsis dehnte sich alsbald auf
das moralische Gebiet aus. Auch hier wurde nun gelehrt, daß
letzten Endes beim menschlichen Handeln, wie bei theoretischen Auseinandersetzungen, der Erfolg allein entscheidet. So
wurde die Redekunst in den Händen der Sophisten zu einem
Mittel der Überredung mehr als der Überzeugung, und in
ethischer Hinsicht gab es für sie kein objektives, alle binden-
des Recht, sondern nur ein Recht des Stärkeren. Platon, auf
dessen Schriften wir hier vorgreifen, weil von den Sophisten
selbst zu wenig unmittelbare Zeugnisse überliefert sind, läßt
einen Sophisten die Rhetorik mit folgenden Worten kennzeichnen: »Wenn man durch Worte zu überzeugen imstande
ist, sowohl vor Gericht die Richter als in der Ratsversamm-

lung die Ratsherren und der Volksversammlung das Volk ...
Denn hast du dies in deiner Gewalt, so wird der Arzt dein
Knecht sein, der Turnmeister dein Knecht sein, und auch bei
dem Bankier wird sich zeigen, daß er für andere erwirbt
und nicht für sich, sondern für dich, der du verstehst zu
sprechen und die Menge zu überzeugen[2].« Über Gesetz und
Recht spricht sich derselbe Sophist folgendermaßen aus:
»Gesetz und Brauch stellen immer die Schwachen und die
Menge auf ... Dadurch wollen sie die stärkeren Menschen,
die die Kraft besäßen, sich mehr Vorteile zu verschaffen als
sie, einschüchtern und, damit sie dies nicht tun, sagen sie,
es sei häßlich und ungerecht, auf mehr Vorteile auszugehen ...
Denn sie, meine ich, sind ganz zufrieden, wenn Gleichheit
herrscht, weil sie die Minderwertigen sind ... Meines Er-
achtens aber beweist die Natur selbst, die Gerechtigkeit bestehe darin, daß der Edlere mehr Vorteile hat als der Geringere, und der Leistungsfähigere mehr als der minder
Leistungsfähige. An vielen Fällen, sowohl bei den übrigen
Lebewesen als auch bei den Menschen, an ganzen Staaten
und Geschlechtern sieht man, daß es sich so verhält: daß nämlich das als gerecht anerkannt wird, daß der Stärkere über
den Schwächeren herrscht ... Oder welches Recht konnte
Xerxes für sich in Anspruch nehmen, als er gegen Griechenland zu Felde zog ... — man könnte ja tausend solcher Beispiele anführen! Wahrhaftig, ich meine, diese Männer handeln so nach der Natur der Gerechtigkeit und — beim Zeus! —
nach dem Gesetz der Natur, freilich nicht nach dem Gesetz,
das wir fingieren, die wir die tüchtigsten und stärksten Persönlichkeiten unter uns schon in der Jugend vornehmen und
wie Löwen bändigen, indem wir sie hypnotisieren und ihnen
suggerieren, es müsse Gleichheit bestehen, und das sei gut
und recht. Wenn aber, mein' ich, ein Mann ersteht, der die
genügende Kraft dazu hat, dann schüttelt er das alles ab,
zerreißt seine Bande ..., tritt unser Buchstabenwerk, unsere
Hypnose, Suggestion und die sämtlichen naturwidrigen Gesetze und Bräuche mit Füßen, unser bisheriger Sklave tritt
auf einmal vor uns hin und erweist sich als unser Herr,
und da leuchtet in seinem Glanz das Recht der Natur![3]«
Die Leugnung objektiver Maßstäbe für Wahrheit und Gerechtigkeit, in Verbindung mit der Tatsache, daß die Sophisten für ihren Unterricht eine nicht zu geringe Bezahlung
zu nehmen pflegten (während den Griechen die dem Erwerb
dienende Arbeit an sich als verächtlich galt), führte zu dem
etwas zweifelhaften Beigeschmack, den der Name Sophisten
bald erhielt und, besonders infolge des Kampfes, den Platon
gegen sie führte, auch bis heute behalten hat.

2. PROTAGORAS UND GORGIAS

Die Sophisten bildeten niemals eine zusammenhängende Schule, sondern lebten und lehrten als einzelne. Sie weichen daher in mannigfacher Hinsicht voneinander ab. Das oben zur allgemeinen Kennzeichnung Gesagte ist nur im großen und ganzen richtig.

Der bedeutendste der Sophisten war *Protagoras* aus Abdera, der etwa von 480—410 v. Chr. gelebt hat. Ganz Griechenland durchwandernd lehrte er als einer der ersten die Kunst, in Rechtshandel und Politik die eigene Sache überzeugend zu vertreten, und erwarb dabei, namentlich in Athen, Ruhm und Reichtum. Der berühmteste und bis heute sprichwörtliche Ausdruck des Protagoras lautet: »Der Mensch ist das Maß aller Dinge, des Seienden für sein Sein, des Nichtseienden für sein Nichtsein.« Damit ist gesagt: Es gibt keine absolute Wahrheit, sondern nur eine relative, keine objektive, sondern nur eine subjektive, eben für den Menschen. Und zwar scheint Protagoras seinen Satz so gemeint zu haben, daß nicht »der Mensch« das Maß sei — das wäre ja immer noch eine Art allgemeiner Maßstab —, sondern der jeweilige, einzelne Mensch, der einen Satz ausspricht. Ein und derselbe Satz kann einmal wahr und das andere Mal falsch sein, je nachdem, von wem und unter welchen Umständen er ausgesprochen wird. Für diese Lehre hat sich Protagoras sowohl auf das »ewige Fließen« des Heraklit wie dessen Gesetz von der Einheit der Gegensätze berufen. Die Skepsis des Protagoras schloß auch die Religion nicht aus. Eine Schrift von ihm soll nach antiker Quelle mit dem Satz begonnen haben, daß man von den Göttern weder wissen könne, ob sie sind noch ob sie nicht sind; dies zu ermitteln sei die Sache als solche viel zu dunkel und unser Leben auch zu kurz. Protagoras wurde der Gottlosigkeit angeklagt und aus Athen verbannt.

Nächst Protagoras ist *Gorgias* von Leontinoi der bekannteste Sophist. Er lebte etwa gleichzeitig mit jenem. In einer Schrift »Über das Nichtseiende oder die Natur« bewies er mit einem an Zenons Dialektik geschulten Scharfsinn, daß erstens überhaupt nichts existiere, zweitens, wenn doch etwas existieren würde, es jedenfalls unerkennbar wäre, und drittens, selbst wenn etwas erkannt werden könnte, solche Erkenntnis nicht mitteilbar wäre. Weiter kann die Skepsis kaum getrieben werden. — Anscheinend waren das bewegte Leben und die skeptischen Ansichten eines Sophisten der Gesundheit zuträglich, denn Gorgias soll in voller Frische ein Alter von 109 Jahren erreicht haben[4].

3. DIE BEDEUTUNG DER SOPHISTIK

Für die Geschichte der Philosophie liegt der Wert der Sophistik nicht so sehr in den einzelnen von ihr hinterlassenen Lehrsätzen, sondern in den folgenden drei Leistungen. Die Sophisten haben zum erstenmal in der griechischen Philosophie den Blick von der Natur weg und in vollem Umfang auf den *Menschen* gelenkt. Sie haben zweitens das *Denken* selbst zum erstenmal zum Gegenstand des Denkens gemacht und mit einer Kritik seiner Bedingungen, Möglichkeiten und Grenzen begonnen. Sie haben endlich auch die *ethischen* Wertmaßstäbe einer ganz vernunftgemäßen Betrachtung unterzogen und damit die Möglichkeit eröffnet, die Ethik wissenschaftlich zu behandeln und in ein philosophisches System folgerichtig mit einzubauen. Daneben haben die Sophisten auf Grund ihrer eingehenden Beschäftigung mit Stilkunde und Beredsamkeit auch Sprachwissenschaft und Grammatik beträchtlich vorangebracht. Die Sophistik ist eine Übergangserscheinung, aber eine so bedeutsame, daß ohne sie die folgende Blütezeit der attischen Philosophie nicht denkbar wäre.

II. Sokrates

1. DAS LEBEN DES SOKRATES

Sokrates wurde um 470 als Sohn eines Bildhauers und einer Hebamme in Athen geboren. Er hat seine Vaterstadt nur zur Teilnahme an Feldzügen verlassen, bei denen er sich durch Tapferkeit und Fähigkeit, Strapazen zu ertragen, vor allen auszeichnete. Seine äußere Erscheinung, nach einer erhaltenen Porträtbüste zu urteilen, entspricht weder dem herkömmlichen Bild eines Griechen noch dem eines Philosophen. Die kräftige gedrungene Gestalt, der breite Kopf, das runde Gesicht mit platter Nase, seine ganze Haltung deuten eher auf einen Handwerker hin, der er ja seiner Herkunft nach auch war. Den erlernten Beruf seines Vaters vernachlässigte er aber frühzeitig und ebenso seine Familie — sprichwörtlich sind die Vorwürfe seiner Frau Xanthippe geworden — um sich ganz der Lehrtätigkeit zu widmen, zu der er die Berufung fühlte und die in dieser Art vor ihm noch niemand ausgeübt hatte.

Tag für Tag bewegte er sich, einfach, fast ärmlich gekleidet, auf den Straßen und Plätzen Athens. Eine bunte Schar von Schülern umgab ihn, unter ihnen viele Jünglinge aus den führenden Familien der Stadt. Er lehrte unentgeltlich und

ernährte sich durch die Gastfreundschaft seiner Schüler und
Freunde. Die Lehrtätigkeit bestand ganz im Gespräch, in
einem Frage-und-Antwort-Spiel. Sokrates wandte sich nicht
nur an seine Schüler, sondern redete mit Vorliebe beliebige
Vorübergehende, Angehörige aller Volksschichten an. Regelmäßig mit harmlosen Fragen beginnend, dann immer weiter
fragend und nicht lockerlassend, führte er das Gespräch allmählich auf allgemeine philosophische Fragen wie: Was ist
Tugend? Wie gewinnen wir Wahrheit? Welches ist die beste
Staatsverfassung? Dabei trieb er seinen Gesprächspartner
immer weiter in die Enge, bis dieser erschöpft sein Nichtwissen eingestand — das war aber das Ergebnis, das Sokrates erzielen wollte.

Für das Verständnis seines weiteren Lebensschicksals ist die
Kenntnis der politischen Lage im damaligen Athen unerläßlich. Die Verfassung der Stadt war sehr demokratisch. Allerdings darf man, wenn man von griechischer Demokratie
spricht, niemals aus dem Auge verlieren, daß die Masse der
Bevölkerung, zum Beispiel in Athen mehr als die Hälfte der
Kopfzahl, aus rechtlosen Sklaven bestand. Aus deren Arbeits-
ertrag floß der Wohlstand der übrigen Bevölkerung. Alles,
was man über die verschiedenen Verfassungsformen bei griechischen Schriftstellern liest, bezieht sich immer nur auf diese
Minderzahl der freien Bürger. Niemand kam auf den Gedanken, die Berechtigung der Sklaverei anzuzweifeln. Wenn
man diese Einschränkung vorausschickt, kann man sagen: Die
Demokratie war in Athen mit so radikaler Folgerichtigkeit
durchgeführt, daß ihre Grundsätze schon überspannt waren.
Und als überspannt, ja als grundsätzlich verfehlt, erschien
diese Staatsform ihren Gegnern, der aristokratischen Partei.
Besonders während des fast dreißig Jahre währenden Pelo-
ponnesischen Krieges (431—404 v. Chr.), als es darauf ankam,
die Kräfte Athens gegen den spartanischen Feind zu vereinigen, tobte in Athen ein erbitterter Parteienkampf zwischen den
herrschenden Demokraten und denjenigen, die insgeheim die
aristokratische Verfassung Spartas für die bessere hielten.
Sokrates aber, obwohl er sich nicht an der aktiven Politik
beteiligte, galt als einer der Wortführer der aristokratischen
Partei, genauer als derjenige, der dieser Partei das geistige
Rüstzeug geliefert hatte.

Als Athen schließlich unterlegen war, kam es zu einem vorübergehenden Sturz der demokratischen Regierung. Als aber
die Demokratie nach erneutem Umsturz schließlich doch die
Oberhand behielt, war das Schicksal des Sokrates besiegelt.
Er wurde wegen Gottlosigkeit vor Gericht gezogen — eine
Anklage, die keineswegs berechtigt war. Seine mutige Verteidigungsrede ist uns in der Wiedergabe Platons erhalten.

Sokrates wurde zum Tode verurteilt und mußte den Gift-
becher trinken, eine damals übliche Hinrichtungsart. Er
lehnte es ab, um Gnade zu bitten. Er lehnte auch die Flucht
ab, zu der ihm die Möglichkeit geboten war. Er war
70 Jahre alt. Es schien ihm wohl sinnlos, Athen zu verlassen
und ins Exil zu gehen. Er wollte auch seinem Schicksal nicht
entfliehen. Über seinen Tod besitzen wir die ergreifende
Darstellung Platons im »Phaidon«[5]:

»Wir blieben also und redeten untereinander über das Gesagte und überdachten es noch einmal; dann aber auch klag-
ten wir wieder über das Unglück, welches uns getroffen
hätte, ganz darüber einig, daß wir nun gleichsam des Vaters
beraubt als Waisen unser ferneres Leben hinbringen würden.
Nachdem er nun gebadet und man seine Kinder zu ihm
gebracht hatte — er hatte nämlich zwei kleine Söhne und
einen größeren — und die mit ihm verwandten Frauen gekommen waren, sprach er mit ihnen in Kritons Beisein, und
nachdem er ihnen aufgetragen, was er wollte, hieß er die
Weiber und Kinder wieder gehen, er aber kam zu uns. Und
es war schon nahe am Untergang der Sonne, denn er war
lange drinnen geblieben.

Als er nun gekommen war, setzte er sich nieder nach dem
Bade und hatte noch nicht viel seitdem gesprochen, da kam
der Diener der Elfmänner, trat zu ihm und sagte: Sokrates,
über dich werde ich mich nicht zu beklagen haben wie über
andere, daß sie mir böse werden und mir fluchen, wenn ich
ihnen ansage, sie müßten das Gift trinken auf Befehl der
Behörde. Dich aber habe ich auch sonst in dieser Zeit erkannt
als den Edelsten, Sanftmütigsten und Trefflichsten von allen,
die sich jemals hier befunden haben, und auch jetzt weiß
ich sicher, daß du nicht mir böse sein wirst — denn du weißt
wohl, wer schuld daran ist —, sondern jenen. Nun also, denn
du weißt wohl, was ich dir zu sagen gekommen bin, lebe
wohl und suche so leicht als möglich zu tragen, was nicht
zu ändern ist. — Da weinte er, wendete sich um und ging.

Sokrates aber sah ihm nach und sprach: Auch du lebe wohl,
und wir wollen so tun. Und zu uns sagte er: Wie fein der
Mann ist. So ist er die ganze Zeit mit mir umgegangen,
hat sich bisweilen mit mir unterhalten und war der beste
Mensch; und nun wie aufrichtig beweint er mich! Aber wohl-
an denn, Kriton, laßt uns ihm gehorchen, und bringe einer
den Trank, wenn er schon ausgepreßt ist, wo nicht, so soll
ihn der Mann bereiten. — Da sagte Kriton: Aber mich dünkt,
Sokrates, die Sonne scheint noch an die Berge und ist noch
nicht untergegangen. Und ich weiß, daß auch andere erst
ganz spät getrunken haben, nachdem es ihnen angesagt worden ist, und haben noch gut gegessen und getrunken, ja

einige haben gar noch Schöne zu sich kommen lassen, nach
denen sie Verlangen hatten. Also übereile dich nicht; denn
es hat noch Zeit. — Da sagte Sokrates: Natürlich machen
es jene so, Kriton, von denen du sprichst, denn sie meinen
damit etwas zu gewinnen, und ich werde es natürlich nicht
so machen. Denn ich meine nichts zu gewinnen, wenn ich
um ein wenig später trinke, als nur, daß ich mir selbst lächerlich vorkommen würde, wenn ich am Leben klebte und sparen
wollte, wo nichts mehr ist. Also geh, sprach er, folge mir
und tue nicht anders. —
Darauf winkte denn Kriton dem Knaben, der ihm zunächst
stand, und der Knabe ging hinaus, und nachdem er eine
Weile weggeblieben, kam er und führte den Mann herein,
der ihm den Trunk reichen sollte, welchen er schon zubereitet
im Becher brachte. Als nun Sokrates den Mann sah, sprach
er: Wohl, Bester, denn du verstehst es ja, wie muß man es
machen? — Nichts weiter, sagte er, als wenn du getrunken
hast, herumgehen, bis dir die Schenkel schwer werden, und
dann dich niederlegen, so wird es schon wirken. Damit reichte er
dem Sokrates den Becher, und dieser nahm ihn, und ganz ge-
trost, ohne im mindesten zu zittern oder Farbe oder Gesichts-
züge zu verändern, sondern, wie er pflegte, ganz gerade den
Mann ansehend, fragte er ihn: Was meinst du von dem Trank
wegen einer Spende? darf man eine darbringen oder nicht? —
Wir bereiten nur so viel zu, Sokrates, antwortete er, als wir
glauben, daß hinreichend sein wird. Ich verstehe, sagte Sokrates. Beten aber darf man doch zu den Göttern, und muß es, daß
die Wanderung von hier dorthin glücklich sein möge, worum
denn auch ich hiermit bete, und so möge es geschehen.
Und wie er dies gesagt, setzte er an, und ganz frisch und
unverdrossen trank er aus. Und von uns waren die meisten
bis dahin ziemlich imstande gewesen sich zu halten, daß sie
nicht weinten; als wir aber sahen, daß er trank und getrunken hatte, nicht mehr. Sondern auch mir flossen Tränen mit
Gewalt, und nicht tropfenweise, so daß ich mich verhüllen
mußte und mich ausweinen, nicht über ihn jedoch, sondern
über mein eigenes Schicksal, welch edlen Freund ich nun verlieren sollte. Kriton war noch eher als ich beiseite getreten,
weil er nicht vermochte die Tränen zurückzuhalten. Apollo-
doros aber, der schon vorher nicht aufgehört hatte zu weinen,
schluchzte jetzt laut auf unter seinen Tränen und brach mit
seinem Gram uns Anwesenden allen das Herz außer Sokrates
selbst. Der aber sagte: Was macht ihr doch, ihr wunderlichen
Leute! Ich habe besonders deswegen die Weiber weggeschickt,
daß sie nicht in diesen Fehler verfallen möchten; denn ich
habe immer gehört, man müsse stille sein, wenn jemand
stirbt. Also haltet euch ruhig und standhaft.

Als wir das hörten, schämten wir uns und hielten inne mit Weinen. Er aber ging umher, und als er merkte, daß ihm die Schenkel schwer wurden, legte er sich gerade auf den Rücken, denn so hatte es ihn der Mann geheißen. Darauf berührte ihn eben dieser, der ihm das Gift gegeben hatte, von Zeit zu Zeit und untersuchte seine Füße und Schenkel. Dann drückte er ihm den Fuß stark und fragte, ob er es fühle; er sagte nein. Und darauf die Knie, und so ging er immer höher hinauf und zeigte uns, wie er erkaltete und erstarrte. Drauf berührte er ihn noch einmal und sagte, wenn ihm das bis ans Herz käme, dann werde es ausgehen. Als ihm nun schon der Unterleib fast ganz kalt war, da enthüllte er sich, denn er lag verhüllt, und sagte, und das waren seine letzten Worte: O Kriton, wir sind dem Asklepios einen Hahn schuldig, entrichtet ihm den und versäumt es ja nicht. — Das soll geschehen, sagte Kriton, sieh aber zu, ob du noch sonst etwas zu sagen hast. — Als Kriton dies fragte, antwortete er aber nichts mehr, sondern bald darauf zuckte er, und der Mann deckte ihn auf; da waren seine Augen gebrochen. Als Kriton das sah, schloß er ihm Mund und Augen. Dies war das Ende unseres Freundes, des Mannes, der nach unserem Urteil von allen seinen Zeitgenossen, die wir erprobt haben, der edelste, verständigste und gerechteste war.«

2. DIE LEHRE DES SOKRATES

Aus überkommenen Berichten, hauptsächlich des Platon, Xenophon und Aristoteles — denn Sokrates hinterließ nichts Schriftliches — ein richtiges Bild von der Philosophie des Sokrates zu gewinnen, hat sich als eine der schwierigsten Aufgaben der philosophiegeschichtlichen Forschung erwiesen. Was als gesichert erkannt ist, wurde mit indirekter Methode, durch Rückschluß, gewonnen[6]. Zum mindesten hat sich dabei ein anschauliches Bild von der sogenannten sokratischen *Methode* ergeben, auf die wir unsere Darlegung im wesentlichen beschränken.

»Er selbst aber hätte sich gerne immerfort über die menschlichen Dinge unterhalten, indem er untersuchte, was fromm, was gottlos, was schön, was schimpflich, was gerecht, was ungerecht sei, worin die Besonnenheit und Tollheit, die Tapferkeit und die Feigheit bestehe, wie ein Staat und Staatsmann, eine Regierung und ein Regent sein müsse, und anderes derart, was nach seiner Überzeugung jeden, der es weiß, zu einem guten und edlen Menschen macht[7].« Es war aber eine besondere Art des Gesprächs und der Belehrung, die Sokrates anwandte. Das gewöhnliche Verhältnis, in dem der Schüler fragt und der Lehrer antwortet, ist bei ihm umgekehrt. Er ist der Fragende. Er hat seine Aufgabe oft mit der Hebammenkunst, dem Beruf seiner Mutter, verglichen und gesagt, er habe nicht selbst Weisheit zu gebären, sondern nur andern zur Geburt ihrer Ideen zu verhelfen. In seiner Methode hat er dabei viel von der Dialektik der Sophisten, deren logische Kunststücke und Kniffe er nicht verschmäht. Den Sophisten gleicht er auch darin, daß sein Interesse, unter Außerachtlassung der Spekulation über die Natur, nur auf den Menschen geht. Und auch das Ergebnis, zu dem er regelmäßig kommt, und das in seinem berühmten Satz »Ich weiß, daß ich nichts weiß« ausgesprochen ist, scheint sich nicht von der von jenen gelehrten Skepsis zu unterscheiden.

Und doch soll das Delphische Orakel diesen Mann, der ständig von sich sagte, daß er nichts wisse, als den Weisesten der Griechen bezeichnet haben, und sein Auftreten bedeutet eine der folgenreichsten Revolutionen in der Geschichte der Philosophie. Der gesunde Instinkt des Mannes aus dem Volke ließ ihn an dem bloßen dialektischen Spiel, das alles und nichts beweist und am Ende eine Zerstörung jeden Maßstabs zutage fördert, kein Genügen finden. Er fühlte, daß eine innere Stimme in ihm war, die ihn leitete und von ungerechten Handlungen abhielt. Er nannte sie »daimonion«, das Gewissen (wörtlich »Das Göttliche«).

Durch seine Lehre zieht sich ein Zwiespalt. Auf der einen Seite war er ein tiefreligiöser Mensch, der die Pflichten gegen die Götter zu den wichtigsten Pflichten des Menschen zählte, und wußte die leise, aber nie verstummende Stimme des Gewissens nicht weiter zu begründen. Auf der anderen Seite ist ihm aber Tugend gleich Einsicht. Wie es unmöglich ist, das Rechte zu tun, wenn man es nicht kennt, so ist es nach Sokrates auch unmöglich, das Rechte nicht zu tun, sofern man es nur kennt. Denn da niemand etwas anderes tut, als was seinem eigenen Besten dient, das sittlich Gute aber nichts anderes ist als dieses, so braucht man die Menschen nur über die wahre Tugend zu *belehren*, um sie tugendhaft zu machen. Diese Verknüpfung der Tugend mit dem Wissen ist das eigentlich Neue an der Lehre des Sokrates. Mit der Aufdeckung ihres Nichtwissens will er die Menschen zur Selbstprüfung und Selbsteinkehr aufrufen. Erkenne dich selbst! — das alte griechische Wort (gnothi seauton, wörtlich »Erkenne dich«, eine Tempelaufschrift) ruft er ihnen zu. Wenn die Menschen durch Selbstbesinnung und Selbsteinkehr zur Einsicht in die sittliche Armut und Blindheit gebracht sind, in der sie dahinleben, werden sie zum Suchen und Sehnen nach dem sittlichen Ideal kommen[8].

Sokrates wendet sich niemals an eine allgemeine, nicht faßbare

Menschenmenge, sondern immer nur an den leibhaftigen, vor ihm stehenden Einzelmenschen. Als Menschenbildner, vom Glauben an den Menschen und Liebe zu ihm getrieben, muß man ihn verstehen, nicht als Lehrer irgendwelcher allgemeiner Sätze. Eine unerhörte aufrüttelnde Gewalt muß von ihm ausgegangen sein, eine Unruhe, die nicht wieder zur Ruhe kam. Wie erschütternd seine Persönlichkeit auf seine Umgebung gewirkt haben muß, lassen die Worte erkennen, die Platon dem Alkibiades, Schüler des Sokrates, im »Gastmahl« in den Mund legt[9]: »Von uns wenigstens, wenn wir von einem anderen auch noch so trefflichen Redner andere Reden hören, macht sich keiner ... sonderlich etwas daraus. Hört aber einer dich selbst oder einen andern deine Reden vortragen ... wer sie hört, alle sind wir wie außer uns und ganz davon hingerissen. Ich wenigstens, ihr Männer, wollte ... es euch sogar mit Schwüren bekräftigen, was mir selbst dieses Mannes Reden angetan haben und noch jetzt antun. Denn weit heftiger als den vom Korybantentanz Ergriffenen pocht mir, wenn ich ihn höre, das Herz, und Tränen werden mir ausgepreßt von seinen Reden; auch sehe ich, daß es vielen andern ebenso ergeht ... Und mit diesem allein unter allen Menschen ist mir begegnet, was man nicht in mir suchen sollte, daß ich mich vor irgend jemand schämen könnte; aber vor ihm allein muß ich mich schämen ...«

Betrachtet man das wenige, was wir von Sokrates wirklich sicher wissen, so möchte man fast fragen: Wie konnte ein solcher Mann, der zwar eine Persönlichkeit von sittlicher Größe war und für seine Überzeugung starb, dessen eigentliche Philosophie aber kaum greifbar ist, eine unermeßliche geschichtliche Wirkung haben?[10] Man könnte dazu darauf hinweisen, daß die Ähnlichkeit, die der Märtyrertod des Sokrates mit dem Christi und der frühchristlichen Märtyrer hat, und auf die auch in den Schriften des frühen Christentums immer wieder hingewiesen wird, das Gedächtnis an Sokrates besonders lebendig erhalten habe. Aber die eigentliche Antwort muß doch lauten, daß die Nachwirkung des Sokrates tatsächlich mehr auf seiner einzigartigen Persönlichkeit beruht, die uns noch über die Jahrtausende hinweg menschlich nahe sein kann, als auf dem, was er lehrte, indem nämlich mit ihm etwas in die Geschichte der Menschheit eintrat, was von da an zu einer immer weiter wirkenden Kulturkraft wurde: die in sich selbst unerschütterlich gegründete, autonome sittliche Persönlichkeit. Dies ist das »sokratische Evangelium« vom innerlich freien Menschen, der das Gute um seiner selbst willen tut.

III. Platon

1. PLATONS LEBEN

»Als ich einst jung war, ging es mir wie vielen andern: ich hatte im Sinn, sobald ich mein eigener Herr wäre, mich sofort der Politik zu widmen. Diesem Entschluß stellten sich aber folgende Erfahrungen im öffentlichen Leben in den Weg. Unsere damalige Verfassung galt in weiten Kreisen als minderwertig, und so kam es zu einem Umsturz. An der Spitze der neuen Verfassung standen 51 Männer . . . 30 aber übernahmen die gesamte Regierung mit unumschränkter Gewalt. Unter ihnen hatte ich einige Verwandte und Bekannte, und diese versuchten nun sogleich mich heranzuziehen . . . Die Erfahrungen, die ich hierbei infolge meiner Jugend machte, sind weiter nicht verwunderlich. Ich hatte geglaubt, sie würden die Staatsverwaltung aus einem ungerechten Leben in die Bahn der Gerechtigkeit lenken, und so achtete ich gespannt darauf, was sie tun würden. Und da sah ich denn, daß diese Männer in kurzer Zeit die frühere Verfassung als das reine Gold erscheinen ließen. Abgesehen von anderem beauftragten sie einen mir befreundeten älteren Mann, Sokrates, den ich nicht anstehe, den rechtschaffensten Mann jener Zeit zu nennen, mit anderen, einen Bürger mit Gewalt zur Hinrichtung herbeizuführen, um ihn so . . . an ihrer Politik mitschuldig zu machen. Dieser aber gehorchte ihnen nicht, sondern riskierte lieber alles, als sich an ihren frevelhaften Handlungen zu beteiligen. Als ich das alles sah und noch manches andere derart und nicht eben Kleinigkeiten, da erfaßte mich ein Widerwille, und ich zog mich von diesem verbrecherischen Regiment zurück. Bald darauf wurden die dreißig und mit ihnen die ganze Verfassung gestürzt. Da begann mich wieder, zwar viel langsamer, aber eben dennoch die Lust zu politischer Tätigkeit zu erfassen . . . Nun geschah es aber, daß einige der Machthaber jenen unseren Freund Sokrates vor Gericht zogen, indem sie die frevelhafteste Beschuldigung gegen ihn erhoben, die am allerwenigsten auf Sokrates paßte: sie zogen ihn nämlich wegen Gottlosigkeit vor Gericht, verurteilten ihn und ließen ihn hinrichten, ihn, der damals an dem ruchlosen Vorgehen gegen einen Gesinnungsgenossen ihrer damals verbannten Freunde nicht hatte teilnehmen wollen . . . Als ich dies sah und die Leute, die die Regierung führten, die Gesetze und die Sitten, und je mehr ich bei fortschreitendem Alter dies ganze Getriebe durchschaute, desto mehr kam ich zu der richtigen Einsicht, wie schwer es sei, Politik zu treiben. Denn ohne Freunde und zuverlässige Parteigenossen war überhaupt nichts auszurichten . . . Auch nahmen die Verderbnis

in der Gesetzgebung und der Sittenverfall in erstaunlicher
Weise zu. Und so ergriff mich, der ich anfangs voll Eifer
für politische Tätigkeit gewesen war, beim Blick auf diese
Vorgänge und bei der Betrachtung dieses ganzen plan- und
ziellosen Treibens schließlich ein Schwindel. Zwar ließ ich
nicht ab, mir Gedanken darüber zu machen, wie es denn mit
diesen Dingen und mit dem ganzen Staatswesen besser werden könnte, und wartete immer wieder auf eine Gelegenheit
zum Handeln, schließlich aber kam ich zu der Erkenntnis, daß
die bestehenden Staaten insgesamt in einer üblen Verfassung
seien. Denn ihr gesetzlicher Zustand ist nahezu unheilbar,
wenn nicht eine wunderbare Neuorganisation unter günstigen
Umständen ihnen zu Hilfe kommt. Und so sah ich mich
denn genötigt, in Anerkennung der wahren Philosophie es
auszusprechen, daß nur sie den Blick für die Gerechtigkeit im
gesamten öffentlichen und privaten Leben verleiht und daß
das Unglück des Menschengeschlechts nicht aufhören wird, bis
entweder das Geschlecht der rechten und wahren Philosophie
in den Staaten zur Regierung gelangt oder die Machthaber in
den Staaten infolge einer göttlichen Fügung wirkliche Philosophen werden.« Hier haben wir, von Platon selbst in einem
Briefe[11] geschildert, die bestimmenden Eindrücke seines Lebens und manchen Hinweis für die Beweggründe seines philosophischen und politischen Denkens. Platon wurde 427 v.
Chr. geboren als Abkömmling einer der führenden Familien
Athens. Er war 20 Jahre alt, als Sokrates seinen Weg kreuzte
und ihn auf immer bestimmte, die bis dahin betriebenen
literarischen Versuche aufzugeben und sich der Philosophie
zuzuwenden. Acht Jahre lang blieb er dessen Schüler. Unter
dem erschütternden Eindruck der Verurteilung und Hinrichtung des Sokrates — wir haben seine eigene Schilderung der
Szene im vorhergehenden Abschnitt zitiert — kehrte er zunächst seiner Vaterstadt den Rücken, ging vorübergehend nach
Megara, unternahm später ausgedehnte Reisen, die ihn vermutlich auch nach Ägypten führten und ihn mit der dortigen
Religion und Gelehrsamkeit und auch dem ägyptischen Priesterstand bekannt machten. Vielleicht drang er auch weiter
in den Orient vor und lernte die Weisheit der Inder kennen — manches in seinem Werk spricht dafür. Auf jeden
Fall aber verweilte er längere Zeit im griechisch koloniali-
sierten Unteritalien und Sizilien, wo er mit der pythagoreischen Schule in enge Berührung trat und bestimmende Eindrücke für sein späteres Denken empfing. Einige Zeit hielt
er sich dabei am Hofe des Tyrannen Dion von Syrakus auf,
den er, im Endeffekt vergeblich, für seine Ideen zu gewinnen
suchte. Im Jahre 387 v. Chr. eröffnete er in seinem Garten
seiner Heimatstadt eine Schule, die nach seinem Tode als

»Platonische Akademie« noch jahrhundertelang bestehen
sollte. Hier unterrichtete er unentgeltlich einen sich alsbald
sammelnden Kreis von Schülern. Ganz dieser Tätigkeit lebend,
die nur durch gelegentliche erneute, aber wiederum vergeb-
liche Reisen nach Syrakus unterbrochen wurde, erreichte er
ein Alter von 80 Jahren und starb mitten in voller Arbeit.

2. PLATONS WERKE

Platons Lehrer Sokrates hatte seine Lehrtätigkeit so ausschließlich als unmittelbare Einwirkung auf seine Mitmenschen
in Gespräch und Rede betrieben, daß keine Zeile von ihm
selbst überliefert ist. Von Platon ist eine Reihe von Schriften
erhalten. Es ist sicher, daß der größte Teil von diesen —
inzwischen durch die Forschung von späteren Zutaten und
Unterschiebungen gesondert — auch von ihm stammt, ebenso
einige Briefe. Ebenso sicher ist aber, daß auch für Platon
der Schwerpunkt seines Wirkens in seiner mündlichen Lehrtätigkeit lag. Über die Schriftstellerei hat er sich nicht gerade
mit Hochachtung ausgesprochen — was bei glänzenden
Schriftstellern, wie Platon einer war, des öfteren vorkommt.
Doch er sagt geradezu, daß er den innersten Kern seiner
Lehre niemals einer Schrift anvertrauen und so der Mißgunst
und dem Unverständnis preisgeben würde[12]. Darüber, sagt
er, »gibt es keine Schrift von mir, und es wird nie eine geben;
denn es läßt sich nicht wie anderes, das man erlernen kann,
aussprechen, sondern es ... entsteht plötzlich, wie von einem
springenden Funken entzündet, ein Licht in der Seele, das
von nun an sich selbst erhält[13]«.
Immerhin sind für uns Nachfahren seine Schriften die einzige
Quelle für die Kenntnis seiner Philosophie, und sie tritt uns
aus diesen von ihm fast verleugneten Erzeugnissen noch großartig genug entgegen. Ihre Abfassung erstreckte sich über
fünf Jahrzehnte. Die einzelnen Probleme werden darin so
behandelt, wie sie sich Platon zu der betreffenden Zeit jeweils
darstellten. Zu den meisten Fragen sind deshalb Wandlungen
in seiner Auffassung ersichtlich.
Die Werke Platons haben fast alle die Form von Dialogen
(Gesprächen). In den ersten, bald nach Sokrates Tode nieder-
geschriebenen Dialogen ist dieser die beherrschende Gestalt.
Auch in fast allen späteren Schriften spielt er eine führende
Rolle; dabei ist naturgemäß schwer auseinanderzuhalten, wieviel von dem, was Sokrates hier sagt, auf seine eigenen
Äußerungen zurückgeht und wieweit Platon die Figur be-
nutzt, um Eigenes auszusprechen.
Die wichtigsten Platonischen Dialoge sind folgende:
1. Die *Apologie* — eine Nachdichtung der Verteidigungsrede

des Sokrates in dem gegen ihn geführten Gerichtsverfahren.

2. *Kriton.* – Über die Hochachtung der Gesetze.

3. *Protagoras.* – Eine Auseinandersetzung mit der Sophistik über die Tugend, insbesondere ihre Einheit und die Frage ihrer Lehrbarkeit.

Diese drei werden zu den frühesten Schriften gerechnet[14].

4. *Gorgias.* – Auch hier steht im Mittelpunkt die Tugend und die Frage, ob sie lehrbar ist. Die egoistische Moral der Sophisten wird als ungenügend erwiesen. Die Rhetorik genügt nicht als Bildungsmittel. Das sittlich Gute ist ein Unbedingtes und wird metaphysisch begründet. Politik, Musik und Dichtkunst werden ihm untergeordnet. Am Schluß wird ein Ausblick auf das Schicksal der Seele im Jenseits gegeben.

5. *Menon.* – Über das Wesen der Erkenntnis als »Wiedererinnerung«. Die Bedeutung der Mathematik.

6. *Kratylos.* – Über die Sprache.

Diese drei Dialoge werden einer Übergangsperiode zugerechnet. Sie sind offenbar nach dem Italienaufenthalt Platons verfaßt, da der Einfluß der pythagoreischen Lehre in ihnen erkennbar ist. Platon hat aber noch nicht die volle Höhe seines eigenen Standpunktes erreicht.

7. *Symposion.* – Das »Gastmahl«. Der Eros als treibende Kraft des philosophischen Strebens nach dem Schönen und Guten. Hier findet sich auch die Lobrede des Alkibiades auf Sokrates, der den Eros in Vollkommenheit verkörpert.

8. *Phaidon.* – Über die Unsterblichkeit. Die Übersinnlichkeit und Ewigkeit der Seele. Ausgestaltung der platonischen Ideenlehre.

9. *Politeia.* – Der Staat. Das umfang- und inhaltsreichste Werk Platons. Viele Jahre seines Mannesalters hat er ihm gewidmet. Vom Einzelmenschen zur Gesellschaftslehre fortschreitend, umschließt das Werk alle Gebiete der platonischen Philosophie.

10. *Phaidros.* – Dieser Dialog ist besonders wichtig für die Ideenlehre und für Platons Gedanken von der »Dreiteilung der Seele«.

11. *Theaitetos.* – Eine erkenntnistheoretische Erörterung über das Wesen des Wissens.

Die Abfassung der unter 7. bis 11. genannten Schriften fällt in Platons reifes Mannesalter.

12. *Timaios.* – Platons Naturphilosophie. Die Entstehung aller Naturwesen von den Weltkörpern bis zu den irdischen Lebewesen.

13. *Kritias.* – Diese Schrift ist unvollendet. Sie enthält die berühmte Schilderung vom Untergang des sagenhaften Inselreiches Atlantis etwa 10 000 Jahre vor Platons Zeit, das bis heute Gegenstand immer neuer Vermutungen ist.

14. *Politikos.* — Der Staatsmann. Enthält die politischen Ansichten des gealterten Platon und leitet über zu
15. den *Gesetzen.* — Sie sind das letzte große Alterswerk
Platons, von ihm selbst nicht vollendet und von einem
Schüler nach seinem Tode herausgegeben. Dieser wiederum
der Politik gewidmete Dialog zeigt, daß vom Anfang bis zum
Ende die sittliche Grundlegung des Staates und die entsprechende Erziehung seiner Bürger das eigentliche Ziel blieb, auf
das Platons Denken hinsteuerte. Die »Gesetze« sind die Hauptquelle für Platons Altersphilosophie.
Der Dialog als Darstellungsform für philosophische Gedanken
wurde nach Platons Vorgang von den Griechen, Römern und
späteren Europäern immer wieder verwendet. Der platonische
Dialog ist natürlich nicht zu denken ohne die von den Sophisten ausgebildete, von Sokrates zur Vollendung geführte
Kunst des dialektischen Gesprächs. Die Dialogform bietet gegenüber systematischer Gedankenentwicklung den Vorteil
größerer Anschaulichkeit und Lebendigkeit. Das Für und Wider und die verschiedenen Seiten eines Problems können durch
verschiedene Personen vertreten werden. Sie bietet ferner den
Vorteil, daß der Autor am Schluß nicht immer den entfach-
ten Streit zu schlichten und selbst endgültig Stellung zu beziehen braucht. Das kann auf Unentschiedenheit oder Un-
sicherheit des Verfassers deuten, kann aber auch, und das ist
bei Platon der Fall, von einer tiefen Einsicht zeugen, die
weiß, daß unser menschliches Denken immer zerspalten und
in Gegensätzlichkeiten befangen bleiben muß. Die Dialoge
Platons sind durch glänzende Sprache und durch meisterhafte,
oft dramatische Gegenüberstellung der streitenden Personen
und Ideen ausgezeichnet. Sie gehören zu den unvergänglichen
Werken der Weltliteratur.

3. EINE METHODISCHE VORBEMERKUNG

Die Darstellung der platonischen Philosophie kann man in
systematischer Form versuchen. Man nimmt ein Teilgebiet
der Philosophie nach dem andern vor und zeigt die einschlägigen Gedanken Platons auf. Diese Methode begegnet
dem Einwand, daß Platon nirgends ein »System« selbst im
Zusammenhang gegeben hat, und daß auch den vorliegenden
Schriften ein solches nicht ohne weiteres zu entnehmen ist;
Platon arbeitet zwar im Gegensatz zum vorwiegend bildhaften frühgriechischen Denken als erster mit einer eigenen
philosophischen Begriffssprache, besser: er prägte sie – aber
er gibt kein »System« im modernen Sinne. Die Darstellung
müßte zur Konstruktion greifen und liefe Gefahr, die Gedankenwelt Platons in ein nicht von ihm stammendes und des-

halb nicht passendes Schema zu zwängen. Das Schema wird der Vortragende seinem eigenen Standpunkt gemäß wählen. So haben viele Philosophen versucht, alles Vorangegangene in ihrem Sinne auszulegen und als Vorstufe des eigenen Systems zu erweisen, wobei in extremen Fällen schließlich die frühere philosophische Literatur sozusagen wie eine Fußnote zu den eigenen Werken erscheint. Die Wissenschaft ist aus solchen Gründen immer mehr zu einer genetischen, das heißt dem Entwicklungsgang Platons folgenden Darstellungsweise übergegangen. Diese erfordert eine beträchtliche Ausführlichkeit. Man muß den manchmal verschlungenen und oft nur zu erratenden inneren Entwicklungen Platons folgen und darf keine Stufe und keine seiner Schriften überspringen.

Solchen Schwierigkeiten der Methode sieht sich im Grunde jede geschichtliche Darstellung der Philosophie gegenüber. Wir weisen hier auf sie hin, weil wir im Begriff sind, im Werk Platons das erste ganz umfassende und weit verzweigte philosophische Denken zu würdigen. Jeder Denker ist »ein Mensch mit seinem Widerspruch«, fast keines Denkers Werk ist von ausnahmsloser Folgerichtigkeit. Für unsere Einführung können wir keine der beiden Methoden konsequent verfolgen. Wir halten uns an die Fragen, die in der Einleitung als diejenigen hingestellt wurden, mit denen der Nichtphilosoph an ein solches Werk herantritt, und gehen deshalb nach Bezeichnung des geschichtlichen Ausgangspunktes von der Metaphysik (Ideenlehre) zur Ethik und dann zur Politik über.

4. DER GESCHICHTLICHE AUSGANGSPUNKT

Das Denken Platons entzündet sich wie das jedes anderen Denkers zunächst am Denken seiner Zeit. Wie jeder andere nimmt er diesem gegenüber eine zwiespältige Haltung ein. Einiges nimmt er auf und bildet es weiter, anderes bekämpft und überwindet er. Insofern kann man von einem Ausgangspunkt im positiven und im negativen Sinne sprechen.

Was Platon bekämpft und zu überwinden trachtet, ist die *Sophistik*. In seinen Dialogen läßt er immer wieder Sophisten auftreten, die erst ihre Ansichten freimütig darlegen dürfen, um dann freilich überwunden zu werden. Als Grundirrtum erscheint ihm der Satz des Protagoras, daß der Mensch das Maß aller Dinge sei und daß es keinen allgemeinen Maßstab geben könne. Eine solche Lehre, sagt er, müßte die Grundlagen der Wissenschaft wie der Sittlichkeit zerstören. Die Rhetorik der Sophisten als Kunst der Überredung ist als Methode der Philosophie durchaus ungenügend.

Wie nun nach Heraklit ein jedes Ding seines Gegensatzes bedarf, so auch der Philosoph seines Gegners. Platon, in

seinem Bestreben, sich von den Sophisten abzusetzen, verkennt, wie sehr er doch auch auf ihren Schultern steht. Völ-
lige Gerechtigkeit gegen den Gegner ist auch beim größten
Philosophen nicht zu erwarten. Gemeinsam hat Platon mit
den Sophisten — außer der dialektischen Methode, die er
aufnimmt, um sie freilich weiterzuführen — vor allem zweierlei. Erstens mißtraut auch er dem landläufigen Wissen.
Er zeigt, daß die sinnliche Wahrnehmung uns die Dinge
nicht so vorführt, wie sie sind, sondern nur in ihrer stets
wechselnden Erscheinung. Und wenn wir uns durch Zusammennehmen einer größeren Anzahl von Sinneswahrnehmungen eine allgemeinere Vorstellung bilden, so hat diese zwar
einen etwas höheren Grad von Wahrscheinlichkeit; sie beruht
aber doch auch mehr auf einer Art Überredung (durch die Sinne) als auf einem klaren Bewußtsein ihrer Gründe. Zweitens
mißtraut er wie die Sophisten der landläufigen Vorstellung von
der Tugend, und zwar dem unbewußten Festhalten an der Väter Sitte ebenso wie der als Größe gepriesenen Leistung des
genialen Staatsmanns. Denn beiden fehlt, wie dem landläufigen
Wissen, das, was einer Handlung erst Wert verleiht: das klare
Bewußtsein der Gründe, warum sie gut und richtig ist.
Bis hierhin geht er also mit den Sophisten zusammen. Um
so schärfer scheidet er sich von ihnen in bezug auf die Folgerung, die aus der Erkenntnis von der Mangelhaftigkeit der
bisherigen Einsicht und der bisherigen Tugendlehre zu ziehen
ist. Die Sophisten hatten gesagt: also gibt es keine allgemein
verbindlichen Maßstäbe für Denken und Handeln. Für Platon
beginnt hier erst die eigentliche Aufgabe der Philosophie,
nämlich zu zeigen, daß es doch ein solches Richtmaß gibt,
und wie man zu ihm gelangt. Alles andere ist nur Vorbereitung (Propädeutik). Hierin setzt Platon das Werk des
Sokrates fort, und dieses ist der positive Ausgangspunkt
seiner Philosophie. Daneben greift er aber auch auf ältere
Lehren zurück. Aber Platon geht weit über seinen Lehrer
hinaus. An die Stelle des sokratischen »Ich weiß, daß ich
nichts weiß« setzt er die Lehre, daß in den ewigen *Ideen*
uns ein Maß des Denkens und Handelns gesetzt ist, daß wir
denkend und ahnend erfassen können. Platons Denken hebt
sich nicht allein von der Sophistik ab. Es setzt sich auch
auseinander mit älteren Denkern wie Demokrit und sieht
im Gegensatz zu ihm die Welt als Zeugnis und Erzeugnis
einer Welt-Vernunft; sodann mit der tragischen Weltschau
der früheren Dichter und Philosophen. Bei Platon wird der
dunkle Weltgrund zurückgedrängt; seine Philosophie ist
»Licht-Metaphysik«. Mit dieser Eigenheit ist sie bestimmend
für die gesamte abendländische Metaphysik bis in die Gegenwart hinein.

5. DIE IDEENLEHRE

a) Eros als Antrieb des Philosophierens

Nur der kann sich zur Erkenntnis der Ideen erheben, der einen philosophischen Trieb besitzt. Diesen nennt Platon »Eros«. Er gibt damit diesem Wort, das ursprünglich im Griechischen die Liebe (den Zeugungstrieb) bezeichnete — auch der Liebesgott hieß Eros —, eine vergeistigte und höhere Bedeutung. Eros ist das Streben, vom Sinnlichen zum Geistigen fortzuschreiten; der Drang des Sterblichen, sich zur Unsterblichkeit zu erheben, und zugleich das Verlangen, diesen Trieb auch in anderen wachzurufen. Die Lust an einer schönen Körpergestalt ist die unterste Stufe des Eros. Alle Beschäftigung mit dem Schönen nährt diesen Trieb, vor allem die Musik, die als Vorbereitung für die Philosophie angesehen wird, und die Mathematik, indem sie vom Sinnlichen abzusehen und die reinen Formen anzuschauen lehrt[15].

Erwähnt sei hier, daß der vielverwendete Begriff »platonische Liebe« im Sinne einer rein geistigen oder »freundschaftlichen«, das Sinnliche ausschaltenden Liebe zwischen Mann und Frau auf einem Mißverständnis beruht. An der betreffenden Stelle bei Platon wird nur gesagt: »Schlecht ist jener gemeine Liebhaber, der *mehr* den Leib als die Seele liebt.« Von Ausschaltung des Körperlichen ist also nicht die Rede. Überdies bezieht sich diese Stelle überhaupt nicht auf die Liebe zwischen Mann und Frau[16], sondern auf gleichgeschlechtliche Zuneigung, welche damals weit verbreitet war und bei Platon ohne Scheu erörtert wird.

b) Dialektik als Methode des Philosophierens

Die Anschauung des Schönen ist die Vorbereitung, aber das eigentliche Mittel zur Erkenntnis der Ideen ist das begriffliche oder von Platon selbst so genannte dialektische Denken. Zum Eros als Antrieb muß die richtige Methode treten, um das Ziel zu erreichen. Rhetorik überredet. Dialektik ist die Kunst, im gemeinsamen Suchen im Gespräch zum allgemein Gültigen vorzudringen. Dialektisches Denken steigt einerseits vom Einzelnen zum Allgemeinen, vom Bedingten zum Unbedingten auf, andererseits steigt es durch alle Zwischenglieder vom Allgemeinen zum Besonderen und Einzelnen herab. Bei der Begriffsbildung ist, wie Platon im »Kratylos« zeigt, die Gefahr zu vermeiden, daß man aus bloßen Worten Aufschlüsse entnehmen will, die nur der Begriff der Sache selbst gewähren kann[17].

c) Das Sein der Ideen

»Stelle dir Menschen in einer unterirdischen höhlenartigen Behausung vor, die einen aufwärts gegen das Licht geöffneten Zugang hat. In dieser sind sie von Kindheit an gefesselt, so daß sie auf demselben Fleck bleiben und den Kopf herumzudrehen wegen der Fessel nicht imstande sind. Licht aber haben sie von einem Feuer, welches von oben und von ferne her hinter ihnen brennt. Zwischen dem Feuer und den Gefangenen geht obenher ein Weg, längs diesem stelle dir eine Mauer aufgeführt vor. Längs dieser Mauer tragen Menschen allerlei Gefäße, die über die Mauer emporragen. Einige, wie natürlich, reden dabei, andere schweigen.

Ein gar wunderliches Bild, sprach er, stellst du dar und wunderliche Gefangene.

Die aber uns gleichen, entgegnete ich. Denn fürs erste, meinst du wohl, daß dergleichen Menschen von sich selbst und voneinander etwas anderes zu sehen bekommen als die Schatten, welche das Feuer auf die ihnen gegenüberliegende Wand der Höhle wirft? Und wie steht es mit den vorbeigetragenen Gegenständen? Nicht ebenso? Wenn sie nun miteinander reden könnten, meinst du nicht, sie würden glauben, das, was sie sehen und mit Worten bezeichnen, sei dasselbe wie das, was vorübergetragen wird? Und wie, wenn ihr Kerker auch einen Widerhall hätte von drüben her, meinst du, wenn einer von den Vorübergehenden spräche, sie würden denken, etwas anderes rede als der eben vorübergehende Schatten? — Nun stelle dir vor, es werde einer befreit und genötigt, plötzlich aufzustehen, den Hals umzuwenden, zu gehen und nach dem Licht hinzublicken, und dies alles täte ihm weh, und er wäre wegen des Flimmerns nicht imstande, die Gegenstände zu sehen, deren Schatten er vorher gesehen hatte. Was glaubst du, daß er sagen würde, wenn man ihm versicherte, damals habe er lauter Nichtigkeiten gesehen, jetzt aber sei er dem Seienden näher, stehe vor Dingen, denen ein Sein in höherem Grade zukomme, und sehe daher richtiger? Und wenn man ihn gar in das Licht selbst zu sehen nötigte, würden ihm dann nicht die Augen schmerzen, und er würde fliehen und zu jenen Dingen zurückkehren, die er anzusehen imstande ist, fest überzeugt, diese seien in der Tat viel wirklicher als das, was man ihm zuletzt gezeigt hatte?« Dies ist, in sehr abgekürzter Fassung, das Bild, welches Platon in dem berühmten »Höhlengleichnis« aus dem »Staat« von menschlichem Leben und menschlicher Erkenntnis entwirft[18]. Dem Gefängnis gleicht unser gewöhnliches Dasein. Bloßem Schatten gleicht unsere Umgebung, so wie sie uns die Sinne zeigen. Dem Hinaufsteigen und dem Anblick der Dinge oben aber gleicht der Aufschwung der Seele in die Welt der Ideen. Was sind nun diese Ideen? »Wir nehmen eine Idee an, wo wir eine Reihe von Einzeldingen mit demselben Namen bezeichnen[19].« Ideen — griechisch eidos oder idea, ursprünglich »Bild« — sind also Formen, Gattungen, Allgemeinheiten des Seins. Es sind aber nicht etwa bloße allgemeine Begriffe, die unser Denken durch Absehen vom Besonderen und Zusammennehmen gemeinsamer Merkmale der Dinge sich bildet. Sie haben durchaus Realität, ja, sie haben sogar, wie auch das Gleichnis zeigt, die einzig wahre (metaphysische) Realität. Die einzelnen Dinge vergehen, aber die Ideen bestehen als deren unvergängliche Urbilder weiter.

Es ist eine philosophische Grundfrage, ob es zulässig ist, dem Allgemeinen eine höhere Realität als dem Einzelnen zuzusprechen, oder ob umgekehrt nur die Einzeldinge wirklich sind und die allgemeinen Ideen nur in unserem Kopfe bestehen. In der mittelalterlichen Philosophie wird uns diese Frage wieder beschäftigen. Für Platon jedenfalls sind die Ideen die eigentliche Wirklichkeit.

In späteren Jahren liebte es Platon, die Ideen unter Verwendung pythagoreischer Gedankengänge mit Zahlen in Verbindung zu bringen.

d) Idee und Erscheinung

Die sichtbare Natur hat Platon im Unterschied zu seinem Lehrer Sokrates mit in sein System einbezogen. Da jedoch die einzig wirklichen Ideen nur dem reinen Denken zugänglich sind, kann die Erforschung des körperlichen Seins für Platon nur eine zweitrangige Bedeutung haben. Die Naturwissenschaft, die diese zum Ziele hat, kann niemals Gewißheit, sondern nur Wahrscheinlichkeit geben. Unter diesem Vorbehalt hat Platon im »Timaios« auch eine naturwissenschaftliche Abhandlung verfaßt.

Die Hauptfrage, die sich im Anschluß an die Ideenlehre für uns sofort ergibt, ist diese: Wie kommt überhaupt die Welt der Schatten, die die sichtbare Natur ist, zustande? Offenbar, da ja auch die Anschauung des Schönen zu den Ideen hinführen kann, sind doch die Naturdinge Abbilder oder Erscheinungen der Ideen. Wie geschieht es aber, daß die in einer höheren, »jenseitigen« geistigen Sphäre existierenden Ideen in den Gegenständen der Sinneswelt, wenn auch unvollkommen und abgeschwächt, in Erscheinung treten? Es muß doch neben den Ideen noch ein Zweites geben, ein Material sozusagen, in dem sie sich abbilden! Platon beschreibt dies Zweite im Timaios, sicherlich in Anlehnung an Demokrit, als (leeren) *Raum* — wofür vielleicht zutreffender zu sagen ist: Form der Äußerlichkeit, so daß nicht nur das Neben-, sondern auch das Nacheinander einbegriffen wäre[20]. Es ist auch denk-

bar, daß Platon schon dieses zweite Prinzip in einem ganz
allgemeinen Sinne als »Materie« bezeichnet hat, wie nach
ihm Aristoteles[21].

Auf die Einzelheiten der platonischen Naturlehre gehen wir
nicht ein. Es ist aber klar, daß hier eine gewisse Kluft bestehen bleibt: denn selbst wenn es diese *zwei* Prinzipien gibt,
ist nicht recht einzusehen, welche Kraft es bewirkt, daß die
Ideen als bloße in sich ruhende Urbilder überhaupt sich in
der Materie abbilden. Die platonische Philosophie kann *dualistisch* genannt werden, weil sie diese Kluft zwischen zwei
letzten Prinzipien nicht schließt.

Es bedürfte, um sie zu schließen, eigentlich noch eines dritten,
das zwischen beiden vermittelt oder über beiden steht. In
seinen Alterswerken hat sich Platon mehr und mehr der Annahme einer Gottheit oder Weltseele zugeneigt, die dies bewirkt. Er gibt diesen Gedanken aber nicht in Form sachlicher
Erörterung, sondern eines *Mythos* — wie überhaupt bei Platon
alle die Stellen, die sich einer strengen gedanklichen Erfassung
entziehen, durch Mythen ausgefüllt sind.

6. ANTHROPOLOGIE UND ETHIK

a) Seele und Unsterblichkeit

Die menschliche Seele ist nach Platon dreigeteilt in Denken,
Wille und Begierde. Das Denken hat seinen Sitz im Kopf,
das Gefühl in der Brust, die Begierde im Unterleib. Das
Denken, die Vernunft, ist aber allein der unsterbliche Be-
standteil, der sich beim Eintritt in den Leib mit den übrigen
verbindet[22].

Die unsterbliche Seele hat weder Anfang noch Ende und ist
in ihrem Wesen der Weltseele gleichartig. Alle unsere Erkenntnis ist ein Wiedererinnern aus früheren Zuständen und
Verkörperungen der Seele. »Weil nun die Seele unsterblich
ist und oftmals geboren und alle Dinge, die hier und in der
Unterwelt sind, geschaut hat, so gibt es nichts, was sie nicht
in Erfahrung gebracht hätte, und so ist es nicht zu verwundern, daß sie imstande ist, sich der Tugend und alles anderen zu erinnern, was sie ja auch früher schon gewußt hat.
Denn da die ganze Natur unter sich verwandt ist und die
Seele alles innegehabt hat, so hindert nichts, daß wer nur
an ein einziges erinnert wird, was bei den Menschen lernen
heißt, alles übrige selbst auffinde, wenn er nur tapfer ist
und nicht ermüdet im Suchen. Denn das Suchen und Lernen
ist demnach ganz und gar Erinnerung[23].«

b) Die Tugend

Im Reich der Ideen nimmt die Idee des höchsten Guten die oberste Stelle ein. Sie ist gewissermaßen die Idee der Ideen. Das höchste Gut ist allem übergeordnet als sein oberster Zweck. Es ist der Endzweck der Welt. »Die Sonne, denke ich, wirst du sagen, verleihe dem Sichtbaren nicht nur das Vermögen, gesehen zu werden, sondern auch das Werden und Wachstum und Nahrung, obgleich sie selbst nicht das Werden ist ... Ebenso nun sage auch, daß dem Erkennbaren nicht nur das Erkanntwerden von dem Guten komme, sondern auch das Sein und Wesen habe es von ihm, da doch das Gute selbst nicht das Sein ist, sondern noch über das Sein an Würde und Kraft hinausragt[24].«

Die Ethik Platons ergibt sich aus der Verbindung dieser Idee des höchsten Guten mit seiner Auffassung, daß die unsterbliche Seele dasjenige am Menschen ist, mit dem er an der Welt der Ideen Anteil hat. Das Ziel des Menschen ist es, sich durch Erhebung in die übersinnliche Welt in den Besitz jenes höchsten Guten zu setzen. Leib und Sinnlichkeit sind die Fesseln, die ihn daran hindern: »soma, sema« — der Leib (ist) das Grab (der Seele), wie Platons kürzeste Formel dafür lautet.

Tugend ist der Zustand der Seele, in dem sie diesem Ziel nahekommt. Da die sichtbaren Dinge Abbilder der unsichtbaren sind, können sie, insonderheit in der Kunst, als Hilfsmittel zur Erfassung der Ideen dienen.

Tugend ist — wie bei Sokrates — nur dann wirklich Tugend, wenn sie auf Einsicht gegründet ist. Sie ist daher auch lehrbar. Platon geht in der Tugendlehre über Sokrates damit hinaus, daß er den allgemeinen Tugendbegriff in vier Kardinaltugenden zerlegt. Es sind Weisheit, Tapferkeit, Besonnenheit, Gerechtigkeit. Die ersten drei entsprechen den Bestandteilen der Seele: Weisheit ist die Tugend des Verstandes. Tapferkeit ist die Tugend des Willens. Das dritte, das eben Besonnenheit genannt wurde, ist mit diesem Wort nur unvollkommen wiedergegeben. Das griechische Wort Sophrosyne meint das Gleichgewicht, die Fähigkeit, zwischen Genuß und Askese, zwischen Strenge und Nachgiebigkeit die rechte Mitte zu halten, ebenso im äußern Auftreten den edlen Anstand, der von plumper Vertraulichkeit und abweisender Kälte gleich weit entfernt ist[25]. Die Gerechtigkeit endlich umfaßt alle andern Tugenden, sie besteht in dem abgewogenen Verhältnis der drei Seelenteile und ihrer Tugenden.

7. DER STAAT

Die zu Beginn zitierte Briefstelle hat uns Platon, man könnte sagen, als verhinderten Politiker gezeigt, und das politische Problem, die richtige Einrichtung des Staates ist es, mit dem er durch sein ganzes Leben in immer erneuten Anläufen gerungen hat. »Polis«, der Zentralbegriff in Platons Staatsdenken ist übrigens die Wurzel unseres Wortes »Politik«. Rechtes Handeln, Tugend, Sittlichkeit, Gerechtigkeit und alles, was Platon zunächst wohl am Einzelmenschen darlegt, kehrt im Staat in vergrößertem Maßstab wieder, kann in ihm erst richtig verstanden werden und auch nur in ihm zur vollen Erfüllung kommen. Die denkbar höchste Form des sittlichen Lebens ist das sittliche Leben der Gemeinschaft in einem guten Staat.

Man kann auch in der Staatslehre Platons einen negativ-kritischen und einen positiv-aufbauenden Teil unterscheiden. Im ersteren setzt er sich auf Grund des reichen Anschauungsunterrichts, den ihm sein Leben geboten hatte, mit dem Bestehenden auseinander. Im letzteren zeichnet er das Bild eines idealen Staates. Aus jedem geben wir einen kennzeichnenden Ausschnitt.

a) Die Kritik der bestehenden Verfassungen

Es gibt ebenso viele Arten von Verfassungen, wie es Arten von Menschen gibt, denn die Verfassung entsteht aus dem Charakter der Menschen, die einen Staat bilden, und formt diesen wiederum. Platon untersucht die verschiedenen Staatsformen und den ihnen zugeordneten Menschentypus.

Die *Oligarchie* ist diejenige Verfassung, »die sich auf die Schätzung des Vermögens gründet, in der die Reichen herrschen, die Armen aber von der Regierung ausgeschlossen sind[26] ...« Die Oligarchie hat drei große Fehler. Der erste: »Wenn jemand auf diese Weise für die Schiffe Steuermänner ernennen wollte nach der Vermögensschätzung; Armen aber, wenn sie auch die Steuermannskunst viel besser verständen, wäre sie nicht verstattet! Die würden ... eine böse Fahrt haben ... Ist es nun nicht ebenso mit jeder Leitung irgendeiner andern Sache? ... Auch beim Staat? ... Wohl um so viel mehr, als dessen Regierung die schwierigste und wichtigste Aufgabe ist.« Der zweite Fehler ist, »daß ein solcher Staat notwendig nicht einer ist, sondern zwei; den einen bilden die Armen, den andern die Reichen, und diese beiden Parteien werden, obwohl sie im gleichen Gemeinwesen zusammenwohnen, einander fortgesetzt bedrohen«. Der dritte Fehler ist »die für jedermann bestehende Möglichkeit, seinen ganzen Besitz zu verschwenden ... und dann nichtsdesto-

weniger in dem Staat wohnen zu bleiben ... als ein mittel-
loser Armer ...« Immer aber »gibt es in einem Staat, wo
man Bettler antrifft, im geheimen auch Diebe, Beutelschnei-
der, Tempelräuber und sonstige gewerbsmäßige Verbrecher«.
Der dieser Verfassung entsprechende Menschentyp ergibt sich
notwendig. Denn: »Was aber jedesmal in Achtung steht,
das wird auch geübt, und das nicht Geachtete bleibt liegen.«
Anstatt nach Weisheit und Gerechtigkeit werden die Menschen
danach streben, Profit zu machen und Schätze zu sammeln.
Drohnenhafte Begierden auf der einen, bettlerhafte auf der
andern Seite werden einen Menschen entstehen lassen, der
von dem Ideal der ausgeglichenen sittlichen Persönlichkeit
denkbar weit entfernt ist. —
Aus dem in der Oligarchie herrschenden Klassenkampf kann
eine *Demokratie* entstehen. »Eine Demokratie also entsteht,
denke ich, wenn die Armen den Sieg davontragen und von
der Gegenpartei die einen hinrichten lassen, die andern ver-
bannen und den übrigen Bürgern gleichen Anteil an der
Staatsverwaltung und an den Ämtern geben ...« Das Schlagwort der Demokratie ist *Freiheit*. »Vor allem sind die Leute
frei, und die ganze Stadt hallt wider von Freiheit und un-
beschränkter Meinungsäußerung, und jedermann darf hier
tun, was er will ...« »Und ... daß man sogar nicht gezwungen ist, am Regiment teilzunehmen in einem solchen Staat,
und wenn du auch noch so geschickt dazu bist, noch auch
zu gehorchen, wenn du nicht Lust hast, und ebensowenig,
wenn die anderen Krieg führen, auch mitzutun, oder Frieden
zu halten, wenn die andern ihn halten, du aber keine Lust
dazu hast, ... ist das für den Augenblick nicht eine göttliche und höchst vergnügliche Daseinsweise? ... Diese und
ähnliche ... wären also die Eigenschaften der Demokratie,
und sie ist demnach eine vergnügliche Verfassung, ohne Regierung, buntscheckig, und verteilt eine angebliche Gleichheit
gleichermaßen an Gleiche und Ungleiche ...« Wie sieht der
Mensch aus, der dieser Verfassung entspricht? Müssen nicht
Zügellosigkeit und allgemeine Auflösung um sich greifen?
Wie soll man die Jugend erziehen, wenn alle gleich und alle
gleich frei sind? »Der Lehrer zittert unter solchen Verhältnissen vor seinen Schülern und schmeichelt ihnen; die Schüler
aber machen sich nichts aus den Lehrern ... Und überhaupt
stellen sich die Jüngeren den Älteren gleich und treten mit
ihnen in die Schranken in Worten und Taten; die Alten aber
setzen sich unter die Jugend und suchen es ihr gleichzutun
an Fülle des Witzes und lustigen Einfällen, damit es nämlich
nicht das Ansehen gewinne, als seien sie mißvergnügt oder
herrisch.« »Schamhaftigkeit nennen sie Dummheit und ver-
stoßen sie in ehrlose Verbannung, Besonnenheit heißen sie

Unmännlichkeit, beschimpfen sie und jagen sie hinaus; Mäßigkeit aber und häusliche Ordnung stellen sie als bäurisches
und armseliges Wesen dar und bringen sie über die
Grenze . . .« Der Demokratie folgt *Tyrannis* (Gewaltherrschaft).
»Denn daß sie eine Reaktion gegen die Demokratie ist, das
ist wohl klar!« Wie vollzieht sich dieser Übergang? »Was
die Oligarchie sich als das größe Gut vorsteckte und wodurch
sie auch zustande gekommen war, das war doch der große
Reichtum. Die Unersättlichkeit im Reichtum aber und die
Vernachlässigung alles übrigen um des Geldmachens willen
führte zu ihrem Untergang . . . Und die Demokratie, löst
nicht auch diese sich auf durch die Unersättlichkeit in dem,
was sie als ihr Gut bestimmt? . . . Die Freiheit.« »Und in der
Tat, wo etwas auf die Spitze getrieben wird, da pflegt als
Folge ein Umschlag ins Gegenteil einzutreten: so ist es bei
den Jahreszeiten, bei den Pflanzen, bei der Ernährung des
Körpers und nicht am wenigsten bei den Staaten . . . Und
so wird denn auch, wie es scheint, die auf die Spitze getriebene Freiheit für den einzelnen Bürger wie für den Staat
in nichts anderes umschlagen als in die entsprechende Knecht-
schaft.« Der Weg führt über die Stellung des Volksführers.
»Stellt das Volk nicht gewöhnlich *einen* Mann als seinen
besonderen Führer an die Spitze, den es dann hegt und pflegt
und großmächtig macht?« Dieser aber kostet von der Macht,
und sie berauscht ihn, wie das Tier, das in den Blutrausch
gerät. »Ist es nun nicht ebenso, wenn ein Volksführer, gestützt auf die ihm völlig ergebene Menge, vor Blutvergießen
unter seinen Mitbürgern nicht zurückschreckt, sondern — wie
sie es gern machen — auf ungerechte Beschuldigungen hin
sie vor Gericht führt und Blutschuld auf sich lädt, indem
er Menschenleben vernichtet und . . . Verbannungs- und Todes-
urteile ausspricht, wobei er auf Niederschlagung der Schulden
und Verteilung der Grundstücke von ferne hindeutet, daß
dann für einen solchen die unausweichliche Notwendigkeit
besteht, entweder durch seine Feinde unterzugehen oder ein
Tyrann und also aus einem Menschen ein Wolf zu
werden?« —
Unsere jüngste Geschichte wurde schon vor zweitausend
Jahren geschrieben!

b) Der ideale Staat

Wie im Einzelmenschen Begierde, Wille, Vernunft bestehen
und die Gerechtigkeit darin liegt, daß diese drei in das richtige Verhältnis kommen, so bestehen im staatlichen Leben
von Natur aus drei verschiedene Aufgaben: Ernährung und
Erwerb als Grundlage, Verteidigung nach außen, Leitung
durch Vernunft. Dem entsprechen die drei natürlichen Stände:

die Gewerbetreibenden, die (wie Platon sie nennt) »Wächter« oder Krieger, und die Herrschenden; und die Gerechtigkeit besteht auch hier im großen darin, daß die drei, unter der Vernunft, in den rechten Einklang gebracht werden.

Wie im Einzelmenschen muß Vernunft, verkörpert in den Herrschenden, im Staat regieren. Wie aber diese Berufenen herausfinden? Platon antwortet: durch Auslese.

Den Anfang muß man damit machen, daß der Staat jedem Kind, gleich welcher Herkunft, die gleichen Bildungsmöglichkeiten bietet. Gymnastik und Musik sind die Grundelemente der Erziehung in der Kindheit. Gymnastik bildet den Körper, verleiht Mut und Härte. Musik bildet die Seele, verleiht Milde und Weichheit. Ihre Vereinigung führt zu harmonischem Ebenmaß des Charakters. Zu diesen treten alsdann Rechnen, Mathematik und Vorübungen in der Dialektik, also im richtigen Denken, ferner Auferlegung von Schmerzen, Anstrengungen und Entbehrungen, abwechselnd mit Versuchungen, um die Standhaftigkeit zu erproben und zu festigen. Mit dem zwanzigsten Lebenjahr werden die, die diesen Anforderungen nicht genügen, in einer strengen und unparteiischen Prüfung aus den Anwärtern für das höchste Amt ausgeschieden. Die Verbleibenden werden weitere zehn Jahre erzogen. Dann erfolgt eine erneute Aussiebung. Dann folgt für die Verbliebenen eine fünfjährige intellektuelle Schulung in der Philosophie. Den nun Fünfunddreißigjährigen, die dies alles hinter sich gebracht haben, würde aber zur Führung doch noch ein Wesentliches fehlen: Erfahrung und Gewandtheit im praktischen Leben, im Kampf ums Dasein. Fünfzehn Jahre lang müssen sie nun sich erst noch hierin erproben und sich anstatt im Reiche der Gedanken an den hart im Raume stoßenden Sachen bewähren. Danach, als Fünfzigjährige, ernüchterte und gefestigte, im Lebenskampf erprobte, in Theorie und Praxis gleichermaßen durchgebildete Männer, rücken sie in die führenden Stellungen ein. Und zwar automatisch, ohne daß es noch einer Wahl bedürfte — denn die Besten sind schon ermittelt. Sie werden die Philosophenkönige oder königlichen Philosophen, von denen Platon träumt, die Macht und Weisheit — welch ein Ideal! — in sich vereinen.

Es liegt nahe, daß Platon, schon aus seiner Herkunft und seiner engen Beziehung zu Sokrates heraus, einem aristokratischen Staatsideal zuneigt. Seine Verfassung ist eine Aristokratie im wörtlichen Sinne: eine Herrschaft der Besten. Sie ist aber zugleich eine vollkommene Demokratie. Es gibt kein ererbtes Vorrecht, jeder hat die gleiche Möglichkeit, zu den höchsten Stellen aufzusteigen. Wenn Gleichheit der Chancen, Gleichheit des Starts für alle das Kennzeichen der Demokratie ist, so kann sie nicht folgerichtiger verwirklicht werden.

Gesetzt, es gelänge, einen solchen Staat gegen alle Widerstände einzurichten, so würden ihm von innen heraus doch
beträchtliche Gefahren drohen. Die so ausgewählten Herrschenden wären sicherlich ganze Männer und keine Schwäch-
linge. Die allgemein menschlichen Triebe und Begierden würden sie in mindestens dem gleichen Maße aufweisen wie der
Durchschnitt der übrigen Bevölkerung. Im Besitz der unbe-
schränkten Macht im Staate werden sie, trotz aller Erprobung
und Erziehung, in Versuchung geraten, auf ihren eigenen
Vorteil mehr zu sehen als auf das allgemeine Beste. Die Ver-
lockung geht — entsprechend den menschlichen Grundtrieben
»Hunger und Liebe« — von zwei Seiten aus: von Geld und
Besitz, von Frau und Familie.

In beiden Richtungen muß diesen Versuchungen ein Riegel
vorgeschoben werden. Für die Krieger wie für die (künftigen)
Herrschenden, die sich aus den Kriegern rekrutieren — beide
Gruppen faßt Platon hier unter »Wächter« zusammen —, gilt
seine Vorschrift: »Vor allen Dingen soll keiner von ihnen
Eigentum besitzen, soweit es irgend zu vermeiden ist; sie
dürfen auch kein eigenes Haus haben mit Schloß und Riegel,
das jemandem, der die Absicht hätte einzutreten, den Eintritt
verwehren würde. Sie sollen nur so viel empfangen, wie von
abgehärteten Kriegern benötigt wird, die gemäßigte und
tapfere Männer sind. Sie werden von den Bürgern eine bestimmte Summe erhalten, so viel, wie zur Deckung der Jah-
resausgaben genügt, damit nicht etwas für das nächste Jahr
übrigbleibe, und sie werden gemeinsame Mahlzeiten einnehmen und beisammen wohnen wie Soldaten im Lager. Wir
werden ihnen sagen, sie hätten genug Silber und Gold von
Gott erhalten, das göttlichere Metall läge in ihnen, sie be-
nötigten daher nicht auch noch irdisches Gold. Es soll ihnen
nicht erlaubt sein, jenen Besitz durch Beimischung von irdi-
schem Gold zu entweihen ... Sie allein dürfen unter allen
Brüdern kein Gold und Silber berühren oder mit diesen Er-
zen etwas zu schaffen haben, noch auch unter demselben
Dache mit ihnen wohnen oder sie an ihren Kleidern tragen
oder aus ihnen trinken. Und das wird ihr Heil sein und
das des Staates ... Würden sie aber jemals ein eigenes Heim
oder Land oder Gold erwerben, so würden sie zu Haus-
herren und Gutsbesitzern statt Wächtern werden, rauhe Gebieter statt Verbündete der andern Bürger sein; sie würden
die anderen hassen und sie belauern und wären selber Gegenstände des Hasses und der Belauerung und würden ihr
Leben in größerer Angst vor in- als vor ausländischen Fein-
den verbringen; und die Stunde des Zusammenbruchs für
sie selbst und auch für den Staat wird nahe sein[27].«

Die Gemeinsamkeit in allem wird sich bei den Wächtern auch

auf die Frauen erstrecken. Die Wächter werden keine Ehefrauen haben. Es wird vielmehr die Einrichtung getroffen, »daß diese Frauen alle allen diesen Männern gemeinsam seien, keine aber irgendeinem besonders beiwohne, und so auch die Kinder gemeinsam, so daß weder ein Vater sein Kind kenne noch auch ein Kind seinen Vater«[28]. Allgemein wird die Auswahl der Frauen unter dem Gesichtspunkt getroffen werden, daß »die trefflichsten Männer den trefflichsten Frauen so oft als möglich, die minderwertigsten Männer den minderwertigsten Frauen so selten als möglich beiwohnen; und die Kinder jener sollten aufgezogen werden, die dieser nicht, wenn die Herde auf der Höhe bleiben soll«. »Die Menge aber der Hochzeiten wollen wir den Regenten freistellen, damit diese, indem sie Kriege und Krankheiten und alles dergleichen mit in Anschlag bringen, uns möglichst dieselbe Anzahl von Männern erhalten . . .[29]«
Die breite Masse der Erwerbstätigen wird Privateigentum und private Familie beibehalten, dafür aber von jedem politischen Einfluß ausgeschlossen sein.
Vermerken wir am Schluß, daß in den »Gesetzen«, dem Alterswerk des greisen Platon, manche Einseitigkeiten seiner früheren Staatslehre gemildert erscheinen und seine ganze Auffassung eine größere Lebensnähe erreicht. Er empfiehlt hier zum Beispiel eine Verfassung, die aus den verschiedenen Systemen gemischt ist.

8. KRITIK UND WÜRDIGUNG

a) Zur Kritik der platonischen Staatslehre

Ein Argument wird der Staatslehre Platons entgegengeschleudert: Utopie. Man sagt, sie möge manches Richtige enthalten, sei aber schlechthin undurchführbar. Schon Platons Schüler Aristoteles sagte über sie mit merklichem Spott: »Diese und viele andere Dinge wurden im Laufe der Jahre wiederholt neu ersonnen[30].«
Vor allem wird folgendes geltend gemacht: Platon unterschätze den Besitztrieb des Mannes sowohl im Hinblick auf materiellen Besitz wie auf die Frau, wenn er glaube, daß ein Stand sich mit konsequentem Kommunismus sowohl auf geschlechtlichem wie auf dem Gebiete des Eigentums abfinden werde. Ferner würde, wenn man den Müttern ihre Kinder nehme, der mütterliche Instinkt und damit vieles von natürlicher Eigenart und Würde der Frau verkümmern. Die Zerstörung der Familie als geschichtlicher Wurzel und steter Grundlage des Staates und der Gesittung müßte gesellschaftlichen Zerfall notwendig nach sich ziehen[31].
Solchen — sicher nicht leicht zu nehmenden — Einwänden

wird von Verteidigern Platons entgegengehalten, daß er diese
Forderungen nur für eine auserlesene Minderheit stellt und
sehr wohl weiß, daß die Mehrzahl der Menschen auf Eigentum, Geld, Luxus, privates Familienleben nie verzichten
wird; ferner, daß Platon selbst in der Abgeklärtheit des
Alters die meisten seiner etwas überspannten Forderungen
selbst wieder fallengelassen hat; weiter, daß in der Geschichte
Teile der platonischen Lehren wiederholt in die Wirklichkeit
umgesetzt worden sind. Man braucht nur darauf hinzuweisen,
daß vieles bei Platon an die modernen totalitären Staaten erinnert, zum Beispiel die eugenischen (auf Reinhaltung und
Verbesserung der Rasse gerichteten) Maßnahmen an den
Nationalsozialismus, der wirtschaftliche Kommunismus an die
Sowjetunion; anderes, wie die Herrschaft einer durch Auslese
aus allen Schichten gewonnenen geistigen Führungsschicht, an
die katholische Kirche und an den Jesuitenstaat in Paraguay.
Endlich war sich wohl auch Platon darüber klar, ein schwer
erreichbares Ideal entworfen zu haben, das ihm aber als solches notwendig und wertvoll schien: »So steht im Himmel
das Muster einer solchen Stadt, und wer will, kann es sehen
und sich sehend nach ihm richten, und gleichgültig, ob es
in Wirklichkeit eine solche Stadt gibt oder jemals geben
wird, ... wird er die Sache dieser und keiner anderen Stadt
vertreten wollen[32].«
Ein zweiter schwerwiegender Einwand besagt, daß Platon den
untrennbaren Zusammenhang der politischen und der wirtschaftlichen Macht nicht berücksichtigt habe. Die Regierenden
würden in Platons Staat eine politische Machtstellung ohne
wirtschaftliches Fundament in Händen haben, wirtschaftlich
aber vielmehr von den anderen Ständen abhängig sein. Die
Geschichte beweise jedoch, daß die gesellschaftliche Macht auf
die Dauer immer den Verschiebungen in den ökonomischen
Verhältnissen folgt. Der dritte Einwand ist der, daß Platon
aus der in seinen Lebenserfahrungen begründeten Angst vor
Mißbrauch demokratischer Rechte und geistiger Freiheiten
wohl nach der anderen Seite zu weit gegangen sei; verlangt
er doch (meist mit dem Vorbild der spartanischen Verfassung
vor Augen) zum Beispiel die rücksichtslose Verfolgung religiöser »Ketzerei«, will Dichtung, Musik und bildende Kunst
einer strengen Zensur unterwerfen und nur so weit gelten
und bestehen lassen, als sie als Bildungsmittel den Wert der
Tugend und die Verwerflichkeit des Lasters einschärfen. Das
führt bei ihm dazu, daß er die schönsten Schöpfungen aus
der Vergangenheit seines eigenen Volkes, zum Beispiel die
Dichtungen Homers, als diesen Anforderungen nicht genü-
gend ausscheiden will. — Nach den Erfahrungen der Gegenwart wird man auch die außerordentliche, ja unerträgliche

Gefahr wohl bedenken müssen, die darin liegt, dem Staat uneingeschränkte Machtvollkommenheit zu eugenischen Maßnahmen — Vernichtung des Erbkranken und Lebensuntüchtigen usw. — einzuräumen.

b) Platons Stellung in der griechischen Geistesgeschichte

Platons Werk in seinem — hier nicht annähernd erschöpften — ganzen Umfang ist der Gipfel der griechischen Philosophie. Alles Vorangegangene fließt in ihm wie in einem Brennpunkt zusammen. Außer auf sokratische und gewisse Elemente der sophistischen hat Platon auch auf die ältere Naturphilosophie zurückgegriffen. Dabei hat er nach anfänglicher Hinneigung zum starren Sein der eleatischen Schule später die Berechtigung des Werdens und der Vielheit mit aufgenommen, womit er in der Stellung zur Frage »Sein und Werden« Heraklit nahegerückt ist[33].

Vor allem aber vereinigt sich in Platon erstmalig die Tradition der bisherigen griechischen Vernunftphilosophie mit dem in Orphik und Pythagoreismus schon zutage getretenen Glauben an Seelenwanderung, Läuterung und Erlösung. Platon gehört zu den seltenen Menschen, die mit dem Ewigkeitsgedanken vollen Ernst machen. Es zieht sich durch seine ethischen Betrachtungen die Grundanschauung »Was hülfe es dem Menschen, wenn er die ganze Welt gewönne und nähme doch Schaden an seiner Seele[34]«. Damit muß aber, wie wir schon bei den indischen Upanischaden gesehen haben, eine Abwertung des Sinnlichen notwendig Hand in Hand gehen. Diese aus dem Orient kommende Auffassung vom Menschen ist als ein »fremder Tropfen im griechischen Blut« bezeichnet worden.

In der Tat bedeutet das Werk Platons, das einerseits die bisherige griechische Philosophie zusammenfaßt, zugleich einen Schritt über diese hinaus, ja einen Bruch mit der bisherigen Überlieferung des griechischen Volkes. Dem entspricht es, daß Platon mit einigen Grundelementen der hellenischen Kultur in Konflikt geraten mußte: Wie er die großen athenischen Staatsmänner nicht als wahre Erzieher des Volkes zur Sittlichkeit anerkennt, so verwirft er auch die große künstlerische und literarische Vergangenheit der Griechen und ihre Erzeugnisse, und dies, obwohl es ihn als feinempfindenden Künstler und Liebhaber alles Schönen viel Selbstüberwindung gekostet haben muß, diese Werte eines unbedingten sittlichen Entweder-Oder fallenzulassen[35].

c) Platon und die Nachwelt

Die Nachwirkung der platonischen Philosophie ist unabsehbar. Sie erlebte eine erste Auferstehung im Neuplatonismus, der mehrere Jahrhunderte lang das herrschende System der Spätantike war. Sie wurde der stärkste Bundesgenosse der aufsteigenden christlichen Theologie und Philosophie im Mittelalter. Sie erlebte eine regelrechte »Renaissance« zu Beginn der Neuzeit. In der Gegenwart hat sich das philosophische Interesse erneut ihr zugewandt.

Die Größe Platons liegt ebensosehr in seinem psychologischen Tiefblick — er hat manche Erkenntnisse der modernen Tiefenpsychologie vorweggenommen — und der alles umgreifenden Universalität seines Geistes, wie in seinem festgegründeten, von tiefem Ernst durchdrungenen menschlichen Charakter.

»Platon ist und bleibt für alle Zeiten der Begründer der idealistischen Philosophie, der Vorkämpfer der Herrschaft des Geistigen im Leben, der Verkünder unbedingter sittlicher Normen für das menschliche Handeln und durch das alles einer der größten Erzieher der Menschheit[36].«

Der Nachwelt erschien Platon schon bald nach seinem Hinscheiden als die verklärte Gestalt eines Weisen, der in harmonischem Gleichgewicht der Kräfte nach sittlicher Schönheit strebt. So preist ihn Aristoteles als denjenigen, der

> »Wo nicht allein, so zuerst von den Sterblichen deutlich gezeigt hat,
> Durch sein Leben sowohl als durch sein lehrendes Wort,
> Daß rechtschaffen und glücklich *zugleich* der Mensch nur kann werden.
> Nun, da im Tod er verstummt, kündet es keiner uns mehr[37].«

Goethe schrieb über Platon: »Plato verhält sich zur Welt wie ein seliger Geist, dem es beliebt, einige Zeit auf ihr zu herbergen ... Er dringt in die Tiefen, mehr, um sie mit seinem Wesen auszufüllen, als um sie zu erforschen. Er bewegt sich nach der Höhe, mit Sehnsucht, seines Ursprunges wieder teilhaftig zu werden. Alles, was er äußert, bezieht sich auf ein ewig Ganzes, Gutes, Wahres, Schönes, dessen Förderung er in jedem Busen aufzuregen strebt[38].«

Freilich ist das etwas idealisiert und Platon allzusehr als ein über den Dingen schwebender »Olympier« gesehen. Sein Bild zeigt uns doch eher »ein tiefernstes Antlitz, in dem ein kämpferisches Leben seine Spuren hinterlassen hat[39]«.

IV. Aristoteles

1. DAS LEBEN DES ARISTOTELES

Platons größter Schüler und Gegenspieler entstammte einer Familie von Ärzten. Er wurde 384 v. Chr. in Stageira in Thrakien, im Norden des heutigen Griechenland, geboren. In jungen Jahren kam er nach Athen und war 20 Jahre lang Schüler der platonischen Akademie. Zwischen dem damals schon in den Sechzigern stehenden Platon und seinem mehr als 40 Jahre jüngeren genialen Schüler scheinen sich, wie beim Aufeinanderprallen zweier Genies zu erwarten, gewisse Gegensätze schon damals gezeigt zu haben[40].

Nach Platons Tode lebte Aristoteles eine Zeitlang in Kleinasien am Hofe eines früheren Mitschülers, der es dort inzwischen zum Diktator gebracht hatte, und heiratete dessen Adoptivtochter. Philipp, König von Mazedonien, der Griechenland mit Gewalt einigte, berief ihn dann an seinen Hof, um die Erziehung seines Sohnes Alexander zu übernehmen, der nachmals der Große genannt wurde.

Nach dem Regierungsantritt Alexanders kehrte Aristoteles nach Athen zurück und eröffnete hier eine eigene Schule, Lykeion (Lyzeum) genannt. In Athen entfaltete er eine ausgedehnte Forschungs- und Lehrtätigkeit. Wahrscheinlich standen ihm dafür außer seinem eigenen Vermögen reiche Mittel zu Gebote, die er von Alexander erhielt. Aristoteles legte sich eine große Privatbibliothek an, dazu eine naturwissenschaftliche Sammlung mit Pflanzen und Tieren aus der ganzen damals bekannten Welt. Alexander soll seine Gärtner, Jäger und Fischer angewiesen haben, Exemplare aller vorkommenden Pflanzen- und Tierarten an Aristoteles zu senden. Zu Vergleichszwecken ließ Aristoteles auch alle bekannten Staatsverfassungen sammeln, insgesamt 158.

Gegen Ende der zwölf Jahre, die Aristoteles seiner Schule vorstand, geriet er in politische Bedrängnis dadurch, daß auf der einen Seite sich sein Verhältnis zu Alexander trübte, er aber andererseits in Athen als Freund Alexanders und der mazedonischen Politik, die Athen seiner Freiheit beraubt hatte, heftig angefeindet wurde. Nach dem plötzlichen Tode Alexanders entlud sich der Haß gegen die »mazedonische Partei« in Athen in plötzlichem Ausbruch. Aristoteles wurde, wie Sokrates, der Gottlosigkeit angeklagt, entzog sich aber dem drohenden Todesurteil durch die Flucht, um, wie er sagte, den Athenern nicht zum zweiten Male Gelegenheit zu geben, sich gegen die Philosophie zu versündigen. Im darauffolgenden Jahre, 322 v. Chr., starb er vereinsamt im Exil. Es ist nichts Neues, daß ein Staat seine besten Köpfe in die Verbannung treibt.

2. DAS LEBENSWERK DES ARISTOTELES

Den Gelehrten des Altertums waren mehrere hundert
Schriften des Aristoteles bekannt. Während seiner Lehrtätigkeit hielt Aristoteles Vorlesungen vor einem kleineren Kreis
Fortgeschrittener, daneben volkstümlichere Vorträge vor einem
größeren Kreis. Auch seine Schriften waren zum einen Teil
solche, die nach der Art der Darstellung für weitere Kreise
bestimmt waren, zum anderen rein fachwissenschaftliche, für
den Gebrauch in der Schule berechnete. Die ersteren, die im
Altertum den platonischen Dialogen an die Seite gestellt
wurden, sind ganz verloren. Von den Fachschriften ist ein
Teil erhalten, der aber immer noch so umfangreich und viel-
seitig ist, daß er eine Vorstellung von der Weite und Größe
des ganzen Werkes vermittelt. Diese Schriften sind großenteils nur notdürftig geordnet, schwierig zu lesen und daher
auch für längere wörtliche Anführungen nicht so geeignet
wie die Platons.
Eine Ordnung des Erhaltenen nach der Entstehungszeit ist
nicht möglich. Die Werke werden deshalb, nachdem durch
eine schwierige Forschungsarbeit das Echte vom Unechten gesondert ist, nach ihrem Inhalt in folgende Gruppen gegliedert[41]:
I. Schriften zur *Logik*: Kategorienlehre, die beiden Analytiken
(Lehre von den Schlüssen und von der Beweisführung), Topik
(enthält die »Dialektik« des Aristoteles). — Diese logischen
Schriften wurden schon im Altertum unter dem Namen
»Organon«, das heißt »Werkzeug« (zum richtigen, philoso-
phischen Denken nämlich) zusammengefaßt.
II. Schriften zur *Naturwissenschaft*: Physik (8 Bücher), Vom
Himmel, Vom Entstehen und Vergehen, Wetterkunde (Me-
teorologie). Über die Lebewesen handeln: mehrere Schriften
über die Seele, Tierbeschreibung, Von den Teilen der Tiere,
Vom Gang der Tiere, Von der Entstehung der Tiere.
III. Schriften zur *Metaphysik*. Unter diesem Namen ordnete
ein antiker Herausgeber der Werke des Aristoteles die
Schriften ein, in denen von den allgemeinen Ursachen der
Dinge gehandelt wird. Sie standen in seiner Sammlung hinter
den Naturwissenschaften, hinter der Physik, griechisch: meta
ta physika. Diese rein äußerliche Kennzeichnung wurde im
Laufe der philosophischen Entwicklung der Spätantike um-
gedeutet in »das über die Natur (Physik) Hinausgehende«,
»das jenseits der Natur liegende«. Seither versteht man unter
Metaphysik die philosophische Disziplin, die nicht die einzelnen Dinge, sondern die Dinge in Hinsicht auf ihr Dingsein,
»das Seiende als Seiendes« zu erkennen sucht.
IV. Schriften zur *Ethik*, die 10 Bücher der sogenannten Niko-

machischen Ethik, benannt nach Aristoteles' Sohn Nikomachos, der sie nach seines Vaters Tod herausgegeben hat.

V. Schriften zur *Politik*. 8 Bücher.

VI. Schriften zur *Literatur und Rhetorik*. 3 Bücher über die Redekunst, eines über die Dichtkunst. —

Zwischen dem nüchternen, auf Sammlung und Katalogisierung alles Bestehenden und auf streng logische Beweisführung ausgehenden Geiste des Aristoteles und der dichterisch beflügelten, auf das Schöne und Ideale gerichteten Phantasie Platons besteht ein tiefgreifender Unterschied. Der gleiche Unterschied tritt beim Vergleich der Lebenswerke beider in Erscheinung. Aristoteles ist in erster Linie Wissenschaftler. Er ist es freilich in einem umfassenden Sinne: sein Forscherdrang erstreckt sich auf alle Gebiete wissenschaftlichen Erkennens, und über der Sammlung und Beschreibung von Tatsachen erblickt auch er in der philosophischen Erkenntnis, die alles Bestehende unter einheitliche Prinzipien ordnet, die Krone des Wissens. Sein Werk ist eine geistige Welteroberung, in ihrer Art nicht weniger großartig und für die Geschichte der Menschheit folgenreicher als die Siege seines welterobernden Schülers Alexander.

3. DIE LOGIK

Aristoteles hat die Logik als eigene Wissenschaft geschaffen. Logik ist abgeleitet von Logos. Aristoteles selbst verwendet diese Bezeichnung aber noch nicht, er sagt »Analytik« und anders. Logik ist die Lehre vom richtigen Denken, genauer von den Formen und Methoden (also nicht dem Inhalt) des richtigen Denkens. Sie kann nicht zeigen, *was* man denken muß, sondern nur, *wie* man, von irgendeinem Gegebenen ausgehend, denkend fortschreiten muß, um zu richtigen Ergebnissen zu gelangen. Das unterscheidet die Logik als *formale* von den *Real*wissenschaften. Von der Psychologie, die sich ja auch mit dem menschlichen Denken befaßt, unterscheidet sie sich dadurch, daß sie nicht wie diese lehrt, wie sich der Verlauf unserer Gedanken wirklich abspielt, sondern wie er sich vollziehen *soll,* damit er zu wissenschaftlicher Erkenntnis führe[42]. Es ist klar, daß die Logik zu den abstraktesten und damit schwierigen Teilgebieten der Philosophie gehört. Ihre wichtigsten Elemente sind (in Abwandlung der Reihenfolge, in der Aristoteles sie bringt):

a) Begriff

Unser verstandesmäßiges Denken vollzieht sich in Begriffen. Richtig kann das Denken nur sein, wenn es mit richtigen Begriffen arbeitet. Wie gewinnen wir klare, für das wissenschaftliche Denken brauchbare Begriffe? Durch Definition.

Zu jeder Definition gehören zwei Teile. Sie muß einerseits den zu definierenden Gegenstand in eine Klasse einordnen, deren allgemeine Kennzeichen mit den Kennzeichen des zu definierenden Gegenstandes *übereinstimmen:* Was ist der Mensch? Der Mensch ist ein *Lebewesen.* Sie muß andererseits angeben, worin sich der Gegenstand von den anderen Gegenständen der gleichen Klasse *unterscheidet:* Der Mensch ist ein *vernunftbegabtes* Lebewesen (oder sprechendes, oder Werkzeuge brauchendes, oder worin immer man den kennzeichnenden Unterschied sehen will). Die Definition enthält also ein trennendes, unterscheidendes und ein verbindendes, gemeinsames Merkmal (bzw. mehrere).

Es gibt Begriffe von höherer und geringerer Allgemeinheit. Lebewesen zum Beispiel ist ein allgemeinerer Begriff als Mensch oder Hund, da es neben diesen noch andere Lebewesen gibt. Man kann, indem man von einem Begriff höherer Allgemeinheit (Gattungsbegriff) ausgeht, durch Hinzunahme immer weiterer »spezifischer Unterschiede« zu engeren Begriffen (Artbegriffen) herabsteigen und von diesen weiter zu Begriffen, die so eng sind, daß sie sich nicht mehr in weitere Unterarten aufspalten lassen, sondern nur noch Einzelwesen unter sich begreifen: Lebewesen — Säugetier — Hund — Dackel — Rassedackel — Langhaardackel — brauner Langhaardackel — »dieser« braune Langhaardackel. Die Begriffslehre des Aristoteles legt größten Wert darauf, daß das Absteigen vom Allgemeinen zum Besonderen und das umgekehrte Aufsteigen sich in der richtigen, stufenweisen, kein Zwischenglied auslassenden Reihenfolge vollziehe.

b) Kategorie

Dieser Ausdruck ist von Aristoteles eingeführt. Aristoteles greift zunächst wahllos Begriffe heraus und prüft, ob diese sich noch von übergeordneten Gattungsbegriffen ableiten lassen oder nicht. Auf diese Weise kommt er zu zehn Kategorien, von denen er annimmt, daß sie keinen gemeinsamen Oberbegriff mehr haben, also ursprüngliche oder Grundbegriffe aller anderen sind. Diese Kategorien bezeichnen gleichsam die verschiedenen möglichen Gesichtspunkte, unter denen sich ein Ding überhaupt betrachten läßt.

Die zehn Kategorien des Aristoteles sind: Substanz, Quantität (Menge), Qualität (Beschaffenheit), Relation (Beziehung), Wo, Wann, Lage, Haben, Wirken, Leiden.

In späteren Aufzählungen hat Aristoteles noch einige Kategorien weggelassen. Auch sind ihm nicht alle gleichwertig. Die ersten vier sind die wichtigsten, unter diesen aber die Substanz. Es ist klar, daß sich hierüber streiten läßt. Das ist auch genugsam geschehen und wird uns noch beschäftigen.

c) Urteil

Begriffe verknüpfen wir zu Sätzen oder Urteilen (im logischen, nicht etwa im juristischen Sinne). In jedem Urteil werden (mindestens) zwei Begriffe miteinander verbunden. Subjekt heißt der Begriff, über den etwas ausgesagt wird. Prädikat heißt die Aussage, die über das Subjekt gemacht wird. (Wir bemerken, wie sehr dies alles an den Aufbau der — griechischen! — Sprache angelehnt ist.)

Aristoteles versucht die Urteile in verschiedene Klassen einzuteilen. Er unterscheidet das bejahende Urteil: Diese Nelke ist rot, vom verneinenden: Diese Nelke ist nicht rot. Er unterscheidet das allgemeine Urteil: Alle Nelken welken — vom besonderen: Einige Nelken duften nicht — und vom Einzelurteil: Diese Nelke ist gelb. Er unterscheidet schließlich Urteile, die ein Sein aussagen: Diese Nelke blüht — von solchen, die ein Notwendigsein aussagen: Diese Nelke muß heute aufblühen — und solchen, die ein bloßes Möglichsein aussagen: Diese Nelke kann heute noch aufblühen.

d) Schluß

Urteile verbinden wir zu Schlüssen. Die Lehre vom Schluß ist das Kernstück der aristotelischen Logik. Das Fortschreiten des Denkens geht nach Aristoteles immer in Schlüssen vor sich. Ein Schluß ist »eine Rede, in der aus gewissen Voraussetzungen etwas Neues hervorgeht[43]«. Er ist die Ableitung eines (neuen) Urteils aus anderen Urteilen. Er besteht also immer aus den Voraussetzungen (Prämissen) und der aus diesen gezogenen Schlußfolgerung (Konklusion).

Im Mittelpunkt der Schlußlehre steht der sogenannte Syllogismus. Er besteht aus drei Teilen: einem (allgemeinen) Obersatz: Alle Menschen sind sterblich; einem (speziellen) Untersatz: Sokrates ist ein Mensch. Dies sind die Prämissen. Folgerung: *Also* ist (auch) Sokrates sterblich. Aristoteles hat mehrere Grundfiguren solcher Schlüsse zusammengestellt. Einer kritischen Regung, die sich hier vielleicht beim aufmerksamen Leser bemerkbar machen mag, wollen wir insoweit nachgeben, als wir auf folgendes hinweisen. Eine Schwäche dieser syllogistischen Figur liegt darin, daß dasjenige, was in der Schlußfolgerung erst herauskommen soll (Sokrates ist sterblich), eigentlich schon in dem Obersatz der Prämisse vorausgesetzt ist. Denn wäre Sokrates nicht sterblich, so würde eben der Obersatz: Alle Menschen sind sterblich — in der behaupteten Allgemeinheit nicht richtig sein.

e) Beweis

Schlüsse endlich verknüpfen wir zu Beweisen. Beweis ist die (logisch) zwingende Herleitung eines Satzes aus anderen

Sätzen vermittels fortlaufender Schlüsse. Dasjenige, aus dem
eine Behauptung bewiesen werden soll, muß natürlich seiner-
seits gesichert sein. Man muß es also wiederum aus übergeordneten Sätzen beweisen können. Setzt man das fort, so
wird man zwangsläufig auf eine Grenze stoßen, auf Sätze
allgemeinsten Charakters, die ihrerseits nicht mehr weiter bewiesen werden können. In unserer Vernunft haben wir nun
nach Aristoteles ein Vermögen zur unmittelbaren und irr-
tumsfreien Erfassung solcher allgemeiner Sätze. Deren oberster ist der *Satz vom Widerspruch*: »Etwas, das ist, kann
nicht gleichzeitig und in derselben Hinsicht nicht sein.« Von
den vier Grundsätzen des Denkens ist damit bei Aristoteles
der erste formuliert (seine Fassung lautet: »Dasselbe kann
demselben in derselben Hinsicht nicht zugleich zukommen
und nicht zukommen«). Die übrigen drei Prinzipien, die in
der Entwicklung der Philosophie erst später formuliert wurden, sind der Satz der Identität (a = a), der Satz vom ausgeschlossenen Dritten (»Zwischen Sein und Nichtsein desselben Sachverhalts gibt es kein Drittes«) und der Satz vom
zureichenden Grunde.

f) Induktion

Aristoteles war sich als Naturforscher darüber klar, daß die
Ableitung des Besonderen aus dem Allgemeinen mittels solcher Beweise *allein* uns niemals zureichende Erkenntnis verschaffen kann. In der Praxis müssen wir in der Regel gerade
den umgekehrten Weg gehen, nämlich von den Einzelbeobach-
tungen ausgehen und, indem wir diese vergleichen und zusammennehmen, allmählich zu allgemeinen Schlußfolgerungen
kommen. Dieser Weg, die Induktion, wird deshalb von Aristoteles ebenfalls erörtert.
Induktion ist das Verfahren, einen Satz, anstatt ihn aus
einem allgemeineren theoretisch herzuleiten (sog. Deduktion),
dadurch zu erhärten, daß man seine tatsächliche Geltung an
möglichst vielen unter ihn gehörenden Einzelfällen aufzeigt.
Zum Beispiel kann der Satz »Metalle sind schwerer als
Wasser« dadurch erhärtet werden, daß man nacheinander
aufzeigt: Gold ist schwerer als Wasser, Silber ist schwerer
als Wasser, Eisen ist schwerer als Wasser, und so fort. Eine
unbedingte Gewißheit wird er freilich auf diese Weise niemals erlangen. Denn selbst wenn man alle bekannten Metalle
durchprobiert, so könnte doch immer noch ein Metall entdeckt werden, das sich anders verhält. Und tatsächlich konnte
unser Beispielsatz nur so lange als richtig anerkannt werden,
bis man im Kalium ein Metall entdeckt hatte, das leichter
als Wasser ist[44]. Kann man mit der Induktion auch über
eine größere oder mindere Wahrscheinlichkeit nicht hinaus-

kommen, so bleibt sie doch eine unentbehrliche Methode der Wissenschaft.

Auch Aristoteles war es klar, daß es unmöglich ist, alle denkbaren Einzelfälle je durch Beobachtung zu erfassen und damit einen Satz auf induktivem Wege schlüssig zu beweisen. Er sucht deshalb nach einem Wege, der Induktion einen höheren Grad von Gewißheit zu geben, und findet ihn darin, daß er bei einem bestimmten Satz jeweils untersucht, wieviel Gelehrte vor ihm diesen schon für richtig gehalten haben und welche Autorität ihnen zukommt. Dieses Verfahren hat freilich enge Grenzen; denn alle Gelehrten können übereinstimmen und doch irren. Aristoteles hat diese Grenze wiederholt überschritten.

Es versteht sich, daß die Induktion als Methode der Naturforschung nur für denjenigen Wert besitzt, der der Erfahrung, also der tatsächlichen Wahrnehmung durch die Sinne vertraut. Aristoteles, wie es von einem derart auf liebevolle Vertiefung in die Einzelheiten des Bestehenden ausgehenden Forscher zu erwarten ist, nimmt denn auch — im Gegensatz zu Platon — die Fähigkeit der Sinne, richtige Erkenntnis zu vermitteln, ausdrücklich in Schutz[45]. Er sagt sogar, daß die Sinne als solche uns niemals täuschen, daß aller Irrtum nur aus der falschen Unterordnung und Verknüpfung der durch die Sinne gelieferten Daten im Denken entspringe; woraus sich auch das Gewicht erklärt, das er auf richtige Denkschulung, eben die Logik, legen muß.

4. DIE METAPHYSIK

a) Das Einzelne und das Allgemeine

Was ist eigentlich wirklich: das Einzelne oder das Allgemeine? Platon hatte gesagt: Wirklichkeit kommt nur den allgemeinen Ideen zu, die Einzeldinge sind nur von diesen abgeleitete und unvollkommene Nachbildungen. Aristoteles folgt ihm darin nicht. Das Allgemeine ist ihm nicht ein ideelles, gleichsam jenseitiges Urbild. Wenn wir Allgemeines aussagen, so können wir das im Grunde immer nur von den in Zeit und Raum existierenden Einzeldingen: auf sie beziehen sich alle unsere Urteile. Allerdings — Aristoteles geht nicht so weit wie die Denker, die wir später im Mittelalter als »Nominalisten« die Position des Platon bekämpfen sehen. Sie sehen im allgemeinen Begriff etwas, das ausschließlich in unseren Köpfen existiert, das von einer Anzahl von Einzeldingen auf Grund bestimmter Ähnlichkeiten abgezogen, abstrahiert ist. Demgegenüber bleibt Aristoteles mit seinem Meister darin einig, daß wir im Allgemeinen etwas vom *Wesen* des Seienden erfassen: Wenn wir aus der Wahrnehmung vieler ähn-

licher und niemals gleicher Einzelwesen den Begriff Mensch
bilden, so haben wir damit nicht bloß ein Hilfsmittel, das uns
in den Stand setzt, uns in der verwirrenden Vielfalt der Einzeldinge zurechtzufinden — wir erfassen vielmehr das Gemeinsame, das Wesen, das in den Einzelwesen und -dingen verkörpert ist. Platon und Aristoteles gemeinsam ist die Überzeugung, daß eine Kongruenz zwischen dem Seienden und
unserer Erkenntnis gegeben ist, daß wir in unserem Erkennen und Sprechen die Struktur des Seienden erfassen, abbilden können: daß gleichsam Logik und Ontologie sich
decken oder jedenfalls einander zugeordnet sind.

Bei der Betrachtung der Philosophie im christlichen Mittelalter werden wir sehen, wie das hier liegende Problem wieder
aufbricht und viel radikaler ausgetragen wird.

b) Stoff und Form

Nun sieht aber Aristoteles, genau wie Platon es sah, daß die
zahllosen »Bäume« vergehen, während »Baum« als Allgemeines vom Wechsel der Einzelerscheinungen unberührt fort-
besteht. Wollen wir sicheres Wissen haben, so kann sich
dieses nicht auf die — zufälligen und veränderlichen — Einzelerscheinungen beziehen, sondern nur auf das Notwendige
und Unveränderliche. Dieses Unveränderliche findet Aristoteles in den Formen (wofür er aber auch zum Teil wieder den
von Platon verwendeten Begriff »eidos« = Idee gebraucht).

Um aber von Form sprechen zu können, muß man etwas
voraussetzen, das geformt wird, dem die Form aufgeprägt
wird. Das gänzlich Ungeformte und Unbestimmte, an dem die
Formen in Erscheinung treten, nennt Aristoteles »Stoff« oder
»Materie«. Die Materie für sich genommen, unter Absehung
von allen Formen, hat nicht Wirklichkeit. Da sie aber die
Fähigkeit hat, unter den gestaltenden Kräften der Formen
wirklich zu werden, hat sie Möglichkeit. Die Formen ihrerseits, indem sie der Materie zur Wirklichkeit verhelfen, sind
nicht nur (wie die Ideen Platons) die ewigen Urbilder der
Dinge, sondern zugleich auch ihr Zweck und die Kraft, die
die ungestaltete Materie zur Wirklichkeit bringt.

Doch ist Materie für Aristoteles wiederum auch nichts rein
Passives, das erst unter der Wirkung der Formen Wirklichkeit
erhält. Denn Aristoteles lehrt, daß die Materie den formenden
Kräften Widerstand leistet. Daraus erklärt es sich, daß alles
Entstehende unvollkommen ist und daß die Entwicklung der
Natur nur allmählich von niederen zu höheren Formen fort-
schreitet. Damit wird die Materie mehr oder weniger zu
einem zweiten wirkenden Prinzip der aristotelischen Metaphysik.

Die widerspruchsvolle Behandlung der Materie birgt eine der

Unklarheiten des ganzen Systems. Wir können uns aber einen schwerer wiegenden Einwand nicht verhehlen, nämlich den, daß Aristoteles, nachdem er zunächst mit Heftigkeit die für sich seienden allgemeinen Ideen Platons aus seinem System verbannt hat, diese nun durch eine Hintertür wieder eintreten läßt, denn seine Formen sehen den platonischen Ideen zum Verwechseln ähnlich.

c) Die vier Gründe des Seienden

Stoff (griechisch hyle) und Form (griechisch morphe) behandelt Aristoteles im Zuge eines Gedankenganges, der für die gesamte abendländische Philosophie grundlegend geblieben ist: der Lehre von den vier Gründen des Seienden. Es sind — mit den seit der scholastischen Philosophie des Mittelalters eingebürgerten lateinischen Bezeichnungen genannt —: 1. die *causa materialis*, der Stoff (etwa das Silber, aus dem eine Opferschale gefertigt ist); 2. die *causa formalis*, die Form, in unserem Beispiel die eigentliche Form der Schale; 3. die *causa efficiens*, die Wirkursache (der Silberschmied, der die Schale geschaffen hat); 4. die *causa finalis*, das Worumwillen oder die Zweckursache (die Bestimmung der Schale für die Opferhandlung). An diese Einteilung knüpft u. a. Schopenhauer in seiner Abhandlung »Über die vierfache Wurzel des Satzes vom zureichenden Grunde« an.

d) Theologie

Wo Form und Stoff sich berühren, entsteht Bewegung. Denn nicht nur wirken die formenden Kräfte auf den Stoff ein, dieser hat sogar seiner Natur nach ein Verlangen nach den Formen als dem Guten und Göttlichen. Da Form und Stoff von Ewigkeit her aufeinander wirken, ist auch die Bewegung ohne Ende. Da aber Bewegung immer ein Bewegendes und ein Bewegtes erfordert, so muß der Anstoß einmal von einem Bewegenden ausgegangen sein, das selbst nicht bewegt ist. Das kann nur die reine Form ohne Stoff sein. Reine Form aber ist das schlechthin Vollkommene. Schlechthin Vollkommenes kann es nur eines geben. So lehrt Aristoteles eine Gottheit, die reines Denken, reiner Geist ist. Gott denkt nur das Höchste und Vollkommenste, und da er das Vollkommene selbst ist, denkt er sich selbst. Ein Kritiker sagt über diesen Gott des Aristoteles: »Er ist unverbesserbar vollkommen, kann deshalb nichts begehren, weshalb er auch nichts tut... Seine einzige Beschäftigung ist, sich selbst zu betrachten. Der arme aristotelische Gott! Er ist ein roi fainéant, ein nichtstuerischer König — ›Der König herrscht, aber er regiert nicht‹ —. Kein Wunder, daß die Briten Aristoteles so lieben, sein Gott ist offenkundig ihrem König nachgebildet[46].«

5. DIE NATUR

a) Physik

Was Aristoteles unter diesem Titel vorträgt, ist teils mehr
Metaphysik als Physik, teils jedenfalls *theoretische* Physik.
Er setzt sich mit den allgemeinsten Grundbegriffen der Physik auseinander: Raum, Zeit, Materie, Ursache, Bewegung. Er
entwirft ein Bild des Weltgebäudes und seiner Teile, das wir
hier übergehen. Einen großen Raum in den naturwissenschaftlichen Schriften nimmt die Aufzählung der Ansichten
seiner Vorgänger und deren Kritik ein. Darin verfährt Aristoteles des öfteren höchst ungerecht. Immerhin verdanken
wir diesen Partien zum wesentlichen Teil unsere Kenntnis
davon, was jene Männer überhaupt gelehrt haben.
Wir heben aus der Physik nur einen Grundgedanken hervor,
der für die spätere Naturerklärung am folgenreichsten ist:
Die Beobachtung der Natur läßt uns überall eine wunderbare *Zweckmäßigkeit* erkennen. Vom Größten bis zum Kleinsten ist alles zweckmäßig geordnet. Da das, was regelmäßig
auftritt, nicht vom Zufall hergeleitet werden kann, ist die
durchgängige Zweckmäßigkeit der Natur so zu erklären, daß
der eigentliche Grund der Dinge in ihren Endursachen, in
ihrer Zweckbestimmung liegt. Man nennt diese Art der
Naturerklärung *teleologisch*.

b) Das Stufenreich des Lebendigen

Ob Aristoteles ein wissenschaftliches Werk über die Pflanzen
geschrieben hat, ist nicht sicher. Sicher ist, daß er sich mit
Botanik befaßt hat. Auf jeden Fall aber ist er der Haupt-
urheber der (systematischen und vergleichenden) Zoologie
(Tierkunde). Das Lebende ist ausgezeichnet durch die Fähigkeit, sich selbst zu bewegen. Da Bewegung, wie in der Meta-
physik dargelegt, nur geschehen kann, wo neben einem Bewegten auch ein Bewegendes ist, so muß, was sich selbst
bewegt, sowohl ein Bewegtes wie ein Bewegendes in sich enthalten. Das Bewegte ist der Leib, das Bewegende die Seele.
Das Verhältnis von Leib und Seele ist dasselbe wie zwischen
Stoff und Form, denn der Leib ist Stoff, und die Seele ist
Form. Die den Leib bewegende und formende Seele nennt
Aristoteles mit einem bis heute vielgebrauchten Wort
Entelechie.
Wie die Form Zweck des Stoffes, ist die Seele der Zweck
des Leibes, und der Leib Werkzeug (griechisch Organon) der
Seele. Von hier stammen die Begriffe Organ, Organismus,
organisch, die Aristoteles zuerst gebildet hat[47].
Die unterste Stufe des Organischen bilden die Pflanzen. Ihre
Lebensfunktionen sind Ernährung und Fortpflanzung. Bei den

Tieren tritt die Fähigkeit zur Sinneswahrnehmung und Orts-
veränderung hinzu, beim Menschen darüber hinaus die Fähigkeit zu denken. Es gibt also drei Arten von Seelen, die er-
nährende oder Pflanzenseele, die empfindende oder Tierseele,
die denkende oder Menschenseele. Die jeweils höhere kann
nicht ohne die niedere bestehen. So alt ist die Lehre von
der »Schichtung« der Persönlichkeit, die in der neuesten
Psychologie wiederkehrt!
Wir übergehen die Einzelergebnisse der zoologischen Forschung des Aristoteles. Es sind zum Teil natürlich falsche und
ungenaue, was aus den unentwickelten Beobachtungsmetho-
den und dem gänzlichen Mangel an Instrumenten in der damaligen Zeit zu begreifen ist. Es sind zum anderen Teil
grundlegend neue und richtige Einsichten, zum Beispiel in der
Embryologie. Zusammengenommen bilden sie das Fundament
aller späteren Arbeiten in dieser Wissenschaft — eine Leistung,
die allein ausgereicht hätte, um einem Forscher dauernden
Nachruhm zu sichern. Im Werk des Aristoteles bilden sie
nur einen kleinen Ausschnitt.

6. ANTHROPOLOGIE, ETHIK UND POLITIK

a) Der Mensch

Mit den Funktionen des Leibes und seinen niederen Seelentätigkeiten steht der Mensch in der Reihe der anderen Lebewesen. Aber auch sie sind schon seiner höheren Bestimmung
angepaßt. Hände, Sprachwerkzeuge, der aufrechte Gang, die
Größe des Gehirns deuten darauf hin. Zu den niederen
Seelentätigkeiten aber tritt nun der Geist (Nous).
Es wurde schon gesagt, daß Aristoteles der sinnlichen Wahrnehmung vertraut. Aber die Einzelsinne unterrichten uns jeweils nur über die Eigenschaften der Dinge, auf die sie sich
speziell beziehen: das Auge über Farben, das Ohr über Töne
usw. Das Zusammenfügen der Daten, die die Einzelsinne
liefern, zu einem einheitlichen Bild der Wirklichkeit ist das
Werk eines besonderen, den Einzelsinnen übergeordneten
»Gemeinsinns«. Dessen Sitz verlegt Aristoteles in das Herz.
Der Geist ist unsterblich und vergeht nicht mit dem Leibe.
Wie aber der reine Geist vor der Geburt und nach dem Tode
existiert und in welcher Weise sich im lebenden Menschen
der Geist mit den unteren Funktionen zur einheitlichen Persönlichkeit verbindet, darüber hat sich Aristoteles nicht ausgesprochen[48].

b) Die Tugend

Aristoteles bezweifelt sowenig wie irgendein anderer Hellene,
daß das höchste Gut des Menschen die Glückseligkeit sei. Für

jedes Lebewesen besteht die Vollkommenheit in der vollkommenen Ausbildung der ihm eigentümlichen Tätigkeit. Da der Mensch in erster Linie Vernunftwesen ist, ist Vollkommenheit für ihn die höchste Ausbildung seines Wesens. Darin besteht die Tugend. Der doppelten Natur des Menschen entsprechend scheidet Aristoteles zwei Arten von Tugend. Die *ethischen* Tugenden bestehen in der Herrschaft der Vernunft über die sinnlichen Triebe. Die *dianoetischen* Tugenden bestehen in der Steigerung und Vervollkommnung der Vernunft selbst. Die letzteren sind also die höheren.

c) Der Staat

Der Mensch ist ein *zoon politikon*, ein geselliges (politisches) Lebewesen. Er bedarf zur Erhaltung und Vervollkommnung des Lebens der Gemeinschaft mit anderen. Wie für Platon ist die sittliche Gemeinschaft der Bürger in einem auf Gesetz und Tugend gegründeten guten Staat auch für Aristoteles die höchste und eigentliche Form der Sittlichkeit. Politik ist nichts anderes als angewandte Ethik. Die Betrachtung der Tugend ist nur die Vorstufe und der theoretische Teil der Ethik, die Staatslehre aber ist ihr angewandter und praktischer Teil.

Auch Aristoteles gibt sowohl eine Kritik der bestehenden und möglichen Staatsverfassungen wie eine Darstellung des idealen Staatswesens. Unter den Verfassungen unterscheidet er in hergebrachter Weise nach der Zahl der Herrschenden die Monarchie als Herrschaft eines einzelnen, die Aristokratie als Herrschaft weniger, die »Politie« als Herrschaft vieler. Diesen stehen als Entartungen dieser Formen gegenüber Tyrannis, Oligarchie, Demokratie. Unter den drei Formen gibt er nicht einer einzigen den unbedingten Vorzug, sondern stellt fest, daß die Verfassung sich nach den konkreten Bedürfnissen des betreffenden Volkes und der betreffenden Zeit richten müsse. Das wird meistens auf eine gesunde Mischung der Formen hinauslaufen, wobei am günstigsten aristokratische und demokratische Elemente so zu mischen sind, daß der *Mittelstand* den Schwerpunkt des Staatswesens bildet. Damit werden Stetigkeit und Vermeidung von Extremen am besten gesichert.

Seine Lehre vom idealen Staat hat Aristoteles nicht vollendet. Mit Platon stimmt er darin überein, daß er sich den Idealstaat nur in den räumlich begrenzten Verhältnissen eines griechischen Stadtstaates vorstellen kann. Etwas anderes zieht er gar nicht in Betracht. Offenbar hatte er in diesem Punkte die Zeichen der Zeit, die auf große Reichsbildungen deuteten, nicht verstanden und hing im Grunde seines Herzens, trotz seines Eintretens für die mazedonischen Könige, an den staatlichen Formen der griechischen Vergangenheit. Die Sklaverei erscheint ihm übrigens so naturgegeben wie allen seinen Landsleuten. Ehe, Familie und Gemeinde bewertet er sehr hoch. Er zeigt, daß Platons Forderung, Ehe und Privateigentum dem Staat zum Opfer zu bringen, nicht nur unausführbar sei, sondern auch fälschlicherweise den Staat als ein einheitliches Wesen, aus Einzelmenschen gebildet, ansehe, während in Wahrheit die staatliche Gemeinschaft ein in Untergemeinschaften *gegliedertes* Ganzes sein müsse.

7. KRITIK UND WÜRDIGUNG

Einiges Kritische wurde schon bei der Darstellung angemerkt. Aristoteles fehlen die hinreißende Beredsamkeit und der kühne Gedankenflug Platons. Aber mit seiner gelassenen Nüchternheit, seiner etwas trockenen Art, alles Bestehende zu registrieren, bildet seine Lehre ein notwendiges und heilsames Gegengewicht gegen die Platons.
Den Wert der Logik hat Aristoteles vielleicht überschätzt. Es kann bezweifelt werden, ob mit den von ihm aufgestellten Denkfiguren viel anzufangen ist. Vielleicht urteilen wir aber auch nur so, weil uns die Grundbegriffe, die er erstmalig schuf, im Laufe einer langen Gewöhnung selbstverständlich geworden sind. Es bleibt bestehen, daß er das Fundament dieser Wissenschaft gelegt hat.
Die naturwissenschaftlichen Schriften enthalten viele Irrtümer, zum Beispiel in der Astronomie. Man muß aber bedenken, daß Aristoteles sich auf den meisten Gebieten in völligem Neuland bewegte und daß die Hilfsmittel der Beobachtung, die ihm zur Verfügung standen, von heute aus gesehen kümmerlich waren. Er mußte »Zeitbeobachtungen ohne Uhr, Temperaturvergleichungen ohne Thermometer, astronomische Beobachtungen ohne Fernrohr, meteorologische ohne Barometer« vornehmen[49]. Daß die experimentelle Naturforschung der Griechen sich verglichen mit der Höhe der spekulativen Philosophie in einem unverkennbaren Rückstand befand, hängt zusammen mit der Eigenart der antiken Gesellschaftsordnung, in der die verachtete körperliche Arbeit ganz den Sklaven überlassen blieb und Gebildete kaum in unmittelbare Berührung mit den technischen Herstellungsprozessen kamen. Die ungünstigen gesellschaftlichen Vorbedingungen lassen die Leistung des Aristoteles schließlich nur in um so hellerem Lichte erstrahlen. Er hat eine kaum übersehbare Fülle von Tatsachen erstmalig gesammelt und in eine vorläufige Ordnung gebracht. Jahrhunderte haben von ihm ihr Wissen bezogen, so sehr, daß sie darüber fast die unmittelbare Beobachtung der Natur vergaßen. Die ganze mittelalterliche

Philosophie zehrt von ihm. Seine in nachchristlicher Zeit ins Syrische, Arabische, Hebräische und schließlich Lateinische übersetzten Schriften wurden als unfehlbar angesehen. Kritische Einwände können die Größe seines Werkes nicht beeinträchtigen.

In der deutschen Philosophie ist eine Neigung erkennbar, Platon gegenüber Aristoteles den Vorzug zu geben. In der angelsächsischen Welt ist die Vorliebe für Aristoteles größer. Jahrhundertelang wurden an den führenden englischen Universitäten des Aristoteles Ethik und Politik über alles gestellt. Es ist schwer zu sagen, wieweit die nüchterne, skeptische, realistische Art des Aristoteles dem englischen Charakter besonders entgegenkam, und wieweit umgekehrt die Eigenart des englischen Geistes auch durch Aristoteles mit geformt sein mag. Wir ermessen die Hochschätzung, die Aristoteles im Mittelalter entgegengebracht wurde, an der Stelle in Dantes Göttlicher Komödie[50].

>Dann, höher blickend, sah im hellen Schein
Ich auch den *Meister* derer, welche wissen,
Der von den Seinen schien umringt zu sein,
Sie all ihn hochzuehren sehr beflissen,
Den Platon ihm zunächst, den Sokrates . . . .«

V. Sokratische, Platonische und Aristotelische Schulen

Wenn die Könige bauen, haben die Kärrner zu tun. An jeden der drei großen Griechen haben sich mannigfache Schulbildungen angeschlossen. Für eine genauere Erforschung der antiken Geistesgeschichte ist ihre Kenntnis notwendig. Für uns genügt es, sie der Vollständigkeit halber aufzuzählen.

1. SOKRATIKER

Neben der Platons, der alle Schüler des Sokrates überragt, werden drei Schulen unterschieden:

a) die *megarische* Schule, begründet von Eukleides aus Megara (nicht zu verwechseln mit dem gleichnamigen Mathematiker). Sie vereinigt eleatische Gedanken (Parmenides) mit sokratischen.

b) die *kyrenaische* Schule, begründet von Aristippos aus Kyrena in Nordafrika. Bei ihm tritt an Stelle von Tugend und Vollkommenheit als Lebensziel die Lust, und zwar der Genuß des Augenblicks, und die Einsicht wird zum Mittel der Lebenskunst, dem Leben soviel Genuß als möglich abzugewinnen.

c) die *kynische* Schule, begründet von Antisthenes. Ihr Schlüsselwort ist *Bedürfnislosigkeit*. Die Kyniker übten keinen Beruf aus, waren daher arm, wogegen sie aber ebenso gleichgültig waren wie gegen alle übrigen landläufigen Werte, zum Beispiel auch gegen die Vaterlandsliebe. Sie waren daher Weltbürger, Kosmopoliten. Sie verschmähten Kunst, Wissenschaft und begriffliche Spekulation. Alles an der kynischen Lehre ist einfach. Wie später Schopenhauer sagten sie, daß es beim Menschen nicht darauf ankomme, was er *hat* — daher achteten sie Reichtum, Freiheit, Amt und Würden, den Staat und alle anderen äußeren Güter für gering — sondern darauf, was er *ist*, was ihm geistig zu eigen ist.

Der berühmteste Kyniker war *Diogenes* von Sinope, Schüler des Antisthenes und Zeitgenosse Alexanders des Großen. Von ihm berichtet unter anderem die Anekdote, daß er, als ihm der Weltbeherrscher Alexander die Erfüllung eines beliebigen Wunsches in Aussicht gestellt hatte, antwortete: »So geh mir ein wenig aus der Sonne!« Worauf Alexander gesagt haben soll: »Wenn ich nicht Alexander wäre, so möchte ich Diogenes sein.« Diogenes lebte in einer Tonne oder Hundehütte und besaß als einziges Eigentum eine Kürbisschale, um Wasser zu schöpfen. Als er aber sah, daß ein Hund auch ohne Gefäß Wasser zu sich nehmen kann, warf er auch diese weg. Er erhielt den Spottnamen »Hund«, griechisch kyon, davon stammt möglicherweise der Name der ganzen Schule. Auch unser Wort »zynisch« stammt daher. Es erinnert an die Derbheit und Schamlosigkeit, mit der die Kyniker in ihren Reden an die Mitbürger, welche für sie in die zwei Klassen der Weisen und der Toren zerfielen, diesen ins Gewissen redeten[51].

2. PLATONIKER

Platons Schule wurde nach seinem Tode von seinen Schülern fortgeführt. Platons Nachfolger in der Leitung war zunächst sein Neffe Speusippos, diesem folgte Xenokrates. Die alte Akademie hat hauptsächlich an Platons Altersphilosophie angeknüpft und diese noch stärker als er selbst mit pythagoreischen Gedanken verbunden.

Gegen 300 v. Chr. wurde die Akademie zu einem Hauptsitz der damals sich ausbreitenden skeptischen Philosophie, in den letzten vorchristlichen Jahrhunderten des Eklektizismus, in nachchristlicher Zeit des Neuplatonismus.

3. PERIPATETIKER

Nach einem Wandelgang (griechisch peripatos), in dem Aristoteles unterrichtete, wird seine Schule die peripatetische genannt[52]. Die Nachfolger des Aristoteles in der Leitung der Schule, unter ihnen Theophrastos, Eudemos und Aristoxenos, haben sich mehr mit einzelwissenschaftlicher Forschung, namentlich in Physik, Mathematik und Musik, als mit eigentlicher Philosophie befaßt.

Drittes Kapitel

Die griechische und römische Philosophie nach Aristoteles

Der geschichtliche Hintergrund im dritten Akt unseres Dramas ist ein gänzlich veränderter. Das von Alexander dem Großen begründete Reich fiel alsbald nach seinem Tode auseinander. Aber die von ihm eingeleitete Ausbreitung der griechischen Kultur auf die Länder des Vorderen Orients ging weiter. In den drei Großstaaten Makedonien, Syrien und Ägypten, in die Alexanders Reich zerfiel, und den zahlreichen kleineren Stadtstaaten, die daneben bestehenblieben, wurden das Griechische die Sprache des Hofes und der geistigen Führungsschicht und die griechische Kultur die Grundlage der allgemeinen Bildung. In eben dem Maße, in dem griechisches Wesen dabei auf die Lebensbedingungen und -anschauungen der nicht-griechischen Völker des Orients einwirkte, wurde es selbst im Verlauf dieses Prozesses von orientalischen Elementen durchdrungen und umgeformt. Die griechische Kultur streifte damit ihren nationalgriechischen Charakter weitgehend ab und wurde zu einer kosmopolitischen Menschheitskultur — Menschheit dabei natürlich verstanden im Sinne der damals bekannten und erfaßten Welt. Diese Kultur wird, mit einem allerdings erst im 19. Jahrhundert von dem deutschen Historiker Droysen geprägten Ausdruck, *Hellenismus* genannt.

Athen, seiner politischen Selbständigkeit beraubt, blieb noch lange ein geistiger Mittelpunkt, insonderheit für die Philosophie. Aus allen Ländern der hellenistischen Welt kamen Männer, um an den Stätten, wo Sokrates, Platon und Aristoteles gelehrt hatten, Philosophie zu studieren. Neben Athen blühten neue Zentren des geistigen Lebens auf, namentlich Alexandria. Das Zeitalter des Hellenismus rechnet man vom Tode Alexanders (der mit Aristoteles Tode fast zusammenfällt) bis etwa zur Zeitwende.

Inzwischen hatte die aufsteigende Macht *Roms* zuerst ganz Italien in langen Kriegen geeinigt, dann den karthagischen Nebenbuhler beseitigt, und begann, durch Eroberung der griechischen und hellenistischen Staaten um das Ostbecken des Mittelmeeres das gewaltige Reich zusammenzufügen, das später von den britischen Inseln bis tief nach Afrika und Asien hinein reichen sollte. In politischer Hinsicht trat Grie-

chenland nur von einer Fremdherrschaft unter die andere, von
der makedonischen unter die der Römer. In kultureller Hinsicht, so könnte man mit nur geringfügiger Übertreibung
sagen, war es umgekehrt, das heißt, das politisch unterworfene Griechenland, das bisher kulturell den Osten beherrscht
hatte, begann nun mit der kulturellen Eroberung Roms. Ein
Römer, der Dichter Horaz, hat diesen Sachverhalt selbst in
klassischer Kürze ausgesprochen. Griechische Künstler und
Baumeister wurden nach Rom gerufen, Tempel und Säulenhallen im griechischen Stil begannen das reich werdende Rom
zu schmücken, griechische Tragödien und Komödien wurden
ins Lateinische übersetzt und befruchteten die nun aufblühende
großartige Literatur der Römer — kurz, die griechische Bildung erlangte in Rom eine ähnlich beherrschende Stellung wie
im hellenisierten Osten. Und dies gilt ganz besonders für die
griechische Philosophie.

Naturgemäß ist es, gemessen am klassischen Zeitalter, eine
sehr veränderte Philosophie, die wir in dieser Zeit größter
weltgeschichtlicher Umwälzungen vorfinden. Sie ist nicht mehr
national griechisch. Der römische Geist, der sich in ihr mit
dem griechischen vereint, hat ihr seine Züge eingeprägt. Denn
obwohl die beherrschenden Systeme dieses Zeitalters von
Griechen zuerst aufgestellt wurden, fanden sie doch ihre größte
Verbreitung in Rom und ihre bedeutendsten Vertreter unter
den Römern. Damit verschieben sich die Akzente. Die Be-
sonderheit der altgriechischen Philosophie und Kultur wird
man, falls ein so allgemeines Urteil über einen derart ausgedehnten und vielgestaltigen Bereich überhaupt für zulässig
gehalten wird, etwa umschreiben mit Begriffen wie:

Kosmos als Inbegriff des geordneten Weltganzen;
Logos, alldurchwaltende Vernunft, als Urphänomen der Welt;
Eros, Hingegebenheit an das Schöne, das mit dem sittlich
Guten in nahe Verbindung gebracht wird.

Die Römer waren ein durch und durch praktisches Volk. Das
Größte, was sie neben ihrer Sprache und Literatur hinterlassen haben, ist das römische Recht und das Vorbild eines
mit bis dahin nicht gekannter Vollkommenheit durchgebildeten
Staatswesens. In beiden, durchaus nicht voneinander zu tren-
nenden Bereichen liegt das Schwergewicht auf zwei Momenten;
der sittlichen Einzelperson und deren Einordnung in Staat
und Gesellschaft.

In der Philosophie mußte sich damit, in noch stärkerem
Maße, als es schon in der mittleren Periode der griechischen
Philosophie vorgebildet war, der Nachdruck von der Spekulation über die Natur hinweg in die Ethik verlagern. Dementsprechend waren es — während die hellenistische Wissenschaft sich stark an Aristoteles anlehnte — in der eigentlichen

Philosophie der hellenistisch-römischen Zeit Sokrates und Platon, an die man vor allem anknüpfte; denn in ihren Lehren war die »ungriechische« Hinwendung zum Menschen und zur Ethik bis dahin am stärksten in Erscheinung getreten.

Wir begegnen in dieser Spätzeit der antiken Kultur keinem Denker, der an ursprünglicher Schöpferkraft und weltumspannender Genialität den großen Philosophen der Blütezeit an die Seite zu stellen wäre. Was die Philosophie aber an Originalität und Tiefe — nicht an Mannigfaltigkeit übrigens, denn die Zahl der wetteifernden Systeme war nicht gering — möglicherweise einbüßte, gewann sie an Macht und Einfluß. Mehr als Kunst und Religion wurde die Philosophie zur *beherrschenden Geistesmacht* des Zeitalters, ja zum geistigen Rückgrat des Römischen Weltreiches[1]. Sie blieb es, bis sie endlich durch das aufsteigende Christentum abgelöst wurde — das aber wiederum in seiner geschichtlich gewordenen Gestalt von ihr in kaum zu überschätzendem Maße durchdrungen und mitgeformt wurde.

Wir widmen dem bezeichnendsten und einflußreichsten System dieser Zeit, der stoischen Philosophie, den größten Raum. Die übrigen Schulen können wir nur verhältnismäßig kurz streifen, wollen aber keine ganz übergehen, obwohl die Darstellung damit teilweise eine bloße Aufzählung wird.

I. Die Stoiker

1. BEGRÜNDER UND HAUPTVERTRETER

Wenn wir heute die »stoische« Ruhe und Gelassenheit eines Politikers oder Sportsmanns preisen, so sind wir uns kaum dessen bewußt, daß dieser Ausdruck auf ein öffentliches Gebäude Athens, die Stoa poikile, zurückgeht. In dieser »Bunten Säulenhalle« nämlich begründete *Zenon* aus Kition auf Cypern, zum Unterschied von seinem scharfsinnigen Namensvetter aus Elea Zenon der Stoiker genannt, nach einem bewegten Leben seine eigene Philosophenschule. Zenon lebte zwischen 340 und 260 v. Chr. Er war wahrscheinlich gemischter griechisch-orientalischer Abstammung. *Kleanthes* und *Chrysippos* sind zwei andere namhafte Vertreter des Stoizismus in der Anfangszeit. Welche Teile des Gedankengutes auf jeden dieser drei zurückgehen, ist schwer zu entscheiden, weil nur noch Bruchstücke der ältesten stoischen Literatur erhalten sind[2].

Neben dieser sogenannten älteren Stoa unterscheidet man eine mittlere Schule (Hauptvertreter *Poseidonios*) und eine jüngere.

Deren Vertreter sind viel bekannter geworden als die älteren
Stoiker. Es sind namentlich der Römer *Seneca*, der Kaiser
Marcus Aurelius und der Sklave *Epiktet*. Alle drei lebten in
den beiden ersten nachchristlichen Jahrhunderten. Die »Selbst-
betrachtungen« des Kaisers und das »Handbüchlein der Moral« des Sklaven legen die stoischen Grundlehren in einpräg-
samer und leicht faßlicher Form dar. Beide Schriften bieten
einen guten und leichten Zugang zum Verständnis des
Stoizismus.

Der Kaiser Mark Aurel, der als Zwölfjähriger die Lehren der
stoischen Philosophie in sich aufgenommen hatte, hielt sie
durch sein ganzes Leben fest und verwirklichte sie nicht nur
in seiner persönlichen Lebensführung, sondern auch in seinem
staatsmännischen Handeln. Die stoischen Tugenden des Mutes,
der Unerschütterlichkeit und die Pflichttreue vereinigen sich
bei ihm zu wahrer Herrschergröße. Kaum ein zweites Mal
bietet die Geschichte das Schauspiel, daß ein solches Maß von
Macht mit einem solchen Maß von Selbstbeherrschung und
Selbstverleugnung ausgeübt wurde. »Asien, Europa — Winkel
der Welt; der ganze Ozean — ein Tropfen des Alls! Der
Athos — eine winzige Scholle des Weltganzen; die ganze
Gegenwart — ein Augenblick der Ewigkeit!« Ein Herrscher,
der dies ausrufen konnte, hatte eine Höhe des Standpunktes
und Weite des Gesichtskreises, die ihn vor Enge und Einseitigkeit jeder Art bewahrten, ihn befähigten, den Verlockungen der Herrschsucht und des Cäsarenwahns, der Willkür,
Verschwendung und Verweichlichung zu widerstehen und eine
Verantwortung zu tragen, der nur wenige seiner Vorgänger
und Nachfolger im Amt gewachsen gewesen sind. Prunk und
Bequemlichkeit verachtend, in einen einfachen Soldatenmantel
gehüllt, hat er sein Leben in den Heerlagern seiner Legionen
in Pflichterfüllung und Sorge um das Reich verbracht.

2. CHARAKTER UND TEILE DES STOISCHEN SYSTEMS

Die stoische Philosophie, jedenfalls in ihrem wichtigsten Teil,
der Ethik, schließt sich eng an die sokratische Schule der
Kyniker an. Sie mildert allerdings die zahlreichen Über-
spanntheiten des alten Kynismus, was die Voraussetzung für
eine weiterreichende Aufnahme ihrer Lehren war, und räumt
ferner dem Wissen einen viel wichtigeren Platz ein. Beides,
die Anknüpfung an die Kyniker wie das Hinausgehen über
sie, kommt schon im Leben des Zenon selbst zum Ausdruck,
der sich zunächst in Athen eng an den Kyniker Krates an-
schloß (über den es ähnliche Anekdoten gibt wie über Diogenes in der Tonne), nach einiger Zeit aber erkannte, daß
diese Lehre allein kein für die Allgemeinheit gültiges Lebens-

programm abgeben konnte; worauf er andere Philosophen zu studieren begann und schließlich seine eigene Schule begründete, in der sich kynische Lehren mit solchen anderer Philosophen, zum Beispiel Heraklits, verbinden. Zenon schied übrigens, was auch von anderen Stoikern berichtet wird, freiwillig aus dem Leben.

Die Stoiker teilen ihr System mit einer für lange Zeit bestimmend gewordenen Einteilung in Logik, Physik und Ethik. Dabei hat die Ethik die oberste Stelle. Logik und Physik bilden Vorstufen zu ihr.

In der *Logik* haben die Stoiker auf der von Aristoteles geschaffenen Grundlage weitergebaut. Sie unterscheiden als ihre beiden Teile die Rhetorik, als die Kunst, allein (monologisch) zu sprechen, und die Dialektik, als die Kunst, mit anderen, gemeinschaftlich (dialogisch) zu sprechen und zu denken. In bezug auf die Frage, ob dem Einzelnen oder dem Allgemeinen Wirklichkeit zukomme, stehen sie ganz auf der Seite des Aristoteles. Folgerichtiger als dieser schließen sie aus der alleinigen Wirklichkeit der Einzelobjekte, daß die Erkenntnis von der Wahrnehmung des Einzelnen, der Erfahrung, ausgehen müsse. Sie sind damit *Empiriker*. Der Geist ist bei der Geburt eine unbeschriebene Tafel (»Tabula rasa«), in die erst die Erfahrung Vorstellungsinhalte hineinbringt. Die zehn Kategorien des Aristoteles reduzieren sie auf vier.

Die stoische *Physik* soll auch nur mit Stichworten gekennzeichnet werden. Sie ist erstens *materialistisch*. Es gibt nur Körperliches, teils von grober, teils von feinerer Beschaffenheit. Sie ist zweitens *monistisch*. Sie kennt nicht zwei oder mehr letzte Prinzipien, sondern nur eines. Sie lehrt drittens, unter Heranziehung der Heraklitischen Lehre vom Urfeuer, eine strenge, dem Weltganzen innewohnende (immanente) *Gesetzlichkeit*. Die von innen wirkende (also nicht der Materie gegenüberstehende) bestimmende Kraft nennen sie Logos, Nus, Seele, Notwendigkeit, Vorsehung oder auch *Gott* (Zeus). Insofern das Göttliche für sie also mit dem lebendigen Weltganzen zusammenfällt, kann ihre Lehre viertens und letztens *pantheistisch* genannt werden.

Welch große Rolle bei den Stoikern diese Vorstellung von der alles regierenden göttlichen Vernunft spielte, ist aus der berühmten Hymne des Stoikers Kleanthes an Zeus zu ersehen, die folgendermaßen beginnt[3]:

»Du, der Unsterblichen Höchster, du Vielbenannter, der
  ewig
Nach Gesetzen beherrscht die Natur, ihr mächtiger Führer,
Sei mir gegrüßt, o Zeus: denn alle Sterblichen dürfen
Dich anreden, o Vater, da wir ja deines Geschlechts sind,

Nachhall deiner Stimme, was irgend auf Erden nur lebet.
Also will ich dich preisen und ewig rühmen die Herrschaft
Deiner Macht, der, rings um die Erde, die Kreise der Welten
Willig folgen, wohin du sie lenkst, und dienen dir willig.
Denn du fassest in deine nie zu bezwingende Rechte
Deinen Boten, den flammenden, zweigezackten, den ewig
Lebenden Blitz: es erbebet die Welt dem schmetternden
Schlage.
Also lenkst du den Geist der Natur, der dem Großen und
Kleinen
Eingepflanzet, sich mischt in alle Wesen und Körper.
Höchster König, des Alls, ohn' den auf Erden, im Meere,
Nichts geschiehet, noch am ätherischen, himmlischen Pole;
Außer was Sinnen-beraubt der Frevler Böses beginnet.
Aber du weißt auch da das Wilde zu fügen in Ordnung,
Machst aus der Unform Form und gesellst Unfreundliches
freundlich.
Also stimmest du Alles zu Einem, das Böse zum Guten,
Daß in der weiten Natur *ein* ewig herrschend Gesetz sei,
Eins, dem unter den Sterblichen nur der Frevler entfliehen
will . . .«

3. DIE STOISCHE ETHIK

Einzig dem Menschen als Vernunftwesen ist es gegeben, die
göttliche Gesetzmäßigkeit zu erkennen und sich in bewußtem
Handeln nach ihr zu richten. *Naturgemäßes Leben* ist daher
das Schlüsselwort der stoischen Ethik. Da der Mensch seiner
Natur nach Vernunftwesen ist, ist naturgemäßes Leben für
den Menschen *vernunftgemäßes Leben*. Darin besteht die einzige Tugend, darin besteht die einzige Glückseligkeit. Das ist
alles gleichbedeutend.
Solche Tugend ist das *einzige* Gut. Ihr gegenüber steht ein
einziges Übel: die Schlechtigkeit, die im nicht-vernunft- und
damit nicht-tugend-mäßigen Leben besteht. Alles andere: Leben, Gesundheit, Besitz, Ehre, die von anderen hochgeschätzt
werden, ebenso wie Alter, Krankheit, Tod, Armut, Knecht-
schaft, Unehre, die von anderen verabscheut werden, sind für
den Stoiker weder gut noch schlecht, sondern *gleichgültig*.
Alles kommt demnach darauf an, zu erkennen, was gut, was
schlecht, was gleichgültig ist. Sowohl in der Erkenntnis der
richtigen Werte wie in unserem Bestreben, uns handelnd nach
den erkannten Werten zu richten, werden wir durch die
Affekte (Triebe, Leidenschaften) behindert. Sie beirren die
Vernunft, sie gaukeln uns Gleichgültiges oder Schlechtes als
wertvoll vor und treiben uns, ihm nachzustreben. Aufgabe
des Menschen ist daher ein fortwährender Kampf gegen die

Affekte. Das Ziel der Tugend ist erst erreicht, wenn diese ganz überwunden sind, die Seele von Leidenschaften frei ist. Diesen Zustand nennen die Stoiker Leidenschaftslosigkeit (griechisch *apatheia* — daher unsere Wörter Apathie, apathisch).

Wer diesen Zustand erreicht hat, ist *weise*. Er allein ist frei, denn er sieht das Notwendige ein und tut es, er allein kann reich, gerecht, tugendhaft, glücklich genannt werden, er ist von allem Äußeren unabhängig und souverän wie ein König. Alle anderen Menschen, und das ist die große Mehrzahl, sind *Toren*.

Soweit entspricht alles noch der kynischen Ethik. Aber die Stoiker — und hier tritt der römische Einfluß hervor — bemühen sich nun doch, ihr Ideal des Weisen in Übereinstimmung zu bringen mit dem größeren Ganzen, in das der Mensch eingeordnet ist und gegen das er Pflichten hat. Dieses Bestreben wirkt sich vornehmlich in zwei Richtungen aus: einmal darin, daß die ursprüngliche Lehre, nach der schlechthin alles Äußere zu den Gleichgültigkeiten (Adiaphora) gerechnet wurde, dahin ausgebaut wurde, daß man nun doch manchen Dingen einen gewissen Wert, anderen Unwert, und nur den verbleibenden gänzliche Belanglosigkeit zuschrieb. Auf diese Weise erhalten Ehe, Familie, Staat eine wenn auch beschränkte Rechtfertigung. Das zweite aber ist wichtiger: Die kynische Lehre war im Grunde *egoistisch*. Der kynische Weise lebt nur der Unabhängigkeit und inneren Freiheit seiner eigenen Person und kümmert sich den Teufel um alles übrige. Die Stoiker hingegen kennen und preisen nicht nur die Freundschaft unter den Weisen, sie erheben zwei grundlegende soziale Forderungen: *Gerechtigkeit* und *Menschenliebe* — und zwar beides in einem Ausmaß, wie es bis dahin die Antike nicht gekannt hatte. Sie erstrecken sie nämlich auf alle Menschen, das heißt, sie schließen auch die *Sklaven* und die *Barbaren* ein. Das waren wahrhaft revolutionäre Forderungen. Denn bis dahin hatte man unter »Mensch« mit fragloser Selbstverständlichkeit immer nur den freien griechischen und römischen Bürger verstanden. Diese Forderungen sind natürlich ein Ausfluß der politischen und gesellschaftlichen Umschichtung in einer Zeit, da das Römerreich zahllose ehemals als Barbaren angesehene Völker umfaßte und diese nach dem Bürgerrecht strebten. Wiederum haben sie umgekehrt die in diese Richtung zielende Entwicklung, z. B. des römischen Völkerrechts, entscheidend mitbestimmt. So sind die Stoiker die ersten, die im Altertum einen umfassenden *Humanitätsgedanken* und einen ebenso umfassenden *Kosmopolitismus* vertreten haben.

Die sittliche Höhe, zu der sich der Stoizismus erhebt, klingt ebenfalls an in dem vorhin zitierten Hymnus des Kleanthes, in dem es weiter heißt:

»Ach des Thoren! der immer Besitz des Guten begehret
Und verkennet des Herrn der Natur allwaltende Richt-
schnur,
Will nicht hören, was, wenn er gehorcht', ihm glückliches
Leben
Und Verstand gewährte. Nun stürmen sie alle dem
Guten
Grade vorbei, hieher, dorthin. Der kämpft um Ehre
Fährlichen Kampf: der läuft nach Gewinn mit niedriger
Habsucht:
Jener buhlet um Ruh' und um süße Werke der Wollust,
Alle mit Eifer bemüht, dem nichtigen Wunsch zu begegnen.
Aber o Zeus, du Wolkenumhüller, der Blitze Gebieter,
Du, der du alles gibst, befreie die Menschen vom schweren
Unsinn, nimm die Wolken von ihren Seelen, o Vater,
Daß sie die Regel ergreifen, nach der du billig und sicher
Alles regierst; damit wir, denen du Ehre gegönnt hast,
Wieder dich ehren und dich mit deinen Taten besingen,
Wie's dem Sterblichen ziemt: denn weder Menschen noch
Göttern
Bleibt ein höheres Lob, als ewig und ewig des Weltalls
Herrschende Regel gerecht in Worten und Werken zu
preisen.«

4. DIE GESCHICHTLICHE BEDEUTUNG DER STOISCHEN PHILOSOPHIE

Die stoische Lehre von der stolzen und unzerbrechlichen
Würde der Persönlichkeit und der unbedingten sittlichen
Pflichterfüllung ist mit der Geisteshaltung der führenden
Schicht des Römertums so sehr zusammengeflossen, daß man
kaum sagen kann, wo hier das Bedingende und wo das Bedingte liegt. Durch das Römerreich und über dieses hinaus
haben stoische Gedankengänge in der europäischen Philosophie weitergewirkt. Anzeichen ihres Einflusses finden sich bei
Giordano Bruno, Descartes, Spinoza, Locke, Kant, Schiller,
Goethe und anderen[4]. Die weltgeschichtliche Bedeutung des
Stoizismus liegt aber noch mehr als in dieser Nachwirkung
in seiner Beziehung zum *Christentum*. Er predigte eine strenge
und asketische Moral; Geringschätzung äußerer Güter; er sah
das Weltgeschehen in einem höchsten — mit »Vater« ange-
redeten! — Wesen verkörpert; er forderte eine alle Völker-
und Standesgrenzen überschreitende allgemeine Liebe unter
den Menschen. Mit dem allem hat er dem Christentum den
Boden vorbereitet. Das besagt allerdings nicht, daß die Stoiker
sich bei der beginnenden Eroberung der römischen Welt durch
das Christentum sofort auf die Seite des letzteren gestellt
hätten. Das Gegenteil ist der Fall. Der Stoiker Mark Aurel

zum Beispiel ist besonders streng gegen die Christen vor-
gegangen. Die Stoiker standen in diesem Kampf durchaus auf
der Seite der hergebrachten Volksreligion. Diese wollten sie,
trotz mancher Kritik, nicht zerstört sehen. Der geistesgeschichtliche Zusammenhang mit dem Christentum bleibt davon unberührt.

II. Die Epikureer

Im Altertum wie heute pflegte man unter einem »Epikureer«
einen Menschen zu verstehen, der nach einem bequemen und
genußreichen Leben strebt. Die Philosophie des *Epikuros* ist
in der Tat einer solchen Ausdeutung und Ausbeutung — also
als Rechtfertigung für eine ganz dem sorglosen Sinnengenuß
gewidmete Lebensführung — fähig. Hatte doch zum Beispiel
Epikur mit seinem berühmten Wahlspruch »Lebe verborgen!«
deutlich zum Ausdruck gebracht, daß er Staat und Politik
geringschätzte und das Leben im privaten Kreis vorzog. Auch
das heitere gesellige Leben, das sich im »Garten des Epikuros« zu Athen abspielte, wo er lebte und lehrte, hat schon
zu seiner Zeit (er lebte von 341—270 und stammte von
Samos) besonders bei den mißgünstigen Mitbürgern die Ansicht bekräftigt, daß Epikur ein schrankenloses Jagen nach
Sinnenlust lehrte.
Wir werden sehen, daß diese Auffassung der epikureischen
Ethik nicht ganz gerecht wird. Zuvor werfen wir noch einen
Blick auf Logik und Physik, welche Epikur, wie die Stoiker,
der Ethik als Vorstufe vorangehen läßt. Die Logik ist Vorstufe, insofern sie lehrt, Irrtümer zu vermeiden. Die Physik
ist auch nur Vorstufe zum richtigen Handeln. Sie hat die
Aufgabe, zu zeigen, daß die Welt ganz aus dem natürlichen
Zusammenhang der Dinge zu erklären ist, daß Götter sie
weder geschaffen haben noch in ihren Lauf eingreifen; und
so die Menschen von Furcht zu befreien. Epikur leugnet die
Götter nicht geradezu, aber sie leben nach ihm »zwischen
den Welten«, sie kümmern sich nicht um das menschliche
Treiben. Und genausowenig soll der Mensch sich um Götter
und Dämonen kümmern. Es ist Aufgabe der physikalischen
Welterkenntnis — in der Epikur sich eng an die Atomlehre
des Demokrit anschließt — dem Menschen die Furcht vor über-
irdischen Mächten, die sonst seine Seele verdüstert, zu nehmen
und ihn dadurch fähig und frei zu machen zum vollen Genuß
des irdischen Lebens, den Epikur in der Tat empfiehlt.
Aber Epikur lehrt keineswegs zügelloses Jagen nach Sinnenlust. Allerdings bezeichnet er als alleiniges Ziel des Menschen
die Glückseligkeit und definiert diese sehr einfach als Ge-

winnung von Lust und Vermeidung von Unlust. Aber er
weiß, daß auf Ausschweifungen jeder Art nur um so schmerz-
haftere Rückschläge zu folgen pflegen. *Vernunft* muß deshalb
das Streben nach Glück leiten und zügeln. Die Vernunft aber
lehrt, daß das eigentliche Glück viel eher in heiterer Beschaulichkeit, in ausgeglichener Ruhe des Geistes (*Ataraxie*) zu finden ist. Damit steht Epikur der Lebensanschauung der Stoiker,
die der seinen oft entgegengestellt wird, durchaus nicht so fern.
In der Tat war seine eigene Lebensführung von vorbildlicher
Mäßigkeit. Die lange Krankheit seiner letzten Jahre hat er mit
wahrhaft »stoischer« Gelassenheit und Selbstbeherrschung ertragen. Die *Schüler* Epikurs haben seine Philosophie nicht wesentlich weitergebildet. Sie haben sie aber äußerlich in eine
vollkommenere Form gebracht. Epikur hat seine zahlreichen
Schriften ohne große Sorgfalt abgefaßt. Sie sind überdies alle
nicht erhalten. Unsere Kenntnis des Epikureismus entstammt
vor allem dem Lehrgedicht des römischen Dichters Titus Lucretius Carus (etwa 98—55 v. Chr.). Das Werk des *Lucrez* bietet
ein Gemälde des Weltganzen und seines Zusammenhangs
ganz im Geiste der epikureischen Philosophie.
Auch ein zweiter bedeutender Dichter Roms, Quintus Horatius
Flaccus (*Horaz* — 65—8 v. Chr.) neigt zur epikureischen
Lebensanschauung in seinen Liedern, die Liebe und Wein,
Freundschaft, Geselligkeit und eine abgeklärte Lebensweisheit
preisen.

III. Die Skeptiker

Skeptiker, das heißt Zweifler, die wahre Erkenntnis für
grundsätzlich unmöglich halten, hat es zu allen Zeiten gegeben und wird es immer geben. Wenn der Skeptizismus sich
in den letzten vorchristlichen Jahrhunderten besonders ausbreitete und sogar zu einer selbständigen philosophischen
Schule wurde, so ist das aus der Zeitlage heraus zu verstehen. Abgesehen von einer nur gefühlsmäßig abzuschätzen-
den allgemeinen »Kulturmüdigkeit« in dieser Spätzeit der
antiken Welt, bestand in der Philosophie selbst eine ähnliche
Situation wie die, aus der früher die Sophistik entstanden
war. Die Vielzahl der in die verschiedensten Richtungen auseinanderstrebenden philosophischen Lehrsysteme und die oft
unkritische Art ihrer Begründung forderten den Zweifel an
allen heraus.
Man unterscheidet drei Perioden der skeptischen Philosophie.
Begründer der älteren Richtung war *Pyrrhon* (etwa 360 bis
270 v. Chr.). In der mittleren Periode, auch akademische
Skepsis genannt, weil die platonische Akademie zu dieser

Zeit ihr Hauptsitz war, ragen *Arkesilaos* und *Karneades* hervor. Begründer der jüngeren Skepsis war *Ainesidemos*, der um Christi Geburt lebte. Am vollständigsten erhalten sind die Werke des *Sextus Empiricus*, der erheblich später, etwa 200 n. Chr., gelebt hat.

Charakteristisch für die antike Skepsis ist die Lehre von den *Tropen*. Mit dem Namen Tropus bezeichnete man die Gesichtspunkte, die alle die Unerkennbarkeit der Wahrheit beweisen. Ainesidemos stellt zum Beispiel deren zehn auf[5]:

1. die Verschiedenheit der Lebewesen im allgemeinen;
2. die Verschiedenheit der Menschen;
3. die verschiedenen Einrichtungen der Sinnesorgane;
4. die Verschiedenheit der subjektiven Zustände (Stimmungen usw.);
5. die Verschiedenheit der Stellung, Entfernung und örtlichen Umgebung eines Objekts;
6. die Vermischung mit Andersartigem;
7. die verschiedenartige Wirkung der Objekte je nach Quantum (Menge) und Komposition (Zusammensetzung) derselben;
8. die Relativität aller Erscheinungen und Wahrnehmungen;
9. die Häufigkeit oder Seltenheit der Eindrücke;
10. die Verschiedenheiten der Erziehung, Gewohnheit, Sitte, der religiösen und philosophischen Anschauungen.

Charakteristisch ist ferner, daß die meisten antiken Skeptiker ihre — als solche durchaus wertvollen — logischen und erkenntnistheoretischen Untersuchungen nicht als Selbstzweck betreiben, sondern ihre Erkenntnis der Unerkennbarkeit alles Bestehenden und die daraus hervorgehende »Enthaltung vom Urteil« als Voraussetzung ansehen, um das *praktische* Ideal einer heiteren und unerschütterlichen Seelenruhe zu erreichen — womit sie in ethischer Hinsicht durchaus den Stoikern und Epikureern an die Seite gestellt werden können.

IV. Die Eklektiker

1. DER RÖMISCHE EKLEKTIZISMUS

In einer Zeit, da sich römische, griechische und orientalische Kulturbestandteile in bis dahin nicht dagewesener Weise durchdrangen und miteinander verschmolzen, da das Römische Reich neben den genannten noch zahlreiche andere Völker einschloß, lag es nahe, daß auch auf philosophischem Gebiet eine Annäherung und Vermischung der Schulen stattfand. Neben dieser allgemeinen Lage förderten zwei Umstände die auf einen Eklektizismus, eine Verschmelzung der Systeme, hintreibende Entwicklung der Philosophie. Das war einmal die Tatsache, daß alle Systeme — Stoizismus und Epikureertum, daneben die älteren, aber fortbestehenden des Platon und Aristoteles, endlich der Skeptizismus, der diese alle gleichermaßen bekämpfte — ja nicht von den Römern selbst geschaffen waren, sondern von Griechenland, also von außen an sie herangetragen wurden. Der gebildete Römer trat ihnen deshalb von vornherein mit der Neigung entgegen, alle unvoreingenommen zu prüfen und das ihm richtig Erscheinende auszuwählen (daher der Name Eklektiker, wörtlich »Auswähler«). Der zweite Umstand war die schon erwähnte praktische Veranlagung der Römer, die philosophische Gedankenarbeit niemals als Selbstzweck auffaßten, sondern als Mittel zu praktischer Weltorientierung und zum richtigen Handeln, und so auch auf diesem Weg dazu kamen, das dafür Passende auszuwählen und zu einer neuen Einheit zu verbinden[6].

Der hervorragende Vertreter dieses römischen Eklektizismus ist Marcus Tullius *Cicero*, 106—43 v. Chr., in Griechenland gebildet, ein bedeutender Redner, Staatsmann und Schriftsteller. Von seinen Schriften nennen wir die »Akademischen Untersuchungen«, »Über das höchste Gut und Übel«, »Von der Pflicht«, »Von der Natur der Götter«. In ihnen legt Cicero in einer blendenden, die lateinische Stilkunst zu höchstem Glanz führenden Sprache einem breiteren gebildeten Publikum seine philosophischen Ansichten dar, in denen, auf der Grundlage eines gewissen weltmännischen Skeptizismus, Gedanken der verschiedensten Schulen zusammenfließen. Man darf, da die Aufgabe der Philosophie nicht nur im Aufstellen von originellen Systemen besteht, sondern ebensosehr in deren Vermittlung an das allgemeine Bewußtsein und ihrer praktischen Verwirklichung, die Arbeit eines solchen Mannes nicht geringachten.

2. DER ALEXANDRINISCHE EKLEKTIZISMUS

Ähnliche Vorbedingungen für eine Annäherung und Verschmelzung verschiedener Geistesrichtungen bestanden in Alexandria, dem damaligen geistigen Zentrum des östlichen Mittelmeerraumes. Alexandria verfügte über die besten Bibliotheken des Altertums und war die Pflegestätte der Naturwissenschaften, zum Beispiel der Medizin. Während sich in Rom Griechisches und Römisches mischten, traten hier zu den griechischen die orientalischen, namentlich aber die jüdischen, religiösen Überlieferungen in enge Beziehung. Das Alte Testament war ins Griechische übersetzt worden (sogenannte Septuaginta). Die gebildeten Angehörigen der starken jüdischen Gemeinde von Alexandria verbanden Treue zur angestammten Religion mit Aufgeschlossenheit für griechische Bildung.

Der Hauptvertreter dieses östlichen Eklektizismus ist der alexandrinische Jude *Philon* (etwa 25 v. Chr.—50 n. Chr.). An Eleganz der Darstellung sind die Werke Philons und anderer Vertreter der hellenistisch-jüdischen Philosophie nicht mit denen der Römer zu vergleichen. Inhaltlich aber haben sie dank der Hereinnahme religiöser Vorstellungen eine größere Tiefe.

Für Philon wie für die anderen hellenisierten Juden ergibt sich die innere Schwierigkeit, daß sie einerseits an der Überzeugung festhalten wollen, in ihren heiligen Schriften sei die Wahrheit ausschließlich geoffenbart, sich aber andererseits der Erkenntnis nicht verschließen können, daß die griechischen Philosophen, namentlich Platon, Aristoteles und die Stoiker, philosophische Wahrheit gefunden hätten. Sie helfen sich in bezug auf die Griechen durch die Annahme, daß die Bücher Mosis schon in alter Zeit den Griechen bekannt geworden seien und deren Denker ihre Weisheit daraus geschöpft hätten! In bezug auf ihre eigenen geheiligten Schriften gehen sie, um ihren Inhalt mit der griechischen Philosophie in Einklang bringen zu können, mehr und mehr von einer buchstäblichen zur sinnbildlichen, übertragenen (allegorischen) Auslegung über. Neben der griechischen Philosophie und dem allegorisch ausgedeuteten Wort der Schrift erblickt Philon jedoch eine dritte Quelle der Erkenntnis, und zwar die wichtigste, in der unmittelbar von Gott kommenden inneren *Erleuchtung*.

Die Gottesvorstellung Philons ist von der des Alten Testaments weit entfernt. Gott ist bei Philon aller menschlichen Bestimmungen entkleidet, er ist der schlechthin Unbestimmbare und Unerkennbare, der in unerreichbarer Ferne über allem thront[7]. Der Würde dieses Gottes würde es widersprechen, wenn er bei der Erschaffung der Welt die Materie unmittelbar berührt hätte. Gott bedient sich zur Ausführung seines Willens gegenüber der Materie körperlicher Kräfte, »die mit ihrem wahren Namen die *Ideen* heißen«[8]. Hier sehen wir den Anschluß an Platon. Der Inbegriff der Ideen aber — und hier sehen wir möglicherweise den Anschluß an die Stoiker, wenn der Begriff auch anders gefaßt wird — ist der *Logos*, die weltdurchwaltende Vernunft. Der Logos ist nicht mit Gott identisch, sondern nimmt die zweite Stelle nach Gott ein. Er wird von Philon »Gottes Sohn« genannt[9]. Er ist der Vermittler Gottes zu den Menschen und der Fürsprecher der Menschen vor Gott. Es ist klar zu sehen, wie hier christliche Gedanken vorgebildet sind.

V. Die Neuplatoniker

Am Ausgang der Antike, schon gleichzeitig mit dem beginnenden Aufstieg des Christentums und im Kampf gegen dieses, erhebt sich das philosophische Denken noch ein letztes Mal zu einem umfassenden System, in welchem das Vorangegangene nicht nur in eklektischer Weise mehr oder weniger lose verbunden, sondern systematisch nach einheitlichen Grundprinzipien zusammengefaßt wird. Die Wirksamkeit dieses Systems, des Neuplatonismus, erstreckt sich vom 2. bis 6. Jahrhundert n. Chr. Als sein Begründer gilt Ammonius *Sakkas* aus Alexandria (175—242), über dessen Lehre aber so gut wie nichts Sicheres bekannt ist. Dessen größter Schüler, Plotinos, hat das eigentliche System geschaffen.

1. PLOTINOS

In Ägypten im Jahre 204 geboren, kam Plotinos nach mannigfachen Studien und Wanderfahrten nach Rom, wo er eine Schule gründete und bis zu seinem Tode, im Jahre 270, leitete. Der Kaiser Gallienus und dessen Gemahlin wandten ihm ihre Gunst zu. Bei der Bevölkerung genoß er eine fast abergläubische Verehrung. Über seinen Charakter berichten alle Zeugen übereinstimmend, daß er ein demütiger, sanfter, reiner und ganz der Suche nach dem Göttlichen hingegebener Mensch gewesen sei. Plotinos' Plan, in Italien eine Philosophenstadt zu gründen, die Platonopolis heißen und den platonischen Idealstaat in die Wirklichkeit umsetzen sollte, kam nicht zur Ausführung[10].

Die insgesamt 54 Schriften des Plotinos wurden von seinem bedeutenden Schüler *Porphyrios* gesammelt und in sechs Gruppen zu je neun, Enneaden genannt, herausgegeben. Die erste Enneade enthält ethische Abhandlungen, die zweite und dritte handeln von der Welt, die vierte von der Seele, die fünfte vom Geist und den Ideen, die sechste vom obersten Prinzip und dem Guten. Diese Einteilung ist nur eine ungefähre.

Plotinos und die anderen Neuplatoniker betrachten sich, worauf schon der Name des Systems hindeutet, nicht als Schöpfer eines neuen Systems, sondern nur als treue Schüler und Ausleger Platons, dessen unverfälschtes Werk sie an die ihm nach ihrer Meinung zukommende Stelle rücken wollen. Tatsächlich aber schaffen sie ein eigenes System, das sich zwar eng an Platon anschließt, sich aber von ihm doch dadurch grundsätzlich unterscheidet, daß alles einzelne in stufenweiser Abfolge aus einem einzigen letzten Urgrund hergeleitet wird, in den es auch zurückkehrt.

»Was war es doch, was die Seelen veranlaßte, Gottes, ihres Vaters, zu vergessen und ihn, an dem sie Anteil haben und dem sie ganz angehören, und mit ihm sich selbst nicht mehr zu kennen? — Der Anfang des Unheils für sie war die Überhebung und der Werdedrang und der erste Zwiespalt und der Wille, sich selber anzugehören. Und indem sie ihre Lust hatten an dieser Eigenmächtigkeit und sich immer mehr dem selbstischen Triebe hingaben, liefen sie den entgegengesetzten Weg, machten den Abfall immer größer und vergaßen, daß sie selbst von dorther stammen, Kindern vergleichbar, welche, früh ihrer Väter beraubt und lange entfernt von ihnen auferzogen, sich selbst und ihre Väter nicht mehr kennen. Indem sie aber weder Ihn noch sich selbst erkannten, aus Verkennung ihres Ursprungs sich selbst erniedrigten, ein Fremdes verehrten, alles andere mehr als sich selbst hochhielten und dem Fremden mit staunender Bewunderung anhingen, brachen sie sich so arg wie möglich los und verachteten das, wovon sie sich abgewandt hatten. — Darum muß eine zweifache Rede ergehen an die, welche in dieser Lage sich befinden, ob es wohl gelingen möchte, sie zu bekehren zu dem Entgegengesetzten und Ursprünglichen und sie emporzuführen zu dem Höchsten und Einen und Ersten . . .[11].«

Diese Einleitungssätze aus der fünften Enneade lassen deutlich den oben schon angedeuteten Grundgedanken erkennen, der übrigens der Lehre des Philon von Alexandria verwandt und auch von diesem beeinflußt ist. Das Eine, das Erste, das Ewige, das Höchste, das Gute, das Übergute, oder wie immer Plotinos das göttliche Wesen benennt, steht ihm, noch schroffer als bei Philon, jenseits aller Gegensätze und aller Faßlichkeit. Nicht nur — wie bei jenem — würde es seiner Würde widersprechen, wenn es mit der Materie in unmittelbare Berührung träte — es ist überhaupt unvorstellbar, daß es jeweils etwas begehren oder tun könnte, denn es ist in sich vollendet und ruhend. Das heißt, die Welt kann nicht durch einen Willensakt Gottes geschaffen sein. Wie aber dann? Das höchste Wesen »strömt gleichsam über und seine Überfülle schafft das andere«[12]. Wie die Sonne Wärme ausstrahlt, ohne dadurch von ihrer Substanz etwas zu verlieren, so strahlt das höchste Wesen, als einen Abglanz oder Schatten seiner selbst gleichsam, alles Bestehende aus.

Diese Ausstrahlung (Emanation) geschieht stufenweise. Es gibt eine Rangordnung der verschiedenen Seinssphären je nach ihrer Nähe zu Gott. Die erste Ausstrahlung — aber nicht in zeitlicher Folge, sondern nur dem Range nach, alles ist ein zeitloser Prozeß — ist der Geist. Der göttliche Geist ist also — wie bei Philon — nicht Gott selbst. Dieser steht noch jenseits von ihm. Der Geist ist der Inbegriff aller im

Sinne Platons verstandenen Ideen. Die nächste Ausstrahlung ist die *Weltseele*, die Welt des Psychischen. Zwischen dieser und der Welt der *Materie*, die als die unvollkommenste, von Gott am weitesten entfernte Erscheinungsform des Göttlichen, ja als das schlechthin Finstere und Böse hingestellt wird, stehen als weitere Zwischenglieder die Einzelseelen.

Das Verhältnis der individuellen Seelen zur Weltseele beschreibt Plotinos in einer Weise, die sehr an die indische Brahman-Atman-Lehre erinnert. Er sagt nämlich, daß die *ganze* Weltseele in jeder Einzelseele gegenwärtig sei. Jede trägt gleichsam das ganze All in sich. »Darum möge vor allem eine jede Seele bedenken, daß sie es war, welche alle lebenden Wesen erschaffen und ihnen das Leben eingehaucht hat, allem, was die Erde ernährt und das Meer und die Luft, dazu auch den göttlichen Gestirnen am Himmel, daß sie es war, welche die Sonne und diesen großen Himmel erschaffen hat, sie, welche ihn ordnete und in seiner Kreisbewegung herumführt, sie, welche eine noch höhere Natur ist als alles, was sie ordnet und bewegt und beseelt[13].«

Des Plotinos' Lehren vom Menschen und seine *Ethik* ergeben sich folgerichtig aus der Auffassung alles Bestehenden als stufenweiser Ausstrahlung des göttlichen Wesens und dem göttlichen Ursprung der Menschenseele. Das höchste Ziel des Menschen und seine Glückseligkeit besteht darin, daß seine Seele sich mit dem Göttlichen, aus dem sie hervorgegangen ist, wieder vereine. Die vier platonischen Tugenden erkennt Plotinos an, doch nur als unterste Stufe auf dem Wege zu diesem Ziel. Der eigentliche Weg dahin ist ein geistiger, er führt nicht nach außen, sondern ins Innere des Menschen. Das philosophische Denken in seiner kunstgemäßen Form, der Dialektik, ist eine höhere Stufe, aber nicht die höchste. Diese besteht in einer vollkommenen Versenkung in uns selbst, das heißt in das Göttliche, das in uns ist. Sie führt über alles Denken und Bewußtsein hinaus zu einem Zustand des bewußtlosen, ekstatischen Eins-Seins mit Gott.

Wir finden hier bei Plotinos die *mystische* Lehre von der selbstvergessenen Hingabe, die unmittelbare Vereinigung mit dem Göttlichen ermöglicht. Solche Mystik war aller vorangegangenen griechischen Philosophie fremd. Sie ist dagegen der Grundstimmung der indischen Philosophie zutiefst wesensverwandt. Diese kann Plotinos nicht näher gekannt haben. Er hat sich, nach dem Bericht seines Schülers, einem Feldzug gegen die Perser angeschlossen, mit dem ausdrücklichen Ziel, die persische und indische Philosophie kennenzulernen. Der Feldzug scheiterte, und Plotinos mußte umkehren. Seine Absicht zeigt aber, daß er jedenfalls von jener geistigen Welt gehört haben und ihr so viel Wert beigemessen haben muß, daß er die gefahrvolle Reise auf sich nehmen wollte, um sie kennenzulernen.

Wir begegnen solcher Mystik überall da, wo mit dem Gedanken von der Wesenseinheit der Menschenseele mit dem Göttlichen Ernst gemacht wird: vor Plotinos bei den Indern, nach ihm bei den großen Mystikern des christlichen Mittelalters.

2. DER AUSGANG DES NEUPLATONISMUS UND DAS ENDE DER ANTIKEN PHILOSOPHIE

Der Neuplatonismus lebte außer in Rom bei den unmittelbaren Schülern Plotinos' fort in einer syrischen Schule, deren Haupt *Jamblichos* (gestorben 330 n. Chr.) war, und einer athenischen, unter deren Vertretern *Proklos* (410–485) hervorragt.

Die athenische Schule des Neuplatonismus, von dem allmählich zur Herrschaft kommenden Christentum bei aller inneren Verwandtschaft und gerade wegen dieser — beide suchten in verschiedener Weise dem tiefen religiösen Bedürfnis der Zeit zu entsprechen — aufs heftigste bekämpft, bildet zugleich den Schlußstein der alten heidnischen Philosophie in der nunmehr verselbständigten östlichen Hälfte des Römerreiches. Kaiser Justinianus schloß im Jahre 529 die in Athen seit Platon bestehende Akademie, zog ihr Vermögen ein und verbot jeden weiteren Unterricht in griechischer Philosophie. Die sieben letzten ihrer Lehrer gingen ins Exil.

Im Weströmischen Reich war *Boethius*, geboren 480, hingerichtet aus politischen Gründen im Jahr 525 auf Befehl des christlichen Gotenkönigs Theoderich, ihr letzter großer Verkünder. Äußerlich Christ, im Innern der alten heidnischen Philosophie — Stoizismus und Neuplatonismus — zugetan, ließ er diese in seiner im Kerker verfaßten Schrift »Vom Trost der Philosophie« ein letztes Mal in ihrem alten Glanz aufleuchten. Man hat ihn »den letzten Römer und ersten Scholastiker« genannt.

Dritter Teil

Die Philosophie des Mittelalters

Wenn wir von der Philosophie der griechischen und römischen
Antike zur christlichen Philosophie des europäischen Mittelalters übergehen, so ist dabei, rein zeitlich betrachtet, die
geschichtliche Stetigkeit gewahrt; denn die Ausbreitung des
Christentums und die Anfänge einer christlichen Philosophie
bei den Kirchenvätern fallen zeitlich mit dem Ausgang der
Antike zusammen, beziehungsweise schließen sich unmittelbar
an diesen an. Geistesgeschichtlich betrachtet, bedeutet dieser
Übergang gleichwohl einen Sprung. Denn das Christentum,
bei aller Würdigung der Einmaligkeit und Einzigartigkeit der
Persönlichkeit seines Stifters, ist erwachsen und geschichtlich
zu verstehen auf dem Grunde der weit in die Vergangenheit
zurückreichenden, vielgestaltigen religiösen Traditionen des
Ostens, und zwar nicht des alten Judentums allein; im Alten
Testament finden sich auch Gedanken, welche die Forschung
der letzten Jahrhunderte als solche assyrischen, babylonischen,
vor allem persischen Ursprungs, möglicherweise auch ägyptischen, erkannt hat.
Ein tiefergehendes geschichtliches Verständnis der christlichen
Religion erfordert deshalb die Erforschung und Darlegung
dieser Zusammenhänge. Sie ist aber im wesentlichen Aufgabe
einer Religionsgeschichte und nicht einer Geschichte der Philosophie. Diese kann und muß sich damit begnügen, die Darstellung mit der Zeit zu beginnen, da das Christentum in
der Gestalt, die ihm nächst Jesus selbst vor allem der Apostel
Paulus gegeben hatte, sich über die Mittelmeerwelt ausbreitete
und dabei notwendig in die Auseinandersetzung mit der antiken Philosophie geriet.
Diese Ausbreitung setzte ein mit der Missionstätigkeit der
Apostel im ersten nachchristlichen Jahrhundert, namentlich
den drei Missionsreisen des Paulus und seinem schließlichen
Aufenthalt und Märtyrertod in Rom. Schon um die Mitte
des zweiten Jahrhunderts gab es in allen Teilen des Römischen Reiches christliche Gemeinden. Das Volk von Rom und
seine Herrscher sahen in den Christen lange Zeit nur Verächter der römischen Staatsreligion und Feinde der öffentlichen
Ordnung. Da das Christentum zu den Religionen gehörte,

deren Übung offiziell verboten war; sahen sich seine Bekenner gezwungen, ihre Zusammenkünfte und Gottesdienste im geheimen abzuhalten. Die Geheimhaltung gab in unheilvoller Wechselwirkung Anlaß zu mancherlei Verleumdungen der Christen und zu neuem Haß gegen sie. An die Stelle vereinzelter Ausbrüche der Volkswut gegen die Christen traten bald organisierte staatliche Verfolgungen, die oft Jahre hindurch erbarmungslos fortgesetzt wurden. Unter römischen Kaisern waren es vielfach gerade die Gebildeteren und sittlich Höherstehenden, die, weil sie ihre Aufgabe als Wahrer der alten Reichs- und Gesellschaftsordnung gegen die diese bedrohenden Christen ernst nahmen, besonders hart gegen die Christen einschritten. Die schwersten Verfolgungen fanden statt unter den Kaisern Nero, Domitian, Trajan, Hadrian, Antoninus Pius, Marcus Aurelius, Septimius Severus, Decius, Valerian und Diocletian, das heißt vom ersten bis ins vierte Jahrhundert. Unzählige mußten ihrem Glauben abschwören oder erlitten die grausamsten Marterungen. Es ist bekannt, daß die Verfolgungen das Christentum nicht ausrotteten, sondern im Endergebnis nur stärker machten. Denn viel zahlreicher als jene, die getötet oder durch die grausamen Strafen abgeschreckt wurden, waren diejenigen, die durch die sittliche Größe und Standhaftigkeit der Märtyrer für den neuen Glauben gewonnen wurden. Seine Gewalt zog gerade die tiefsten Geister und die tapfersten Charaktere an. Der Märtyrer, der Soldat Christi, der für seine Überzeugung den Tod erlitt, war das Vorbild und der vollkommene Christ.

Unter Kaiser Constantin dem Großen (323—337) wurde das Christentum vom Staate anerkannt und von da an, unterbrochen durch Rückfälle wie den unter Julian Apostata (dem »Abtrünnigen«), gegenüber dem Heidentum begünstigt. Den endgültigen äußeren Sieg des Christentums bezeichnet das im Jahre 392 erlassene allgemeine Verbot der heidnischen Opfer. Zu dieser Zeit hatte sich das Christentum in den Städten überall im Römischen Reich durchgesetzt. Auf dem Lande hielt sich das Heidentum noch länger. Daher stammt die Bezeichnung der Nichtchristen als »Heiden«, das heißt Heidebewohner (ebenso lateinisch paganus = Landbewohner).

Die geschichtliche Grundlage, auf der die Kultur und Geisteswelt des christlichen Mittelalters erwuchs, wäre unvollständig gezeichnet, wenn man nur die drei Elemente: Römisches Reich und Recht, griechische Bildung und das aufsteigende Christentum, in Betracht zöge. Als viertes trat hinzu die ungebrochene Kraft der nun in die eigentliche Geschichte eintretenden keltischen, germanischen und slawischen Stämme. Lange Zeit schon hatte das brodelnde Meer der barbarischen Völkerschaften an den Außenbezirken des Römerreiches einen ständig zunehmenden Druck auf dessen Grenzen ausgeübt, bevor, durch verschiedene Anlässe in Bewegung gesetzt, seine Wogen im Sturm der Völkerwanderung die Alte Welt überfluteten, die alsbald unter ihrem Ansturm zusammenbrach. Wenn diese Stämme als »Barbaren« bezeichnet wurden, so geschah das von der höheren Kultur der Griechen und Römer aus gesehen zu Recht; man darf aber darüber nicht verkennen, daß es keinesfalls unzivilisierte Wilde waren, sondern daß diese Völker ihre eigene, großenteils hochstehende Gesittung und Religion mitbrachten. Aber wie so oft in der Geschichte wurden die politischen und militärischen Sieger zu den kulturell Besiegten. Kelten, Germanen und Slawen legten ihre angestammten Lebensformen ab — viel zu weitgehend sogar nach dem Urteil späterer Geschichtsschreiber, denn vieles Wertvolle und Eigentümliche ging dabei unwiederbringlich verloren. Sie nahmen die christliche Religion und das antike Geisteserbe an und wurden aus »Barbaren« zu ihren Fortsetzern und den Hauptträgern der weltgeschichtlichen Entwicklung. Unermeßliche Kulturwerte gingen im Verlauf dieser stürmischen Umwälzung unter. Daß vieles andere bewahrt blieb und fortwirkte, war hauptsächlich das Verdienst der christlichen Kirche.

Die abendländische Kultur, die im westlichen Europa aus der fortschreitenden Verschmelzung der vier genannten Elemente im Lauf der Jahrhunderte erwuchs, war nicht die einzige Fortwirkung der Antike. Parallel zur Zivilisierung Westeuropas durch römisches Recht, griechische Bildung und christliche Gesittung ging die Erschließung des slawischen Ostens von der antik-christlichen Kultur des Oströmischen Reiches aus, und etwas später die der arabischen Welt durch Islam und Antike. Für den uns fortan interessierenden Bereich der mittelalterlichen und neueren europäischen Philosophie brauchen beide indes nur insoweit berücksichtigt zu werden, als sie auf diese eingewirkt haben. Das war namentlich der Fall bei der im späteren Mittelalter vollzogenen Berührung der christlichen mit der arabischen und jüdischen Philosophie. Im wesentlichen aber bildet die Verschmelzung der christlichen Glaubenslehren mit dem Gedankengut der antiken Philosophie das eigentliche Thema der nun zu behandelnden Geschichte der Philosophie im Mittelalter.

Diese Verschmelzung vollzog sich in zwei deutlich abzugrenzenden *Hauptperioden*. Deren erste, *Patristik* genannt (vom lateinischen pater = Vater, gemeint sind die Kirchenväter), reicht von der apostolischen Zeit bis etwa zum Jahre 800. Die zweite wird *Scholastik* genannt (nach dem zuerst für Schullehrer, dann für Missionare, endlich für Kirchenlehrer gebräuchlichen lateinischen Namen scholastici). Sie umfaßt die

Zeit von 800 bis zum Ende der mittelalterlichen Philosophie
um 1500.

Innerhalb der Patristik sind wiederum zwei Perioden zu
unterscheiden. In der ersten erfolgte, nach der erstmaligen
Berührung und Auseinandersetzung des Christentums mit der
griechischen Philosophie und mannigfachen inneren Auseinandersetzungen im Christentum selbst, äußerlich die Grundlegung zu einer einheitlichen mächtigen Kirche, innerlich die
Festlegung der christlichen *Grunddogmen* (Lehrsätze des
Glaubens). Diese Periode findet einen gewissen Abschluß mit
dem Jahre 325, in dem das Konzil von Nicäa stattfand. Der
zweite Abschnitt der Patristik brachte, namentlich im Werk
des Augustinus, die Verarbeitung der nun festliegenden Grunddogmen zu einem einheitlichen System der christlichen Dogmatik und Philosophie.

Innerhalb der Scholastik unterscheidet man drei Abschnitte:
die Frühscholastik vom 9. bis 12. Jahrhundert, die Hochscholastik im 13. Jahrhundert, die Spätscholastik im 14. und
15. Jahrhundert. Die Frühscholastik ist gekennzeichnet durch
die Ausbildung der eigentümlichen scholastischen Methode,
durch engste Verbindung von Theologie und Philosophie und
durch den grundlegenden, an Platon und Aristoteles anschließenden Geisteskampf und die Geltung der Allgemeinbegriffe,
den sogenannten Universalienstreit. Die Hochscholastik wurde
eingeleitet durch die zunehmende Aufnahme aristotelischen
Gedankenguts. Diese wurde vermittelt durch die arabische
und jüdische Philosophie des Mittelalters, über die wir deshalb an dieser Stelle einen Abschnitt einschalten.

Die Hochscholastik brachte die vollkommenste Ausgestaltung
der mittelalterlich-christlichen Philosophie in den Werken
namentlich des Albertus Magnus und des Thomas von Aquin.
In der Spätscholastik vollzog sich die allmähliche Auflösung
der mittelalterlichen Philosophie durch den Nominalismus. Im
engen Zusammenhang mit der scholastischen Philosophie, aber
von ihr wesensverschieden, erblühte im späteren Mittelalter
die christliche Mystik, namentlich im Werk des Meisters Eckhart, die wir im Schlußabschnitt dieses Teils behandeln.

Erstes Kapitel

Das Zeitalter der Patristik

I. Der Gegensatz antiker und christlicher Geisteshaltung

Bei der Darstellung der griechischen Philosophie haben wir an verschiedenen Stellen, besonders bei Sokrates, den Stoikern und in der hellenistischen Philosophie eines Philon und Plotinos, Geistesrichtungen angetroffen, die der des Christentums in mancher Hinsicht verwandt waren und diesem den Boden vorbereiteten. Um aber den durch das ganze Mittelalter sich hinziehenden Durchdringungsprozeß zwischen Christentum und antiker Philosophie in seiner Bedeutsamkeit und seinen Schwierigkeiten recht würdigen zu können, müssen wir uns zuvor den bis an die Wurzel reichenden Wesensunterschied beider Geistesrichtungen in Kürze vergegenwärtigen. Dieser besteht namentlich in bezug auf die Gottesvorstellung, das Verhältnis von Gott und Mensch, Mensch und Mitmensch, Mensch und Welt, endlich in dem von Anbeginn an erhobenen Ausschließlichkeitsanspruch des Christentums.

1. GOTT UND MENSCH

In der griechischen Philosophie sind wir den verschiedenartigsten Vorstellungen von einem göttlichen Wesen begegnet: dem göttlichen Urfeuer des Heraklit; dem »ersten Beweger«, dem in sich selbst ruhenden, sich selbst betrachtenden Geist des Aristoteles; einem Pantheismus, für den Gott mit dem Inbegriff allen Seins zusammenfiel, bei den Stoikern und anderen; zuletzt bei Plotinos einer Auffassung, der Gott allein wirklich und alles andere nur ein Abglanz, eine Emanation des göttlichen Seins, war.

Im Unterschied zu allen diesen lehrt das Christentum Gott zunächst als den allmächtigen *Schöpfer*, der durch seinen Willen die Welt aus dem Nichts geschaffen hat. Alles außer Gott ist demnach ein Geschaffenes, auch der Mensch ist Geschöpf (Kreatur). Zwischen Schöpfer und Kreatur ist damit eine unüberbrückbar scheinende Kluft aufgetan. Wie wir schon bei der Betrachtung der indischen Philosophie angemerkt haben, ist die Vorstellung einer weiten Kluft zwischen Gott und Mensch besonders den Religionen der semitischen Völker eigen; sie stammt aus dem alten Judentum. Der Mensch und

alles Geschaffene ist nur durch Gott und um Gottes willen
da. Als Geschöpf des göttlichen Willens hat der Mensch die
Aufgabe, den Willen des Schöpfers zu tun, den er in seinem
göttlichen Wort *offenbart* hat. Die oberste Tugend und der
eigentliche Kern der christlichen Frömmigkeit ist daher *Demut*
im Verhältnis zum göttlichen Schöpfer und Herrn. Das ver-
werflichste Laster und der Inbegriff aller anderen ist Hochmut
(Hybris), die Vermessenheit, in der der Mensch Gott gleich
sein und sich an die Stelle Gottes setzen will. Das bedingt
eine gänzlich andere Wertskala der menschlichen Tugenden.
Die von den Griechen gepriesenen Tugenden werden nicht
nur entwertet, sondern erscheinen teilweise geradezu als Hof-
fart und »glänzende Laster«[1].

Der Gott des Christentums ist zweitens nicht ein unpersönliches göttliches Es, sondern ein ganz und gar *persönlicher
Gott.* Dem persönlichen Gott steht der Mensch als einzelner,
als Person gegenüber. Er spricht zu ihm im Gebet als Persönlichkeit zur anderen, wenn auch unermeßlich erhabeneren.
Das Christentum verleiht damit der individuellen Seele eine
einzigartige Würde. Auch dieser Gedanke war der Antike
fremd. »Für die antike Philosophie ist die Seele im Grunde
ein Es, ein Unpersönliches, ein Naturfaktor, weshalb es ihr
selbstverständlich ist, die Begriffe Seele und organisches Leben in engste Verbindung zu bringen, und der Gedanke der
Weltseele, von der die einzelne Seele ein Ableger ist, stets
naheliegt, wo von Seele die Rede ist. Der Gedanke, daß die
Seele gerade als einsame Seele vor Gott steht und seinen
Blick auf sich ruhen fühlt, ist im Grunde nicht antik[2].«

Der Gott des Christentums ist aber drittens — und das ist
etwas grundsätzlich Neues — der gnädige und *erlösende Gott.*
Der Mensch ist seiner Natur nach der Sünde und dem Tode
überantwortet. Aus eigener Kraft kann er zwar gegen das
Böse ankämpfen, aber nicht von ihm erlöst werden. Verderb-
licher Hochmut ist der Versuch antiker Philosophie wie der
Stoiker und Epikurs, auch des Sokrates, die Menschen zu lehren, wie sie aus eigener Kraft »Glückseligkeit« finden könnten.
Erlösung ist nur zu erlangen durch die göttliche Gnade in
der Vereinigung mit dem menschgewordenen Gottessohn. Damit dies möglich werde, muß der Mensch aber seine ganze
sündige Natur abstreifen und überwinden. Es ist nicht so
wie etwa Platon gelehrt hatte, daß der niedere Seelenteil des
Menschen sterblich, der höhere aber unsterblich und ein Teil
des Göttlichen sei; sondern der ganze natürliche Mensch ist
sterblich und verderbt, solange er nicht durch die *Wiedergeburt in Christo* erneuert ist. Ist diese aber geschehen, so ist
es auch der ganze Mensch, der verwandelt aufersteht. »Darum, ist jemand in Christo, so ist er eine neue Kreatur«, sagt

Paulus[3]. Diese Idee der Wiedergeburt des Menschen durch die göttliche Gnade in Christus, die vor allem Paulus klar herausgebildet hat, ist geradezu als Zentraldogma des ganzen Christentums bezeichnet worden[4].

2. MENSCH UND MENSCH

Die sittliche Grundforderung des Christentums für das Verhältnis des Menschen zum Menschen, in der es über alle anderen Religionen hinausgeht, ist in den Worten Christi beschlossen: »Du sollst deinen Nächsten lieben als dich selbst[5].« Die Worte finden sich schon im dritten Buch Mosis. Im Christentum werden sie auf *alle* Menschen angewandt. Alle Menschen sind Kinder Gottes und Brüder und Schwestern in Christo. Diesem hohen Ideal kommt aus der Antike höchstens die stoische Forderung der allgemeinen Menschenliebe nahe.

Dem Christentum war von vornherein ein übernationaler Zug eigen. Hatte doch Christus seine Jünger ausgesandt, alle Völker zu lehren. Es kannte auch von vornherein keine Standesschranken. Christus hatte sich gerade an die »Mühseligen und Beladenen« gewandt. Die ersten Bekenner des Christentums entstammten in der Masse den unteren Bevölkerungsschichten. Das Christentum war eine geistige Revolution »von unten«, die aber alsbald die Spitzen des gesellschaftlichen Aufbaus mit ergriff.

3. MENSCH UND WELT

Die Philosophen der Stoa oder Epikur waren nicht auf den Gedanken gekommen, das Ziel und den Sinn des menschlichen Lebens anderswo zu suchen als hier im Diesseits; das Ziel ihres Nachdenkens war, sich in diesem so gut als möglich einzurichten. Anders war es bei Platon und im Neuplatonismus. Das Christentum geht aber fast noch weiter als diese. Die Beziehung des Lebens auf den jenseitigen — transzendenten — Gott und auf das Ziel der Erlösung führt zu einer Entwertung des Weltlichen oder *Entweltlichung*, wie sie in ähnlicher Konsequenz nur die Inder kennen. Christus selbst hatte das Wort gesprochen: »Ich habe die Welt überwunden[6].«

Auch das Verhältnis zur irdischen Obrigkeit wird ganz im Lichte Gottes gesehen. Man soll ihr gehorchen, weil sie von Gott gesetzt ist. Das Ziel des Menschen liegt aber in einem Reich, das nicht von dieser Welt ist.

Nun ist aber die Menschwerdung Gottes in Christus als freier Akt der göttlichen Gnade ein *einmaliger geschichtlicher Vorgang*, und nicht, wie bei anderen Religionen, die auch eine Erlösung kennen, ein zeitloser, symbolisch auszudeutender

Mythos, der sich in jedem einzelnen zu beliebiger Zeit wiederholen könnte. Damit erhält die irdische Welt für den
Christen, so gleichgültig er im übrigen ihren Freuden und
Verlockungen gegenüberstehen mag, doch den Charakter einer
unwiderruflichen Einmaligkeit im göttlichen Heilsplan. Es
gibt nicht, wie für viele antike Philosophen, zahllose Welten
im Wechsel von Entstehung und Vernichtung, es gibt auch
nicht, wie für den Inder, immer neue irdische Verkörperungen
der Einzelseele; sondern diese Welt und dieses Leben sind es,
in denen sich einmalig und unwiderruflich nach dem göttlichen Heilsplan die Entscheidung vollzieht. So »hat der
christliche Gedanke durch seine absolute Universalität, durch
den Sinn der Einmaligkeit und Unwiderruflichkeit der in ihm
konzipierten Geschichte und durch die Beziehung auf den
Heiland für den Menschen als einzelnen eine unvergleichliche
Eindringlichkeit. Das Bewußtsein der Zeitepoche als Entscheidung wurde . . . aufs höchste gesteigert«[7].

4. DER AUSSCHLIESSLICHKEITSCHARAKTER DES CHRISTENTUMS

In den antiken Stadtstaaten hatte der einzelne eine fraglose
und fast naiv anmutende Geborgenheit gefunden, wie wir sie
noch bei Sokrates sehen. Der Zerfall der Polis und die Aus-
weitung zu einem weltumspannenden Imperium, das von
einem absolut regierenden fernen Herrscher gelenkt wurde
und in dem die öffentlichen Angelegenheiten dem Lebenskreis
des Einzelmenschen immer ferner gerückt waren, zusammen
mit dem Ungenügen an der hergebrachten Religion, die immer
mehr zu einem äußerlichen Staatskultus mit Vergötterung des
Kaisers geworden war, hatten ein tiefes Bedürfnis nach persönlicher Religiosität entstehen lassen. Diesem Bedürfnis entsprachen neben dem Christentum zahlreiche andere Kulte, die
in spätrömischer Zeit die ganze hellenistische Welt durchdrangen. Die Religion des altpersischen Mithra, die Verehrung der
ägyptischen Isis, der Adoniskult und viele andere blühten in
Rom und breiteten sich mit den römischen Eroberern bis an
den Rhein und die britischen Grenzen aus. Manche wiesen
starke Ähnlichkeit mit dem Christentum auf. Der Mithraskult
zum Beispiel kannte Taufe, Konfirmation, Abendmahl, Dreieinigkeitslehre und den 25. Dezember als Geburtstag des
Lichtgottes.
Daß das Christentum gegenüber allen diesen obsiegte, hat
seinen Grund nicht zuletzt in seiner vom Judentum über-
nommenen Ausschließlichkeit. Die Gemeinschaft der Christen
fühlte sich als ein neues auserwähltes Volk, ein neues
Israel — »ein auserwähltes Geschlecht, ein königliches Priestertum, ein heiliges und geweihtes Volk«, wie die Schrift sagt[8].

Das Bewußtsein der Ausschließlichkeit seiner Mission verhinderte, trotz mancher noch zu behandelnder Ansätze in dieser Richtung, die Vermischung des Christentums mit anderen Kulten und sein Aufgehen in dem allgemeinen Religionsgemisch der Zeit. Es bildete die Grundlage für die Entwicklung einer unantastbaren, kanonische Form annehmenden Tradition und die Entstehung einer fest organisierten kirchlichen Gemeinschaft.

II. Die ersten Berührungen des Christentums mit der antiken Philosophie bei den älteren Kirchenvätern

»Was hat Athen mit Jerusalem zu tun, welche Übereinstimmung gibt es zwischen der Akademie und der Kirche?« schreibt der Kirchenvater *Tertullian*[9]. »Bleibe stehn, o Seele, und gib dein Zeugnis. Aber ich rufe dich nicht auf als einer, der in Schulen erzogen ist, in Bücherhallen gebildet und aufgefüttert in attischen Akademien und Säulenhallen — ein solcher würde nur seine eigene Weisheit ausspeien. Ich wende mich an dich, den Einfachen, Rauhen, den Ungebildeten und Ungelehrten. So wie du bist, wenn du nur du bist, unversehrt und rein, du von Straßen und Wegen und Werkstätten.« Und Paulus hatte geschrieben: »Wo bleibt der Weise, wo der Schriftgelehrte, wo der Redekünstler dieser Welt? Hat Gott nicht die Weisheit der Welt für Torheit erklärt? Die Juden fordern Wunderzeichen, die Griechen suchen Weisheit; wir aber predigen Christus, den Gekreuzigten, den Juden ein Ärgernis, den Heiden eine Torheit. Denen aber, die berufen sind, ob Juden oder Heiden, verkünden wir Christus als Gottes Kraft und Gottes Weisheit[10].«

Hier sehen wir Christentum und Philosophie in schroffer Entgegensetzung, und in der Tat: Ist ein größerer Gegensatz denkbar als der zwischen dem schöngeistig und theoretisch gebildeten, auf harmonisches Ebenmaß und heiteren Sinnengenuß ausgehenden Geist eines Griechen oder Römers der Spätantike und dem der ersten Christen, die als Blutzeugen eines neuen Glaubens mit sittlicher Unbedingtheit alles Weltliche verwerfen, den nahenden Untergang der Welt und die bevorstehende Herabkunft des Gottesreiches verkündigen? Der geistige Gegensatz war, wie schon angedeutet, zunächst auch ein sozialer. Die unteren Schichten der städtischen und die ländliche Bevölkerung, denen die ersten Christen entstammten, waren von der klassischen Bildung nur oberflächlich berührt. Sie sprachen nicht griechisch, außerhalb Italiens auch nicht lateinisch. Die Gebildeten, wie Tacitus oder der stoische

Kaiser Mark Aurel, hegten eine tiefe Verachtung gegen die
Christenlehre, in der sie nur einen Rückfall in barbarischen
Aberglauben sahen.

Und doch mußten die Gebildeten, sollte das Christentum sich
durchsetzen, auch gewonnen werden. Das war möglich, wenn
man sie in *ihrer eigenen Sprache anredete,* die eben die
Sprache der klassischen Bildung war. Die Männer, die das
zuerst unternahmen, werden *Apologeten* genannt, das heißt
wörtlich »Verteidiger«, eben des Christentums gegen die heidnischen Vorurteile der Gebildeten. Selbst philosophisch gebildet, wandten sie sich mit ihren Denkschriften an die Kaiser
und Machthaber, um die sittliche Überlegenheit des Christentums oder wenigstens seine Ungefährlichkeit für die staatliche Ordnung darzutun, und an die gebildete Schicht, um
die christliche Offenbarung als die allen anderen überlegene
Philosophie zu erweisen.

Der erste bedeutende Apologet war *Justinus der Märtyrer,*
»der Christ im Philosophenmantel«, geboren um 100, gestorben um 165 als Blutzeuge seines Glaubens in Rom. Auch
der vorhin zitierte *Tertullian* (160—220), so schroff er christliche Heilslehre und griechische Weltweisheit entgegenstellt,
war nicht nur selbst philosophisch hochgebildet, sondern auch
ein hervorragender Rhetor. In seinen Schriften, mit denen die
lateinische Literatur des Christentums eigentlich anhebt, bediente er sich eines glänzenden, mit Witz und Ironie ge-
würzten lateinischen Stils. Tertullian wird der berühmte Ausspruch »credo quia absurdum est« — ich glaube, (gerade)
weil es widersinnig ist — zugeschrieben. Er findet sich in
dieser Form zwar nicht in seinen erhaltenen Schriften, gibt
aber den Grundgedanken des Tertullian richtig wieder, daß
die Wahrheit des Glaubens in einer ganz anderen Sphäre
als der dem Denken zugänglichen liegt. Indem Tertullian die
Glaubenswahrheit als die höhere feststellt und verlangt, bei
möglichem Widerspruch zwischen ihr und den Ergebnissen
des Denkens nichts für wahr zu halten, was der Glaubenswahrheit widerspricht, bereitet er schon die Unterordnung der
Philosophie unter die Theologie, des Wissens unter den Glauben, vor, die für alle folgende christliche Philosophie kennzeichnend ist.

Einen entscheidenden Schritt weiter in dieser Richtung taten
die großen Lehrer der im 2. und 3. Jahrhundert in Alexandria blühenden Katechetenschule, *Clemens* (gest. 217) und
Origenes (184—254). Sie schufen nicht nur die christliche
Theologie als Wissenschaft, sie dachten auch eine Rangordnung der Wissenschaften aus, in der diese an der Spitze
steht. Origenes sagte: »Wenn die Söhne der Weltweisen von
Geometrie, Musik, Grammatik, Rhetorik und Astronomie

sagen, sie seien die Mägde der Philosophie, so können wir von der Philosophie in ihrem Verhältnis zur Theologie dasselbe sagen[11].« Folgerichtig verlangte er vom Theologen, die Schriften der alten Philosophen durchzuarbeiten und allem ein gerechtes Ohr zu leihen. In seiner eigenen Lehre nahm Origenes auch tatsächlich eine weitgehende, ja für die Kirche zu weit gehende Verschmelzung christlicher mit neuplatonischen Gedanken vor. In seinem Hauptwerk »Von den Grundlehren« faßte er das Verhältnis zwischen Gott und Gottessohn wie das des Lichtes zum Glanz, der von diesem ausstrahlt. Gottes Sohn steht dabei in gleichem Abstand von beiden zwischen Gott und den Menschen als Vermittler[12].

Klassische und biblische Überlieferung vereinigen sich auch in einem der größten Geisteswerke des frühen Mittelalters, der lateinischen Bibelübersetzung (Vulgata) des *Hieronymos,* sowie in der erwachenden christlichen Dichtung.

Stärker als der Inhalt der antiken Bildung wirkte dabei meistens ihre *Form* auf die christlichen Schriftsteller ein. Hieronymos pries Cicero als den König der Rhetoren und Erleuchter der lateinischen Sprache. Daß aus der antiken Bildung gerade die mehr auf die Form als auf den Inhalt schauende Rhetorik fortwirkte, hatte für die weitere Kulturentwicklung bedeutsame positive und negative Folgen. Es führte einerseits dazu, daß neben dem geistlichen Schrifttum ein weltliches, schöngeistiges, nach dem Vorbild eines Vergil, Horaz, Cicero und anderer, daß überhaupt neben der geistlichen Kultur eine weltliche entstand, wodurch das Geistesleben des Abendlandes eine unermeßliche Bereicherung erfuhr. Es trug andererseits dazu bei, daß das Vermächtnis der griechischen *Wissenschaft* im Mittelalter vernachlässigt wurde.

III. Innere Gefahren für das Christentum

1. DIE GNOSTIKER

Sah sich das Christentum in einer ihm zunächst feindlichen Umwelt zu ständig erneuter Selbstbehauptung gezwungen, so wurde es in den ersten Jahrhunderten gleichzeitig von innen heraus in seiner Einheit und seinem Fortbestand bedroht durch mehrere geistige Bewegungen, die ihren Ausgang teils von im Christentum selbst liegenden Gedanken und Voraussetzungen nahmen, teils christliche und nichtchristliche Elemente zu vereinigen suchten. Die verbreitetste und für das Christentum gefährlichste dieser Bewegungen war die *Gnosis* (griechisch »Erkenntnis«), eine der vielgestaltigsten und am schwersten zu fassenden Erscheinungen der Geistesgeschichte.

a) Herkunft und Hauptvertreter der Gnosis

In der Gnosis vermischen sich christliche Glaubenssätze — die in dieser Zeit vor der Festlegung eines ausgebildeten Lehrgebäudes noch vieldeutiger Auslegung offenstehen — mit Elementen sehr verschiedenen Ursprungs. Es sind religiöse Vorstellungen altorientalischer Herkunft, vor allem persische, syrische, jüdische; dazu treten philosophische Gedanken aus den Lehren des *Poseidonios* (etwa 135—51 v. Chr.), eines universalen Denkers und Geschichtsschreibers, ferner aus Platon und dem Neuplatonismus, Pythagoras und der an diesen anknüpfenden neupythagoreischen Richtung sowie aus dem Stoizismus.

Je nach dem Gewicht, das dem einen oder anderen Element zuerkannt wird, werden verschiedene gnostische Richtungen unterschieden. Diejenige, die dem Judentum eine besondere Stellung einräumt, wird als *judaisierende* Gnosis bezeichnet. Ihre Hauptvertreter sind *Basilides* (um 125 n. Chr.) und *Valentinus* (um 150 n. Chr.). Ihr wird eine *paganisierende,* d. h. heidnische Gedanken bevorzugende, und eine *christianisierende* Gnosis an die Seite gestellt. Hauptvertreter der christianisierenden Richtung ist *Marcion* aus Sinope. Er begründete eine eigene Kirche, die sich lange neben der Hauptkirche hielt. Bemerken wir bei dieser Gelegenheit, daß der Gegensatz zwischen den sogenannten Judenchristen, die die Beibehaltung der jüdischen Beschneidung und des mosaischen Gesetzes forderten, und den Heidenchristen, die dies verwarfen, in den Anfangszeiten des Christentums eine erhebliche Rolle spielte.

Neben diesen gnostischen Schulen, die als Häresien (Irrlehren) von der Kirche aufs schärfste bekämpft wurden, gehören in einem weiteren Sinne auch die im vorigen Abschnitt genannten Kirchenväter Clemens und Origenes in die gnostische Geistesrichtung.

b) Grundgedanken und Eigenart der Gnosis

Wir verzichten darauf, die verschiedenen gnostischen Richtungen einzeln zu behandeln, und führen statt dessen drei Gesichtspunkte an, die für alle zutreffen und einen Eindruck von der Eigenart dieser Bewegung vermitteln können.

Theodizee. — Eine zentrale Stellung im Denken der Gnostiker nimmt das Problem der sogenannten Theodizee ein, die Frage nach der Rechtfertigung Gottes und der Herkunft und Bedeutung des Bösen in der Welt. Es ist dies eine Grundfrage jeder Religion; im Christentum erhält sie ein besonderes Gewicht dadurch, daß hier einerseits die Vorstellung des Weltschöpfers aus dem Judentum übernommen ist, andererseits aber die Welt als Stätte des Unheils und der Sünde angesehen wird, aus der wir erst durch Christus erlöst werden. Warum, so fragte man, schuf Gott der Vollkommene eine Welt des Bösen, aus der wir erst der Erlösung bedürfen?

Die Frage hatte schon Epikur in ähnlicher Form gestellt. Später sollte sie namentlich Leibniz bewegen. Auch der sechsjährige Goethe stellte sich, unter dem Eindruck des Erdbebens von Lissabon, die Frage, wie Gott solches zulassen könne — wie er zu Beginn von »Dichtung und Wahrheit« bebeschreibt.

Die Gnostiker lösen das Problem in der Weise, daß sie Gott den Schöpfer von Gott dem Erlöser unterscheiden. Damit gibt es aber zwei Götter: den allgütigen Erlöser und den diesem untergeordneten, ja bisweilen feindlichen Schöpfer (Demiurgen) der Welt. Z. B. scheidet Marcion den Gott des Alten Testaments als Schöpfer und Gott der Gerechtigkeit von dem Gott des Neuen Bundes als Gott der Liebe.

Gnosis als Erkenntnis. — Die gnostische Auffassung des Göttlichen bedingt auch eine besondere Vorstellung von der Stellung des Menschen in der Welt und seiner Erlösung. Daß der Mensch der Sünde anheimfällt, erscheint nicht mehr als seine besondere menschliche Schuld; sondern die Seele des Einzelmenschen ist nur der Kampfplatz, auf dem sich der ewige Widerstreit des guten und des bösen Prinzips abspielt. Die Einzelseele, um die es dem Christentum geht, verliert damit einiges von ihrer besonderen Würde. Nicht darauf kommt es an, daß der Mensch in einem Akt der inneren Wiedergeburt den »alten Adam« abstreift und ein neuer, geläuterter Mensch werde, sondern darauf, daß er den weltumspannenden Kampf des Guten und Bösen in sich *schaue und erkenne*[13]. Die Erkenntnis tritt so bei den Gnostikern immer mehr an die Stelle des Glaubens, worauf auch der Name zurückzuführen ist, den die ganze Bewegung erhalten hat. Die Gnostiker konnten sich dabei berufen auf solche Worte wie das des Paulus: »Der Geist erforschet alle Dinge, auch die Tiefen der Gottheit[14].«

Gnosis als Mystik. — Die Menschwerdung Gottes und die Vereinigung mit ihm im Sakrament ist das große Geheimnis der christlichen Lehre und damit die Stelle, an der im Verlauf ihrer Geschichte immer wieder mystische Gedanken hereinflossen[15]. Mystik, wie schon der Name (vom griechischen myein = die Augen schließen) anzeigt, beruht auf der Verneinung sowohl der Sinneswelt wie der Logik des Verstandes und besteht in einer mit Worten immer nur unvollkommen beschreibbaren, unbewußten, rauschhaften oder ekstatischen Vereinigung mit dem Göttlichen. Auch die Gotterkenntnis der Gnostiker ist nicht als Vernunfterkenntnis, sondern als mystische zu verstehen.

Die gnostischen Gedanken treten, wie andere Formen der Mystik, in einer phantastischen Einkleidung in mythologischen Bildern und Gestalten auf. Gemeinsam ist fast allen Richtungen, neben dem Angeführten, die von Plotinos ausgebildete Vorstellung einer stufenweisen Emanation des Göttlichen, von Mittelwesen, die zwischen Gott und den Menschen stehen, und von der endlichen Rückkehr alles Seienden in den göttlichen Urgrund.

2. DIE MANICHÄER

Der Gnosis eng verwandt ist der Manichäismus, der sogar, weil er das Judentum schroff ablehnt und heidnische, nämlich persische und indische Ideen mit christlichen verbindet, zur paganisierenden Richtung der Gnosis gerechnet wird[16]. Er wurde begründet von dem Perser *Mani* (lat. Manichaeus). Mani wurde 215 in Persien aus königlichem Geschlecht geboren, brachte längere Zeit in Indien zu und trat vorher und nachher in seinem Heimatlande als Stifter einer neuen Religion auf. Im Jahre 273 wurde er gekreuzigt.

Seine Lehre, soweit sie aus geringfügigen Bruchstücken seiner Schriften und aus späteren Berichten zu erkennen ist, geht aus von der der persischen Religion entnommenen Vorstellung zweier von Ewigkeit her nebeneinander bestehender Reiche, eines Reichs des Lichts, beherrscht vom göttlichen Vater des Lichts, und eines Reichs der Finsternis, beherrscht vom Vater der Finsternis — von Mani mit dem jüdischen Jahwe identifiziert — und seinen Dämonen. Jesus erscheint bei ihm als der aus dem Reiche des Lichts herabsteigende Erlöser der Menschen.

Die Ethik des Manichäismus fordert strengste Askese und ähnelt der buddhistischen. Auch seine Scheidung der auserwählten »Wissenden«, denen die volle Strenge der Gebote auferlegt ist (kein Fleischgenuß, kein Geschlechtsgenuß, keine gemeine Handarbeit), von den bloßen »Hörern« oder Verehrern, für die die Gebote gemildert sind, erinnert an die bei Buddha vorgenommene Trennung in Mönche und Laien.

Von der Lehre der christlichen Kirche unterscheidet sich der Manichäismus grundsätzlich durch die Verwerfung des Alten Testaments, durch die dualistische Lehre von den beiden Reichen und durch seine andersartige Erlösungsidee, die dem Menschen vorschreibt, nach der von Jesus gegebenen Anleitung seine Erlösung *selbst* zu vollbringen[17]. Er verbreitete sich besonders im Orient und in Nordafrika, bildete eine selbständige Religionsgemeinschaft und wurde zeitweise dem Christentum, das ihn aufs heftigste bekämpfte, gefährlich. Manichäische Gemeinden hielten sich bis ins Mittelalter.

3. ARIUS UND ATHANASIUS

Unter den zahlreichen Glaubensstreitigkeiten, die die christliche Welt der ersten Jahrhunderte in Bewegung hielten, war eine der wichtigsten der Kampf um die Frage nach dem Wesen Christi und seinem Verhältnis zu Gott dem Vater. *Arius*, ein gelehrter Presbyter von Alexandrien (gestorben 336), lehrte im Anschluß an Origenes und unter Zuspitzung von dessen These, daß der Gottessohn nicht wesenseins mit Gottvater, sondern diesem untergeordnet sei und als Mittler zwischen Gott und den Menschen stehe. *Athanasius*, anfänglich bischöflicher Geheimschreiber, dann als Nachfolger des abgesetzten Arius selbst Bischof von Alexandria (gestorben 373), vertrat dagegen die Auffassung, daß der Gottessohn von Ewigkeit an wesenseins mit dem Vater sei. Auf dem von Kaiser Constantin im Jahre 325 einberufenen Konzil von Nicäa prallten beide Ansichten aufeinander. Athanasius siegte. Es wurde eine Formel angenommen, die die Wesenseinheit von Gottvater und Gottessohn als verbindliche Kirchenlehre festlegte. Der Sieg des Athanasius war zunächst nur ein vorläufiger. In der östlichen Kirche neigten nach wie vor viele dem Arianismus zu. Die germanischen Stämme, zuerst die Goten, dann nach ihrem Vorbild alle anderen, mit Ausnahme der Franken, waren Arianer. Athanasius führte weiter einen wechselvollen Kampf, wurde selbst mehrere Male verbannt und wieder zurückgerufen. Erst nach seinem Tode wurde 381 durch die Synode von Konstantinopel die Formel von der Wesensgleichheit von Gottvater, Gottessohn und Heiligem Geist als festes Kirchengesetz bestätigt und damit das Dogma von der Dreieinigkeit (Trinität) Gottes endgültig festgelegt. Die germanischen Völker wurden erst im 6. Jahrhundert vom Arianismus zum Katholizismus bekehrt.

IV. Die Festigung der Kircheneinheit

Gegen alle äußeren Widerstände und inneren Gefährdungen erhob sich in den ersten Jahrhunderten die römische Kirche zu ständig wachsender äußerer Macht und innerer Einheit. Daß sie dies vermochte, verdankte sie in erster Linie den beiden Grundpfeilern, auf denen sie ruhte: der strengen äußeren Ordnung in der sich festigenden Hierarchie (priesterlichen Rang- und Herrschaftsordnung) und der grandiosen Folgerichtigkeit und Härte, mit der sie ihre unantastbare christliche Wahrheit gegen alle häretischen Abirrungen bewahrte. Die Kirche bildete ein eigenständiges Gemeinwesen; in der Zeit des Niedergangs der römischen Macht und des Barbaren-

ansturms fast ein Staat im Staate. Sie hatte ihre eigene
innere Ordnung, ihre eigene Leitung, ihr eigenes Recht, ihre
eigenen Gesetze. Vor allem hatte sie in den Gemeindeältesten
und Bischöfen, die als Nachfolger der von Christus selbst
eingesetzten Apostel betrachtet wurden, leitende Persönlichkeiten, welche umgeben vom Glanz eines übernatürlichen An-
sehens eine äußerst weitgehende Entscheidungsmacht hatten.
Die durchgebildete kirchliche Ordnung unterschied die christliche Gemeinschaft von allen anderen religiösen Körperschaf-
ten der Zeit und befähigte sie, alle zu überdauern[18].

Unter den Kirchenvätern, welche die der Kircheneinheit
drohenden Gefahren am erfolgreichsten bekämpften, ist an
erster Stelle *Irenäus* (gestorben etwa 202) zu nennen. Er
stammte aus Kleinasien und war später Bischof in Gallien.
Sein Hauptbestreben ging auf die Bekämpfung der Gnosis,
der sein Werk »*Wider die fälschlich so genannte Gnosis*«
gewidmet ist. Den Gnostikern, die in ihrem Hochmut glaubten, Gott durch »Schau« erkennen zu können, wird vorge-
halten, daß Gott ganz unbegreiflich ist, daß wir das wenige,
was wir überhaupt von ihm wissen können, aber nur durch
Offenbarung wissen. Gott offenbart sich den Heiden durch
die Stimme des Gewissens, den Juden durch Gesetz und Propheten, den Christen durch Christus, dessen Lehre die reine
apostolische Überlieferung bewahrt. Die gnostische Scheidung
des Schöpfergottes vom Erlöser wird als Blasphemie zurückgewiesen. — Ebenso wie für die Reinheit der Lehre trat
Irenäus leidenschaftlich für die äußere Einheit der Kirche und
Führung Roms ein, »denn zu dieser Kirche muß sich wegen
ihrer Ursprünglichkeit die gesamte Kirche, das heißt die Gesamtheit der Gläubigen von überall her, zusammenscharen,
weil in ihr immer von den überall verbreiteten Gemeinden
die von den Aposteln herrührende Tradition bewahrt worden ist«[19].

Auch der schon in anderem Zusammenhang genannte *Tertullian* gehört zu den überzeugten Vorkämpfern der Kircheneinheit. Seine scharfe Ablehnung der heidnischen Philosophie
ist gerade dadurch bedingt, daß er in ihr den Mutterboden
der gnostischen Irrlehren erkannte.

An dritter Stelle ist *Cyprian* (Bischof von Karthago, geboren
um 200, gestorben als Märtyrer 258) zu nennen. In seiner
Schrift »Über die Einheit der katholischen Kirche« und in
zahlreichen Briefen verfocht er den Gedanken der Einheit der
Christenheit. Die katholische Kirche, in der er diese verkörpert sieht, ist für ihn die von Christus gestiftete Gemeinschaft der Gläubigen, außerhalb deren keine Erlösung möglich
ist[20].

V. Die jüngeren Kirchenväter: Augustinus

1. DES AUGUSTINUS LEBEN UND WERK

»Fecisti nos ad Te et inquietum est cor nostrum, donec requiescat in Te« — »Du hast uns zu Dir hin geschaffen, und unruhig ist unser Herz, bis es ruht in Dir.« Dieser unvergleichliche Satz steht am Anfang der »Bekenntnisse« (Confessiones) des Aurelius Augustinus, des tiefsten Denkers und der machtvollsten Persönlichkeit der ganzen Patristik, in denen er, in Form eines einzigen Gebets, in dreizehn Büchern sein Leben bis zum Zeitpunkt seiner Bekehrung schildert. Und unruhig, in unablässigem Suchen und mancherlei Verirrungen, war in der Tat sein Leben, bis er im Christentum die innere Ruhe fand.

Im Jahre 354 in Thagaste in Numidien (Nordafrika) als Sohn eines heidnischen Vaters und einer christlichen Mutter geboren, wurde Augustinus, nach jugendlichen Ausschweifungen in Karthago, zuerst durch die Bekanntschaft mit einer Schrift Ciceros zum Studium der Philosophie und zur Suche nach der Wahrheit geführt. Er glaubte sie zunächst in der Lehre der Manichäer zu finden, deren Religionsgemeinschaft er zehn Jahre angehörte. An dieser irre geworden, wandte er sich zuerst nach Rom und darauf nach Mailand, wo er, wie vorher in Karthago, als Lehrer der Rhetorik wirkte. Hier verfiel er zunächst dem philosophischen Skeptizismus, aus dem er sich durch das Studium neuplatonischer · Schriften, insbesondere des Plotinos, befreite, dessen Einfluß auch noch in seinen späteren christlichen Gedanken erkennbar ist. Aber auch das befriedigte ihn nicht. Er sagte später darüber: »Die Platoniker sahen zwar die Wahrheit — fest, unbeweglich und unveränderlich, die Urformen aller geschaffenen Dinge enthaltend —, aber sie sahen sie nur von ferne, und deshalb konnten sie nicht den Weg finden, auf dem sie einen so großen, unsagbar beseligenden Besitz erlangen konnten[21].«

Den Besitz der Wahrheit selbst fand Augustinus erst im Christentum, zu dem er 387, vornehmlich unter dem Eindruck der Predigten des großen Bischofs Ambrosius von Mailand, übertrat. Von da an führte er, zunächst in Italien, dann wieder in seiner nordafrikanischen Heimat, ein zurückgezogenes, dem Studium und der Betrachtung hingegebenes Leben, das er im wesentlichen auch fortsetzte, nachdem er, eigentlich gegen seinen Willen, zum Presbyter geweiht und schließlich zum Bischof von Hippo Regius in Nordafrika ernannt worden war. Er starb 430 während der Belagerung dieser Stadt durch die Vandalen.

Seine schriftstellerische Tätigkeit begann er mit der leiden-

schaftlichen Bekämpfung der Irrlehren, denen er selbst lange
Zeit angehangen hatte und die er daher aus eigener Erfahrung kannte. So bekämpfte er die Skeptiker (in seiner Schrift
»Wider die Akademiker«), die Manichäer und andere. Seine
Hauptwerke sind, außer den schon genannten Bekenntnissen,
»Über die Freiheit des Willens«, »Über die Dreieinigkeit«,
und »Über den Gottesstaat«. Die letztere Schrift kann als
das eigentliche Hauptwerk angesehen werden. Sie ist geschrieben in den Jahren 413 bis 426, angeregt durch die Plünde-
rung Roms durch das Gotenheer des Königs Alarich (410)
und die dabei aufgetauchte Frage, ob nicht dieser Fall Roms
durch die Aufgabe seiner alten Götter, das hieße aber durch
die Annahme des Christentums, verschuldet sei. Dieser Auffassung tritt daher Augustinus zunächst in den ersten fünf
der insgesamt 22 Bücher entgegen und zeigt, daß Rom durch
Selbstsucht und Sittenlosigkeit gefallen sei. In den folgenden
fünf Büchern werden allgemein die Verwerflichkeit des Hei-
dentums und die Unzulänglichkeit der alten Philosophie behandelt. Die restlichen zwölf Bücher stellen dem weltlichen
Staat den Staat Gottes, verkörpert in der Kirche Christi,
gegenüber.
Augustinus ist die erste ganz große philosophische Begabung
seit dem klassischen Zeitalter der griechischen Philosophie. In
seinem Gedankenwerk findet die neu aufsteigende christliche
Kultur zum erstenmal ihren höchsten philosophischen Ausdruck. Sein Einfluß setzte sich im 5. und 6. Jahrhundert
im ganzen christlichen Westen durch und wurde zum bestimmenden geistigen Erbgut des ganzen Mittelalters[22]. »Der
Siegeszug der Civitas Dei (des Gottesstaats) durch die abendländische Christenheit ist fast beispiellos gewesen; man wird
wohl sagen dürfen, daß außer Platon kein Schriftsteller auf
die Gedanken der Kulturmenschheit so bestimmend eingewirkt hat wie Augustinus durch dieses Werk[23].«
Die überragende Stellung des Augustinus in der Patristik ist
auch daran zu ermessen, daß mit seinem Werk die dogmen-
bildende Tätigkeit für Jahrhunderte im wesentlichen abgeschlossen war. Was folgte, war nicht so sehr originelle Neu-
schöpfung, sondern, bis zum Einsetzen der Scholastik jedenfalls, theologische und philosophische Arbeit, die auf die
Eingewöhnung, Kommentierung und Bewahrung des Geschaffenen gerichtet war — weshalb wir auch in unserer auf das
Wesentlichste beschränkten Einführung den übrigen Philosophen der jüngeren Patristik neben Augustinus nur einen be-
scheidenen Raum widmen.
So übermächtig war der Einfluß der augustinischen Gedanken,
daß für die ganze nachfolgende Zeit des frühen Mittelalters
nahezu alle Aufmerksamkeit durch den religiösen Bereich

und seine beiden Pole: Gott und die Seele, aufgesogen wurde, und neben ihm für schöngeistige Kultur und Naturwissenschaft wenig Raum blieb. Denn Gotteserkenntnis und Gottesliebe sind für Augustinus das einzige Ziel, das der Anstrengung des Geistes wert ist. Totes Wissen und unnütze Neugierde sind dagegen alle Bestrebungen, die nur auf Wissen um des Wissens oder um äußerer Ziele willen ausgehen. »Wer alles dies weiß und nicht Dich kennt, ist sicher unglücklich, aber glücklich ist, wer Dich kennt, wenn er auch von nichts anderem weiß. Und wer beides kennt, Dich und das andere, wird von diesem nicht glücklicher als von Dir allein[24].«

2. DIE AUGUSTINISCHE PHILOSOPHIE

Die Philosophie des Augustinus ist, nach dem Urteil eines ihrer besten Kenner, nicht systematisch. Was das Ganze zusammenhält, ist die christliche Grundstimmung und im übrigen die Macht und Einheit der Persönlichkeit ihres Schöpfers. Diese ist freilich vielschichtig, weitgespannt und nicht ohne innere Spannungen. Doch in allem, was er schreibt, »in der vibrierenden Selbstbegegnung der Konfessionen, im geduldigen stillen Leuchten des Buches von der Dreifaltigkeit, im schlichten Schürfen der Dialoge, im brokatenen Aufwand des Psalmenwerkes, in der feierlichen Sachlichkeit des Gottesstaatswalts«, ist jeder Satz unverkennbar augustinisch[25]. Die Auswahl der nachfolgenden Gedanken und Gesichtspunkte ist deshalb nicht systematisch, sondern nur von dem Bestreben geleitet, die in der Persönlichkeit ihres Schöpfers begründete Eigenart dieser geistigen Welt hervortreten zu lassen.

a) Die Tiefen der Seele

»Welch schauerlich Geheimnis, mein Gott, welch tiefe, uferlose Fülle! Und das ist die Seele, und das bin ich selbst! Was bin ich also, mein Gott? Was bin ich für ein Wesen? Ein Leben, so mannigfach und vielgestalt und völlig unermeßlich! Mein Gedächtnis, siehe, das sind Felder, Höhlen, Buchten ohne Zahl, unzählig angefüllt von unzählbaren Dingen jeder Art, seien es Bilder, wie insgesamt von den Körpern, seien es die Sachen selbst, wie bei den Wissenschaften, seien es irgendwelche Begriffe oder Zeichen, wie bei den Bewegungen des Gemüts, die sich, wenn die Seele auch schon nicht mehr leidet, im Gedächtnis erhalten und also mit diesem in der Seele sind: durch alles dieses laufe ich hin und her, fliege hierhin, dorthin, dringe vor, soweit ich kann, und nirgends ist Ende: von solcher Gewaltigkeit ist das Gedächtnis, von solcher Gewaltigkeit ist das Leben im Menschen, der da sterblich lebt[26]!«

Auch große griechische Denker, namentlich Heraklit und Platon, waren in die Tiefen der Menschenseele hinabgestiegen. Augustinus unterscheidet sich von diesen, mehr noch als durch die größere Schärfe des psychologischen Blicks, durch die Leidenschaftlichkeit der Selbstschau und Selbstkritik, mit der er Innerstes und Persönliches nach außen kehrt, und durch die Schonungs- und Hemmungslosigkeit, mit der er es in der Generalbeichte seiner »Bekenntnisse« vor den Augen der Welt ausbreitet. Eine solche Offenheit war den Griechen fremd, die derartiges, wenn überhaupt, in mythologischer Verhüllung oder unter einer Maske auszusprechen pflegten[27].

Das unablässige Bohren und Suchen in inneren Abgründen führt Augustinus zu der ersten Entdeckung jenes dunklen Bereiches in uns, den die spätere Seelenkunde das *Unbewußte* genannt hat. Wie ist es, so fragt er zum Beispiel in seinen Untersuchungen über das Gedächtnis, wenn wir etwas vergessen haben und suchen es wieder: Wo suchen wir es? Doch in dem Gedächtnis, dem es gerade entfallen ist! Finden wir es dann wieder, sei es, daß ein anderer uns darauf bringt oder daß es von selbst sich wieder einstellt, so sagen wir: Das ist es! Wie vermögen wir es dann untrüglich als das Gesuchte zu erkennen? »Was wir ganz vergessen hätten, könnten wir auch nicht als Verlorenes suchen.« Es ist also so, daß unser Geist mehr umfaßt, als er jeweils von sich weiß. »So ist der Geist zu eng, sich selbst zu fassen. Wo aber ist es, was er an Eigenem nicht fassen kann? Ist es etwa außer ihm, nicht in ihm selbst? Wie also faßt er's nicht? — Ein groß' Verwundern überkommt mich da, Staunen ergreift mich über diese Dinge. Und da gehen die Menschen hin und bewundern die Höhen der Berge, das mächtige Wogen des Meeres, die breiten Gefälle der Ströme, die Weiten des Ozeans und den Umschwung der Gestirne — und verlassen dabei sich selbst[28] . . .«

b) »*Cogito, ergo sum*«

Je mehr wir die abgründigen Tiefen unseres Innern auszuloten suchen und je mehr wir dabei seine Grundlosigkeit erfahren, desto dringender bedürfen wir eines festen Richtpunktes. Wo ihn finden? Augustinus findet ihn, wie vor ihm die Inder, wie 1200 Jahre nach ihm wieder Descartes, gerade im eigenen Innern, nämlich im Unfesten, in der Ungewißheit, im Zweifel. Wenn ich an allem zweifeln kann, so doch nicht daran, *daß ich zweifle*, das heißt, daß ich denke, daß ich ein denkendes Wesen bin. So wird für Augustinus, wie für Descartes, die Selbstgewißheit des Denkens zum unerschütterlichen Ausgangspunkt.

c) Die Dreieinigkeitslehre

Von dem eben genannten Satz ist nur ein Schritt zu dem *mystischen* Gedanken, den auch Augustinus ausspricht: »Warum willst du draußen schweifen? Kehre in dich selbst ein, denn im Innern wohnt die Wahrheit!« So konnten sich in späterer Zeit mystische Denker auf ihn berufen. Jener Satz hätte ferner den Augustinus, wenn er bei ihm stehengeblieben wäre, leicht zu einer Auffassung führen können, die den Indern nahestände und die in allem Äußeren nur ein *Erzeugnis* des denkenden Geistes sähe. Auch so ist er von manchen verstanden worden. Im Grunde geht aber sein Denken doch einen anderen Weg. Er sucht »eine Bewegursache, die sich nicht als identisch mit den innermenschlichen Kräften deuten läßt, eine überlegene, verpflichtende Instanz von eigener Hoheit, eine Stimme, die nicht das rückgeworfene der unsrigen ist: die Wahrheit[29] ...« Er selbst sagt: »Hinaus will ich selbst über meine Kraft, die Gedächtnis heißt, hinaus will ich über sie, um an dich zu reichen, süßes Licht[30]!« Er findet die Wahrheit und das Licht in Gott — Gott, der von uns zwar nicht gekannt und erfaßt werden kann, vor dem unser Denken und alle seine Kategorien versagen, denn er ist groß ohne Quantität, gut ohne Qualität, gegenwärtig ohne Raum, ewig ohne Zeit — der sich aber in seinem göttlichen Wort uns *offenbart* hat.

Das führt Augustinus zur Absage an jede Philosophie, die die Welt als ein Erzeugnis des Menschengeistes hinstellen möchte, an jeden Versuch, die Wahrheit nur durch Versenkung in das menschliche Innere aufzufinden: Nicht die Erkenntnis zeugt das Erkennbare, sondern es gibt eine Wirklichkeit, die unabhängig von unserem Denken aus sich besteht, die Ordnung und Wirklichkeit Gottes. Das führt ihn weiter zu einer ganz ausdrücklichen Lehre vom Wesen Gottes als Dreieinigkeit. Er beseitigt aus der Trinitätslehre den letzten Rest der von Origenes und den Arianern stammenden Unterordnung des Sohnes unter den Vater. Die »göttliche Substanz« existiert in drei Personen: im Vater, im Sohn, im Heiligen Geist; und in jeder existiert sie ganz. Zur Verständlichmachung dieses dem Verstande freilich schwer faßlichen Dogmas bedient sich Augustinus der Analogie mit der Menschenseele: So wie diese aus Sein, Leben und Erkennen (oder wie er an anderer Stelle sagt, aus Sein, Wissen und Leben) ein einheitliches Wesen bildet, ist sie ein Symbol der geheimnisvollen göttlichen Dreifaltigkeit; und dies ist mehr als ein bloßer Vergleich, denn der Mensch ist nach dem Bilde Gottes erschaffen.

d) Schöpfung und Zeitlichkeit

Einige der genialsten Gedanken des Augustinus bewegen sich um das Problem der *Zeit*. Augustinus hält die christliche Auffassung fest, nach der Gott die Welt aus dem Nichts nach seinem Willen erschaffen hat. Die damit sich ergebende Kluft zwischen der Nichtigkeit der Kreatur und dem göttlichen Sein kommt ihm am schärfsten zum Ausdruck im Verhältnis der Ewigkeit Gottes zur bloßen Zeitlichkeit alles Geschaffenen.

»Du, Herr, bist ewig, aber ich — ich springe in Zeiten auseinander, von denen ich nicht weiß, warum sie eben so sich folgen. Im Strudel eines Vielerlei zerstückt sich mein Denken, mein innerstes Leben, bis ich mit allem münde in Dir[31].« Augustinus unterwirft die Zeit einer psychologischen Analyse. Ohne Vorgang in der Geschichte der Philosophie — von Indien abgesehen — ist seine Untersuchung über Zeitbewußtsein und Zeiterlebnis. Er findet, daß Zeit von unserem Bewußtsein nicht zu trennen ist. Was ist eigentlich an der Zeit wirklich? Bei genauem Zusehen nur die Gegenwart, das unmittelbare Jetzt. Vergangenheit besteht nur in unserer Erinnerung. Zukunft ist nur in unserer Erwartung. Beide sind nicht eigentlich wirklich. Es ist die Beschränktheit unseres menschlichen Bewußtseins, welche das immer Seiende nur in der Erscheinungsform des Nacheinander fassen kann. Was aber aus dem Verborgenen in unablässiger Folge uns auftaucht und vorüberzieht, das ist vor Gottes Auge alles gleich gegenwärtig. »Wir, unsere Tage und Zeiten, gehen durch Gottes Hand hindurch.« — Nur mit einem Wort sei darauf hingewiesen, wie eng sich diese Gedanken mit modernsten physikalischen Anschauungen berühren, die im Gefolge der Relativitätstheorie aufgetreten sind.

Noch einen zweiten Gedanken des Augustinus über die Zeit wollen wir hervorheben, nämlich den, daß es Zeit nur geben könne, wo Welt und damit Veränderung vorhanden ist; daß also Gott nicht etwa nach Ablauf einer bestimmten Zeit die Welt geschaffen haben könne, daß vielmehr beide, Zeit und Welt, notwendig nur zusammen entstanden sein können. »Mit gutem Recht unterscheidet man Zeit und Ewigkeit; denn Zeit besteht nicht ohne Wechsel und Wandel, in der Ewigkeit aber gibt es keine Veränderung. Also ist es klar, daß es Zeiten überhaupt nicht gegeben hätte ohne das Werden der Kreatur, die als Bewegungsvorgang irgendwelcher Art auch Zustandsänderung in sich begreift. Erst aus diesem bewegten Gestaltenwandel, aus dem Nacheinander von dem und jenem, was nicht zugleich bestehen kann, erst aus den kürzeren oder längeren Zwischenstrecken, die durch das Weichen des einen und das Nachrücken des andern sich ergeben, kommt die

Zeit zustande. Weil nun Gott, dessen Ewigkeit allen Wandel und Wechsel ausschließt, auch der Zeiten Schöpfer ist und Ordner, so läßt sich, wie mich dünkt, nicht sagen, er habe nach gewissen Zeiträumen erst die Welt erschaffen; sonst bliebe nur die Rückfolgerung, es habe vor der Welt schon Kreatur gegeben, mit deren Bewegtheit zugleich auch die Zeit in Fluß gekommen ... Ohne Zweifel also ist die Welt nicht *in* der Zeit, sondern *mit* der Zeit erschaffen. Denn was in der Zeit geschieht, das geschieht vor und nach einer Zeit — nach einer, die vergangen ist, vor einer, die erst kommen wird. Vor der Welt aber konnte Zeit nicht sein, weil ja keine Kreatur war, mit deren bewegtem Zustandwandel sie hätte werden können. Vielmehr ist in einem mit der Zeit auch die Welt erschaffen, wofern mit ihr zugleich die Bewegung, nämlich Zustandwandel, begann[32].«

Man sieht, wie Augustinus mit der Sprache ringt, um in theologischer Form etwas auszudrücken, was die heutige Naturwissenschaft in mathematischer Einkleidung sagt. Sieht man aber von dem Unterschied der Ausdrucksweise ab, so stimmt der Gedanke des Augustinus mit den modernsten kosmogonischen (Weltentstehungs-)Theorien überein.

e) Willensfreiheit und Prädestination

Um die Freiheit des menschlichen Willens — eines der schwierigsten Probleme der Philosophie und auch jeder Religion — war zur Zeit des Augustinus ein Streit entbrannt. Ein britischer Mönch, *Pelagius*, vertrat die Auffassung, der Mensch werde frei und ohne Sünde geboren; er könne, sich an das Vorbild und die Lehre Christi haltend, seine Seligkeit selbst erwirken. Pelagius fand besonders in der östlichen Kirche zahlreiche Anhänger. In die Front seiner Widersacher aber reihte sich Augustinus ein, der alsbald in den Streit eingriff mit seiner folgenreichen Lehre von der *Prädestination* (göttlichen Vorherbestimmung).

Danach war nur Adam als erster Mensch frei und ohne Sünde geboren. Er hätte die Möglichkeit gehabt, dem göttlichen Willen zu folgen und Unsterblichkeit zu erlangen. Da Adam, vom Satan verführt, der Sünde verfiel, sind alle Menschen mit dieser seiner Sünde als Erbsünde belastet. Sie sind damit *nicht mehr frei*, sie müssen ihrer Natur nach sündigen und dem Tode — der nach Paulus der Sünde Sold ist — verfallen. Gott aber in seiner Barmherzigkeit erlöst sie durch seine Gnade. Aber nicht alle Menschen! Einige erwählt er, andere verwirft er, und zwar allein »nach dem weisen und geheimen Wohlgefallen seines Willens«, das heißt, vom Menschen her gesehen, willkürlich. Es ist also von vornherein nach dem ewigen Ratschluß Gottes ein Teil der Menschheit zur Seligkeit berufen, der andere zu ewiger Verdammnis bestimmt[33]. Diese Lehre ist zwar folgerichtig. Sie ist sicher nicht zu verstehen, ohne daß man den Blick einmal auf die tiefe von Geburt an vorhandene Verschiedenheit der Menschen untereinander richtet — welche die Inder, und auch Platon, so zu erklären suchen, daß die Seele in einer früheren Verkörperung ihr Schicksal selbst gewählt habe. Sie widerspricht aber jenem dunklen im Menschen vorhandenen Gefühl, daß wir, wider alles Zeugnis der Erfahrung, doch Herren unseres eigenen Geschicks seien. Sie widersprach in ihrer Schroffheit, da sie den einen Teil der Menschheit ausweploser Ohnmacht und Angst überantwortete, auch dem Willen und dem Interesse der Kirche — die denn auch des Augustinus' Lehre alsbald abmilderte und eine mittlere Stellung zwischen reinem Pelagianismus und strenger Prädestination bezog, nach der Gott nicht von vornherein die Menschen berufen oder verdammt hat, sondern nur, vermöge seiner Allwissenheit, ihre endliche Entscheidung voraus *weiß*.

Indem Augustinus in seiner Prädestinationslehre allein den Willen Gottes gelten ließ, mußte es für ihn sehr schwer werden, die Entstehung des *Bösen* in der Welt zu erklären. Folgerichtig wäre es gewesen, das Böse überhaupt zu leugnen. So stellt er auch an manchen Stellen seiner Schriften das Böse als die bloße Abwesenheit des Guten dar, so wie Finsternis nur die Abwesenheit von Licht ist. Andererseits war jedoch einem Menschen wie Augustinus, der sich erst nach schwersten inneren Kämpfen zur christlichen Religion durchgerungen hatte und bis dahin ein verwirrtes, von Leidenschaften und sinnlichen Versuchungen hin und her gerissenes Leben geführt hatte und der dazu noch lange Zeit dem Manichäertum mit seiner Gegenüberstellung zweier uranfänglicher Reiche des Guten und Bösen angehangen hatte, die ungeheure Gewalt des Bösen viel zu gegenwärtig, als daß er sie hätte ganz leugnen oder bloß negativ als Abwesenheit des Guten erfassen können. Seine Stellungnahme zu dieser Frage (der Theodizee) ist daher schwankend geblieben.

f) Geschichte und Gottesstaat

Die ganze Geschichte der Menschheit von der Schöpfung bis zu seiner Zeit und darüber hinaus bis zum Ende aller Geschichte stellt Augustinus in seinem Werk über den Gottesstaat als einen einmaligen, nach Gottes Willen und Heilsplan ablaufenden geschichtlichen Prozeß dar. Daß, nach Goethes Wort, der Kampf zwischen Glauben und Unglauben das eigentliche Thema der Weltgeschichte sei, ist auch Augustinus' Grundansicht. Ihre einschneidenden Ereignisse sind die Menschwerdung Gottes in der Gestalt des Sohnes, welche den

Prozeß der Scheidung der Erlösten von den Verdammten einleitet, und das Jüngste Gericht, durch das dieser seinen Abschluß finden wird. Die Begnadigten werden den »Staat
Gottes« bilden, dem der weltliche Staat gegenübergestellt wird
als nur für die Gefallenen notwendige Ordnung, die zum
Untergang bestimmt ist. Die »Mutter Kirche« *ist* nicht schon
der Gottesstaat. Auch sie umfaßt noch Gerechte und Ungerechte. Doch sie ist immerhin sein noch unvollkommenes Abbild und bereitet ihn vor. Sie ist der Boden, auf dem das
Gottesreich dereinst erwachsen wird. Die Kirche erhält in diesem Geschichtsbild jene einzigartige Stellung, die sie seither
für sich in Anspruch genommen hat: Sie ist die Gemeinschaft
Christi, die nach Gottes Willen die zum Heil Berufenen sam-
melt und außerhalb deren es kein Heil gibt. So kann Augustinus mit Recht als ein wahrer Vater der Kirche, ja als
der größte von allen, bezeichnet werden.

VI. Die Lehrer der jüngeren Patristik außer Augustinus

Die politische Geschichte während der ganzen Epoche von
der Zeit des Augustinus bis zum Ende der Patristik ist angefüllt mit den Kämpfen der Barbaren, gegen Rom und
untereinander. Westrom erlag dem Ansturm der Germanen,
deren Stämme Italien, Gallien, Spanien und Nordafrika eroberten, so daß um das Jahr 500 alle Hauptländer dieses
Reiches in germanischer Hand waren. Ostrom, in dieser Zeit
im allgemeinen bereits von der westlichen Reichshälfte getrennt, litt außer unter germanischem Druck unter den Angriffen und Einfällen der Perser, Bulgaren, Serben und vor
allem der nun islamitischen Araber.
Die Kirche erstarkte in dieser Zeit der Wirren immer weiter,
äußerlich gefestigt durch die Politik energischer Päpste, wie
Leo I. (440—461) und Gregor I. (590—604), innerlich bereichert namentlich durch das Mönchtum, welches, von Osten
seinen Ausgang nehmend, seit der Gründung des Klosters
auf dem Monte Cassino durch Benedikt von Nursia im
Jahre 529 sich rasch über die ganze christliche Welt, besonders auch in England und Irland, verbreitete. Den mönchi-
schen Büchereien und Schreibstuben ist die Bewahrung fast
des gesamten klassisch-lateinischen Schrifttums, das wir heute
besitzen, durch diese Jahrhunderte zu danken[34].
Neben und teilweise schon vor dem Prädestinationsstreit, in
den Augustinus eingriff, wurde die Kirche erschüttert von
Kämpfen um die sogenannte Zweinaturenlehre, die sich um
die Frage drehten, wie die Vereinigung der göttlichen Natur
in Christus mit der menschlichen, die er doch angenommen

haben mußte, zu denken sei. Von größerem philosophischem
Interesse als dieser theologische Streit sind die Schriften, die
ein unbekannter Verfasser unter dem angenommenen Namen
Dionysius Areopagita um das Jahr 500 veröffentlichte. Der
namenlose Schreiber wählte diesen Namen eines zur Zeit
Christi lebenden, zum Christentum bekehrten Dionysos, Mit-
glied des Areopag von Athen (des Ältestenrats, benannt nach
einem Hügel nahe der Stadt), um seinen Schriften das Ansehen ehrwürdiger Zeugnisse aus der Zeit des Urchristentums
zu verleihen — eine Täuschung, die höchst erfolgreich war,
denn sie wurde erst nach Jahrhunderten erkannt. Die wichtigsten dieser Schriften sind »Über die göttlichen Namen«,
»Über die himmlische Hierarchie«, »Über die kirchliche
Hierarchie«. Philosophisch interessant sind sie deshalb, weil
an ihnen zu erkennen ist, wie sehr jetzt — nachdem die
äußere Stellung der Kirche und ihre innere Einheit durch das
Wirken der Kirchenväter bis zu Augustinus befestigt war —
erneut *neuplatonische* Gedanken in das Christentum eindran-
gen. Der Verfasser unterscheidet nämlich eine positive, bejahende und eine negative, verneinende Theologie. Die eine
erkennt Gott auf Grund der Heiligen Schrift als den Viel-
namigen, die andere gelangt auf mystischem Wege zu Gott
als dem Namenlosen. Dieser negativen, stark neuplatonisch
gefärbten Theologie wird der Vorzug gegeben.

An philosophischen Denkern der jüngeren Patristik seien genannt *Gregor von Nyssa* (gest. 394) und der berühmte
Ambrosius von Mailand (gest. 397), dessen Predigten Augu-
stin hörte; ferner von den Männern, die weniger als originelle Köpfe denn als Bewahrer und Verbreiter des Überkommenen im 5. und 6. Jahrhundert bedeutsam sind, *Marcianus Capella*, *Cassiodorus* und der am Schluß des zweiten
Teils schon genannte *Boethius*. Die auf den Schriften dieser
drei aufbauenden Arbeiten des *Isidor von Sevilla* (um 600),
Beda (um 700) und *Alcuin* (um 800, der Lehrer Karls des
Großen) bildeten eine der wichtigsten Grundlagen der späteren mittelalterlichen Gelehrsamkeit. Im Osten nimmt der
Mönch *Johannes von Damaskus* (im 8. Jahrhundert) eine
ähnliche Stellung ein.

Die ganze Philosophie der Patristik trägt, soweit griechische
Einflüsse in ihr wirksam sind, ein platonisches, genauer neu-
platonisches Gepräge. Das Zeitalter des Aristoteles sollte erst
noch kommen.

Mit dem Ausgang der Patristik waren die begrifflichen Mittel
für die Ausbildung der nachfolgenden Scholastik geschaffen
und die dogmatische Stellung der Kirche, vor allem durch
Augustinus, im wesentlichen festgelegt: Die Dreieinigkeit
Gottes im Sinne der geheimnisvollen Einheit dreier gleich-

geordneter göttlicher Personen; die Einheit von Schöpfergott und Erlösergott (gegen die Gnosis); die Kluft zwischen Schöpfer und Geschöpf (im Gegensatz zum Neuplatonismus); die Lehre von der Erbsünde; die Auffassung des Erlösungsvorgangs als eines einmaligen und realen geschichtlichen Prozesses (im Gegensatz zu allen Spielarten der Mystik); endlich der Anspruch der Kirche als berufener und alleiniger Hüterin der göttlichen Wahrheit auf Erden.

Zweites Kapitel

Das Zeitalter der Scholastik

Mit dem Beginn der Scholastik verschiebt sich der Schauplatz unseres Dramas wiederum nach Westen und Norden. Von dem Augenblick an, da im Frankenreich Karls des Großen, das von Spanien bis zur Donau, von Dänemark bis Italien reichte, das eigentliche Abendland aus der Dämmerung der »dunklen« Zeit von 400 bis 800 in das helle Licht und in den Mittelpunkt der eigentlichen Geschichte trat, verlagerte sich der Lebensnerv der mittelalterlichen Kultur von den Küsten des Mittelmeeres in den Kernraum des Frankenreichs nördlich der Alpen, das Gebiet zwischen Loire und Weser. Die einstmaligen Barbaren wurden nun zu den Trägern der Kultur. Wenn auch politisch dieses Reich nur kurzen Bestand hatte, so blieb doch die hier erstmalig verwirklichte Einheit Europas, im Geistigen jedenfalls, fortan erhalten. Alles was folgte: die Ausbreitung des deutschen Elements weit in den slawischen Osten, die beherrschende Stellung des Kaisertums einerseits, des Papsttums andererseits mit ihrer das Mittelalter erfüllenden Rivalität, der vorwiegend religiöse und geistliche Charakter der mittelalterlichen Kultur — ist nur von dieser Zeit aus zu verstehen, da in der »karolingischen Renaissance« die verstreuten Elemente der klassischen und patristischen Überlieferung gesammelt und als Grundlage der neuen Kultur wiederbelebt wurden[1].

Der politischen und gesellschaftlichen Einheit des Abendlandes entsprach seine Einheit im Geiste und in der Philosophie, die in dieser Zeit eine übernationale Erscheinung war. Die vier Kernländer des westlichen Europa, Deutschland, Frankreich, Italien und Großbritannien mit Irland, trugen alle — ohne daß sie schon als Nation ihrer selbst in vollem Umfang bewußt geworden waren — zu dem einheitlichen Bau bei. Die Einheit der Wissenschaft und Philosophie kam zum Ausdruck in der Einheit der Sprache, deren sie sich bediente, des Lateinischen. Alle bedeutenden Werke wurden lateinisch abgefaßt und sofort überall verstanden — ein Vorzug, dessen die neuere Philosophie entbehrt, in der ein Volk oft spät und unvollkommen von der in einem anderen vollbrachten Geistestat Kenntnis nimmt. An den führenden Hochschulen in Paris,

Köln und Oberitalien wurde lateinisch gelehrt. Der einzelne Gelehrte war keineswegs an sein engeres Vaterland gebunden — ein Zustand, an den man angesichts der gegenwärtigen kaum gelockerten nationalen Abschnürung innerhalb Europas mit Wehmut zurückdenken kann; der Freizügigkeit dieser Schicht stand freilich damals auch eine weitgehende Gebundenheit breitester Bevölkerungsteile gegenüber. Aber die Wissenschaft war international: Der aus Italien gebürtige Anselmus lebte in der Normandie und starb als Erzbischof von Canterbury in England; der Deutsche Albertus lehrte in Paris; sein Schüler Thomas stammte aus Süditalien und wirkte in Paris, Köln, Bologna und anderswo — das sind nur wenige Beispiele.

Die Philosophie dieser Zeit ist erwachsen aus der Unterweisung und Erziehung der Geistlichkeit in den Klosterschulen. Sie diente auch anfänglich nur diesem Zweck. Das besagt schon ihr Name: Scholastik, Schullehre. Wie die Patristik ist sie alles andere als »voraussetzungslose« Forschung. Ihre Aufgabe war von vornherein festgelegt: Sie hatte das, was der Glaube schon als unumstößliche Wahrheit besaß, vernunftmäßig zu begründen und verstehbar zu machen. Sie war in dieser ganzen Zeit »ancilla theologiae«, die Magd der Theologie.

Hat sie dies mit der Patristik gemeinsam — so daß man in einem weiteren Sinne die gesamte christliche Philosophie des Mittelalters einschließlich der Patristik als Scholastik bezeichnet hat[2] —, so scheidet sie sich von dieser auf Grund der veränderten Lage, in der sich die Kirche mittlerweile befand, und der daraus sich ergebenden veränderten Aufgabe. Die Lehrer der Patristik fanden als »Glauben« das vor, was als Botschaft Jesu und seiner Apostel in der Heiligen Schrift steht; sie standen vor der Aufgabe, aus diesem ein System von Dogmen zu gewinnen. Die Philosophen der Scholastik fanden dieses Dogmengebäude schon im wesentlichen fertig vor; ihre Aufgabe war, es verständlich zu ordnen und verständlich zu machen, und zwar — das ist wichtig im Zeitalter der Christianisierung Mitteleuropas und später des Nordens — den unverbildeten natürlich denkenden Menschen dieser Völker verständlich zu machen.

Die Aufgabe der Scholastiker war ferner, verglichen mit der der Kirchenväter, insofern eine andere, und zwar eine immer schwieriger werdende, als im Laufe des Mittelalters die Kenntnis der antiken Philosophie ständig zunahm. Beim Einsetzen der Scholastik war diese noch sehr beschränkt. Sie beruhte im wesentlichen auf den am Schluß des vorigen Kapitels erwähnten gelehrten Sammelwerken eines Boethius, Capella, Cassiodor; dazu kannte man einen Teil der platonischen Dia-

loge und neuplatonische Schriften (diese verhältnismäßig gut);
von Aristoteles jedoch nur wenige kleinere logische Abhandlungen. Die Kenntnis und damit auch der Einfluß der aristotelischen Philosophie nahm bereits während der Frühscholastik langsam zu, erreichte den Höhepunkt aber erst in der
Hochscholastik, nachdem auf dem Umweg über die arabische
und jüdische Wissenschaft das Gesamtwerk des Aristoteles
übersetzt und zugänglich geworden war.

Ihre *Methode* ist der scholastischen Philosophie durch ihren
Ausgangspunkt vorgezeichnet. Es handelt sich für sie ja nicht
darum, die Wahrheit erst zu *finden*. Diese ist mit der geoffenbarten Heilswahrheit schon gegeben. Es handelt sich nur
darum, sie mittels des vernunftmäßigen Denkens, also der
Philosophie, zu *begründen* und auszulegen — wobei natürlich
die Ansichten darüber auseinandergehen, wieweit das möglich
ist. Im einzelnen ergeben sich daraus drei Ziele: erstens mittels der Vernunft eine erhöhte Einsicht in die Glaubenswahrheiten zu gewinnen und diese damit dem denkenden Menschengeist inhaltlich näherzubringen; zweitens die Heilswahrheit
mit philosophischen Methoden in eine geordnete, systematische Form zu bringen; drittens Einwände gegen sie, die sich
aus der Vernunft ergeben können, mit philosophischen Argumenten zu widerlegen. Das Ganze kann man als die scholastische Methode im weiteren Sinne bezeichnen.

Im engeren Sinne nennt man scholastische Methoden ein besonderes methodisches Vorgehen, das namentlich von dem im
nächsten Abschnitt näher zu behandelnden Abälard ausgebildet ist und nach seinem Vorgang von den meisten Scholastikern angewendet wird. Es besteht in der dialektischen
Gegenüberstellung der Argumente für und gegen eine bestimmte Auffassung. Die Methode wird daher mit dem
Schlagwort »pro et contra« (Für und Wider) oder auch »sic
et non« (Ja und Nein, so der Titel der betreffenden Schrift
des Abälard) benannt. Der Eigenart der Scholastik entspricht
es, daß die Argumente dabei in erster Linie nicht aus der
unmittelbaren Beobachtung der Wirklichkeit und auch nicht
aus vorurteilsloser vernunftgemäßer Erörterung entnommen
werden, sondern aus den Aussprüchen der vorangegangenen
Denker und Kirchenväter, beziehungsweise natürlich der
Schrift selbst. Bevor der Scholastiker an die Entscheidung
einer Frage herangeht, registriert er sorgfältig die einschlägigen Ansichten aller Vorgänger, stellt sie einander gegenüber
und kommt nach Abwägung und kritischer Prüfung ihrer
Stichhaltigkeit (und Autorität) schließlich zu einem oftmals
vermittelnden oder synthetischen Ergebnis. Dieses Verfahren
wurde zum Beispiel von Abälard selbst mit gewaltigem Fleiß
für 150 verschiedene Punkte der christlichen Dogmatik durch-

geführt. Ein wenig von dieser Sorgfalt möchte man manchmal auch dem Schrifttum der Neuzeit wünschen, in dem oft
Gedanken ausgesprochen werden ohne Kenntnis oder Erwäh-
nung dessen, daß sie von anderen früher und besser gesagt
worden sind.

Auch unser Streifzug durch die Scholastik wird gleichsam eine
Gipfelwanderung sein. Wir suchen nur die markantesten Er-
hebungen auf und beeilen uns im Anfang, um beim Haupt-
massiv — der Hochscholastik — etwas ausführlicher verweilen
zu können.

I. Die Frühscholastik (Der Universalienstreit)

1. DIE STREITFRAGE

In der Einleitung zu der im frühen Mittelalter allgemein
gebräuchlichen Ausgabe der Kategorienlehre des Aristoteles —
von dem Schüler des Plotin Porphyrius, in der lateinischen
Übersetzung durch Boethius — heißt es: »Was nun die genera
und species (Gattungen und Arten) betrifft, so werde ich über
die Frage, ob sie subsistieren (existieren) oder ob sie bloß
und allein im Intellekt existieren, ferner, falls sie subsistieren, ob sie körperlich oder unkörperlich sind und ob sie
getrennt von den Sinnendingen oder nur in den Sinnendingen
und an diesen bestehend sind, es vermeiden, mich zu äußern;
denn eine Aufgabe wie diese ist sehr hoch und bedarf einer
eingehenden Untersuchung[3].«

Wir sehen, es handelt sich um die alte Streitfrage, der wir
im Verhältnis des Aristoteles zu Platon begegnet sind, die
Frage nach der dem Allgemeinen oder den »Universalien« —
daher der Name Universalienstreit — zukommenden Wirklichkeit. Die Auseinandersetzung über diese Frage war, wie schon
das Zitat aus Porphyrios zeigt, durch die Jahrhunderte nicht
zur Ruhe gekommen. In der Frühscholastik erhebt sie sich
erneut und wird zum beherrschenden Thema der Philosophie,
um später, nach einer vorläufigen vermittelnden Lösung, in
der Spätscholastik und darüber hinaus bis in die neuere
Philosophie wiederum die Philosophen zu beschäftigen.

Zwei Ansichten stehen sich (zunächst) schroff gegenüber. Die
eine Richtung, die dem Allgemeinen die höhere Wirklichkeit
gegenüber dem Einzelnen zuerkennt, wird Realismus genannt.
Der anderen sind nur die Einzeldinge wirklich; die allgemeinen Begriffe sind ihr nicht in der Wirklichkeit, sondern
nur in unserem Intellekt vorhanden, sie sind bloße Namen —
weshalb diese Richtung Nominalismus (vom lateinischen Wort
nomen) heißt. Es ist zu bemerken, daß »Realismus« hier

eine andere, ja entgegengesetzte Bedeutung hat als im neueren Sprachgebrauch. In diesem verstehen wir unter einem »Realisten« einen Mann, der sich an die uns in Raum und Zeit umgebende Wirklichkeit hält; während der ihm gegenüberzustellende »Idealist« in dieser Welt eine bloße »Erscheinung« sieht und die eigentliche Wirklichkeit hinter den Dingen, in den Ideen, sucht.

Realismus im Sinne der Scholastik ist aber ziemlich genau das, was wir heute als Idealismus bezeichnen würden, nämlich die Lehre und Überzeugung vom Vorrang der allgemeinen Ideen und ihrer höheren Wirklichkeit im Vergleich zu den Einzeldingen.

Wir haben bei der Behandlung des Aristoteles bereits erkannt, daß dessen eigene Stellung zu dieser Frage keineswegs eindeutig war. Es nimmt deshalb nicht wunder, daß alle Richtungen, die sich in dem Universalienstreit herausbilden, eine Möglichkeit finden, sich auf ihn zu berufen. Im ganzen läßt sich aber sagen, daß die Realisten mehr dem Platon und dem Neuplatonismus zuneigen, während der Nominalismus an Kraft gewinnt, je mehr, besonders in der späteren Scholastik, Aristoteles bekannter und höher geschätzt wird.

Wir führen zuerst einige Denker an, die Realisten sind — ohne daß natürlich die Gesamtbedeutung ihres Werkes mit der Einordnung in die Front des Realismus erschöpft wäre —, dann den Hauptvertreter des Nominalismus in der Frühscholastik, endlich die vermittelnde Richtung, durch die das Problem zu einer Lösung gebracht wurde, bei der man sich vorläufig beruhigte.

2. DIE REALISTEN

a) Eriugena

Johannes Scotus mit dem Beinamen Eriugena (nach eriu, der keltischen Bezeichnung für sein Heimatland Irland) lebte von 810—877 und lehrte in Paris. Er ist der erste Vater der Scholastik genannt worden, auch der »Karl der Große der scholastischen Philosophie[4]«. Der Vergleich soll besagen: Wie Karl der Große die mittelalterliche Vereinigung von Weltmonarchie und Welthierarchie durch die Kraft seines Genies gleich zu Beginn des Mittelalters in einer für spätere Jahrhunderte vorbildlichen Weise verwirklichte, so hat Eriugena gleich zu Beginn der Scholastik in einer umfassenden Gesamtschau vieles erfaßt, was spätere Geschlechter erst in langsamem Fortschreiten wieder erarbeiteten.

Bei ihm als erstem findet sich der für die ganze Scholastik grundlegende Satz, daß die wahre Religion auch die wahre Philosophie sei, und umgekehrt, und die daraus sich ergebende Forderung, daß jeder Zweifel gegen die Religion zugleich auch durch die Philosophie widerlegt werden könne und solle[5].

In bezug auf die Universalien ist Eriugena eindeutiger Realist und damit Anhänger der Auffassung, die während der frühmittelalterlichen Vorherrschaft des Platonismus als Prüfstein der wahren scholastischen Gesinnung gilt. Wenn er gleichwohl von der Kirche später verworfen wurde, so liegt der Grund nicht hierin, sondern in zwei anderen Eigenheiten seiner Lehre. Das eine ist die hohe Stellung, die er allgemein der Vernunft zuweist, was damals noch, obgleich es später im Mittelalter immer wiederkehrt, von seinen Zeitgenossen als Ketzerei und Gotteslästerung verschrien wurde. Der zweite Grund ist seine enge Anlehnung an neuplatonische Gedankengänge, wie sie in seinem gebannten fünfbändigen Werk »Über die Einteilung der Natur« zu erkennen ist. Eriugena hat auch den Neuplatoniker Dionysius Areopagita — ohne päpstliche Erlaubnis — übersetzt. Die Anlehnung an den Neuplatonismus zeigt sich unter anderem darin, daß das Weltgeschehen für Eriugena ein Kreislauf ist, der in Gott beginnt und in Gott zurückkehrt. Gott nennt er die »schaffende und nicht geschaffene Natur«. Aus Gott gehen die »geschaffene und schaffende Natur« hervor, die göttlichen Gedanken, die Urbilder und Allgemeinbegriffe (das heißt die platonischen Ideen); daraus die »geschaffene und nicht schaffende Natur«, die Einzeldinge, die aus den Ideen hervorgehenden Einzelwesen (hier sehen wir den Realismus des Eriugena, der die Einzeldinge aus den ihnen vorgehenden allgemeinen Ideen entstehen läßt). Endlich kehrt alles in Gott als »nicht geschaffene und nicht schaffende Natur« zurück. — Neuplatonisch ist auch die Gottesvorstellung des Eriugena. Er unterscheidet wie der geheimnisvolle Dionysos Areopagita eine bejahende und eine verneinende (negative) Theologie, welch letztere Gott als schlechthin unerkennbaren, über allen Kategorien und Gegensätzen stehenden, erfaßt[6].

b) Anselm von Canterbury

Erst zwei Jahrhunderte später, nach Überwindung des im 10. Jahrhundert eingetretenen Kulturverfalls, begegnen wir dem zweiten Vater der Scholastik, Anselm. 1033 aus vornehmem Geschlecht zu Aosta in Piemont geboren, verbrachte er die Mitte seines Lebens in französischen Klöstern, die beiden letzten Jahrzehnte in England als Bischof von Canterbury, wo er 1109 verstarb.

Die von Eriugena vorgenommene enge Verschwisterung von philosophischer Vernunftwahrheit und geoffenbarter Glaubenswahrheit findet sich auch bei ihm. Sie wird aber nunmehr von der Kirche nicht mehr verworfen. Allerdings wandelt

Anselmus auch mehr als sein großer Vorgänger in den Bahnen der Orthodoxie (Rechtgläubigkeit). Insbesondere faßt er das Verhältnis von Glauben und Denken im Sinne einer unbedingten Unterordnung des letzteren. Der Glaube muß vorausgehen. Ohne Glauben keine richtige Erkenntnis: *credo ut intelligam* — ich glaube, damit ich verstehe, erkenne — dieses von Anselm geprägte Wort bezeichnet in aller Schärfe den Standpunkt des Scholastikers.

Ist aber der Glaube gegeben, so wäre es sträfliche Nachlässigkeit, wollte man nicht auch die Vernunft einsetzen, um erkennend seine Wahrheiten zu verstehen. Deshalb verschmäht es Anselm nicht, die Vernunft sogar zu einem nach seiner Meinung unumstößlichen Beweis für das Dasein Gottes heranzuziehen. Die berühmt gewordene Beweisführung des Anselmus läßt sich zusammenfassen in die Worte: »Gott ist dasjenige, größer als welches nichts gedacht werden kann; wäre nun Gott allein im Intellekt vorhanden, so ließe sich noch etwas Größeres denken als das, größer als welches nichts gedacht werden kann« — nämlich derselbe Gott als nicht nur im Intellekt, sondern auch in Wirklichkeit bestehend, welche Annahme einen Widerspruch enthalten, somit falsch sein würde[7]. Anselm verwendet hier die sogenannte ontologische Methode, deren Wesen darin besteht, daß aus dem Begriff einer Sache — in diesem Falle dem Begriff Gottes als des Größten, was gedacht werden kann — ein Beweis für ihre reale Existenz hergeleitet wird. Der Gottesbeweis des Anselmus wird deshalb auch ontologischer Beweis genannt. Er ist schon zu dessen Lebzeiten von einem Mönch Gaunilo heftig bekämpft worden unter Hinweis darauf, daß man damit ziemlich alles, auch die Existenz von Fabelwesen oder der sagenhaften Insel Atlantis, beweisen könne.

Der Gedankengang des Anselmus zeigt, wie sehr er Realist ist, welch überragende Bedeutung er den Begriffen zuerkennt. Seinen Zeitgenossen Roscellinus, den Hauptvertreter des Nominalismus in dieser Epoche, hat Anselm denn auch heftig befehdet und seine Verdammung gefordert.

c) Wilhelm von Champeaux

Eine extreme Ausprägung hat der Realismus durch Wilhelm von Champeaux erfahren, der von 1070—1121, also bald nach Anselmus, lebte. Er geht so weit, zu behaupten, daß den allgemeinen Gattungsbegriffen, und zwar nur diesen, eine reale Substanz entspricht. Das heißt, wenn wir sagen »Sokrates ist ein Mensch«, so ist in dem vor uns stehenden Sokrates nur die »Mensch-heit« das Wirkliche. Die »Sokratität«, das heißt das Sokrates-Sein, die besondere, individuelle Ausprägung der allgemeinen Substanz »Mensch« in dieser Person,

ist nur etwas Zusätzliches, Unerhebliches, Akzidentielles. Nach
ihm würde »Mensch-heit« als allgemeine Substanz sogar dann
bestehen, wenn es überhaupt keinen einzigen einzelnen Menschen gäbe. »Weiße« als Substanz würde auch bestehen, wenn
es nicht ein einziges weißes Einzelding gäbe, usw. — Einen
ähnlich weitgehenden Realismus vertritt der Zeitgenosse Wilhelms, *Bernhard von Chartres.*

3. DER NOMINALISMUS: ROSCELLINUS

Den der Mehrzahl der heutigen Menschen auf den ersten
Blick wahrscheinlich einleuchtenderen Nominalismus vertritt
in der Frühscholastik hauptsächlich Johannes Roscellinus von
Compiègne (etwa 1050—1120). Er sagt, daß die Wirklichkeit
(nur) aus lauter Einzeldingen bestehe. Die Allgemeinbegriffe
sind von Menschen erdachte Namen, Bezeichnungen, in denen wir
einander ähnliche Einzeldinge nach ihren gemeinsamen Merk-
malen zusammenfassen. Es gibt nicht »Weiße« als Allgemeines,
das ist ganz sinnlos, es gibt nur konkrete weiße Gegenstände.
Es gibt nicht »Mensch-heit«, sondern nur Menschen usw.
An sich hätte diese Lehre nicht sogleich in einen unversöhn-
lichen Widerspruch zur Kirche geraten müssen. Es gibt sicher
viele, die »Nominalisten« und doch gläubige Christen sind.
Damals schien das unmöglich, und daß der Widerspruch sogleich zum Austrag kam, lag hauptsächlich daran, daß Roscellinus, bei der damaligen engsten Verbindung der Philosophie mit der Theologie, seine nominalistischen Grundsätze
auch auf die göttliche Dreieinigkeit anwandte. Er erklärte
nämlich, in der seit dem 4. Jahrhundert feststehenden Formel:
Eine göttliche Substanz in drei Personen — sei die eine Substanz nur die im Menschengeiste (wie bei anderen Allgemein-
begriffen) vorgenommene und in der Redeweise der Kirche
üblich gewordene Zusammenfassung dreier einzeln bestehender göttlicher Personen. Damit gäbe es aber nicht mehr einen —
dreieinigen — Gott, sondern drei Personen, drei Götter. Diese
Konsequenz war für die Kirche unerträglich. Roscellinus wurde
der Ketzerei bezichtigt und zu Widerruf gezwungen.
Diese Niederlage des Roscellinus machte es für lange Zeit
unmöglich, einen konsequenten Nominalismus öffentlich zu
vertreten.

4. DIE VORLÄUFIGE LÖSUNG: ABÄLARD

Petrus Abälardus (französisch Abélard oder Abeillard), geboren 1079 unweit Nantes, ist fast noch mehr denn als
Kirchenlehrer und Philosoph in die Geschichte eingegangen
durch seine Liebe zu Héloise, der schönen Nichte eines Pari-

ser Kanonikus, die er aus dessen Haus nach der Bretagne
entführte. Auf höchst tragische Weise durch seine Feinde von
ihr getrennt, verbrachte er sein ferneres Leben in Klöstern
und Einsiedeleien. Verschiedene seiner Schriften wurden durch
die Kirche als Irrlehren verdammt, hauptsächlich auf Betreiben seines unerbittlichsten Feindes, des großen französischen
Mystikers *Bernhard von Clairvaux.* Er starb 1142 auf der
Reise nach Rom, wo er an den Papst appellieren wollte, in
einem Kloster bei Châlons. Seine Gebeine wurden sieben
Jahrhunderte später mit denen Héloises vereint auf dem
Pariser Friedhof Père Lachaise beigesetzt.

Die Vernunft im Verhältnis zum Glauben hat auch bei Abälard eine sehr maßgebliche Stelle. Er sagt in seiner Selbst-
biographie: »Ich befaßte mich nun zuerst damit, das Fundament unseres Glaubens selbst durch menschliche Vernunftgründe faßlich zu machen. Zu diesem Zwecke schrieb ich
eine Abhandlung ›Über die göttliche Einheit und Dreiheit‹
für den Gebrauch meiner Schüler, die nach vernünftigen
Gründen verlangten und nicht bloß Worte hören, sondern
sich auch etwas dabei denken wollten. Sie meinten, es sei
vergeblich, viele Worte zu machen, bei denen sich nichts
denken lasse; man könne doch nichts glauben, was man nicht
vorher begriffen habe, es sei lächerlich, wenn einer etwas
predigen wolle, was weder er selbst noch seine Zuhörer mit
dem Verstand fassen könnten; das seien die ›blinden Blinden-
leiter‹, von denen der Herr spreche.« Im Gegensatz zu dem
credo ut intelligam des Anselmus hat man deshalb als Prinzip des Abälard den Satz formuliert: Intelligo ut credam —
ich erkenne, auf daß ich glaube. In seiner Ethik, deren Haupt-
schrift den alten griechischen Titel »Erkenne dich selbst« führt,
legt Abälardus das Gewicht nicht auf äußere Werke, sondern
auf die innere Gesinnung, aus der sie entspringen.

Die Bedeutung dieses größten französischen Scholastikers beruht aber in erster Linie auf seiner Behandlung des Univer-
salienproblems. Abälard hatte als Student sowohl beim Nominalisten Roscellin wie beim Realisten Wilhelm von
Champeaux gehört. Auf diese Weise hatte er die beiden
widerstreitenden Ansichten an der Quelle kennengelernt. In
seiner eigenen Stellungnahme strebt er, sich von den Einseitigkeiten beider freizuhalten.

Die Formel der Realisten war »universalia ante res« — die
Universalien sind *vor* den (Einzel-)Dingen. Die Formel der
Nominalisten war »universalia post res« — die Universalien
sind *nach* den Einzeldingen, gehen ihnen nach. Die Formel
des Abälard ist »universalia in rebus« — die Universalien
sind *in* den Dingen. Das heißt: Es ist absurd zu behaupten
(wie Wilhelm tat), das Wirkliche sei die »Menschheit« und

nicht die Menschen, die »Pferdheit« und nicht die Pferde. Man kann nicht die Verkörperung des Allgemeinen in den Einzeldingen und die individuellen Unterschiede als unwesentlich vernachlässigen. Es ist aber auch ebenso falsch zu sagen (wie Roscellinus tat), nur das Einzelne sei wirklich und wesentlich und die allgemeinen Begriffe seien bloße Namen. Denn dem allgemeinen Begriff entspricht in den unter ihm begriffenen Einzeldingen auch eine reale Gleichheit des Wesens; die Menschen *heißen* nicht nur Menschen vermöge gewisser gemeinsamer Merkmale, sondern dem Begriff Mensch entspricht eine in allen Menschen vorhandene gleichartige Wirklichkeit des Allgemein-Menschlichen. Freilich nur *in* den einzelnen Menschen gibt es dieses Allgemeine, nicht außerhalb ihrer. Daher: universalia in rebus.

Daß diese Auffassung des Abälard mehr ist als ein bloßer Kompromiß zwischen zwei unvereinbaren Meinungen, nämlich eine Synthese, in der die Gegensätze auf höherer Ebene zusammengeschaut werden, zeigt die Art und Weise, wie er auch die beiden anderen Formeln mit in seine Lehre einbezieht. Nämlich in der uns umgebenden Wirklichkeit sind die Universalien nur *in* den Dingen. Für Gott aber sind sie *vor* den Dingen, nämlich als Urbilder des Geschaffenen in seinem göttlichen Geiste. Und für die Menschen sind sie in der Tat *nach* den Dingen, nämlich als Begriffsbilder, die wir erst aus der Übereinstimmung der Dinge abziehen müssen.

II. Die arabische und jüdische Philosophie des Mittelalters

GESCHICHTLICHES

Seit Mohammed der Prophet (571—632 christlicher Zeitrechnung) als religiöser Prophet und nationaler Erneuerer die arabischen Wüstenstämme, welche als letzter Zweig der semitischen Rasse noch in einem urtümlichen Zustand verharrten, national und religiös geeint hatte, ergoß sich ihre unverbrauchte Stoßkraft, die sich bis dahin in inneren Kämpfen zerrieben hatte, in unaufhaltsamer Flut nach außen. Die Streiter des Propheten eroberten Land um Land und gewannen ein Reich, das schließlich von Turkestan bis Spanien reichte. Alle diese Länder wurden in die glanzvolle islamische Kultur einbezogen, der die europäische in ihrem damaligen Zustand kaum an die Seite zu stellen ist.

Während der religiöse Mittelpunkt dieser Welt in Mekka, der Heimatstadt Mohammeds mit ihrem uralten Heiligtum, der Kaaba, verblieb, bildeten sich in den Außenländern der

islamischen Welt, weit voneinander entfernt, zwei glänzende
Zentren geistiger Kultur; ein östliches um den Hof der Kunst
und Wissenschaft fördernden Kalifen von Bagdad (unter ihnen
Harun al Raschid, 786—809), ein westliches in Spanien, das
im 8. Jahrhundert erobert wurde. Dem weiteren arabischen
Vordringen nach Norden setzte der Sieg des Karl Martell
im Jahre 732 eine Schranke. In Spanien bestand ein arabi-
sches Reich, zuletzt auf den Süden beschränkt, bis 1492.

Im 10. Jahrhundert war das mohammedanische Spanien das
wohlhabendste und volkreichste Land Westeuropas. Blühende
Städte, an der Spitze Córdova, damals nächst Konstantinopel die
größte Stadt Europas, prunkvolle Bauten, bis heute die Zierde
spanischer Städte, ein hochentwickeltes Kunsthandwerk und
nicht zuletzt eine hochstehende Geisteskultur machen diese Zeit
zu einer der reichsten der europäischen Kulturgeschichte[8]. Nach
der endgültigen Vertreibung der Mauren erlitt Spanien einen
kulturellen Rückschlag, von dem es sich kaum jemals erholt hat.

Selbstverständlich war diese ganze islamische Kultur keineswegs rein arabisch. Es war unvermeidlich, daß die arabische
Erobererschicht mit der Kultur der unterworfenen Völker in
engste Berührung geriet, und wenn sie auch vermöge ihrer
religiösen Geschlossenheit nicht von der zum Teil überlegenen
Kultur der Unterworfenen aufgesogen wurde, so haben doch
Besieger und Besiegte gleichermaßen zu dieser Mischkultur
beigesteuert.

Für das Geistesleben war eines der wichtigsten Elemente, ja
das wichtigste nächst der mohammedanischen Religion, die
alte griechische Wissenschaft und Philosophie. Die Kenntnis
dieser verbreitete sich vom 8. Jahrhundert an durch Übersetzungen und Kommentare von islamischen Gelehrten und
auch von Christen des Orients, die im arabischen Bereich
lebten, rasch in der ganzen arabischen Welt, daneben übrigens
in ähnlicher Weise auch die der indischen Geisteswelt. An
sich war der Gegensatz griechischer Denkweise zur düsteren
Einfachheit der Religion des Korans nicht weniger schroff
als der zum ursprünglichen Christentum. Wie bei diesem
führte aber die Wertschätzung griechischer Bildung sowie das
Bedürfnis, die islamische Theologie wissenschaftlich zu begründen und auszubauen, doch verhältnismäßig schnell zu
einer engen Durchdringung beider. Die sich so herausbildende
arabisch-griechische Philosophie war aber nun der Weg, auf
dem der christlichen Philosophie des europäischen Mittelalters
ein großer Teil ihres Erbes an griechischer Wissenschaft und
Philosophie, und namentlich die genaue Kenntnis des Aristoteles, erst vermittelt wurde. Deshalb kann sie auch in einer
Geschichte der westlichen Philosophie nicht übergangen
werden.

Im mohammedanischen Kulturbereich, vor allem im maurischen Spanien, fanden viele *Juden*, seit der Vernichtung ihres
letzten palästinensischen Staatswesens im Jahre 135 n. Chr.
durch die Römer aus ihrer Heimat vertrieben, aber in der
fremden Umwelt ihre religiöse und nationale Eigenart unerschütterlich wahrend, eine Stätte verhältnismäßig freier Entfaltung. An den Hochschulen des maurischen Spanien lehrten
in bemerkenswerter Toleranz Mohammedaner, Juden und
Christen nebeneinander. Die riesenhaften Bibliotheken verwahrten Schriften aller drei Bekenntnisse und dazu Übersetzungen und Kommentare zur heidnischen Philosophie. In
engem Zusammenhang mit der islamischen Geistesentwicklung
brachte auch das Judentum in dieser Zeit eine Philosophie
hervor, die mehr ist als bloßes Anhängsel der altjüdischen
Theologie; denn sie ist wie jene gekennzeichnet durch das
Bestreben, die Dogmen der eigenen Religion mit Gedanken
der griechischen Philosophie zu verschmelzen. Auch sie hat
auf die gleichzeitige christliche Philosophie eingewirkt.

1. DIE ARABISCHE PHILOSOPHIE

In bemerkenswerter Parallele zur Entfaltung der Scholastik
folgt in der arabischen Philosophie auf eine Anfangsperiode,
in der von den Griechen vorwiegend platonische und neuplatonische Gedanken übernommen werden, eine zweite, während der die aristotelische Philosophie immer bekannter und
immer maßgebender wird.
Am Anfang der islamischen Philosophie stehen gleich zwei
ihrer größten Denker: *Alkindi*, der im 9. Jahrhundert in
Bagdad lehrte, und *Alfarabi*, zwischen 900 und 950 in Bagdad, Aleppo und Damaskus. Vom ersteren ist wenig überliefert, das aber seine neuplatonische Grundeinstellung klar
erkennen läßt. Auch Alfarabi hat eine mystische, dem Neuplatonismus verwandte Grundhaltung. Er verbindet mit ihr
jedoch schon eine an Aristoteles anknüpfende sachlich-logische
Einteilung der Wirklichkeit und der diese erforschenden
Wissenschaften[9]. Einen reizvollen Einblick in die Gedankenwelt
dieser Zeit vermitteln auch die sogenannten »Traktate der
Lauteren Brüder«, etwa 50 Abhandlungen über Religion,
Philosophie und Naturwissenschaft von den Angehörigen des
Geheimbundes der Lauteren Brüder, im 10. Jahrhundert im
arabischen Osten entstanden. Auch sie zeigen die Vereinigung
von mohammedanischer Religion und hellenischer Philosophie,
die das ausdrückliche Ziel dieser von der islamischen Geist-
lichkeit heftig angefeindeten, aber äußerst einflußreichen
Sekte war.
Wichtiger als diese arabischen Platoniker sind im Hinblick

auf die Berührung mit der christlichen Scholastik die beiden
großen Aristoteliker der islamischen Philosophie. Der eine ist
Avicenna (arabisch Ibn Sina), geboren 980 bei Buchara in
Turkestan, gestorben 1037. Er gilt als der größte Philosoph
des arabischen Ostens. Enge Anlehnung an Aristoteles lag
dem Avicenna schon dadurch nahe, daß er selbst Arzt und
Naturforscher war. Sie tritt hervor namentlich in seiner Fassung des Verhältnisses von Gott und Natur (Materie). Avicenna läßt nicht wie die Neuplatoniker alles einschließlich
der Materie durch Emanation aus Gott hervorgehen, sondern
stellt die Materie als ewig bestehend diesem gegenüber. Gott
ist ihm wie dem Aristoteles der selbst unbewegte Beweger; die
aus ihm strömenden Formen verwirklichen sich in der
Materie.

Ein bezeichnendes Licht auf die parallele Entwicklung der
arabischen Scholastik mit der christlichen, welche auf einer
inneren Gesetzmäßigkeit beruht, wirft die Tatsache, daß das
im Abendland umstrittene Universalienproblem nicht nur in
ähnlicher Form auch hier besteht, sondern auch in ganz
gleicher Weise wie dort durch Abälardus, aber zeitlich früher,
durch Avicenna einer Lösung zugeführt wird. Auch dieser
lehrt nämlich, daß von den Universalien ein Dreifaches ausgesagt werden könne: Sie seien, im göttlichen Verstande, vor
den Einzeldingen; in bezug auf die Verkörperung in der
Wirklichkeit in den Dingen; in den Köpfen der Menschen
als von ihnen gebildete Begriffe nach den Dingen.

Gilt Avicenna als König der arabischen Philosophie im Mor-
genland, so ist im arabischen Westen *Averroes* (arabisch Ibn
Roschd) die beherrschende und auch für die Einwirkung auf
die europäische Philosophie wichtigste Figur. Averroes ist
1126 in Córdova in Spanien geboren und 1198 in der Verbannung gestorben. Für ihn ist Aristoteles »der Philosoph«.
Die Werke des Averroes sind zum großen Teil ausführliche
Erläuterungen zu den Schriften seines über alles geliebten
Meisters.

Die Entstehung der Natur hatte Aristoteles so dargestellt, daß
an die Materie, welche als solche nicht Wirklichkeit, sondern
nur Möglichkeit hat, die Formen herangebracht werden, damit Wirklichkeit entstehe. Dies legt Averroes nun so aus,
daß die Formen nicht von außen an die Materie herantreten,
sondern daß in der ewigen Materie dem Vermögen nach
(potentiell) schon alle Formen enthalten sind und sich im
Verlauf des Entwicklungsprozesses aus ihr herauskristallisie-
ren. Ein solcher Standpunkt ist natürlich weit entfernt von
dem Glauben an die göttliche Schöpfung aus dem Nichts, wie
ihn die mohammedanische Religion in Übereinstimmung mit
der christlichen und jüdischen fordert.

Dies ist nicht der einzige Punkt, in dem Averroes mit der islamischen Dogmatik in Widerspruch gerät; denn er leugnet auch die Unsterblichkeit der Einzelseele und kennt nur einen überpersönlichen unsterblichen Geist, so daß er sagen kann, nicht Sokrates und Platon seien unsterblich, wohl aber die Philosophie[10]. In einer solchen Auffassung, die den Menschen lehrt, das Gute um seiner selbst willen zu tun, sieht Averroes eine höhere Sittlichkeit als in der, die das Handeln des Menschen durch die Erwartung von Lohn und Strafe im Jenseits bestimmen läßt. Gerade die Lehre Mohammeds aber wird nicht müde, mit reicher Phantasie und in höchst lebhafter Form die den Menschen im Jenseits erwartenden Höllenstrafen auszumalen und ebenso die Freuden des Paradieses, in dem weiche Lager, Wein und großäugige, schwarzhaarige Mädchen den gläubigen Streiter Allahs erwarten.

Das Verhältnis von Religion und Philosophie versteht Averroes so, daß die höhere und reine Wahrheit, die der Philosoph in seiner Philosophie erkennt, in der Religion in einer bildhaften Einkleidung erscheint, die dem schwachen Verständnis der Menge angepaßt ist. Hiernach kann es nicht wundernehmen, daß die Philosophie des Averroes, ebenso übrigens die seines großen Vorgängers Avicenna, von der mohammedanischen Orthodoxie aufs schärfste verdammt und seine Schriften dem Feuer überantwortet wurden, was ihre weitere Wirksamkeit so wenig hinderte wie in anderen ähnlichen Fällen.

Der christlichen Scholastik vergleichbar ist die Entwicklung der arabischen Philosophie endlich auch darin, daß sich, nach der Durchsetzung des Aristotelismus mit seiner weitgehenden Intellektualisierung der Religion, als Gegenwirkung eine mystische Richtung erhob. Sie ist verkörpert vor allem in *Al Gazali* (1059—1111), der sich ganz auf den Glauben. im Gegensatz zum Wissen zurückzieht und gegen alle Wissenschaft und Philosophie eine skeptische Haltung einnimmt, wie sie namentlich in seinem berühmten, von Averroes mit Leidenschaft bekämpften Werk »Die Vernichtung der Philosophen« (Destructio philosophorum) in Erscheinung tritt.

2. DIE JÜDISCHE PHILOSOPHIE

Die Entwicklung der jüdischen Philosophie des Mittelalters geht der christlichen und islamischen parallel, indem auch hier eine vom Neuplatonismus gefärbte Epoche der Vorherrschaft des Aristoteles vorausgeht.

Der ersten Periode gehören unter anderem die teilweise rätselvollen Schriften der sogenannten *Kabbala* an, einer mystischen jüdischen Geheimlehre aus der Zeit vom 9. bis 12. Jahrhun-

dert. Von den jüdischen Aristotelikern nennen wir nur den
bedeutendsten: *Maimonides* (hebräisch Mosche ben Maimun),
geboren 1135 zu Córdova in Spanien, gestorben 1204 in
Ägypten. Sein Hauptwerk ist »Führer der Verirrten«, ursprünglich arabisch geschrieben, dann ins Hebräische und
Lateinische übersetzt. Maimon ist wie sein islamischer Zeitgenosse Averroes ein glühender Verehrer des Aristoteles. Er
sagt, außer den Propheten sei niemand der Wahrheit so nahe
gekommen wie dieser. Er geht in der konsequenten Durchführung aristotelischer Gedanken nicht ganz so weit wie jener,
läßt zum Beispiel das Schöpfungsdogma — »mangels hin-
reichender Beweise dagegen« — bestehen; aber immer noch
weit genug, um mit den strenggläubigen Schriftgelehrten in
Konflikte zu geraten.
Im Verhältnis von Glauben und Vernunfterkenntnis ist er
grundsätzlich überzeugt, daß die Ergebnisse beider übereinstimmen. Wo aber ein Widerstreit der Vernunft mit den
Worten der Schrift auftritt, da gibt er der Vernunft den
Vorrang und versucht, die Schrift durch allegorische Auslegung
mit ihr in Einklang zu bringen[11].

III. Die Hochscholastik

Vor der Behandlung der beiden Hauptvertreter der Hochscholastik vergegenwärtigen wir uns einige allgemeine Charakterzüge, die dieser Epoche eigen sind.
Die Weltherrschaft des Aristoteles. — Vom 12. Jahrhundert
ab wurde nach und nach, im wesentlichen durch arabische
und jüdische Vermittlung, das gesamte Werk des Aristoteles
in Europa bekannt, besonders auch die bis dahin gar nicht
gekannten metaphysischen und physikalischen Schriften. Man
übersetzte arabische Ausgaben ins Lateinische; seit dem
13. Jahrhundert auch direkt aus dem Griechischen. Anfängliche
kirchliche Bedenken gegen Aristoteles beruhten hauptsächlich
darauf, daß unter seinem Namen auch neuplatonische Schriften mit umliefen. Die Bedenken wurden zerstreut, als im
13. Jahrhundert die Unechtheit dieser Schriften erkannt wurde.
So kam es, daß die Kirche, die noch 1210 bis 1215 das
Studium der aristotelischen Naturlehre rundweg verboten
hatte, sie schon 20 Jahre später bedingt und kurze Zeit darauf offiziell wieder zuließ, ja im folgenden Jahrhundert bestimmte, niemand solle Magister werden, der nicht über Aristoteles gelesen habe[12]. Das Ansehen des Aristoteles stieg
so hoch, daß man ihn, als Vorgänger Christi in weltlichen
Dingen, Johannes dem Täufer als dem Vorgänger Christi in
geistlichen Dingen an die Seite stellte. Sein Werk galt als

nicht mehr überbietbare Summe aller weltlichen Weisheit, als Regel der Wahrheit schlechthin. Eine Weltherrschaft der aristotelischen Philosophie entstand, die bis ins 16. Jahrhundert andauerte. Niemals sonst hat ein einzelner das Denken des Abendlandes so vollständig beherrscht.

Die Berührung christlichen Denkens mit islamischen und jüdischen Ideen. — Das Zeitalter der Kreuzzüge (1096—1270) sah eine folgenreiche und fruchtbare Berührung der abendländischen Kultur mit der des Morgenlandes. In Seefahrt, Entwicklung der Städte und des Handels, Baukunst, Dichtkunst, Geographie und anderen Wissenschaften verdankt Europa dieser Berührung vielfältige Anregungen und Bereicherungen. In der Philosophie entspricht dem eine enge Berührung christlicher Gedanken mit nichtchristlichen, ja antichristlichen Denkern und Denksystemen. »Dabei fehlt nicht etwa ... die Einsicht, daß es sich um eine Weisheit handelt, die einer ganz anderen Quelle entspringt als die Kirchenlehre. Vielmehr wird dies besonders hervorgehoben, denn, als wäre Aristoteles noch nicht unchristlich genug, müssen muselmanische und jüdische Kommentatoren den eigentlichen Sinn seiner Lehren aufschließen. Wie der Erzheide der ›philosophus‹ heißt, so heißt der unchristlichste unter den Muselmanen, Averroes, der ›commentator‹ par excellence[13].«

Die Summen. — Die Erweiterung des gesellschaftlichen, geographischen und geistigen Horizonts durch die Kreuzzüge, die außerordentliche Vermehrung des gelehrten Stoffwissens durch die Kenntnis des Aristoteles und der arabischen Naturwissenschaft, die immer weitergehende Vertiefung und begriffliche Verfeinerung des scholastischen Denkens selbst — dies alles zusammen ließ in der Philosophie ein Bestreben entstehen, alles Bekannte in einem zusammenfassenden und abschließenden System der Welterkenntnis zu umfassen, einem »enzyklopädischen System aller Wissenschaften, das in der Theologie seine Krönung erhält — vergleichbar den großen gotischen Domen derselben Zeit, die von der Erde emporsteigend in den Himmel zu ragen scheinen[14]«. Dieses Streben erreichte seinen Gipfel in den großen »Summen« der Hochscholastik, Werken, die unter Verarbeitung eines immensen Wissensstoffes ein christliches Weltbild entwerfen, das Natur, Menschheit, Seele und überirdische Welt in einem umfaßt. Auf theologischem Gebiet bilden eine Vorstufe der Summen die sogenannten Sentenzenbücher, vor allem die des *Petrus Lombardus* (gest. 1164). Die Hauptlehren des Christentums, nach Problemkreisen geordnet, werden darin in Aussprüchen der Kirchenväter und -lehrer in übersichtlicher Form zusammengestellt.

Universitäten und Orden. — Ihre eigentliche Pflegestätte fand die Philosophie im hohen Mittelalter an den nun entstehen-

den Universitäten. Paris, Köln, Oxford, Bologna und Padua
waren die führenden. Die mittelalterliche Universität war ein
übernationaler geistiger Organismus. Wie der Name (univer-
sitas literarum = Gesamtheit der Wissenschaften) anzeigt,
umschloß sie alle Wissensgebiete, um sie in der alles krönen-
den christlichen Theologie zusammenzuführen. Die Universität trat an die Stelle der bis dahin allein vorhandenen
Kloster- und theologischen Hochschulen. Die Pflege der Philosophie gehörte zu den Aufgaben der — neben der theologischen bestehenden — Artistenfakultät. — Zu einem zweiten
nicht minder wichtigen Mittelpunkt des philosophischen und
theologischen Denkens wurden die beiden Bettelorden der
Dominikaner (gegründet 1216) und Franziskaner (Franz von
Assisi, 1182—1226). Von den vier Hauptvertretern der Hochscholastik waren zwei Franziskaner: *Alexander von Hales*
(gest. 1245) und *Bonaventura* (1224 bis 1274). Die beiden
anderen, Albertus und Thomas, auf die als die bedeutenderen
sich die folgende Darstellung beschränkt, waren Dominikaner.

1. ALBERTUS MAGNUS

Albert von Bollstädt, aus adligem Geschlecht, wurde geboren
1193 oder 1207 in Lauingen an der Donau und im elterlichen
Schlosse erzogen. An der Universität Padua studierte er die
»freien Künste«, Naturwissenschaft, Medizin und die Philosophie des Aristoteles (der damals von der Kirche noch nicht
anerkannt war). Dem folgte ein ausgiebiges Studium der
Theologie an der Universität Bologna. Inzwischen war Albert
unter dem Einfluß des Ordensgenerals der Dominikaner, des
deutschen Grafen Jordanus, in diesen Orden eingetreten. Der
Orden schickte ihn nach Köln, um an der dortigen Ordens-
schule Philosophie und Theologie zu lehren. Er zeichnete
sich dabei so aus, daß er weiter nach Paris, der alles über-
strahlenden Sonne der mittelalterlichen christlichen Gelehrsamkeit, geschickt wurde. Als Lehrer hatte Albertus einen derartigen Zulauf, daß er oft im Freien lesen mußte, weil kein
Gebäude die Zahl der Hörer zu fassen vermochte. Auch in
Regensburg, Freiburg, Straßburg, Hildesheim wirkte er vorübergehend, überall hatte er an den Ordensschulen den
wissenschaftlichen Unterricht zu organisieren. Er wurde Ordensprovinzial und verteidigte den Bettelorden vor dem
Papste in Italien. 1260 wurde er zum Bischof von Regensburg ernannt. Nach der von ihm gewünschten Entbindung von
diesem Amt verbrachte er die beiden letzten Jahrzehnte seines
Lebens wieder in Köln. In klösterlicher Abgeschiedenheit lebte
er nun ganz seiner wissenschaftlichen und schriftstellerischen
Arbeit. Dort verstarb er im Jahre 1280.

Die Schriften Alberts wurden 1651 in Lyon in einer Gesamtausgabe herausgegeben. Sie füllen 21 große Bände. Einen
großen Teil davon machen die Kommentare zu den Werken
des Aristoteles aus. Albert war der erste, der die aristotelische
Philosophie in allen ihren Teilen, und dazu ihre jüdischen
und arabischen Kommentatoren, seinen Zeitgenossen erschlossen hat. Seine Kommentare sind nicht bloße Erläuterungen
des aristotelischen Wortlauts. Albert versuchte, wo er Lücken
zu sehen glaubte, diese selbständig auszufüllen. Er verwertete
dabei nicht nur die Gedanken anderer Philosophen und Forscher, sondern auch eigene, und, was bedeutsam ist, auf
naturwissenschaftlichem Gebiet auch eigene Beobachtungen.
Namentlich in der Pflanzen- und Tierkunde und in der Chemie war er daher auch selbständiger Naturforscher. Überhaupt war er in erster Linie ein Gelehrter. In einer unge-
heuren Arbeitsleistung hat er ein riesenhaftes Material
gesammelt und geordnet.
Die Mitwelt hat ihm die Ehrennamen des Großen (Albertus
Magnus) und des »doctor universalis«, des universalen Gelehrten, verliehen. Der Volksglaube hat ihm wegen seiner
naturwissenschaftlichen Kenntnisse sogar übernatürliches Wissen zugeschrieben.
Das Werk, dieses für andere kaum übersehbare Material
kritisch zu verwerten und zu einem einheitlichen System zu
gestalten, wie es Albert in seiner »Summe der Theologie«
unternahm, hat dieser größte deutsche Scholastiker nicht selbst
vollendet. Das vollbrachte erst sein großer Schüler Thomas.
Dieser vollendete, was Albert als bahnbrechender Begründer
begann. Ohne Albert wäre das Werk des Thomas nicht denkbar gewesen.
Da die Lehrmeinungen und der Aufbau des Gesamtsystems
bei beiden im großen und ganzen übereinstimmen, da aber
Albert sein Wissen nicht in systematischer Zusammenfassung
dargestellt hat, beschränken wir uns bei der Darstellung in
inhaltlicher Hinsicht auf das Werk des Thomas, welcher, geistig auf den Schultern des Albertus stehend, das größte Lehrsystem des Mittelalters geschaffen hat.

2. THOMAS VON AQUIN

a) *Leben und Werke* [15]

Zwischen Rom und Neapel bei Aquino liegt das Schloß
Roccasicca, auf dem Thomas 1225 als Sohn des Grafen
Landulf von Aquino, eines Verwandten der hohenstaufischen
Kaiserfamilie, geboren wurde. Als Fünfjähriger wurde er
den Benediktinern der nahe gelegenen Abtei auf dem Monte
Cassino zur Erziehung übergeben. Als Knabe noch bezog er

die Universität Neapel, um die freien Künste zu studieren.
Mit 17 Jahren trat er in den Dominikanerorden ein. Dieser
schickte ihn im darauffolgenden Jahre zur Vervollkommnung
seiner Studien nach Paris. Auf der Reise dorthin wurde
Thomas von seinen Brüdern, die seinen Entschluß mißbillig-
ten, gefangengenommen und auf die väterliche Burg zurückgeführt. Doch Thomas' Entschluß zum geistlichen Beruf war
unbeugsam. Es gelang ihm, zu fliehen. In Paris traf er Albert den Großen. Albert wurde sein Lehrer. An ihm hat
Thomas sein ganzes Leben lang in Liebe und Verehrung
gehangen. Albert nahm ihn nach dreijährigem Studium dort-
selbst mit nach Köln, wo Thomas unter seiner Anleitung
weitere vier Jahre studierte. 1252 ging er erneut nach Paris
und begann dort seine akademische Lehrtätigkeit. Er widmete
sich dem Lehramt mit voller Hingabe. Das Amt eines Lehrers
der Theologie hat Thomas sehr hochgeschätzt. Er verglich
es im Verhältnis zur praktischen Seelsorge mit dem Amt des
Architekten gegenüber denen, die einen Bau ausführen: Wie
der Architekt den Plan ausdenkt und den Bau nach seinem
Plan leitet, so denkt der Lehrer der Theologie den Plan aus,
nach dem die Seelsorge betrieben werden soll. — Während
eines längeren Aufenthalts im heimatlichen Italien, u. a. als
Theologe des päpstlichen Hofes in Orvieto, wurde Thomas
mit seinem Ordensbruder, dem sprachkundigen *Wilhelm von
Moerbecke*, bekannt. Wilhelm hatte zahlreiche griechische
Werke, und vor allem die des Aristoteles, ins Lateinische
übersetzt. Hier erwarb Thomas eine gründliche Kenntnis des
Aristoteles. Sie war der des seines Meisters Albertus, der sich im
wesentlichen noch auf Übersetzungen aus dem Arabischen
gestützt hatte, überlegen.

Den Höhepunkt in der wissenschaftlichen Laufbahn des Thomas bildete sein zweiter Aufenthalt in Paris in den Jahren
1269 bis 1272. Hier war Thomas der gefeiertste von allen
Lehrern der Theologie. Zu allen Streitfragen wurde seine
Meinung erbeten, in viele Auseinandersetzungen hat er entscheidend eingegriffen. Dann folgte er dem Ruf seines Ordens
zur Errichtung eines Generalstudiums der Theologie (Ordens-
universität) in Neapel. Hier erreichte ihn der Ruf des Papstes
zur Teilnahme am Konzil von Lyon (1274). Auf der Reise
ereilte ihn im Kloster Fossa Nova, halbwegs zwischen Neapel und Rom unweit Priverno gelegen, der Tod. Die Milde
und die Lauterkeit seines Charakters hatten ihm den Beinamen »doctor angelicus«, der engelgleiche Gelehrte, eingetragen.

Das schriftstellerische Lebenswerk des Thomas ist vom gleichen staunenerregenden Umfang wie das seines Meisters Albertus. Die erste Gesamtausgabe, die Ende des 16. Jahrhun-

derts in Rom und Venedig erschien, umfaßte schon 17 Folio-
bände. Eine italienische Ausgabe aus der Mitte des 19. Jahrhunderts hat 25, eine französische vom Ende des 19. Jahrhunderts hat 34 Bände.

Die von einer eindringenden Textkritik und Handschriften-
forschung als echt ermittelten Werke des Thomas lassen sich
in folgende Gruppen einteilen:

I. Aristoteles-Kommentare. Insgesamt 12 Erläuterungswerke
zu Schriften des Aristoteles: zu den Analytiken, zur Ethik,
zur Metaphysik, zur Physik, zu den Büchern über die Seele,
über Himmel und Erde, über Entstehen und Vergehen der
Naturdinge, über Politik u. a.

Die Kommentare des Thomas hatten zwar nicht die gleiche
epochemachende Bedeutung wie die Alberts, welche den Aristoteles überhaupt erst in vollem Umfang erschlossen. Sie
stellen aber jenen gegenüber einen wissenschaftlichen Fortschritt dar, da sich Thomas genauerer Unterlagen bedienen
konnte und weil er, im Gegensatz zu Albert, immer deutlich
den aristotelischen Text von seinen eigenen Erläuterungen und
Zusätzen scheidet. Auch bedient er sich eines vollendeteren
Lateins als Albert. Thomas als Italiener lag diese Sprache
näher.

II. Kleinere philosophische Schriften. Aus diesen heben wir
hervor die Schrift »Über die Einheit des Intellekts gegen die
Averroisten«. Es ist eine Streitfrage des Thomas gegen eine
geistige Bewegung, die im 13. Jahrhundert an der Pariser
Universität einen beträchtlichen Einfluß hatte. Ihr Hauptvertreter war *Siger von Brabant*. Für diese philosophische Richtung war die Auslegung, die der Araber Averroes dem Aristoteles gegeben hatte, in solchem Grade maßgebend, daß sie
dessen Sätze auch dann guthieß, wenn sie gegen das christliche Dogma verstießen. Averroes hatte bekanntlich die Ewigkeit der Welt (anstatt ihrer Schöpfung) gelehrt, ferner eine
Materie, in der alle Formen potentiell schon enthalten sind;
er hatte die Unsterblichkeit der Einzelseele geleugnet; er hatte
die höhere und reinere Wahrheit in der Philosophie gefunden. Diese Schule wurde lateinischer Averroismus oder aver-
roistischer Peripatismus genannt. Ihr stellte sich Thomas entgegen. Sie wurde, wie zu erwarten war, von der Kirche
verworfen.

III. Theologische Gesamtdarstellungen. Hierunter gehören zwei
der wichtigsten Werke des Thomas: der Kommentar zu den
Sentenzenbüchern des Petrus Lombardus und die »*Summe der
Theologie*«, die von Thomas selbst nicht ganz zu Ende geführt werden konnte.

IV. Die sogenannten Quaestionen. Sie sind der literarische
Niederschlag von theologischen Disputationen (Streitgesprä-

chen), wie sie in regelmäßigen Abständen an den Universitäten gehalten wurden.

V. Kleinere Schriften zur christlichen Dogmatik. Insgesamt 12 Titel.

VI. Apologetische Werke, das heißt solche, die der Verteidigung des christlichen Glaubens dienen: die »Summe wider die Heiden« — hauptsächlich gegen die Araber gerichtet; »Von der Begründung des Glaubens gegen Sarazenen, Griechen und Armenier«; »Gegen die Irrtümer der Griechen«.

VII. Schriften zur Rechts-, Staats- und Gesellschaftsphilosophie. Insgesamt 6 Titel, darunter »Vom Fürstenregiment« und eine Schrift über die Behandlung der Juden.

VIII. Schriften zum Ordenswesen und zur Ordensregel.

IX. Exegetische Schriften zur Auslegung der Heiligen Schrift. Als die beiden Hauptwerke sind anzusprechen: die »Summe der Theologie«, geschrieben 1266 bis 1273, von Thomas nicht vollendet, von einem Nachfolger ergänzt, und die »Summe wider die Heiden«, auch Philosophische Summe genannt, verfaßt 1259 bis 1264.

Die Werke des Thomas zeichnen sich durch übersichtliche Gliederung und durchsichtigen Stil aus. Thomas legt Wert darauf, daß »der Lehrer der katholischen Wahrheit nicht bloß die Fortgeschrittenen, sondern auch die Anfänger zu unterrichten hat« und befleißigt sich deshalb einer Einfachheit, Klarheit und durchgearbeiteten Gliederung, wie sie den oft kaum geordneten Sentenzenkommentaren und aus bestimmtem Anlaß verfaßten theologischen Streitschriften seiner Zeit fehlte. Das Streben nach präzisem Ausdruck und Unmißverständlichkeit steht ihm dabei höher als rhetorischer Schwung und Glanz der Darstellung.

b) Wissen und Glauben

Die Bereiche des Wissens und des Glaubens erfahren durch Thomas eine ganz bestimmte Abgrenzung. Was zunächst das Wissen anlangt, so ist es seine unerschütterliche Überzeugung, daß es ein gesetzmäßig geordnetes Reich der Wirklichkeit gibt und daß wir dieses erkennen können. Das bedeutet ein entschiedenes Festhalten an der Möglichkeit wahrer, objektiver Erkenntnis und eine Absage (ähnlich wie bei Augustinus) an jede Philosophie, die in der Wirklichkeit nur ein Erzeugnis des denkenden Menschengeistes sieht und den Geist auf die Erkenntnis seiner eigenen Formen beschränken will. »Es haben manche die Ansicht vertreten, daß unsere Erkenntniskräfte nur ihre eigenen Modifikationen erkennen... Darnach erkennt auch der Intellekt nur seine eigene subjektive Modifikation (Veränderung), nämlich... das von ihm aufgenommene Denkbild... Doch diese Anschauung ist aus zwei

Gründen abzulehnen. Einmal würde hierdurch den Wissenschaften der reale Boden entzogen. Wenn unsere Denkkraft ausschließlich subjektive, in der Seele befindliche species erkennen würde, dann könnten die Wissenschaften sich auf keine außerhalb des Denkens stehenden Objekte beziehen. Ihr einziger Bereich wären alsdann diese subjektiven geistigen Erkenntnisformen. Fürs zweite würde aus einer subjektivistischen Deutung des menschlichen geistigen Erkennens sich die Folgerung ergeben, daß alles, was erkannt wird, wahr ist und daß auch zwei einander widersprechende Behauptungen zugleich wahr sind ... Wenn zum Beispiel der Geschmackssinn nur die eigene Affektion (Reizung) wahrnimmt, dann wird derjenige, der einen gesunden normalen Geschmack hat, urteilen: der Honig ist süß, und sein Urteil ist richtig. Wer einen schon affizierten Geschmack hat, dessen Urteil wird sein, daß der Honig sauer ist, und sein Urteil ist unter obiger Voraussetzung auch richtig. Als Konsequenz dieser einseitig subjektivistischen Betrachtung des menschlichen Erkennens ... zeigt sich sonach die Aufhebung jeden Unterschiedes zwischen Wahr und Falsch. — Diese beiden Konsequenzen, die Verflüchtigung des objektiven, realen Charakters und Wertes der Wissenschaften und die Verwischung des Unterschiedes von Wahr und Falsch, von Ja und Nein berechtigen und zwingen uns dazu, an der Objektivität unseres Erkennens und Denkens festzuhalten[16] ...«

Ist unser Erkennen auch objektiv und wahr, so reicht es doch nicht aus. Über dem Reich der — philosophischen, metaphysischen — Erkenntnis wölbt sich das andere Reich der übernatürlichen Wahrheit. Es ist nicht möglich, auch dieses durch bloße Anspannung der natürlichen Denkkraft zu durchdringen. Hier scheidet sich Thomas von den Lehrern der Frühscholastik wie Eriugena und Anselm, welche sich bemüht hatten, den ganzen Bereich der christlichen Dogmatik vernunftmäßig zu durchleuchten und einsichtig zu machen. In den Bereich, der der philosophischen Forschung entzogen ist, gehören gerade die eigentlichen Geheimnisse des christlichen Glaubens: die Dreieinigkeit Gottes, seine Menschwerdung und die Auferstehung des Fleisches. Hier handelt es sich nach Thomas um übernatürliche Wahrheiten, die wir nur als Inhalt der göttlichen Offenbarung gläubig hinnehmen können.

Zwischen den beiden Bereichen des Wissens und des Glaubens kann nie und nimmer ein Widerspruch bestehen. Die christliche Wahrheit ist zwar übervernünftig, aber doch nicht widervernünftig. Die Wahrheit kann nur eine sein, denn sie geht auf Gott zurück. Argumente, die vom Vernunftstandpunkt gegen den christlichen Glauben erhoben werden, müssen den obersten Denkprinzipien der Vernunft selbst widersprechen

und deshalb mit vernünftigen Mitteln entwertet werden
können. Dies ist es ja auch, was Thomas in seinen Streitschriften sowohl gegen die Heiden wie gegen die christlichen
Häretiker dauernd unternimmt.

Übrigens gibt es Wahrheiten über Gott, die auch die Vernunft von sich aus erkennen kann, so das Dasein Gottes
und daß es nur einer sein kann. Die Mehrzahl der Menschen
ist freilich durch schwache Begabung, Trägheit und dadurch,
daß sie ihre Kraft für die mannigfachen Aufgaben der Selbsterhaltung und der Sorge für die Familie verbrauchen muß,
außerstande, mit Energie nachzudenken und zu diesen Wahrheiten vorzudringen. Deshalb hat die göttliche Weisheit auch
diejenigen Glaubenswahrheiten, die an sich von der Vernunft
erkannt werden können, zusammen mit den übernatürlichen
mit zum Inhalt der Offenbarung gemacht.

Insofern und insoweit gewisse religiöse Wahrheiten durch
die Vernunft erkannt werden, kann die Philosophie, indem
sie diese entwickelt, in den Dienst des Glaubens, in den
Dienst der Theologie treten. Die Philosophie kann weiter
auch dazu dienen, gegen den Glauben vorgebrachte Beweisgründe als falsch oder nicht zwingend zu erweisen. Darauf
muß sich allerdings auch ihre Aufgabe beschränken. Sie kann
nicht die übernatürliche Wahrheit selbst erweisen, sondern nur
entgegenstehende Argumente entkräften. »Ich mache dich vor
allem darauf aufmerksam, daß du bei Disputationen mit
Ungläubigen nicht versuchest, die Glaubenswahrheit mit
zwingenden Vernunftgründen zu erweisen. Das würde der
Erhabenheit des Glaubens Eintrag tun ... Unser Glaube kann,
weil übervernünftig, nicht mit zwingenden Vernunftgründen
bewiesen werden, er kann aber auch, weil wahr und deshalb
nicht widervernünftig, in keiner Weise durch zwingende Vernunftgründe umgestoßen werden. Das Mühen des christlichen
Apologeten kann nicht dahin gehen, die Glaubenswahrheit
philosophisch zu erweisen, es muß vielmehr dahin zielen,
durch Entkräftung der gegnerischen Einwände darzutun, daß
der katholische Glauben nicht falsch ist[17].«

Die »scholastische« Funktion der Philosophie, ausschließlich
als Werkzeug für theologische Zwecke zu dienen, ist hier auf
dem Höhepunkt ihrer Ausbildung angelangt[18].

c) Gottes Dasein und Wesen

Das *Dasein* Gottes kann nach Thomas durch die Vernunft
erwiesen werden. Allerdings lehnt er den ontologischen Gottes-
beweis des Anselm von Canterbury ab, der die Existenz
Gottes allein schon aus seinem Begriff beweisen wollte. Der
Satz »Gott existiert« ist nach ihm keine unmittelbar der
Vernunft einleuchtende (selbstevidente) — und auch keine dem

Menschen angeborene — Wahrheit. Er muß erst bewiesen werden. Die Summe der Theologie enthält fünf Gottesbeweise in unmittelbarem Zusammenhang miteinander. Der erste und zweite Beweis lauten in abgekürzter Fassung wie folgt:

»Die Existenz Gottes kann auf fünf Beweiswegen dargetan werden. — Der erste und klarere Weg ist derjenige, welcher aus der Bewegung hergenommen ist. Es ist sicher und durch die Sinneserfahrung verbürgt, daß etwas in dieser Welt bewegt wird ... Unmöglich ist es ..., daß etwas nach derselben Beziehung und auf dieselbe Weise bewegend und bewegt sei oder sich selbst bewege. Es muß also alles, was bewegt wird, von einem anderen bewegt werden. Wenn also dasjenige, von welchem es bewegt wird, gleichfalls bewegt wird, dann muß dieses von einem anderen bewegt werden und dieses wieder durch ein anderes. Man kann aber hier nicht ins Unendliche fortschreiten. Denn dann gäbe es kein erstes Bewegendes und infolgedessen auch kein anderes Bewegendes, weil die zweiten Bewegenden nur dadurch bewegen, daß sie von dem ersten Bewegenden bewegt sind, wie der Stock nur dadurch bewegt, daß er von der Hand bewegt ist. Folglich ist es notwendig, daß man an ein erstes Bewegendes kommt, das von keinem bewegt wird, und darunter verstehen alle Gott.

Der zweite Weg geht vom Wesen der wirkenden Ursache aus. Wir finden in dieser sinnenfälligen Welt eine Ordnung der wirkenden Ursachen vor. Aber es findet sich nicht und ist auch nicht möglich, daß etwas die wirkende Ursache seiner selbst sei, weil es dann früher als es selbst wäre, was unmöglich ist. Es ist aber nicht möglich, daß man in der Reihe der wirkenden Ursachen ins Unendliche fortschreite ... Mithin ist es notwendig, eine erste wirkende Ursache anzunehmen, die alle Gott nennen.«

Der dritte Beweis geht in ähnlicher Weise vom Zufälligen und Notwendigen aus. Auch hier kann man nicht ins Unendliche gehen bei der Zurückverfolgung der Kette, welche aufweist, woher das Notwendige jeweils seine Notwendigkeit hat. Man muß etwas setzen, das seine Notwendigkeit aus sich selbst hat, und das ist Gott. Der vierte Beweis geht aus von der Stufenfolge, die wir in allem Sein vorfinden.

Der fünfte Beweis ist theologisch, er geht aus von der Beobachtung der zweckvollen Einrichtung der ganzen Natur. »Wir sehen nämlich, daß manches, was keine Erkenntnis besitzt, nämlich die Naturkörper, wegen eines Zweckes tätig ist, was daraus hervorgeht, daß sie immer oder meistens auf dieselbe Weise tätig sind, um das zu erreichen, was das Beste ist. Hieraus ist offenbar, daß sie nicht durch Zufall, sondern aus einer Absicht zum Ziele gelangen. Dasjenige aber, was

keine Erkenntnis hat, strebt nur in der Weise zum Ziele
hin, daß es von etwas, was Erkenntnis und Verstand besitzt,
dahin gelenkt wird wie der Pfeil vom Schützen. Also gibt es
ein intelligentes Wesen, durch welches alle Naturdinge zum
Ziel hingeordnet werden, und dieses nennen wir Gott[19].«
Es bedarf keiner besonderen Erläuterung, wie sehr diese Beweise an Aristoteles, aber auch an Augustinus, angelehnt
sind. In seinen Erörterungen über das *Wesen* Gottes sucht
Thomas einen Mittelweg zwischen einer vermenschlichten
Gottesvorstellung einerseits und der (neuplatonischen) Auffassung, daß Gott völlig jenseitig, transzendent und unerkennbar sei[20]. Unsere Erkenntnis von Gott ist durch dreierlei
charakterisiert: Sie ist erstens eine mittelbare, indem die durch
Gottes Wirkungen in der Natur vermittelt wird. Sie ist zweitens eine analoge, indem wir Begriffe, die auf Gottes Geschöpfe zutreffen, auf Grund des Ähnlichkeitsverhältnisses
von Schöpfer und Geschöpf auf Gott beziehen. Sie ist drittens
eine zusammengesetzte, indem wir das unendlich vollkommene
Wesen Gottes nur immer stückweise von verschiedenen Seiten
aus erfassen können. Sie ist alles in allem unvollkommen,
aber sie ist doch Erkenntnis, und sie lehrt uns, Gott zu sehen
als den Inbegriff des in sich selbst ruhenden vollkommenen
Seins.
Die Offenbarung lehrt uns Gott ferner sehen als den
Schöpfer des Universums (die Schöpfung gehört nach Thomas
zu den Dingen, die nur aus der Offenbarung zu erkennen
sind). In der Schöpfung realisiert Gott seine göttlichen *Ideen*
— womit wir den Gedanken Platons, freilich in veränderter
Form, erneut wiederfinden.

d) Mensch und Seele

Wir übergehen die thomistische Kosmologie (Thomas hält
am geozentrischen, die Erde in den Mittelpunkt des Weltalls
stellenden, Weltbild fest), um uns sogleich seiner Psychologie
zuzuwenden, die ein Kernstück des Systems bildet. Die
menschliche Seele bildet für Thomas einen Gegenstand liebe-
vollen und intensiven Forschens und Nachdenkens. In mehreren seiner Schriften hat er über die Gefühle, über das Gedächtnis, über die einzelnen Seelenvermögen und ihr Verhältnis zueinander und über die Erkenntnis gehandelt.
Die Grundlage bildet auch hier Aristoteles, die aristotelische
Lehre von der passiven Materie und der Form als dem aktiven, wirkenden Prinzip. Seele ist das allen Lebenserscheinun-
gen zugrunde liegende formende Prinzip. Auf den Menschen
angewandt, heißt das: »Das Prinzip der Denktätigkeit, die
vernünftige Seele, ist die Wesensform des menschlichen Leibes.« Thomas legt im einzelnen dar, daß die menschliche

Seele unkörperlich, das heißt reine Form ohne Materie, und daß sie eine rein geistige, von der Materie unabhängige Substanz ist. Daraus folgert er ihre Unzerstörbarkeit und Unsterblichkeit. Denn da die Seele eine vom Körper unabhängige Substanz ist, kann sie nicht mit diesem zerstört werden, und als reine Form kann sie auch nicht in sich selbst zerstört werden. Auch das im Menschen liegende Sehnen nach Unsterblichkeit, das nicht eitler Trug sein kann, wertet er als Beweis für die Unsterblichkeit der Seelensubstanz, welche er besonders auch im Gegensatz zu den Averroisten betont, die ja nur eine überindividuelle Unsterblichkeit des Geistes anerkannt hatten.

In der Theorie der einzelnen Seelenkräfte oder Vermögen schließt sich Thomas ebenfalls an Aristoteles an. Mit diesem unterscheidet er das vegetative Vermögen (Stoffwechsel und Fortpflanzung) von den bei den Tieren hinzutretenden Vermögen der Sinneswahrnehmung, der Begehrung und der freien, willkürlichen Bewegung. Dazu kommt beim Menschen das intellektuelle Vermögen, der Verstand. Diesem gibt Thomas gegenüber dem Willen den eindeutigen Vorrang. Der Intellekt ist vornehmer als der Wille. Die thomistische Seelen- und Erkenntnislehre ist intellektualistisch. In der Psychologie — daneben auch auf anderen Gebieten — ist der Dominikaner Thomas in scharfen Gegensatz geraten zu den gleichzeitig im Franziskanerorden entwickelten Anschauungen. Die franziskanische Theologie betont in enger Anlehnung an Augustinus, und weiter zurück an Platon, den aktiven Charakter des menschlichen Erkennens. Thomas dagegen, unter Berufung auf Aristoteles, hebt den passiven, rezeptiven (aufnehmenden) Charakter des Erkennens hervor. Er sieht im Erkennen eine Verähnlichung des erkennenden Subjekts mit dem erkannten Objekt, ein bildhaftes Ergreifen der Wirklichkeit[21]. Die richtige Erkenntnis ist erreicht, wenn das im Geiste vorhandene Bild mit der Wirklichkeit übereinstimmt (adaequatio rei et intellectus — Angleichung von Verstand und Sache).

Wie gewinnen wir überhaupt Erkenntnis? Auch auf diese Frage gibt Thomas die Antwort, die Aristoteles gegeben hatte: nicht durch Teilhabe an göttlichen Ideen (oder Erinnerung an diese), sondern allein durch *Erfahrung* auf Grund der Sinneswahrnehmungen. Thomas ist *Empiriker*. Alles Material unserer Erkenntnis stammt aus den Sinnen. Freilich nur das Material. Der tätige Intellekt bildet dieses Material weiter. Die sinnliche Erfahrung zeigt uns nur das individuelle Einzelding. Das eigentümliche Objekt des Verstandes ist aber die in den Einzeldingen vorhandene Wesenheit, »Washeit« (quiditas). Damit er diese erkenne, muß der Geist die »Phantasie« zu Hilfe nehmen. In eigentümlicher Weise ist hier die grundlegende Erkenntnislehre Kants vorgebildet, nach welcher Erkenntnis entsteht im bildenden Gestalten der durch die Sinneswahrnehmung gegebenen Erscheinungen mittels der im Menschengeist liegenden Denk- und Anschauungsformen. Es bedurfte nur der Frage, wie die »Phantasie« beim Weiter- bilden der sinnlichen Anschauung verfährt und welche Teile unserer Erkenntnis aus der Sinnlichkeit, welche aus den all- gemeinen Formen und Eigenheiten unseres eigenen Geistes stammen.

An die Seelen- und Erkenntnislehre schließt sich die *Ethik*. Thomas sagt: »Ein Dreifaches ist dem Menschen notwendig zum Heile: zu wissen, was er glauben, zu wissen, wonach er verlangen, und zu wissen, was er tun soll[22].«

Als Voraussetzung des sittlichen Handelns betont Thomas die *Willensfreiheit*. Auch hier liegt ein Gegensatz zu Augu- stinus und der sich an diesen anschließenden franziskanischen Theologie. In der Tiefe freilich steht Thomas dem Determinis- mus nicht so fern. — In bezug auf die einzelnen Tugenden übernimmt Thomas die überlieferten vier griechischen Kardi- naltugenden Weisheit, Tapferkeit, Mäßigkeit und Gerechtig- keit und fügt ihnen die drei christlichen Glaube, Liebe und Hoffnung an. Der Aufbau der thomistischen Tugendlehre ist höchst kompliziert. Aber ihre Grundgedanken sind einfach: »Die Vernunft ist dem Menschen Natur. Was immer also wider die Vernunft ist, das ist wider des Menschen Natur[23]«.

»Das Gute des Menschen, sofern er Mensch ist, liegt darin: daß die Vernunft vollendet sei in der Erkenntnis der Wahr- heit und die untergeordneten Begehrungskräfte geleitet werden gemäß der Richtschnur der Vernunft. Denn des Menschen Menschsein kommt ihm daher, daß er der Vernunft mächtig ist[24].«

»Nicht der heißt ein guter Mensch, der eine gute Erkenntnis- kraft, sondern der einen guten Willen hat[25].«

»So sehr die Beschauung höheren Ranges ist als das tätige Leben, so sehr scheint der mehr für Gott zu wirken, der eine Einbuße seiner geliebten Beschauung in Kauf nimmt, auf daß er dem Heil der Nächsten diene um Gottes willen[26].«

»Wie es gut ist, den Freund zu lieben, weil er Freund ist, so ist es vom Übel, den Feind zu lieben, sofern er Feind ist. Gut aber ist es, den Feind zu lieben, sofern er Gottes ist ... Den Freund als Freund zu lieben und den Feind als Feind: das wäre etwas Widersprüchliches. Aber den Freund und den Feind zu lieben, sofern beide Gottes sind: das ist kein Widerspruch[27].«

»Und darum ist im Hinblick auf das, was unter uns steht, die Erkenntnis vornehmer als die Liebe; weswegen der Philosoph die Erkenntnistugenden höher stellt als die sittlichen. Im Hinblick aber auf das, was über uns ist, vor allem im Hinblick auf Gott, steht die Liebe höher als die Erkenntnis. Und darum überragt die Liebe den Glauben[28].«

e) Politik

Als überzeugte Aristoteliker wenden sowohl Albertus wie Thomas ihr Interesse der Welt der Erscheinungen zu. Dieses geht aber bei beiden in verschiedene Richtungen: bei Albert mehr auf die sinnliche, bei Thomas mehr auf die sittliche Welt: den Staat[29]. Wir würden heute sagen, Albert sei mehr naturwissenschaftlich, Thomas mehr geistes- oder sozialwissenschaftlich orientiert gewesen. Während Albert von den Schriften des Aristoteles die Politik ohne Kommentar gelassen hatte, hat Thomas sich wiederholt ausgiebig über dieses Gebiet geäußert. Wie die Griechen sieht Thomas den Menschen durchaus in der Einordnung in Gesellschaft und Staat. Das zeigen Aussprüche wie diese: »Es ist unmöglich, daß ein Mensch gut sei, außer er stehe im rechten Bezug zum gemeinen Wohl[30].« — »Je mehr eine Tugend auf das gemeine Wohl bezogen ist, um so höheren Ranges ist sie[31].«

Die thomistische Staatslehre schließt sich eng an die des Aristoteles an, welche Thomas zum erstenmal in ihrem vollen Gewicht im Abendland zur Geltung bringt. Mit ihr verbindet er augustinische Gedanken. Der Mensch ist für Thomas wie für Aristoteles ein zoon politikon, ein soziales Lebewesen. Das allein macht schon staatliche Ordnung notwendig. »Wenn es nun auf diese Weise dem Menschen natürlich ist, in Gemeinschaft mit vielen zu leben, dann muß es auch unter den Menschen etwas geben, wodurch die Vielheit regiert wird. Bei der so großen Zahl von Menschen und bei dem Bestreben des einzelnen, egoistisch für sein Privatinteresse tätig zu sein, würde die menschliche Gesellschaft nach den entgegengesetzten Richtungen aus den Fugen gehen, wenn niemand da wäre, dem die Sorge für das Gemeinwohl der Gesellschaft obliegt, geradeso wie der Leib des Menschen und überhaupt jedes lebendige Wesen sich auflösen müßte, wenn nicht eine gemeinsame leitende Kraft im Körper vorhanden wäre, welche auf das gemeinsame Wohl aller Glieder sich richtet[32].« So wird die Notwendigkeit einer sozialen Autorität von Thomas begründet. Da die menschliche Natur, die den Staat notwendig macht, von Gott so geschaffen ist, so ist Gott, wie die Schrift lehrt, der Urheber der Obrigkeit.

Auch hinsichtlich der Staatsformen hält sich Thomas an die von Aristoteles eingeführten Unterscheidungen zwischen Monarchie, Aristokratie und Politie und den entsprechenden Entartungsformen Tyrannis, Oligarchie und Demokratie. Unter den guten Staatsformen gehört seine Liebe der Monarchie. Von ihr hat er eine ideale Vorstellung. Der König muß in seinem Reiche das sein, was die Seele im Körper und Gott in der Welt ist. Die Regierung des guten und gerechten Königs muß der göttlichen Weltregierung nachgebildet sein. Doch »wie es etwas im höchsten Grade Gutes ist, wenn einer die Macht in der Herrschaft über viele gut gebraucht, so ist es im höchsten Grade ein Übel, wenn er sie mißbraucht[33]«. Die schlimmste aller Regierungsformen ist die Tyrannis. Ist sie eingetreten, so ist dem Volk zu empfehlen, Geduld zu haben, da eine gewaltsame Veränderung meist noch größeres Übel bringt. —

Da Thomas den Staat als eine sittliche Größe betrachtet, bezeichnet er es als Aufgabe des Staates, die Bürger zu einem gerechten und tugendhaften Leben zu führen. Die wichtigste Voraussetzung dafür ist die Wahrung des *Friedens*. Die nächste Bedingung ist die Schaffung äußeren Wohlstandes. Ein tugendhaftes Leben in Frieden und Wohlstand ist aber doch nicht der letzte Zweck des menschlichen Lebens. Dieser ist die Erlangung der himmlischen Seligkeit. Die Menschen zu ihr hinzuführen, ist nicht Aufgabe der irdischen Obrigkeit, sondern der *Kirche*, unter Leitung der Priester und vor allem des von Christus selbst eingesetzten Stellvertreters Gottes, des römischen Papstes. Da die Aufgabe der Kirche eine höhere ist als die des Staates, müssen die Könige dieser Welt dem Herrn der Kirche untertan sein. Thomas lehrt also eine eindeutige Unterordnung der weltlichen Gewalt unter die geistliche, jedenfalls insoweit, als die zeitlichen Dinge für das überzeitliche Ziel des Menschen eine Rolle spielen.

f) Bedeutung des Thomas

»Des Weisen Amt ist: ordnen[34].« Das ganze Werk des Thomas von Aquino steht unter diesem Leitwort. Ordnen, unterscheiden, einteilen — Ordnen des Unterschiedenen nach dem ihm zukommenden oder innewohnenden Wert: darin liegt die Größe und Bedeutung seines Werkes.

Unmittelbar nach seinem frühen Tode setzte ein erbittertes Ringen um die führende Stellung des Thomismus im Orden und in der ganzen katholischen Welt ein. Der Widerstand kam vor allem von der an Augustinus orientierten franziskanischen Theologie, mit der Thomas schon während seines Lebens heftige Kämpfe ausgefochten hatte. Drei Jahre nach Thomas' Tode wurden einige seiner Lehrsätze durch den Bischof von Paris offiziell verurteilt. Aber die Schüler des Thomas, deren der hervorragende und beliebte Lehrer viele besaß, verstanden seine Lehre durchzusetzen. Sein alter Lehrer Albertus, der ihn überlebte, erklärte ihn für ein »Licht der Kirche«.

Der Thomismus wurde zur offiziellen Philosophie des Dominikanerordens. 1322 wurde Thomas heiliggesprochen. Bedeutende Päpste schätzten seine Lehre und setzten sich für sie ein. Endlich wurde im Jahre 1879 der Thomismus zur offiziellen Philosophie der katholischen Kirche erhoben. Bei der 1931 durch päpstliche Anordnung vorgenommenen Neuordnung des kirchlichen Hochschulunterrichts wurde erneut vorgeschrieben, daß Philosophie und spekulative Theologie nach den Lehren und Prinzipien des Thomas von Aquino vorzutragen sind.

Im Zusammenhang damit hat der Thomismus im 19. und 20. Jahrhundert eine bedeutsame Renaissance erlebt. Im Rahmen der sogenannten Neuscholastik — einer Geistesbewegung, die sich über die ganze katholische Welt erstreckt und ihre bedeutendsten Lehrer in Italien, Frankreich, Belgien und Deutschland hat — entstand eine neu-thomistische Philosophie, die die Ergebnisse der modernen Wissenschaft und Philosophie mit den von Thomas geschaffenen Grundlagen des katholischen Weltbildes zu vereinigen sucht. Auf diese moderne Entwicklung werden wir im letzten Kapitel zurückkommen.

3. DANTE

Das von der Scholastik, vor allem durch Albert und Thomas, entwickelte Weltbild des christlichen Mittelalters hat im Werk Dantes seinen schönsten dichterischen Ausdruck gefunden. Dante Alighieri wurde 1265 in Florenz geboren. Eine ideale Jugendliebe zu Beatrice und ihr unglücklicher Ausgang durch den frühen Tod der Geliebten gaben ihm den künstlerischen Ansporn, die Kenntnis der alten römischen Dichter und der provenzalischen Poesie das dichterische Vorbild, das Studium der scholastischen Philosophie zu Bologna und Paris die philosophische und theologische Wissensgrundlage. Aus seiner Vaterstadt aus politischen Gründen verbannt, führte Dante ein unstetes und unglückliches Wanderleben, bis er in den letzten Jahres seines Lebens eine Zuflucht in Ravenna fand, wo er 1321 verstorben ist.

Dantes Hauptwerk, die »Göttliche Komödie«, ist ein Gang durch Hölle, Fegefeuer und Paradies. Durch die beiden ersten Reiche wird Dante vom Schatten des Dichters Vergil geleitet. Die Reise beginnt mit dem Abstieg in die Treppen und Schluchten des Inferno, des unterirdischen Reiches, welches sich trichterförmig bis zum Mittelpunkt der Erde, dem Sitz des Höllenfürsten, hinabzieht. In neun Stockwerken begegnet er von oben nach unten immer ärgeren Sündern, Wollüstigen, Geizigen, Gewalttätigen, Lügnern; im finstersten Abgrund aber den beiden Erzverrätern der Menschheit: Judas und Bru-

tus — die Christus, den Gründer der Kirche, und Cäsar, den
Gründer des Kaiserreiches, auf dem Gewissen haben.

Zur anderen Seite der Erde emporsteigend, gelangen Vergil
und Dante zum Purgatorium (Fegefeuer). Es hat die Gestalt
eines steilen Bergkegels, aufgetürmt aus sieben Terrassen, die
den sieben Todsünden entsprechen. Auf der Spitze befindet
sich das irdische Paradies.

In das dritte Reich, das himmlische Paradies, darf Vergil, der
ungetaufte Heide, nicht eintreten. Hier wird der Dichter
von der geliebten und verklärt erscheinenden Beatrice, als
Symbol der geoffenbarten Gnade, weitergeleitet. An ihrer
Hand erhebt er sich über die Erde und durchwandert die
neun von übermenschlichen Wesen bevölkerten himmlischen
Sphären. Am Schluß des Weges wird ihm die Anschauung
der dreieinigen Herrlichkeit Gottes zuteil.

Auf dem ganzen Wege durch Hölle, Fegefeuer und Paradies
begegnet der Dichter bekannten, oft erst kurz vorher verstorbenen Persönlichkeiten. Im Gespräch mit ihnen und mit
seinen Führern hat er Gelegenheit, alle ihn bewegenden
Fragen auf theologischem, philosophischem und politischem
Gebiet zu erörtern. So gründlich ist Dante in die Lehren der
Scholastik eingedrungen und so vollkommen beherrscht er
seinen Stoff, daß er »die eigensten, bei jedem anderen trok-
kenen, Geheimnisse der scholastischen Philosophie bis in ihre
syllogistischen Argumentationen hinein in die bald erschüt-
ternde, bald anmutige Beschreibung einer Weltreise verwandelt«[35]. Dante ist mit seinem Wissen in allen Gebieten
bis zur Astronomie auf der Höhe seiner Zeit. Natürlich sind
es im wesentlichen nicht von ihm selbst geschaffene Gedanken, die dabei ausgesprochen werden, sondern auf naturwissenschaftlichem Gebiet hauptsächlich die des Albert, in der
Theologie und Politik die des Thomas. Welch überragende
Stellung Dante dem Meister beider, dem Aristoteles einräumt,
zeigt das über letzteren von uns angeführte Zitat aus seinem
Werk.

Interessant ist die Richtung, in der Dante die politischen
Anschauungen des Thomas weiterbildet. Thomas hatte in der
Erhaltung des Friedens die wichtigste Aufgabe des Herrschers
gesehen. Dante erkennt, daß nicht innerer Friede in den Staaten selbst genügt. Er will auch dauernden Frieden der Staaten
untereinander und fordert eine den Fürsten der Einzelstaaten
übergeordnete oberste Gewalt, ein universales Kaisertum, das
nicht vom Papst, sondern von Gott unmittelbar eingesetzt
ist. Kirche und Papsttum will er auf ihre geistlichen Aufgaben beschränkt sehen. Die Verweltlichung der Kirche bekämpft er als die Wurzel allen Übels. Die politischen Ansichten Dantes sind in ihrer geschichtlichen Bedingtheit nur

voll zu verstehen auf dem Grunde der das Mittelalter und gerade Dantes Zeit erfüllenden Rivalität zwischen geistlicher und weltlicher Gewalt und der sich daran anschließenden Parteikämpfe zwischen Guelfen und Ghibellinen innerhalb Italiens. Aber Dante erhebt sich doch über diese zeitbedingten Kämpfe, indem er nicht einfach sich auf die Seite einer der streitenden Parteien stellt, sondern ein Ideal entwirft, in welchem geistliche und weltliche Macht jede auf den ihr zukommenden Bereich beschränkt sind. — Die »Göttliche Komödie« gehört zu den ganz großen Werken der Weltliteratur. Wie das vergangene Griechenland in Homer, die dem Mittelalter nachfolgende Renaissance in Shakespeare, so hat das christliche Mittelalter in Dante seinen dichterischen Genius gefunden, in dessen Werk das Denken und Fühlen dieser Jahrhunderte, unmittelbar vor seiner beginnenden Auflösung, in einem großartigen Weltgemälde zusammengefaßt wird.

IV. Die Spätscholastik

1. ROGER BACON

Eine zeitliche Trennungslinie zwischen Hochscholastik und Spätscholastik ist nicht präzise zu bestimmen. Noch zu Lebzeiten der großen Meister der Hochscholastik begegnen wir in Roger Bacon einem Mann, welcher, in vielem seiner Zeit weit vorauseilend, nicht nur den Thomismus angreift, sondern die Prinzipien der Scholastik überhaupt erschüttert und damit die am Ausgang des Mittelalters eintretende Wende des europäischen Geistes vorbereitet.

Bacon ist wie die nach ihm zu behandelnden anderen führenden Köpfe der Spätscholastik Engländer, und wie sie gehört er dem Franziskanerorden an, in welchem, wie wir gesehen haben, die thomistische Philosophie von Anfang an auf Widerstand gestoßen war. 1214 in Ilchester geboren, hat er zuerst in Oxford, dann in Paris sich eine gründliche Kenntnis aller Fächer der damaligen Wissenschaft angeeignet: Mathematik, Medizin, Jurisprudenz, Theologie, Philosophie. Sein tragisches Lebensschicksal ist nur zu verstehen, wenn man sich vor Augen hält, wie sehr er sich gegen die zunächst noch beherrschende thomistische Geistesrichtung stellt und welch revolutionäre Gedanken, seinen Zeitgenossen unheimlich und noch kaum verständlich, er ausgesprochen hat.

Die Schriften Bacons heißen »Das größere Werk«, »Das kleinere Werk«, »Das dritte Werk«. Alle sind unter schwierigen äußeren Umständen und mit geringen Hilfsmitteln geschaffen. Drei schwerwiegende Vorwürfe gegen Albert und Thomas als

die Meister der Hochscholastik und ihre Philosophie kehren
in ihnen immer wieder: Die größten Philosophen der Vergangenheit sind für Bacon Aristoteles, Avicenna und Averroes
(also drei Heiden). Den Scholastikern fehlt nun fürs erste die
Kenntnis der Sprache, in der jene geschrieben haben, also
des Griechischen und Arabischen. Mit unverhohlenem Spott
spricht Bacon über Thomas als den Philosophen, der dicke
Bücher über Aristoteles geschrieben habe, ohne überhaupt
seine Sprache zu verstehen. Für Bacon steht es fest, daß
alle vorliegenden Übersetzungen, auch die der Heiligen
Schrift, ganz unzulänglich sind und zahlreiche Mißverständnisse enthalten. Was not tut, ist daher weniger die bisher
betriebene Grammatik und Logik, deren Grundsätze ohnehin
jedem vernünftigen Menschen angeboren sind, sondern ein
eindringendes Studium der fremden Sprache, insbesondere
des Hebräischen, Griechischen und Arabischen. Die bisherigen
Übersetzungen, die soviel Schaden gestiftet haben, sollten am
besten verbrannt werden. — Der zweite Vorwurf geht darauf,
daß jene Scholastiker von der Mathematik, die für Bacon die
Grundlage aller Wissenschaften ist, eine ungenügende Kenntnis gehabt haben. — Der dritte Einwand bezieht sich auf die
in der Wissenschaft zu verwendende Methode. Die scholastische Methode bestand darin, daß man alle Fragen durch Berufung auf Autorität (die Bibel, Aristoteles, die Kirchenväter)
und durch logische Deduktion aus diesen zu lösen suchte.
Demgegenüber erhebt Bacon die Forderung nach dem Zurückgehen auf die unmittelbare Erfahrung, das heißt die Beobachtung und Befragung der Natur mittels des Experiments, in
welcher er die Quelle allen wahren Weltwissens erblickt.
»Ohne Erfahrung kann nichts ausreichend gewußt werden.«
Physikalisches Experimentieren ist seine Lieblingsbeschäftigung.
Für seine Experimente hat er sein gesamtes Vermögen verbraucht und sie dann unter größten Widerwärtigkeiten ohne
ausreichende Mittel fortgesetzt. In seinem Hauptwerk, welches
in manchen Handschriften den zutreffenden Untertitel »Über
den Nutzen der Wissenschaften« trägt, befaßt er sich, nach
Darlegung der Grundlagen in Logik, Sprachkenntnis, Mathematik, mit der praktischen Physik. Auf diesem Gebiet sind
ihm, namentlich in der Optik, eigene grundlegende Entdek-
kungen geglückt, so die Gesetze der Lichtreflexion und
Strahlenbrechung. Bacon entwickelte eine Fülle naturwissen-
schaftlicher und technischer Ideen. Er bemerkte zum Beispiel,
man müsse Schiffe bauen können, die sich ohne Pferd und
Segel aus eigener Kraft pfeilschnell fortbewegen, er bespricht
Schießpulver, Magnetismus und vieles andere.
Gerade dieses sein Experimentieren war es, was ihn der Kirche und seinem Orden verdächtig machte. Man verbot ihm,

seine Entdeckungen niederzuschreiben und anderen mitzuteilen. Ein über ihn verhängtes zehnjähriges Exil in Frankreich ist als Strafe für seinen Versuch anzusehen, sich über dieses Verbot hinwegzusetzen. Als der ihm wohlgesinnte Papst Clemens IV. gestorben war, wurde Bacon, bald nach seiner Rückkehr nach England, gefangengesetzt und für den ganzen Rest seines Lebens im Kerker gehalten, wo er wahrscheinlich 1294 verstorben ist. In seiner Schrift erscheint Bacon als treuer Sohn der Kirche. Er sagt immer wieder, daß die von ihm zu schaffende Philosophie, viel mehr als die thomistische, geeignet sei, als Stütze für den Glauben und die Theologie zu dienen. Es ist schwer, zu entscheiden, inwieweit er solche Sätze nur ausgesprochen hat, um sich eine gewisse Freiheit zu sichern und die Gunst seiner Oberen und des ihm aus England bekannten Papstes zu erhalten. Seine Zeit- und Ordensgenossen haben dem jedenfalls mißtraut, und das geschah aus dem richtigen Gefühl heraus, daß Bacon, indem er überall das Zurückgehen auf das Experiment, auf Erfahrung, auf die unmittelbare Beobachtung der Natur und auf die Quellen fordert, tatsächlich die Axt an die Wurzel der ganzen Scholastik legte.

2. DUNS SCOTUS

Von einer anderen Seite her hat der englische Franziskaner Duns Scotus einen entscheidenden Anstoß dazu gegeben, daß die im Thomismus anscheinend erreichte Versöhnung von Theologie und Philosophie einer um so tieferen Entzweiung beider Platz machen mußte. Er wurde nicht lange vor 1270 geboren und ist bereits 1308, im Alter von etwa 40 Jahren, gestorben. Schon mit 23 Jahren wurde er Professor der Theologie in Oxford, später in Paris und zuletzt in Köln, wo ihm nur noch eine ganz kurze Wirksamkeit beschieden war. Da er ein gefeierter Lehrer war und eine äußerst fruchtbare schriftstellerische Tätigkeit entfaltete, hat die kurze Lebensspanne genügt, ihm bleibenden Nachruhm als einer der Größten der mittelalterlichen Philosophie zu sichern. Die Mitwelt ehrte ihn mit dem Beinamen des Scharfsinnigen — »doctor subtilis«. Auch Duns nimmt gegenüber Albert und Thomas eine kritische, ja oft polemische Haltung ein, unbeschadet dessen, daß er ihnen auch vieles zu danken hat. Vor allem seine besonders gute Kenntnis des Aristoteles, in welcher er die Meister der Hochscholastik übertrifft, wäre nicht denkbar ohne die von diesen geleistete entscheidende Vorarbeit. Je mehr man aber sich in die Gedankenwelt des Aristoteles hineinlebte, je genauer man ihn kannte, um so eher mußte einmal der klaffende Gegensatz zwischen dem Welt und Natur zugewandten heidnischen Philosophen und der Grundhaltung des christlichen Glaubens wieder ins Bewußtsein treten. Das führt Duns zu der Erkenntnis, eine so vollkommene Übereinstimmung zwischen Theologie und (aristotelischer) Philosophie, wie sie Thomas erstrebt hatte und erreicht zu haben glaubte, sei nicht möglich. Duns spricht tadelnd von denen, die Theologie und Philosophie zu eng miteinander vermengen. Es findet sich bei ihm auch schon der Ausspruch, daß ein Satz in philosophischer Hinsicht wahr und in theologischer Hinsicht falsch sein könne und umgekehrt. Gleichwohl findet Duns im ganzen keinen Gegensatz zwischen beiden Bereichen, und zwar hauptsächlich deswegen, weil er der Theologie einen vorwiegend praktischen Charakter beilegt. Er bezweifelte sogar, ob sie im strengen Sinne eine Wissenschaft heißen könne. So ist Duns zwar weit davon entfernt, an die Stelle des christlichen Glaubens eine nichtchristliche Philosophie setzen zu wollen. Er ist ein treuer Sohn der Kirche. Aber er hat doch der bald nach ihm vorgenommenen Scheidung beider Bereiche vorgearbeitet.

Seinem Ordensgenossen Wilhelm von Occam, der diese durchführte, steht Duns auch noch in einer anderen Hinsicht nahe: in der Auffassung des Verhältnisses vom Allgemeinen und Besonderen, Individuellen. Freilich ist Duns in bezug auf die Universalienfrage Realist wie Thomas. Aber er lehrt, daß in jedem Ding neben seinem allgemeinen »Was« (quiditas, »Washeit«) ein einmaliges und besonderes »Dies«, ein »Hier und Jetzt« (haecceitas, »Diesheit«), sei und beweist damit gegenüber Thomas eine höhere Bewertung des Individuellen. Er sagt ausdrücklich, daß das Individuelle das Vollkommenere und das wahre Ziel der Natur sei. Hiermit ist nicht nur ein Schritt in Richtung zum Nominalismus getan. Wir haben in diesem Gedanken des Duns Scotus auch schon eine Vorstufe zu jener überragenden Wertschätzung, die die Renaissance dem Individuellen und dem menschlichen Individuum verschaffte.

Einem weiteren Gedanken, der die franziskanische Opposition gegen Thomas schon früher beschäftigt hatte, hat Duns Scotus zum Durchbruch verholfen. Das Verhältnis von Denken und Wollen hatte Thomas so gefaßt, daß der Intellekt dem Willen übergeordnet ist. Bei ihm folgt der Wille der Vernunft, indem er mit Notwendigkeit das ergreift, was ihm die Vernunft als Bestes darstellt. Dieses Verhältnis kehrt Duns Scotus um. Der *Wille* ist dem Denken übergeordnet. Der Wille ist frei und steht dem durch die Vernunft zur Verfügung gestellten Material frei gegenüber. Das ist bedeutsam für die Erkenntnistheorie, in der Duns folgerichtig die Aktivität, die Selbsttätigkeit des Denkens gegenüber dem passiven, aufnehmenden Intellekt des Thomas betont. Es wirkt sich weiter aus auf die Vorstellung von Gott. In Analogie zu dem, was wir am Menschen, dem Ebenbild Gottes, erkennen, dürfen wir schließen, daß auch in Gott der göttliche Wille das Primäre und Beherrschende ist. Die Welt ist so, wie sie ist, geschaffen, allein weil es dem göttlichen Willen wohlgefallen hat, sie so zu bilden. Es gibt nichts, was an sich gut oder notwendig wäre (dies hatte Thomas angenommen). Gut ist etwas nur darum, weil Gott es so gewollt hat. Hätte er anders gewollt, oder würde er anders wollen, so wäre etwas anderes »gut«. Das gilt auch für den ethischen Wert der menschlichen Handlungen. Gut ist eine Handlung, weil Gott sie will und vorschreibt. Gut ist also der menschliche Wille, wenn er sich ganz dem göttlichen unterwirft. Der göttliche Wille aber fällt für Duns durchaus mit dem Gebot der Kirche zusammen.

Das sind einige Unterschiede zwischen Duns und den Thomisten in inhaltlicher Hinsicht. Fast wichtiger aber für die Gesamtentwicklung als alle inhaltlichen Differenzen ist eine Verlagerung des Interesses, die man bei Duns, gemessen am Denken des Thomas, beobachten kann. Thomas hatte die christlichen Grundlehren über Gott, Welt und Mensch zum Ausgangspunkt genommen. In der Philosophie sah er ein Mittel, diese zu stützen und zu beweisen. Worauf es ihm selbstverständlich ankam, war die zu beweisende Lehre und nicht der Beweis als solcher. Die Kritik des Duns Scotus — die sich nicht etwa nur gegen Thomas wendet, sondern auch gegen seine eigenen Ordensgenossen, die Gegner des Thomas — richtet sich nun in vielen Fällen nicht so sehr gegen das, was die anderen beweisen wollten — denn selbstverständlich stimmt er in den wesentlichen Glaubenssätzen mit ihnen überein —, sondern gegen die Art und *Methode* ihrer Beweisführung. Man kann sagen, Duns fängt an, nicht wie die anderen über die Welt nachzudenken, sondern über das Denken der anderen über die Welt. In der Geschichte der Philosophie haben Denker, die ihre Aufmerksamkeit von den Objekten des Denkens weg zunächst auf die Formen, Methoden und Möglichkeiten des Denkens selbst richteten, oft einen entscheidenden Fortschritt zuwege gebracht. Das gilt vor allem natürlich für Kant. Auch Duns Scotus, indem er seine Kritik und damit sein Augenmerk nicht auf den Inhalt der scholastischen Lehrsätze, sondern auf die philosophische Methode, sie zu beweisen, richtet, bereitet eine entscheidende Wendung in der Philosophie vor. »Werden nun die wissenschaftlichen Beweisführungen an sich selbst wichtig, ja sogar zur Hauptsache, gemacht, so werden sie aus jedem, also auch aus dem ›scholastischen‹, Dienstverhältnis gelöst. Trotzdem also, daß Duns der treueste Sohn der römischen Kirche ist, hat es die Philosophie auf einen Punkt gebracht, wo sie Rom den Dienst aufkündigen muß[36].«

3. WILHELM VON OCCAM

Mehr noch als das Auftreten der eben behandelten beiden Denker bedeutet die von Wilhelm von Occam vorgenommene Erneuerung des Nominalismus einen Angriff gegen die Grundlagen der Scholastik und das Signal für den Anbruch einer neuen Zeit. Wilhelm wurde in Ockham (lat. Occam) um 1290 geboren. Er studierte und lehrte wie seine Vorgänger in Oxford und Paris, wo ihm sein Scharfsinn und seine Gewandtheit im Disputieren den Ehrennamen des Unbesieglichen (doctor invincibilis) eingetragen haben.

Daß der frühere Nominalismus von der Kirche verworfen worden war, hatte seinen unmittelbaren Anlaß gehabt in dem Einfall des Roscellinus, seine nominalistischen Argumente auf das Dogma der Trinität zu richten. Daß die Kirche ihn so radikal unterdrückte, geschah aber aus der bewußten oder unbewußten Erkenntnis, daß ein konsequenter Nominalismus zwar nicht den christlichen Glauben, aber jedenfalls seine eigenartige Vermählung mit der antiken Philosophie, das heißt die Scholastik, in den Grundfesten erschüttern mußte. Denn die scholastische Methode, unter Verzicht auf unmittelbare Naturbeobachtungen alles Wissenswerte aus anerkannten Autoritäten herzuleiten, hatte im Grunde die Überzeugung zur Voraussetzung, daß in den allgemeinen Glaubens- und Lehrsätzen schon alles einzelne enthalten und gesagt sei und nur herausgezogen werden müsse. Denn nur wenn das Allgemeine, wie es der scholastische Realismus annahm, ursprünglicher und »realer« ist und alles einzelne schon in vollem Umfang in sich begreift, ist jene Methode sinnvoll.

Für Wilhelm nun ist das Verhältnis genau umgekehrt. Indem — so sagt er — die »realistischen« Scholastiker mit dem Allgemeinen anfingen und daraus die Individualität herzuleiten suchten, haben sie das Pferd vom Schwanz aufzuzäumen versucht und alles verkehrt angefangen. Denn das Einzelne ist als solches wirklich, es allein ist wirklich; das Allgemeine ist es, was erklärt werden muß. Das letztere versucht Wilhelm in seinen umfangreichen und nicht leicht zu lesenden Untersuchungen. Wir heben nur den Grundgedanken heraus. Die Logik definiert er als Wissenschaft von den Zeichen. Bloße Zeichen (signa, termini) sind insbesondere auch die von jenen Realisten so hoch bewerteten Allgemeinbegriffe oder Universalien. Nichts Wirkliches entspricht ihnen. Selbst im

Geiste Gottes sind nicht die »universalia ante res«. Das stützt Wilhelm mit dem theologischen Argument, daß dann das Dogma von der göttlichen Schöpfung aus dem Nichts nicht aufrechterhalten werden könne, weil ja in diesem Fall die Universalien schon vor den Dingen da wären. — Es gibt nirgends eine »Woheit« oder »Wannheit«, sondern nur ein Wo und Wann; es gibt jeweils nur ein Wie und ein Wieviel, keine Qualität und Quantität als selbständig Seiendes. Es gibt in der Wirklichkeit keine »Relation« (Beziehung) als Selbständiges, sondern nur die bezogenen Dinge. Die Beziehung besteht nur in unserem Kopfe. Es gibt keine »Vielheit«, sondern nur viele Dinge. Eine Beziehung noch neben den bezogenen Dingen, eine Vielheit neben den vielen Dingen anzunehmen, ist eine unnütze Verdoppelung oder Vervielfältigung, widerspricht dem Grundsatz aller Logik und Wissenschaft, nämlich nicht mehreres anzunehmen, wo eines zur Erklärung genügt. — Mit der Kategorienlehre des Aristoteles werden nicht die Sachen eingeteilt und erfaßt (was zum Beispiel Albert angenommen hatte), sondern nur unsere Zeichen für sie, die Worte oder Namen, die wir ihnen beilegen. Wilhelm legt also den Aristoteles ganz im Sinne seines Nominalismus aus, was auf Grund der von Aristoteles an Platon geübten Kritik, wie wir gesehen haben, auch durchaus möglich ist.

Der Gefahr, daß sein Nominalismus, auf christliche Dogmen angewandt, diese erschüttern könnte, entgeht Wilhelm von vornherein dadurch, daß er nicht nur einzelne Mysterien des Glaubens (wie Thomas) aus dem Bereich der vernunftgemäßen Erfaßbarkeit herausnimmt, sondern (wie Duns Scotus, aber radikaler als dieser) die ganze Theologie. Die Dogmen der Dreieinigkeit, der Menschwerdung Gottes und anderes sind für Wilhelm nicht nur übervernünftig, sondern widervernünftig und müssen als solche hingenommen werden. Es gibt auch keine vernunftmäßigen Beweise für die Existenz oder bestimmte Eigenschaften Gottes. Da die Grundlage allen Wissens die vom einzelnen ausgehende Erfahrung ist, wir aber von Gott in diesem Sinne keine Erfahrung haben können, ist ein eigentliches, natürliches Wissen von Gott für den Menschen unmöglich. Das bedeutet unter anderem, daß eine Theologie als Wissenschaft, mit exakten Beweisen und so weiter, nicht möglich ist. Was schon Duns Scotus ausgesprochen hatte: daß ein Satz für den Theologen wahr, für den Philosophen aber falsch sein könne, das ist bei Wilhelm durchgehende Überzeugung[37]. Das alte »credo quia absurdum« tritt wieder in Kraft.

Es ist nur folgerichtig, daß Wilhelm die Trennungslinie, die er zwischen Theologie einerseits, weltlicher Wissenschaft und

Weltlichkeit andererseits zieht, auch in der Praxis, das heißt
in der Kirchenpolitik, im Verhältnis der Kirche zur Welt,
beachtet sehen will. Die Verweltlichung der Kirche, die weltliche Machtpolitik des Papstes Bonifaz VIII., greift er rück-
sichtslos an. Unter Berufung auf das Beispiel Jesu und der
Apostel verlangt er — wie es auch den strengen Grundsätzen
des Franziskanerordens entspricht — in seiner »Disputation
zwischen dem Geistlichen und dem Soldaten« Absage an das
Weltliche und Beschränkung der Kirche auf ihre geistlichen
Aufgaben. Seine Einkerkerung durch den damals in Avignon
residierenden Papst war die Folge. Er entzog sich der Haft
durch die Flucht nach München. Bei dem mit der päpstlichen
Herrschaft in Fehde liegenden Kaiser Ludwig dem Bayern
fand er Zuflucht. Zu ihm soll er die berühmten Worte gesprochen haben: »Verteidige du mich mit dem Schwerte, ich
will dich mit der Feder verteidigen.« In München ist er 1349
gestorben. — 1339 wurde das Lehren nach Wilhelm von
Occam an der Pariser Universität verboten. Gleichwohl wurde
der Nominalismus zur beherrschenden Geistesrichtung. Das
zeigte sich, als ein Edikt, durch welches im Jahre 1473 alle
Lehrer der Pariser Universität auf den Realismus, also gegen
Wilhelm, verpflichtet wurden, bereits wenige Jahre später
wieder aufgehoben werden mußte.
Mit Wilhelms Nominalismus und seinen Folgerungen ist das
von der Scholastik in Jahrhunderten geknüpfte Band zwischen
Theologie und Philosophie, zwischen Glauben und Wissen
praktisch zerschnitten. Beide Bereiche stehen nun für sich.
Es gibt eine »*doppelte Wahrheit*« (ähnlich wie es Averroes
schon viel früher behauptet hatte). Tatsächlich ist dies, von
seiner Zeit bis zur Gegenwart, die schwerwiegende Folge und
Folgerung von Wilhelms Tat gewesen: Wissen und Glaube,
Philosophie und Wissenschaft auf der einen, Religion und
Theologie auf der anderen Seite wandeln von nun an in
getrennten Bahnen. Jede entwickelt sich ihrer Eigengesetzlich-
keit gemäß und ohne Rücksicht auf die andere. Das Gespräch
zwischen Glauben und Wissen kommt für lange Zeit fast
zum Verstummen. Dieser Zwiespalt durchzieht unsere ganze
moderne Kultur.
Das bedeutet für die Philosophie und die sich ihr gegenüber
allmählich verselbständigende Wissenschaft, daß sie, aus dem
scholastischen Dienst an der Theologie entlassen und immer
stärker nach dem wegweisenden Beispiel Roger Bacons auf
die unmittelbare äußere Erfahrung als ihre Quelle zurück-
gehend, jenen unerhörten Aufschwung hat nehmen können,
der die Geistesgeschichte der letzten Jahrhunderte erfüllt. Für
den religiösen Bereich bedeutet es, daß der übervernünftige
Inhalt des Glaubens ohne Rücksicht auf Philosophie und

rationale Theologie unmittelbar ausgesprochen werden kann — wie es zunächst und vor allem in der großen deutschen Mystik geschieht.

V. Die deutsche Mystik: Meister Eckhart

Mystik als Geisteshaltung ist nicht zeitgebunden. In jeder Epoche und in jedem Augenblick seines Lebens hat der Mensch die Möglichkeit, »die Augen zu schließen«, von der Welt abzusehen, in sein eigenes Inneres zu blicken und den dort glimmenden göttlichen Funken zu heller Flamme zu entfachen. Tatsächlich hat es Mystik fast zu allen Zeiten gegeben: bei den Indern, deren ganze Philosophie in diesem Sinne mystisch heißen kann; bei den Griechen in der Frühzeit und am Ausgang der Antike im Neuplatonismus; zu verschiedenen Zeiten des Mittelalters; zu Beginn der Neuzeit und später. Trotzdem ist es geistesgeschichtlich mehr als ein Zufall, daß sich eine der bedeutendsten Strömungen der Mystik in unmittelbarem Anschluß an die Hochscholastik erhoben hat. Die enge Verklammerung, in die religiöser Glaube und Weltweisheit durch Albert, Thomas und andere gebracht worden waren, hatte nicht nur der Philosophie durch die scholastische Unterordnung unter theologische Zwecke eine Fessel angelegt, sondern auch dem Glauben durch seine Bindung an die im Grunde ganz weltliche Weisheit des Aristoteles und seiner arabischen Erläuterer. Wir haben gesehen, wie sich die Philosophie in Bacon, Duns und Wilhelm schrittweise aus diesem Verhältnis zu lösen begann. Das Gegenstück zu dieser Entwicklung, also die Lösung der Glaubenskräfte aus der weitgehend rationalisierten Theologie und Philosophie der Hochscholastik, vollbrachte vor allem der Deutsche Meister Eckhart, die stärkste Persönlichkeit unter den Mystikern des Mittelalters, fast noch ein Zeitgenosse der Hochscholastik — Eckhart ist um 1260 geboren und war möglicherweise noch unmittelbarer Schüler des Albertus Magnus zu Köln — und ebenfalls dem Dominikanerorden zugehörend.

Johannes Eckhart stammte aus ritterlicher Familie in Hochheim bei Gotha in Thüringen. Sein Studium in Köln und Paris verschaffte ihm eine ausgezeichnete theologische und philosophische Bildung. Insbesondere kannte er auch die Scholastik und Aristoteles recht genau. Es ist also nicht etwa so, daß Eckhart der Geistesentwicklung seiner Zeit fremd gegenüberstände. Er ist vielmehr wissenschaftlich durchaus auf der Höhe seiner Zeit. Er verwendet in erheblichem Maße die Denkformen und Ausdrucksweisen der Scholastik. Was er aber in diesen ausspricht, ist etwas ganz anderes als schola-

stische Schulweisheit. Er ist echte und ursprüngliche, schöpferische Erkenntnis — ursprünglich dabei nicht verstanden als
aus unmittelbarer Beobachtung der Natur, sondern, wie beim
Mystiker zu erwarten, aus inneren Quellen, aus Intuition
gespeist. Übrigens zeigen die deutschen Schriften Eckharts —
seine Werke, soweit sie erhalten beziehungsweise wieder auf-
gefunden sind, sind teils deutsch wie die Predigten, teils
lateinisch — ihn auch als sprachgewaltigen und sprachschöpferischen Meister der mittelhochdeutschen Volkssprache.

Eckhart kam im Dominikanerorden zu den höchsten Stellungen. Er war nacheinander Prior in Erfurt, Ordensprovinzial
für Sachsen, Generalvikar für die böhmischen Klöster, Lehrer
in Paris, Prediger in Straßburg, Prior in Frankfurt am Main,
im letzten Teil seines Lebens in Köln. Hier war es, wo der
latente Gegensatz zwischen der Kirche und der höchst eigenwilligen Denkerpersönlichkeit Eckharts zum offenen Ausbruch
kam. Durch den Erzbischof von Köln vor ein geistliches Gericht gestellt, mußte der Meister 1327, kurz vor seinem im
gleichen Jahr erfolgten Tode, in der Kölner Dominikaner-
kirche eine Widerrufserklärung abgeben. Sie war allerdings
allgemein gehalten und besagte nur: Falls irgend etwas, was
er geschrieben, gesagt oder gepredigt hatte, einen Irrtum
im Glauben enthalten sollte, so widerrufe er es und wolle
es als nicht gesprochen angesehen wissen. Die Entscheidung
des Papstes, an den Eckhart appelliert hatte, erging nicht
mehr zu seinen Lebzeiten. Nach seinem Tode wurde eine
Anzahl von Sätzen Eckharts durch päpstliche Bulle als
ketzerisch verurteilt.

Die Philosophie Eckharts ist in formaler Hinsicht nicht mit
den großen Systemen der Scholastik zu vergleichen. Sie bietet
kein durchgearbeitetes System, in dem jedes seinen Platz findet. Sie ist Ausdruck eines intensiven religiösen Erlebens,
verwendet kaum einen Blick auf die Einzelheiten von Welt
und Natur, sondern kreist ganz um die ewigen Pole der
Mystik: Gott und die Seele.

In der Gottesvorstellung Meister Eckharts finden wir Gedanken wieder, die im Neuplatonismus des Plotinos und in den
an diesen anknüpfenden Schriften des angeblichen Dionysos
Areopagita schon in Erscheinung getreten waren (wie überhaupt überall da, wo im christlichen Denken eine mystische
Richtung hervortritt, auf Platon, den Neuplatonismus und
daneben auf Augustinus zurückgegangen wird). Gott ist so
sehr der schlechthin Gute, der Eine, der Absolute, der ganz
Jenseitige, daß wir über ihn gar nichts ausmachen können.
Alles, was wir ihm an Attributen zuschreiben möchten, kommt
ihm eher nicht zu als zu. Die Theologie besteht daher vornehmlich aus negativen Aussagen. Diesen ganz jenseitigen

Gott nennt Eckhart »Gottheit« oder »ungenaturte Natur«. Die
Gottheit ist zu unterscheiden von »Gott« oder der »genaturten
Natur«. Die ursprüngliche Gottheit ist, da ihr auch das Prädikat des »Seins« eigentlich nicht beigelegt werden kann, wie
der Abgrund des Nichts. »Die Gottheit wirket nicht, in ihr
ist kein Werk.« Um sich zu offenbaren, muß die Gottheit
erst »sich bekennen«, »das Wort sprechen«. Damit erst wird
aus der einen Gottheit der dreieinige Gott des Christentums.
Die Gottheit tritt in Subjekt und Objekt auseinander. Gottvater ist das Subjekt. Das Objekt, das »Wort«, in dem er
sich ausspricht, ist der Gottessohn. »Das ewige Wort ist das
Wort des Vaters und ist sein eingeborener Sohn, unser Herr
Jesus Christus. In dem hat er gesprochen alle Kreaturen ohne
Anfang und ohne Ende.« Das Band der Liebe, das Vater
und Sohn verbindet, ist der Heilige Geist. Der dreieinige
Gott des Christentums erscheint also bei Eckhart als die erste
»Emanation«, als Ausstrahlung der über ihm stehenden ur-
sprünglichen »Gottheit«.

Der zweite große Grundgedanke ist die alte mystische Lehre
von der Einheit Gottes und der Menschenseele. Die Seele ist
nach dem Ebenbild Gottes geschaffen. Das heißt bei der eben
berührten Gottesvorstellung Eckharts: Wie Gott ist auch die
Seele dreieinig. Sie besteht aus den drei Seelenkräften des
Erkennens, des »Zürnens« und des Wollens, denen die drei
christlichen Haupttugenden Glaube, Liebe, Hoffnung zugeordnet sind. Wie aber über dem dreieinigen Gott die ursprüngliche eine Gottheit steht, so ist in der Seele über jenen drei
Seelenkräften das göttliche »Fünklein« — »so lauter und so
hoch und so edel in sich selber, daß darin keine Kreatur
sein mag, sondern nur Gott allein wohnt darin mit seiner
bloßen göttlichen Natur«. »Der Funke der Seele ist ein Licht
göttlicher Gleichheit, das sich alle Zeit auf Gott neiget.«

Die notwendige Folgerung, und der dritte Grundgedanke der
Eckhartschen Mystik, ist Selbstentäußerung und Aufgehen
in Gott. »Du sollst allzumal entsinken deiner Deinesheit und
sollst zerfließen in seine Seinesheit und soll dein Dein in
seinem Mein werden also gänzlich, daß du mit ihm
verstehest ewiglich seine ungewordene Istigkeit und seine un-
genannte Nichtheit.« Die Bedingungen, daß auf diese Weise
die Seele mit Gott eins werde, »Gott in uns geborgen werde«,
sind die Lossage von der Sünde, die uns von Gott trennt;
Gelassenheit, innere Gelöstheit; und drittens »Abgeschiedenheit«, Abscheidung von allen irdischen Dingen und zuletzt
auch vom eigenen Selbst, damit Aufgeben des eigenen Willens
und Aufgehen in Gottes Willen.

Erreicht die Seele diesen Zustand, indem sie alles ausscheidet,
was sie von Gott abtrennt, so wird sie Gott gleich. »Danach

folgt, daß sein Wesen und seine Substanz und seine Natur
mein ist. Und wenn denn seine Substanz, sein Wesen und
seine Natur mein ist. so bin ich der Sohn Gottes.« Die Seele
erkennt, daß alles außer Gott nicht etwa nur wertlos, sondern
schlechthin nichts ist, daß alles überhaupt nur existiert, sofern es in Gott ist. »Der Gott siehet, der erkennet, daß alle
Kreaturen nicht sind.« — »Wer all die Welt nähme mit Gott,
der hätte nicht mehr denn ob er Gott alleine hätte.« — Die
Seele erhebt sich in diesem Zustand über Raum und Zeit.
Sie erkennt, daß das allem zugrunde liegende Wesen nicht
zeitliche Vergänglichkeit ist, sondern ewige, zeitlose Gegenwart. Sie erkennt auch die allem zugrunde liegende ewige
Notwendigkeit, denn »Von Not muß Gott wirken alle seine
Werke«.

Ewige Notwendigkeit liegt auch dem Erlösungsprozeß zugrunde, durch welchen die Seele in Gott eingeht — Notwendigkeit wiederum nicht nur für den Menschen, sondern auch
für Gott, denn »Gott mag unser also wenig entbehren wie
wir seiner«.

Wie das ganze Mittelalter, so sieht auch Eckhart das Heil
für den Menschen wesentlich in der Erkenntnis. Darin gleicht
er den Scholastikern, daß auch für ihn die Seligkeit in der
Erkenntnis, im Schauen Gottes besteht. Nur ist es eine mystische Erkenntnis, und sie ist für Eckhart schon in diesem
Leben erreichbar. -

Unter den Schülern Eckharts ragen Heinrich *Seuse* (lat. Suso)
(1300–1365) und Johann *Tauler* (1300–1361) hervor. Ebenfalls im 14. Jahrhundert entstanden und dem Eckhartschen
Kreis zugehörig ist die *»Deutsche Theologie«,* ein Buch unbekannten Verfassers, das später von Luther herausgegeben
wurde. In den Niederlanden ist Johannes *Ruysbroek* (1293–
1381) der Hauptvertreter der Mystik. Eine weite Verbreitung
fanden die Gedanken der Mystik durch Thomas Hamerken
aus Kempen bei Köln, daher *Thomas von Kempen* oder lateinisch Thomas a Kempis genannt. Sein Buch »Von der Nachfolge Christi« — kein wissenschaftliches oder philosophisches
Werk, sondern ein Erbauungsbuch — wurde eines der meist-
gedruckten Bücher der Erde.

Das Werk Eckharts selbst, voll Sprachgewalt und geistiger
und religiöser Tiefe, eines der großartigsten in der Geschichte
christlichen und deutschen Geistes, hat gleichwohl in der Theologie beider Konfessionen eine nur mäßige Beachtung gefunden. So kommt es, daß das Werk dieses Mannes bis heute
einem unausgeschöpften Born gleicht und daß es erst der Gegenwart vorbehalten blieb, das nach dem Verlust vieler Handschriften äußerst schwierig gewordene Werk einer kritischen
Gesamtausgabe seiner Schriften zu unternehmen[38].

Vierter Teil

Das Zeitalter der Renaissance und des Barock

Erstes Kapitel

Die Philosophie im Zeitalter der Renaissance und Reformation

I. Die geistige Wende vom Mittelalter zur Neuzeit

Schon in der Spätzeit der Scholastik selbst waren Gedanken und Forderungen aufgeklungen, die als Keime und Anzeichen ihrer Auflösung und als Vorboten einer großen Geisteswende zu deuten sind:

In der durch die Spätscholastik angebahnten höheren Bewertung des Individuellen kündigt sich jene »Befreiung des Individuums« aus hergebrachten Bindungen an, die ein Grundelement aller folgenden europäischen Kulturentwicklung ist, freilich auch seither immer wieder in soziale und geistige Anarchie auszuarten droht. In der Forderung der späteren Scholastiker nach genauem Studium der alten Sprachen kündigt sich die humanistische Bewegung an, die auf vielen Gebieten eine neue und vertiefte Berührung des europäischen Geistes mit seinen antiken Quellen hervorbrachte. Die Forderung Roger Bacons nach einer Wissenschaft und Philosophie, die sich unter Zurückweisung jeder anderen Autorität allein auf unmittelbare Erfahrung und Beobachtung der Natur gründet, ist der Fanfarenstoß, der das gewaltige Drama der Entfaltung moderner abendländischer Naturwissenschaft einleitet. Endlich hatte die Philosophie des Nominalismus, indem sie das mittelalterliche Band zwischen Glauben und Wissen zerschnitt, zwar die scholastische Einheit beider Bereiche gesprengt, gleichzeitig aber die Voraussetzung geschaffen für das Freiwerden und Wirken unerhörter neuer Kräfte sowohl im Glauben wie in Wissenschaft und Philosophie. So haben wir hier keimartig schon die meisten der Charakterzüge vor uns, deren Hervortreten das Wesen dieser Übergangszeit ausmacht und die alles folgende europäische Denken kennzeichnen: *Individualismus*, hohe Wertschätzung der freien Einzelpersönlichkeit; *freie* Auseinandersetzung mit der *Antike* ohne Rücksicht auf theologische Bindungen und Zwecke; eine Wissenschaft, die sich allein auf Vernunft und Erfahrung aufbaut *(Ratio* und *Empirie)*; *Weltlichkeit,* nichtgeistlicher Charakter des Denkens.

Die betrachteten Anzeichen liegen innerhalb der Philosophie selbst oder jedenfalls innerhalb des geistigen Bereichs. Die ganze Größe und Tragweite des Umschwungs, welcher die mittelalterliche Seinsordnung und die Philosophie, die Aus-

druck und Teil dieser Ordnung war, zum Zerfall brachte
und etwas Neues an ihre Stelle setzte, kann man jedoch nur
ermessen, wenn man den Blick über den engeren Bereich der
Philosophie erhebt und auf die kulturgeschichtliche Gesamtentwicklung in diesem Zeitabschnitt richtet. Es ist klar, daß
man die Philosophie einer bestimmten Epoche und auch eines
einzelnen Denkers nur richtig verstehen kann, wenn man
ihren Zusammenhang mit den Grundkräften der gesellschaftlichen und allgemeingeistigen Entwicklung im Auge behält,
denn das philosophische Denken vollzieht sich nicht isoliert
im luftleeren Raum, sondern in der jeweiligen gesellschaftlichen Umgebung und geschichtlichen Atmosphäre; und wenn
wir aus Raumgründen eine solche Einordnung nicht überall
im einzelnen durchführen können, so soll doch versucht werden, wenigstens an den großen Wendepunkten der Entwicklung der Philosophie jeweils den Blick auf den geschichtlichen
Gesamtzusammenhang zu lenken.

Die Wende vom Mittelalter zur sogenannten Neuzeit (dieser
Begriff hat seinen Sinn nur im Rahmen der hier betrachteten
europäischen Geistesgeschichte) kann unter ganz verschiedenen
Gesichtspunkten betrachtet werden. Jeder von ihnen erhellt
einen bestimmten Teilaspekt des ganzen Prozesses und ist
aus ihm nicht wegzudenken; kein einzelnes Ereignis aber
genügt allein zur »Erklärung«, das heißt zur Verständlichmachung des Gesamtvorgangs. Wir versuchen, durch Anführung der fünf wesentlichsten Gesichtspunkte einen Überblick über die mannigfachen Seiten dieses Wandlungsprozesses
zu geben.

1. ERFINDUNGEN UND ENTDECKUNGEN

Zu den folgenreichsten Ereignissen der Übergangszeit — als
welche man das 15. und 16. Jahrhundert bezeichnen kann —
gehören die drei großen Erfindungen, die in diesen beiden
Jahrhunderten gemacht wurden und sich auszuwirken begannen und die das Antlitz Europas radikal verändert haben.
Es war zunächst die Erfindung des *Kompasses*, die das Befahren der Weltmeere ermöglichte und damit das Zeitalter
der Entdeckungen einleitete. Es war weiter die Einführung des
Schießpulvers, welche die beherrschende Stellung des Rittertums in der mittelalterlichen Gesellschaftsordnung erschütterte
und eine durchgreifende soziale Umgestaltung einleitete. Es
war endlich die Erfindung des *Buchdrucks*, welche — zusammen mit der Verbreitung des billigeren Papiers an Stelle des
kostbaren Pergaments, die mit den Kreuzzügen zusammen-
hängt — die Voraussetzung schuf für die unerhörte Breiten-
wirkung der nun einsetzenden neuen Geistesbewegung.

Ebenso folgenreich waren die nun schlagartig einsetzenden Entdeckungen auf geographischem Gebiet. Kolumbus fand die Neue Welt jenseits des Atlantik. Vasco da Gama fand den Seeweg nach Indien, den Kolumbus eigentlich gesucht hatte. Magalhães vollbrachte die erste Umsegelung der Erde. Die Entdeckungen leiteten die europäische Expansion über den größten Teil der Erdoberfläche ein. Sie führten ferner dazu, daß sich das Zentrum des wirtschaftlichen Reichtums, der politischen Macht und auch der geistigen Kultur immer mehr in die westeuropäischen Anliegerstaaten des Atlantischen Ozeans, und in neuester Zeit über diesen hinweg, verlagerte.

2. DAS NEUE NATURWISSEN

Während ruheloser Forscherdrang und christlicher Missionseifer, aber ebensosehr auch Eroberungssucht und Habgier den europäischen Menschen zur Ausbreitung über die ganze Erdoberfläche trieben, drang sein Denken zugleich in die Tiefe des Weltraums vor. Das astronomische Weltbild des Mittelalters ruhte auf der Annahme, daß die Erde der unbewegliche Mittelpunkt des Universums sei, um den sich der ganze Himmel im Kreise bewege. Der geniale Gedanke des alten griechischen Astronomen Aristarchos, der die Sonne zum Mittelpunkt erklärte, war völlig in Vergessenheit geraten. Ein höchst künstliches und spitzfindiges astronomisches Denksystem war entwickelt worden, um die tatsächlichen Beobachtungen mit jener Annahme in Übereinstimmung zu bringen. Es war die Großtat des Deutschen Nikolaus *Kopernikus* (geboren 1473 in Thorn), dieses künstliche System zu zertrümmern und an seine Stelle ein klar und folgerichtig durchdachtes Denkgebäude zu setzen, ausgehend von der Annahme, daß die Erde ein Stern unter Sternen ist, der um die Sonne kreist und sich außerdem um seine eigene Achse dreht. Das Werk des Kopernikus »Über die Umdrehungen der Himmelskörper« erschien erst in seinem Todesjahr 1543.

Während die christlichen Kirchen dem kopernikanischen Gedanken zunächst nicht ablehnend gegenüberstanden, fällt das Leben und Wirken seiner beiden großen Nachfahren und Vollender in die Zeit, da die Kirchen beider Konfessionen die Gefährlichkeit der neuen Lehre für ihre überlieferten Anschauungen erkannt hatten; das Leben beider ist daher von tragischen Kämpfen erfüllt.

Der Name des ersten, Johannes *Kepler* (1571—1630), ist vor allem verknüpft mit den von ihm gefundenen und mathematisch formulierten Gesetzen der Planetenbewegung. Daneben hat Kepler auf fast allen Gebieten der damaligen Naturwissen-

schaft Bahnbrechendes geleistet. Kepler war aber nicht nur
ein erfolgreicher Forscher, sondern ein umfassender Denker
und philosophischer Kopf. Wir heben aus seinem Gesamtwerk
nur zwei Grundgedanken hervor, die sich in der Folgezeit
als besonders fruchtbar erwiesen haben. Der eine ist Keplers
tiefe Überzeugung, daß das ganze All einer einheitlichen
Gesetzmäßigkeit gehorcht. Diesen Gedanken hat er besonders
in seiner »Weltharmonik« ausgesprochen. Diese Überzeugung
leitete ihn bei allen seinen Entdeckungen, man kann geradezu
sagen, daß diese geboren sind aus dem Bestreben, seine metaphysische Überzeugung von der harmonischen Regelmäßigkeit und Gesetzmäßigkeit alles Geschaffenen exakt zu begründen. — Der zweite Gedanke steht damit im Zusammenhang
und ist ausgesprochen in dem Satz Keplers: »Der menschliche
Geist durchschaut quantitative Verhältnisse am klarsten; er
ist recht eigentlich geschaffen, diese aufzufassen.« Damit ist
zum erstenmal das ausgesprochen, was die moderne abendländische Naturwissenschaft und ihre Methode von der der
Griechen unterscheidet. Den Fehler der Griechen sieht Kepler
in ihrem Versuch, die Natur aus qualitativ verschiedenen Kräften zu erklären. Demgegenüber sieht er die Natur als durch
und durch einheitlich und die Unterschiede in ihr nur als
quantitative. Die Rückführung qualitativer Unterschiede auf
quantitative Verhältnisse aber ist das Geheimnis der staunenswerten Erfolge moderner Naturwissenschaft. »Ubi materia, ibi
geometria« — wo Materie ist, da ist Mathematik —, so ruft
Kepler aus und formuliert damit zum erstenmal das für alle
folgende Naturwissenschaft bestimmende mathematische Erkenntnisideal.

Konsequenter noch als Kepler hat Galileo *Galilei* die Prinzipien einer rein quantitativen, mathematischen und mechanischen Naturwissenschaft formuliert und angewendet. Galilei
wurde 1564 in Pisa geboren. Sein Eintreten für die Lehre des
Kopernikus brachte ihn bekanntlich in Konflikt mit der Inquisition, die den greisen Gelehrten unter Androhung der
Folter zum Widerruf zwang. Die Fortwirkung seines Lebens-
werkes hat das nicht beeinträchtigt. Dieser große Italiener ist
der eigentliche Ahnherr der heutigen Naturwissenschaft. Neben zahlreichen anderen Entdeckungen und Erfindungen hat
er vor allem die Grundlagen der Mechanik geschaffen.

Grundlegend hierfür sind seine Fallexperimente und die daraus abgeleiteten allgemeinen Gesetze der Bewegung. Der
eigentümliche Unterschied zwischen der alten, qualitativen,
aus »Formen« und »Wesen« der Dinge ausgehenden Natur-
betrachtung und der neuen, quantitativ orientierten des Galilei
tritt bei diesem Beispiel in besonders kennzeichnender Weise
schon in der ganz anderen Fragestellung hervor, mit der

Galilei an die Untersuchung der Fallbewegung herangeht. Aristoteles hatte gefragt: *warum* fallen die Körper? und etwa geantwortet: weil die Körper ihrem »Wesen« nach »schwer« sind und ihren »natürlichen Ort« (im Mittelpunkt des Weltalls) suchen. Galilei fragt: *Wie* fallen die Körper? Um das festzustellen, zerlegt er (in Gedanken) den einheitlichen Fallvorgang in meßbare Faktoren: Fallstrecke, Fallzeit, etwa die Bewegung hindernde Widerstände und so weiter, und untersucht durch Experiment und Messung das quantitative Verhältnis dieser Faktoren. Das so gefundene Ergebnis — daß ein Körper bei Abwesenheit jeglichen Hemmnisses die und die Strecke in der und der Zeit zurücklegt — ist das »*Naturgesetz*«, eine mathematische Formel, die den Vorgang nicht in seinem »Wesen« »erklärt«, sondern seinen Verlauf exakt beschreibt.

In dieser Beschränkung auf das Wie des Naturvorgangs unter Absehen von seinem Wesen und Warum liegt unzweifelhaft ein Verzicht, freilich ein Verzicht, der, wie die folgende Entwicklung gezeigt hat, auf der anderen Seite eine ganze Lawine neuer exakter Naturerkenntnisse und auch -beherrschung in Bewegung gesetzt hat.

Dieses Prinzip der Naturerkenntnis hat Galilei nicht nur erfolgreich angewendet, sondern auch theoretisch klar durchdacht und in seinen Schriften niedergelegt. Er spricht klar aus, was schon in der angeführten Keplerschen Formel gesagt war: Das große Buch der Natur liegt aufgeschlagen vor uns. Um es lesen zu können, bedürfen wir der Mathematik, denn es ist in mathematischer Sprache geschrieben. Die Naturvorgänge sind quantitativ und damit meßbar, wo das nicht ohne weiteres der Fall ist, muß die Wissenschaft die Anordnung des Experiments so treffen, daß sie meßbar gemacht werden.

Mit Galilei beginnt der unvergleichliche Siegeszug der europäischen Naturwissenschaft. Sie übernimmt nun die Führung im Reiche der Wissenschaften und gibt sie nicht wieder ab. Kein Philosoph kann fortan an ihren Methoden und Ergebnissen vorübergehen, ja, es ist gesagt worden, daß die großen Naturforscher die eigentlichen Philosophen der Neuzeit seien. Übrigens sind mindestens bis ins 18. Jahrhundert alle führenden Philosophen zumindest gleichzeitig Mathematiker gewesen.

3. HUMANISMUS UND RENAISSANCE

Die Beschäftigung mit der Antike — in der Philosophie schon immer geübt — wurde vom 14. Jahrhundert ab in ganz neuer Weise belebt und vertieft. Die neue Bewegung — Humanismus genannt, weil sie das Ideal einer an der Antike orientierten

rein »menschlichen« (humanen), also nicht theologische Bildung aufstellte — ging aus von Männern wie *Petrarca* (1304 bis
1374), dem »Vater des Humanismus«, und seinem Zeitgenossen *Boccaccio*. Dieser ist allerdings heute weniger durch
seine gelehrten Arbeiten bekannt als vielmehr durch das
»Decamerone«, eine Novellensammlung, die aber im übrigen
den Geist der Zeit in höchst fesselnder Weise widerspiegelt.
Diese Männer begannen die im Mittelalter fast verschollene
klassische Literatur wieder zu sammeln und zu erschließen.
Der Humanismus beschränkte sich aber nicht auf die Literatur, sondern griff auf alle Gebiete des geistigen Lebens und
von Italien aus auf alle Länder Westeuropas über. Unter den
führenden Humanisten seien *Erasmus*, *Reuchlin* und Ulrich
von *Hutten* als die bekanntesten genannt. Für die Philosophie brachte der Humanismus eine Reihe von Versuchen, die
antiken Systeme in ihrer wahren, das heißt von der scholastischen Auslegung nicht beeinflußten, Gestalt zu neuem Leben zu erwecken. Der bedeutendste dieser Versuche knüpfte
an das Werk *Platons* an. Griechische Theologen aus dem
Osten, wo die Kenntnis Platons lebendiger geblieben war als
im Westen, kamen zu der 1438 einberufenen Kirchenver-
sammlung nach Ferrara. Nach der Eroberung Konstantinopels
durch die Türken (1453) ergoß sich ein neuer Zustrom emi-
grierter griechischer Gelehrter nach Italien. Unter den ersteren war Georgios Gemistos *Plethon* (geboren um 1360 in Konstantinopel), ein begeisterter Verehrer Platons, nach dessen
Namen er seinen Beinamen Plethon gebildet hatte. Durch
seine Vorträge gewann er den Florenz beherrschenden Cosimo
di Medici für den Plan, in Florenz eine platonische Akademie zu begründen, die die Fortsetzung der alten Akademie
von Athen sein sollte. Aus dieser Akademie ist Marsilio
Ficino (1433—1499) hervorgegangen, der die Werke Platons
und des Neuplatonikers Plotinos in glänzender Manier ins
Lateinische übersetzt hat.
Schon vorher hatten Laurentius *Valla* (1406—1457) und andere sich für die Wiederbelebung der klassischen römischen
Geistesbildung eingesetzt, die sie in *Cicero* verkörpert
sahen.
Für *Aristoteles* bedurfte es einer Wiedererweckung nicht, da
sein Werk ja in der Scholastik besonders lebendig erhalten
geblieben war. Wohl aber machte die durch italienische, deutsche und französische Humanisten geförderte philologisch
exakte Kenntnis seiner Werke es den Aristotelikern immer
schwerer, an der Vereinbarkeit der aristotelischen Philosophie
mit dem Christentum festzuhalten. Der zwischen beiden bestehende Widerspruch trat namentlich an der Frage der persönlichen Unsterblichkeit hervor. Es gab damals zwei aristo-

telische Schulen, die Alexandristen, mit Pietro *Pomponazzi* (1462 bis 1525) an der Spitze, und die Averroisten. Beide bekämpften sich gerade über das Unsterblichkeitsproblem mit äußerster Erbitterung, doch ließ ihr Streit den in diesem Punkt tatsächlich keineswegs christlichen Charakter der Philosophie ihres Meisters nur um so deutlicher hervortreten. Mit dem 15. Jahrhundert ist daher die Rolle des Aristoteles als Stütze des christlichen Glaubens, die er Jahrhunderte hindurch innegehabt hatte, im wesentlichen ausgespielt, und der Sturz des Aristoteles von seiner beherrschenden Höhe bezeichnet zugleich den Verfall der Scholastik.

Schöpferische, in die Zukunft weisende philosophische Gedanken haben die verschiedenen Erneuerungen antiker Systeme kaum hervorgebracht. Ihr Verdienst ist im wesentlichen, die griechische und römische Philosophie erstmals unbefangen, ohne die Brille der Scholastik betrachtet, in weltlicher Gestalt gesehen und sie so ihrer Zeit und den nachfolgenden Generationen vor Augen gestellt zu haben, so daß die Folgezeit aus ihr Anregungen zu neuen Schöpfungen gewinnen konnte.

Während der Humanismus im wesentlichen eine Sache der Gelehrten blieb, ergriff die aus ihm erwachsene *Renaissance* (italienisch rinascimento, »Wiedergeburt«, das heißt Wiedergeburt der Menschheit durch Wiedergeburt des Menschen der Antike) alle Lebensgebiete: Wissenschaft, Medizin und Technik, Rechts- und Kaufmannswesen, vor allem aber die bildende Kunst, und mindestens in Italien ergriff sie alle Schichten des Volkes. Ein einzigartiger Reigen schöpferischer Genies wurde im 15. und 16. Jahrhundert der Menschheit geschenkt. Nennen wir nur, außer den schon angeführten Naturforschern und Entdeckern, in Italien die Maler Botticelli, Correggio, Raffael, Tizian, den Maler, Bildhauer und Baumeister Michelangelo, das Universalgenie Leonardo da Vinci, die Dichter Tasso und Ariost, den Musiker Palestrina, den Architekten Bramante; in Frankreich Ronsard und Rabelais; in Spanien Cervantes; in Deutschland Dürer, Holbein, Cranach, Grünewald, Riemenschneider, Burgkmair, Veit Stoß; in England Marlowe und Shakespeare; die religiösen Erneuerer Luther, Calvin und Zwingli; dazu auf anderen Gebieten die großen Kaufmannsgeschlechter der Medici, Fugger, Welser; die großen Herrscher Franz I., Elisabeth I., Philipp II., Maximilian I., Karl V.; endlich die — freilich nicht in diesem Sinne schöpferischen — Kriegshelden, die spanischen Conquistadoren und italienischen Condottieri.

In diesem Jahrhundert strahlender Kulturblüte und größter religiöser, politischer und gesellschaftlicher Umwälzungen muß man sich das Leben und Denken der weiter unten zu be-

handelnden großen philosophischen Denker der Epoche vorstellen. Francis Bacon wirkte an dem gleichen englischen
Königshof, an dem Shakespeares Dramen aufgeführt wurden.
Giordano Brunos erschütterndes Lebensschicksal, das ihn ruhe-
los durch ganz Europa trieb, vollzog sich im Wirbel der
gewaltigen Geisteskämpfe, der religiösen und politischen Revolutionen der Zeit.

Der Geist dieser Zeit ist wie in einem Brennspiegel einge-
fangen im Werk eines Mannes, der gemeinhin nicht unter die
Philosophen gerechnet wird, seine Gedanken auch nicht systematisch dargelegt hat, der aber in seinen Essays, welche Lite-
raturform auf ihn zurückgeht, sich als ein unabhängiger
Denker von hohem Rang erweist: Michel de *Montaigne*.
Geboren 1533 auf seinem väterlichen Erbgut Montaigne, erwarb er durch Studium, weite Reisen und öffentliche Wirksamkeit eine tiefe Welt- und Menschenkenntnis, kehrte aber
am liebsten in seine im Turm des Schlosses gelegene berühmte Studierstube zu seinen Büchern zurück, wo er seine
Gedanken in den »Essays« und im »Reisetagebuch« niederschrieb. Sie zeigen ihn als typischen Sohn seiner Zeit: ein
durch und durch weltlicher Geist, kritisch, skeptisch, von Vorurteilen frei : so steht er dem Hexenglauben mit souveräner
Verachtung gegenüber. Im Mittelpunkt seines Denkens steht
der *Mensch*. Der Mensch der Renaissance, befreit von vielerlei Bindungen und im Bewußtsein ungeahnter neuer Räume
und Möglichkeiten, hält inne, reibt sich die Augen und schaut
in den Spiegel, um das Rätsel seiner selbst zu ergründen.
Was ist der Mensch? Was ist unser Leben? Es ist im Denke-
rischen der gleiche Vorgang, wie wir ihn in den in dieser
Zeit erstmals auftretenden Selbstbildnissen der großen Maler
wiederkehren sehen. Vieles mutet den heutigen Leser geradezu bestürzend modern an und könnte heute gesagt sein.
»Diejenigen, welche einen Staat aus den Fugen heben, sind
gewöhnlich die ersten, denen er auf den Kopf stürzt«, sagt
Montaigne. Seine Reflexionen gehen auf Staat und Politik,
auf Geist und Wissen, Erziehung, Tugend und Tapferkeit,
aber sie kehren doch immer zu einem zurück: Leben und
Tod. Denn der Tod erscheint ihm als Bedingung und Teil
unseres Wesens, unser Dasein als gemeinschaftliches Eigentum
des Todes und des Lebens, das Werk unseres Lebens ist,
unsern Tod zu bauen — Gedanken, die ebenfalls an gegenwärtige Philosophie erinnern, welcher das Dasein als »Sein
zum Tode« erscheint.

Bei Montaigne begegnen wir jenem seltenen und beglückenden
Einklang von Tiefe des Gedankens, Schärfe der Beobachtung
und Eleganz des Ausdrucks, welcher den genialen Schriftsteller ausmacht. Sein Werk bildet für den Suchenden noch

heute einen leichten und fesselnden Zugang zu philosophischem Denken über Welt und Mensch, zugleich zum Geist
der Renaissancezeit.

4. DIE REFORMATION

Die Reformbedürftigkeit der Kirche hatten auch die Humanisten erkannt. In ihren Schriften, besonders denen der deutschen, die fast durchweg nicht weltlich gesinnt, sondern Theologen waren, findet sich neben der Kritik kirchlicher Einrichtungen, die oft die Form der Satire annimmt, immer
wieder die Hoffnung ausgesprochen, daß es gelingen werde,
die Kirche ohne Bruch mit der Tradition von innen heraus
zu reformieren. Aber der Humanismus konnte als gelehrte
Bewegung, die nur eine kleine Minderheit erfaßte, das gewaltige religiöse Bedürfnis der Massen, welches in der veräußer-
lichten kirchlichen Praxis ebensowenig Genügen fand wie in
der gelehrten Theologie, keineswegs befriedigen. Dieses Bedürfnis brach mit ungeheurer Gewalt hervor, als der Mann
auftrat, der es in sich verkörperte und ihm mit seiner Tat
den weithin sichtbaren Ausdruck verlieh.
Martin *Luther* (1483—1546) war kein Philosoph, überhaupt
kein Wissenschaftler und systematischer Kopf, sondern ein
von inbrünstiger Religiosität erfüllter und nach den Impulsen
dieses Gefühls handelnder Mensch. Was er bekämpft und
verwirft, ist zunächst der Anspruch der Kirche auf die alleinige
Mittlerstellung zwischen Gott und Mensch, wie er im Ablaß-
wesen, dem unmittelbaren Anlaß zu Luthers Vorgehen, einen
besonders krassen Ausdruck fand. An die Stelle der sichtbaren Kirche setzt Luther die unsichtbare Kirche als die
Gemeinschaft derer, die in der göttlichen Gnade sind; an die
Stelle der kirchlichen Mittlerschaft die Idee des allgemeinen
Priestertums, das heißt, er stellt den Einzelnen auf sich selbst
— eine Befreiungstat, die der durch die Renaissance vollbrachten Befreiung des Individuums parallel geht, nur daß Luther
als tiefreligiöse Natur in dieser neuen Situation keineswegs
wie der Renaissancemensch frohlockt und den religiösen Boden verläßt, sondern, wie Augustinus, von einem drückenden
Schuld- und Sündengefühl beladen, die ganze Ohnmacht des
nun als Einzelner vor Gott stehenden Menschen und seine
Erlösungsbedürftigkeit um so stärker empfindet. Aber Luther
verwirft nicht nur die mittelalterliche Tradition der Kirche, er
geht auch noch hinter Augustinus zurück und findet die Möglichkeit der Erlösung allein im Glauben, im Glauben an die
»Schrift«, an das geoffenbarte Wort Gottes, wie es in den
Evangelien steht. Insofern heißt seine Lehre die evangelische.

»Das Wort sie sollen lassen stahn.« Danach bedarf es nichts
weiter, ja das Wort, die geoffenbarte Wahrheit, steht für
Luther im schärfsten Gegensatz zur Vernunft, die er als
»Teufelshure« brandmarkt. »Wenn ich weiß, daß es Gottes
Wort ist und Gott also geredet hat, so frage ich danach nicht
weiter, wie es könne wahr sein, und lasse mir allein an dem
Worte Gottes genügen, es reime sich mit der Vernunft, wie
es wolle. Denn die Vernunft ist in göttlichen Dingen stock-
und starblind; vermessen ist sie genug, daß sie auch darauf
fällt und plumpt hinein wie ein blind Pferd; aber alles, was
sie örtert und schleußt, das ist so gewißlich falsch und irrig,
als Gott lebet.« Daraus ergibt sich von selbst Luthers Stellung zur Philosophie: Man soll das Wort und die Vernunft,
die Theologie und die Philosophie nicht vermengen, sondern
auf das allerweislichste scheiden. Daraus folgt im besonderen
seine Stellung zur aristotelischen Philosophie, die das spätere
Mittelalter beherrscht hatte. In Luthers Schrift »An den christlichen Adel deutscher Nation« heißt es: »Was sind die Universitäten ... darin ein frei Leben geführt wenig der hl.
Schrift und christlicher Glaube gelehrt wird und allein der
blinde heidnische Meister Aristoteles regiert, auch weiter denn
Christus? Hier wäre nu mein Rath, daß die Bücher Aristoteles ... ganz würden abgetan; dazu seine Meinung niemand
bisher verstanden, und mit unnützer Arbeit, Studiren und
Kost, so viel edler Zeit und Seelen umsonst beladen gewesen
sind ... Es thut mir weh in meinem Herzen, daß der ver-
damte, hochmüthige, schalkhaftige Heide mit seinen falschen
Worten so viel der besten Christen verführt und genart hat.
Lehrt doch der elende Mensch in seinem besten Buche de
anima, daß die Seele sterblich sei mit dem Körper; wiewol
viel mit vergebenen Worten ihn haben wollen erretten, als
hätten wir nicht die hl. Schrift, darin wir überreichlich von
allen Dingen gelehrt werden, deren Aristoteles nicht einen
kleinsten Geruch je empfunden hat; dennoch hat der todte
Heide überwunden, und des lebendigen Gottes Bücher verhindert und fast unterdruckt; daß, wenn ich solchen Jammer
bedenke, nicht anders achten mag, der böse Geist habe das
Studiren herein gebracht.«
Wir haben hier bei Luther dieselbe schroffe Entgegensetzung
von Vernunft und Glauben, wie wir sie im ursprünglichen
Christentum, bei Tertullian etwa, beobachtet haben. Aber es
wiederholt sich nun in der Geschichte der Reformation der
gleiche Vorgang wie im Urchristentum: Man konnte nicht
bei der anfänglichen Ablehnung der Philosophie stehenblei-
ben. Die Notwendigkeit, die Gebildeten anzusprechen und zu
gewinnen, und das auch in der jungen protestantischen Kirche
alsbald fühlbar werdende Bedürfnis nach einer festen Orga-

nisation und einem verbindlichen Lehrgebäude, namentlich auch für die Zwecke des Unterrichts an Schulen und Hochschulen, wirkten hier zusammen. Es war Luthers Mitarbeiter *Melanchthon* (1497–1560), der humanistisch gebildete, Erasmus verehrende Gelehrte, der Luther in dieser Richtung beeinflußte und der den Bund der neuen Kirche mit der alten Gelehrsamkeit schloß. Melanchthon, trotz hervorragender Begabung beileibe kein Feuergeist wie Luther, eher ein etwas hausbackener und trockener Schulmann, wußte vor der Aufgabe, daß man »irgendeinen Philosophen auswählen müsse«, keine bessere Antwort als: Aristoteles, den von Luther geschmähten Beherrscher der katholischen Scholastik. Es war freilich ein durch die humanistische Kritik gereinigter und verbesserter Aristoteles, aber es war doch eine widernatürliche Ehe, in der vieles von der ursprünglichen Gewalt und mystischen Tiefe des lutherischen Glaubens aufgegeben werden mußte oder allmählich erstarrte. Von neuem wurde nun im Protestantismus die Philosophie zur Magd der Theologie, es entstand eine in der Folge alsbald erstarrende Dogmatik, man kann sagen eine protestantische Scholastik, von ähnlicher Unduldsamkeit wie das mittelalterliche Vorbild.

Was von der ursprünglichen lebendigen Glaubensgewalt Luthers weiterwirkte und in der protestantischen Mystik eines Jakob *Böhme* und später in der pietistischen Bewegung in zum Teil großartiger Form wiederentstand, erwuchs im Kampfe *gegen* die protestantische Orthodoxie.

Man kann also nicht sagen, daß es die Reformation Luthers gewesen sei, welche der freien Forschung und einer aus allen theologischen Bindungen gelösten Philosophie in Europa den Weg gebahnt hätte. Luther forderte nur die Freiheit der Forschung *in der Schrift*, auf andere legte er keinen Wert. Die ihm bekannt gewordene Theorie des Kopernikus bezeichnete er als den »superklugen Einfall eines Narren, der die ganze Kunst astronomiae umbkehren wolle«. Die Befreiung des Geistes war vielmehr wesentlich die Wirkung des Humanismus und der Renaissance, besonders in den romanischen Ländern und in England. Die lutherische Reformation ist sogar von manchen Beurteilern (Nietzsche) als Rückfall und Unterbrechung in der auf allmähliche Befreiung zielenden Entwicklung des europäischen Geistes angesehen worden.

Trotzdem hat der Protestantismus entscheidend dazu beigetragen, daß die mittelalterliche Alleinherrschaft der Kirche auf allen Gebieten des Geisteslebens gebrochen wurde, äußerlich, indem die Bildungsanstalten der Botmäßigkeit der Kirche entzogen und säkularisiert (verweltlicht) wurden — um allerdings alsbald unter die Vorherrschaft des Staates zu geraten —, geistig, indem er die Freiheit des Gewissens begründete —

ein Zuwachs an Freiheit, dem wie oft in der Geistesgeschichte ein Verlust an Form und Tradition gegenübersteht. Doch sind ohne Luthers Befreiungstat weder die Philosophie Immanuel Kants mit ihrer Lehre von der autonomen sittlichen Persönlichkeit noch die des deutschen Idealismus und zahlreiche andere entscheidende Ereignisse der folgenden deutschen Geistesgeschichte denkbar, und Luther, der erklärte Feind der Philosophie, bedeutet für ihre Geschichte in weit höherem Maße einen Markstein und Knotenpunkt als die gleichzeitig auftretenden Reformatoren Ulrich *Zwingli* (1484–1531) und Johannes *Calvin* (1509–1564). Auch kommt Luther als dem größten sprachschöpferischen Genie, welches das deutsche Volk hervorgebracht hat, wegen der Größe und urtümlichen Gewalt seines Charakters (den Goethe als »das einzige Interessante an der ganzen Sache« ansehen wollte) und wegen der unabsehbaren Folgewirkung seiner Tat auf politischem Gebiet eine einzigartige Stellung in der deutschen Geschichte zu.

Es ist bekannt, daß der Katholizismus unter der Einwirkung der äußeren Bedrohung, die die reformatorische Bewegung für ihn darstellten, zu einer tiefgreifenden Selbstbesinnung, inneren Reinigung und Sammlung seiner Kräfte veranlaßt wurde und mit der Gegenreformation zu einem gewaltigen und teilweise sehr erfolgreichen Gegenschlag ausholte, in dessen Zuge auch die scholastische Philosophie, zum Beispiel im Werke des spanischen Jesuiten *Suarez*, eine Nachblüte erlebte.

5. SOZIALE UND POLITISCHE UMWÄLZUNGEN AN DER SCHWELLE DER NEUZEIT — NEUES RECHTS- UND STAATSDENKEN

Alle diese geistigen Umwälzungen vollzogen sich auf dem Grunde tiefgreifender Wandlungen im gesellschaftlichen Gefüge der europäischen Völker.

Die Macht des Rittertums wurde nicht nur durch das Aufkommen der Feuerwaffen gebrochen, welche seine militärische Überlegenheit beseitigten, sondern vor allem auch durch die wirtschaftliche Entwicklung, das Aufstreben der *Städte* und des sie bewohnenden *Bürgertums*. Schon das Zeitalter der Kreuzzüge hatte enge Handelsbeziehungen zum Orient geknüpft, die namentlich den italienischen Hafen- und Handelsstädten steigenden Wohlstand gebracht hatten. Das Zeitalter der Entdeckungen brachte einen Zustrom großer Edelmetallmengen aus den neuen amerikanischen Kolonien und einen weiteren Aufschwung des Handels. Die *frühkapitalistische* Produktionsweise und *Verkehrswirtschaft* begann die vorwiegend land- und natural-wirtschaftliche Ordnung des Mittelalters abzulösen. Träger der neuen Wirtschaft war das

Bürgertum, das sich als freier und selbstbewußter Stand erhob, abgegrenzt nach oben gegen Adel und Geistlichkeit, nach unten gegen das unfreie Bauerntum. Seine Städte wurden, besonders in Italien und Westeuropa, aber auch im südlichen und westlichen Deutschland, zu den Zentren der neuen weltlichen Kultur. Zum erstenmal geschah es hier, daß der bestimmende Einfluß auf das Geistesleben aus den Händen der Geistlichkeit in die von Laien überging.

Das verhältnismäßig stabile gesellschaftliche Gefüge des Mittelalters war überhaupt ins Wanken geraten. Galt bis dahin die Zugehörigkeit zu einem bestimmten Stande als gottgewolltes und unabänderliches Schicksal, so traten jetzt, wiederum zuerst im Italien der Renaissancezeit, in wachsender Anzahl bedeutende Einzelne hervor, die ohne Rücksicht auf Geburt und Herkunft nur durch eigene Kraft und Geschicklichkeit sich über den eigenen Stand emporhoben.

Eine der stärksten Erschütterungen ging jedoch von dem damals untersten Stand, den *Bauern* (denn es gab noch kein nennenswertes städtisches Proletariat), aus. Die Unfreiheit der Bauern, ihre Ausbeutung durch die adligen und geistlichen Grundherren hatten schon in der zweiten Hälfte des 15. Jahrhunderts in Süddeutschland zu Bauernaufständen geführt. Der eigentliche Sturm brach im Jahre 1525 los, also mitten in dem entscheidenden Abschnitt der deutschen Reformation. Luther, der zunächst die in zwölf Artikeln niedergelegten Forderungen der aufständischen Bauern als im wesentlichen berechtigt anerkannte und sich für eine gütliche Einigung auf dieser Grundlage eingesetzt hatte, schwenkte im weiteren Verlauf der mörderischen Kämpfe völlig um und forderte schließlich die blutige Ausrottung der »ketzerischen und räuberischen Horden«. Zu dieser kam es auch; die in sich uneinigen, naiv auf Versprechungen vertrauenden und politisch unreifen Bauern wurden überall vernichtend geschlagen, ihr genialer Führer Thomas Münzer und viele andere hingerichtet. Die Lage der Bauern blieb für lange Zeit noch unverändert schlecht, freilich mit großen landschaftlichen Unterschieden im einzelnen. Die hier sich andeutende Möglichkeit, die religiöse Reformation zu einer großen sozialen und nationalen Revolution zu erweitern, wurde nicht Wirklichkeit.

Die eigentlichen Gewinner der Bauernkriege waren die Fürsten, die sich überhaupt in dieser Zeit mit den Notwendigkeiten und Tendenzen der gesellschaftlichen Entwicklung im Bunde befanden; denn die Herausbildung großer einheitlicher Handels- und Wirtschaftbereiche forderte und begünstigte die staatliche Zentralgewalt. Der fürstliche Absolutismus wurde die bestimmende Staatsform der auf Reformation und Renaissance folgenden Epoche.

Zu den zentrifugalen Kräften, welche die mittelalterliche
Ordnung sprengten, gehörte endlich auch das erwachende
Nationalbewußtsein der europäischen Völker. In England und
Frankreich zuerst bildeten sich reine Nationalstaaten, die die
volle Souveränität für sich in Anspruch nahmen, ohne sich
noch einer übergeordneten europäischen Reichsidee verpflichtet zu fühlen. Nationale Kulturen und Literaturen entstanden.
Mit der mittelalterlichen Idee der einen universalen Kirche
fiel auch die Idee des einen universalen Reiches der Christenheit. Geistliche und weltliche Macht gingen immer weiter auseinander — die gesellschaftliche Entsprechung und Vorbedingung für die Trennung des Religiösen und des Weltlichen
im geistigen Bereich.
Der veränderte Zustand Europas erforderte ein ganz neues
Rechts- und Staatsdenken. In einer ganzen Reihe hervorragender Staatsphilosophen und politischer Denker fand es Ausdruck und Gestaltung, am frühesten wiederum in Italien:

a) Machiavelli
Der Florentiner Niccolo Machiavelli (1469—1527), beseelt
vom glühenden Wunsche nach nationaler Einheit und Größe
seines zerrissenen Vaterlandes, möglichst unter Führung seiner
Vaterstadt, erfüllt von ebenso glühendem Haß gegen das
Papsttum, das er dieser Entwicklung im Wege stehen sah,
entwirft in seinen Schriften, besonders im Buch »Vom
Fürsten«, eine politische Theorie, die in der Selbsterhaltung
und Machtsteigerung des Staates das ausschließliche Prinzip
des politischen Handelns sieht. Diesem Zweck zu dienen,
sind alle Mittel recht, moralische und unmoralische, und die
Erfahrung aller Zeiten und Völker — wie sie dem bedeutenden Historiker Machiavelli zu Gebote steht — lehrt ihn, daß
es oft die letzteren Mittel sind: Täuschung, List, Verrat, Mein-
eid, Bestechung, Vertragsbruch und Gewalttat, die den Erfolg
verbürgen. »Menschen müssen entweder geschmeichelt oder
zerschlagen werden. Denn für ein kleines Unrecht werden sie
sich rächen können. Aus dem Grabe heraus rächt sich niemand. Wenn man also schon jemand unrecht tut, so muß es derart sein, daß er sich wenigstens nicht mehr rächen kann.«
Machiavelli ist ein tiefgründiger Kenner des Menschen und
seiner Schwächen, die der Politiker ausnützen muß; der Staatsmann muß dessen eingedenk sein, daß alle Menschen schlecht
und die allermeisten auch noch dumm sind. Stets preist er
das rasche und rücksichtslose Handeln: »Im ganzen glaube
ich, daß Rücksichtslosigkeit besser ist als Vorsicht, daß stür-
misches Draufgehen besser ist als vorsichtiges Abwägen. Das
Glück ist eine Frau. Will man sie beherrschen, so muß man
hauen und prügeln. Es wird sich immer wieder zeigen, daß

das Glück sich dem hingibt, der rasch und energisch zu-
faßt . . .« Zum Recht hat er nur ein sehr bedingtes Zutrauen:
»Man muß sich darüber klar sein, daß es nur zwei Wege
gibt, einen Streit zum Austrag zu bringen: entweder den
Weg über ein rechtlich geregeltes Verfahren oder den Weg
der Gewalt. Das erste Verfahren benützen die Menschen, das
zweite die Tiere. Da das erste nicht immer die Lösung bringt,
muß man zuweilen zum zweiten greifen.« Vor allem hat
das Recht seine Grenze an der Grenze des Staates. Von Staat
zu Staat gilt nicht Moral und Recht, sondern nur der nackte
Machtkampf, mit militärischen Mitteln oder mit politischen.
Ein Kritiker bemerkt über Machiavelli, »daß der zum Diplo-
maten geborene und erzogene Mann den Mut hatte, sich
selbst und aller Welt zu gestehen, was bis jetzt die Diplo-
maten aller Zeiten nur in ihrem Handeln verraten haben[1]«.

b) Grotius
Der nächste in der Reihe der Staatsdenker, in seiner Lehre
der Gegenpol Machiavellis, ist der holländische Jurist und
Theologe Hugo Grotius (holl. de Groot, 1583—1645). Seine
Hauptwerke heißen »*Das freie Meer*« und »*Vom Recht des
Krieges und des Friedens*«. Es ist bedeutsam, daß Grotius
zugleich Theologe ist, denn er ist weit entfernt von der
weltlich nüchternen, zynischen und kaltschnäuzigen Betrachtungsweise Machiavellis; das Recht leitet sich für ihn aus
dem göttlichen Willen her. Es ist noch bedeutsamer, daß
Grotius Holländer ist, denn als solcher gehört er einem ge-
einten und unabhängigen Nationalstaat an, einem Gemeinwesen, dessen Handel blüht, dessen Schiffe die Weltmeere
befahren, dessen größtes Interesse es ist, die Sicherheit seines
Handels gegen kriegerische und räuberische Übergriffe, die
»Freiheit der Meere« zu wahren.
Für Grotius steht daher das Recht über dem Staat. Es gibt —
neben dem geoffenbarten göttlichen Willen — ein *natürliches*
Recht, ein Recht, das aus der von Gott gewollten Natur des
Menschen notwendig folgt, nämlich des Menschen als eines
vernunftbegabten und gesellschaftsbildenden Lebewesens. Das
natürliche Recht bindet nicht nur jeden Menschen, sondern
auch die Staaten in Krieg und Frieden. Und gerade das
letztere, das Völkerrecht (jus gentium), ist der edelste Teil
des Rechts. Ihm ist das Werk des Grotius vor allem gewidmet. Er gilt als der eigentliche Begründer des modernen
Völkerrechts.

c) Hobbes
Gekrönt wird die Reihe der Staatsphilosophen von dem Engländer Thomas Hobbes (1588—1679). Seine Hauptwerke sind

»*Grundzüge des natürlichen und politischen Rechts*«, wovon
den ersten Teil die berühmte Abhandlung »*Über die menschliche Natur*« bildet; »*Elemente der Philosophie*«, bestehend
aus den Teilen über den Bürger, über den Körper, über den
Menschen; »*Über Freiheit und Notwendigkeit*«; »*Leviathan*«,
das Hauptwerk über den Staat.

Die Titel zeigen schon, daß Hobbes nicht nur Staatsphilosoph
ist, daß sich seine Staatslehre vielmehr in ein großes philosophisches Gesamtbild der Welt einfügt — weshalb wir in
anderem Zusammenhang noch einmal kurz auf ihn zurückkommen müssen. Die Staatslehre ist aber das Kernstück und
der Teil seiner Philosophie, der den nachhaltigsten Einfluß
gehabt hat, und nur als Staatsdenker betrachten wir ihn hier.
Als solcher ist er nur zu verstehen, wenn man die revolu-
tionären Umwälzungen berücksichtigt, die Hobbes teils in
England selbst, teils vom Pariser Exil aus miterlebte und an
deren Ende eine gewisse Revolutionsmüdigkeit und das Verlangen nach einer unerschütterlichen Staatsautorität standen,
wie sie Hobbes in seinem Werk verficht.

Hobbes tut über Grotius hinaus den Schritt, daß er die
letzten theologischen Gesichtspunkte und Rücksichten aus der
ethischen und politischen Theorie entfernt. Er stützt sich
allein auf die Erfahrung, kennt die mechanistische und mathematische Naturerklärung Galileis genau und versucht deren
Methode als erster auf Geschichts- und Gesellschaftslehre anzuwenden. Er ist Materialist und lehnt die Willensfreiheit
schroff ab.

Den Menschen sieht Hobbes als Egoisten, der nach dem
eigenen Vorteil, das heißt nach Erhaltung seiner Existenz
und dem Besitz möglichst vieler Güter, strebt. Im Naturzustand, in dem alle allein aus diesem Bestreben handeln,
herrscht daher der »*Krieg aller gegen alle*«. Dieser Zustand
läßt für den Menschen den naturgegebenen Wunsch nach
Sicherheit unbefriedigt. Rechtsschutz, Sicherheit und die Möglichkeit praktischer Tugendübung finden die Menschen erst,
wenn sie sich durch Übereinkunft im *Staat* eine übergeordnete Gewalt schaffen, deren Willen sie sich fortan unterwerfen.
So konstruiert Hobbes den Ursprung des Staates, in dem
allein Friede, rechtlich geschütztes Eigentum und höhere Sittlichkeit möglich sind. Zwischen den Staaten besteht als Rest
des Urzustandes der Krieg weiter.

Der staatliche Wille, verkörpert je nach Staatsform im
Herrscher oder Parlament, muß allmächtig sein und über
dem Gesetz stehen. In der Ausstattung der Staatsgewalt mit
absoluter Machtvollkommenheit geht Hobbes sehr weit. Er
gibt ja auch im Titel seines Werkes dem Staat den Namen
des biblischen Ungeheuers Leviathan. Der Staat wird zum

»sterblichen Gott«. Der Staat bestimmt, was Recht ist: Was er erlaubt, ist Recht; was er verbietet, Unrecht. Der Staat bestimmt, was gut und schlecht im sittlichen Sinne ist; er bestimmt auch, was Religion ist: Jedenfalls unterscheiden sich für Hobbes Religion und Aberglaube nur dadurch, daß die erstere vom Staat anerkannter, der letztere vom Staat nicht anerkannter Glaube ist. — Hobbes betont, daß der Mensch nur die Wahl zwischen zwei Übeln hat: dem Urzustand, das heißt völliger Anarchie, oder der restlosen Unterwerfung unter eine staatliche Ordnung. —

Es liegt auf der Hand, daß Hobbes' Ansicht, nach der Sittlichkeit nichts dem Menschen ursprünglich Angeborenes, sondern etwas mit dem gesellschaftlichen Zusammenschluß Erworbenes ist, der biblischen Vorstellung vom ursprünglichen paradiesisch-vollkommenen Zustand des Menschen und seinem späteren Abfall geradezu ins Gesicht schlägt. Ebenso weit entfernt sich Hobbes von dem mittelalterlichen christlichen Staatsbegriff, indem er den Staat als eine nur auf Zweckmäßigkeit gegründete, rein menschliche Erfindung darstellt und jede religiöse oder metaphysische Begründung der Staatsgewalt zurückweist und verspottet. Es nimmt nicht wunder, daß Hobbes die scholastische Philosophie nicht genug schmähen kann und daß er bei den Zeitgenossen als Atheist verschrien war.

Es zeigt sich bei Hobbes, wie aus der Zerstörung der mittelalterlichen Anschauung, in welcher sowohl der einzelne wie der Staat in eine göttliche Heilsordnung eingefügt war, nun beide, der Einzelmensch wie der weltliche Staat, als »befreit« hervorgehen. Die Ansprüche beider in Einklang zu bringen, wird nun die Aufgabe, die die seitherige politische Geschichte und das gesamte neuzeitliche Denken zu bewältigen hat. Hobbes stellt sich dabei ganz auf die Seite des Staates. Er kann oder will nicht sehen, daß Sittlichkeit und vom Staate gesetztes Recht keineswegs identisch sind, sondern weit auseinanderfallen können.

Hobbes steht damit schon jenseits der Renaissance als Theoretiker des Staatsabsolutismus, der bis ins 18. Jahrhundert das politische Gesicht Europas bestimmt hat.

d) Morus

Es ist leicht zu erkennen, daß die meisten Richtungen des heutigen politischen Denkens schon in jener Zeit ihre Vertreter oder wenigstens Vorläufer gehabt haben: rücksichtsloses Machtdenken bei den national zerrissenen und in der Machtverteilung benachteiligten Völkern (Machiavelli); die Berufung auf ein alle verbindendes Recht, bezeichnenderweise bei den saturierten, handeltreibenden Nationen (Grotius); die

Idee des modernen, über Recht, Sittlichkeit, Religion und die private Sphäre selbstherrlich bestimmenden »totalen« Staates (Hobbes). Auch der *Sozialismus* fehlt dabei nicht. Der Engländer More (lat. Morus, 1478—1535) schuf in seinem Werk »*Vom besten Zustand des Staates und der neuen Insel Utopia*« (daher unser Wort Utopie) in der äußeren Form einer dichterisch-unverbindlichen Erzählung, aber in der Sache zweifellos von tiefem Ernst und revolutionärer Haltung, das Bild eines idealen sozialistischen Gemeinwesens, welches er in allem dem Staats- und Gesellschaftszustand seiner Zeit schroff entgegenstellte. Er forderte das Aufhören der Ausbeutung der unteren Klassen, gemeinschaftliche Produktion durch Teilnahme aller an der Arbeit, gemeinschaftliches Eigentum, Altersversorgung, freien Zugang aller zu Bildung und geistigen Gütern. Vieles von der schneidenden Gesellschaftskritik dieses frühesten Kritikers des Kapitalismus könnte von einem kämpferischen Sozialisten des 19. Jahrhunderts gesagt sein: »Bei Gott, wenn ich das alles überdenke, dann erscheint mir jeder der heutigen Staaten nur als eine Verschwörung der Reichen, die unter dem Vorwand des Gemeinwohls ihren eigenen Vorteil verfolgen und mit allen Kniffen und Schlichen danach trachten, sich den Besitz dessen zu sichern, was sie unrecht erworben haben, und die Arbeit der Armen für so geringes Entgelt als möglich für sich zu erlangen und auszubeuten. Diese sauberen Bestimmungen erlassen die Reichen im Namen der Gesamtheit, also auch der Armen, und nennen sie Gesetze[2].«
Ein den Ideen Mores in manchen Zügen verwandeltes Idealbild eines kommunistischen Gemeinwesens entwarf der Italiener *Campanella* in seinem »Sonnenstaat«.

II. Die wichtigsten Systeme der Übergangszeit

1. NICOLAUS CUSANUS

Mitten im Strom dieser mannigfachen Entwicklungen stehen die großen philosophischen Denker der Epoche, von denen nachfolgend vier der bedeutendsten etwas näher betrachtet werden sollen. Ihr Werk ist teils das geistige Ferment, teils der Spiegel dieser Entwicklungen; nur im Zusammenhang mit ihnen ist es zu verstehen.
Ganz am Anfang des Zeitalters steht der bedeutendste Philosoph der Frührenaissance, der in genialer Vorahnung in seinem Werk bereits vieles von dem vorweggenommen hat, was erst nach ihm durch die großen Naturforscher auf Grund neuer Beobachtungen als exakte Theorie formuliert worden

ist. In seinen Gedanken sind so viele Keime der modernen
Geistesentwicklung enthalten, daß er von vielen als der eigent-
liche Begründer der neueren Philosophie angesehen wird. Es
ist der Deutsche Nikolaus Chrypffs (das heißt Krebs) aus
Kues an der Mosel, daher Nikolaus von Kues oder lateinisch
Nicolaus Cusanus genannt (1401—1464). Nach durch adlige
Gönner ermöglichtem Studium in Italien wurde er zuerst
Rechtsanwalt, dann Geistlicher — damals der gegebene Beruf
für den geistigen Menschen und auch der einzige, der ohne
Rücksicht auf die Herkunft den Aufstieg zu höchsten Stellungen eröffnete. Der Kusaner stieg zu den höchsten geistlichen
Ämtern und Würden auf; der Papst sandte ihn als Legaten
u. a. nach Konstantinopel, um für die Wiedervereinigung der
griechischen mit der römischen Kirche zu wirken; er ernannte
ihn zum Kardinal, eine für einen Deutschen damals höchst
seltene Auszeichnung; er machte ihn zum Bischof von Brixen,
als welcher er gestorben ist. Auf der Überfahrt von Konstantinopel faßte Cusanus den Plan zu seinem bekanntesten Werk
»De docta ignorantia« — von der bewußten, gelehrten Unwissenheit, vom Wissen des Nichtwissens. Darin sind die
wesentlichen Grundgedanken seiner späteren Werke bereits im
Keime enthalten.

In der *Astronomie* kommt Cusanus, lange vor Kopernikus,
auf spekulativem Wege dazu, die Bewegung der Erde und
ein unendliches Universum anzunehmen. Kepler bezieht sich
wiederholt auf ihn.

Zukunftweisend ist weiter die Lehre des Cusanus über Wesen
und Wert der *Individualität*. Es gibt nach ihm keine zwei
gleichen Individuen, insbesondere Menschen. Das Denken der
einzelnen Menschen spiegelt das Universum, gleich lauter
Hohlspiegeln mit jeweils verschiedener Krümmung, in besonderer, nicht wiederkehrender Weise.

Über die im All waltende Ordnung und Harmonie sagt
Cusanus, sie sei darauf zurückzuführen, daß Gott die Welt
nicht planlos, sondern unter Zugrundelegung *mathematischer*
Prinzipien geschaffen habe! Um das All zu erkennen, müssen
wir deshalb die gleichen Prinzipien anwenden. Cusanus selbst
bedient sich häufig mathematischer Begriffe und Vergleiche.
Es ist aber eine ganz besondere Art und Weise der mathematischen Betrachtung, die er anwendet, es sind meist sogenannte Grenzbetrachtungen — so, wenn er etwa zeigt, wie
der Umfang eines Kreises, wenn man den Radius als unendlich annimmt, mit der Geraden zusammenfällt. Was die auch
erst lange nach Cusanus durch Leibniz, Newton und ihre
Nachfahren geschaffene abendländische Mathematik auszeichnet, kündigt sich hier deutlich an: der »faustische« Drang zum
Unendlichen, zu einer fließenden, dynamischen Betrachtungs-

weise — im Unterschied zur antiken Geometrie, die es mit
statischen, klar abgegrenzten Figuren und Körpern zu tun
hatte. Der griechische Geist strebte überall nach Maß, Klarheit, Begrenzung; das Grenzenlose stand- ihm dem Werte
nach unter diesem; im Denken des Kusaners, in der bei ihm
vorausgeahnten abendländischen Entwicklung der Mathematik, und auf allen anderen Gebieten unserer Kultur lebt dagegen der wohl nur dem europäischen Menschen eigene Drang
über jede Grenze hinaus in die Unendlichkeit — ein Unterschied der Kulturen, wie er zum Beispiel in dem Gegensatz
antiker Plastik und abendländischer Ölmalerei mit ihrer
Tiefenperspektive deutlich wird und auf den namentlich
Oswald *Spengler* aufmerksam gemacht hat.
Derartige mathematische Beispiele dienen dem Cusanus vor
allem dazu, das Wesen Gottes zu umschreiben als des absolut Unendlichen, in dem alle Gegensätze zusammenfallen.
Er unterscheidet in bezug auf die menschliche Erkenntnisfähigkeit verschiedene Stufen: die sinnliche, die zunächst einzelne, unzusammenhängende Eindrücke vermittelt; die ver-
standesmäßige, welche die Sinneseindrücke ordnet und verbindet — ihre Haupttätigkeit ist deshalb das Unterscheiden,
das Auseinanderhalten der Gegensätze, ihr oberstes Prinzip
der Satz vom ausgeschlossenen Dritten; endlich die Vernunft,
die das, was der Verstand trennt, zur höheren Einheit, zur
Synthese, verbindet. Auf der Ebene der Vernunft gibt es also
ein Zusammenfallen der Gegensätze (coincidentia oppositorum) — womit der Kusaner die tiefe Wahrheit ausspricht, die
vor ihm u. a. Heraklit und nach ihm viele andere Denker
erfaßt haben.
Gott, das höchste Objekt unseres Denkens, ist das Absolute,
in dem schlechthin alle Gegensätze aufgehoben sind, er ist
das Größte und das Kleinste, er steht als Verborgener (Deus
absconditus) jenseits der Gegensätze und jenseits unserer
Fassungskraft — ein Gedanke, den wir von den neuplatonischen
Mystikern mit ihrer »negativen Theologie« und von Meister
Eckhart her kennen, welche beide auch auf Cusanus eingewirkt haben. Bezogen auf das Absolute, ist daher das Ergebnis all unseres Denkens ein Nichtwissen (ignorantia). Das ist
keine gewöhnliche Unwissenheit, sondern ein »gelehrtes«, ein
bewußtes Nichtwissen, eben eine *docta* ignorantia; ein Wissen
um unser Nichtwissen, wie es Sokrates hatte und wie es am
Anfang — und vielleicht am Ende — aller wahren Philosophie steht.
Die Weite und Unabhängigkeit dieses weltumspannenden
Geistes, in dem staatsmännischer Weltsinn, wissenschaftliche
Bildung, kühne Spekulation und tiefe Religiosität vereint erscheinen, sein Bestreben, Gegensätze auf höherer Ebene zu

verbinden, treten auch hervor in seinem Wirken für eine Verständigung der Konfessionen und religiösen Frieden. In der Praxis versuchte er, die beiden Hauptzweige der damaligen Christenheit, den östlichen und den westlichen, einander näherzubringen und auch mit den Hussiten einen Ausgleich zu finden. In seinen Gedanken ging er noch weit darüber hinaus bis zur Idee einer weltweiten Toleranz, die auch die nichtchristlichen Religionen nicht ausschließt. So hat er zum Beispiel die Lehren des Koran untersucht; in einer anderen Schrift läßt er auf Gottes Geheiß die weisen Männer aller Bekenntnisse: einen Griechen, einen Juden, einen Araber usw., zu einer Versammlung zusammentreten, in der sie gemeinsam darüber belehrt werden, daß sie alle in verschiedener Weise den gleichen Gott suchen und verehren, daß es jenseits der Verschiedenheiten des Kultus eine einzige höchste göttliche Wahrheit gibt.

Die Nachwirkung der Gedanken dieses bedeutendsten auf der Schwelle vom Mittelalter zur Neuzeit stehenden Mannes zeigt sich u. a. bei dem unten zu behandelnden Bruno, bei Leibniz in seiner der des Kusaners sehr verwandten Lehre von den Monaden, bei Kant und vielen anderen.

2. GIORDANO BRUNO

Am 17. Februar 1600 errichtete man auf einem Platz Roms einen Scheiterhaufen. Ein Mensch wurde daraufgebunden und das Feuer entzündet. Von dem Sterbenden war kein einziger Schrei zu vernehmen. Als man ihm das Kruzifix vorhielt, wandte er sich mit finsterer Miene verächtlich ab. Der so starb, war der ehemalige Dominikanermönch Giordano Bruno.

Bruno, geboren 1548 zu Nola in Italien, mit Vornamen Filippo — Giordano war sein Ordensname —, war schon mit 15 Jahren in den Dominikanerorden eingetreten. Seine glühende Naturliebe, seine leidenschaftlich der Welt zugewandte Natur, das Kennenlernen der wissenschaftlichen Entdeckungen seiner Zeit und überhaupt die Beschäftigung mit weltlichen Studien veranlaßten ihn jedoch, den Orden zu verlassen — ein damals unerhörter Schritt. Von da an führte er ein unstetes gehetztes Wanderleben, kam zuerst nach Genf, dann nach Frankreich, wo er in Paris auch Vorlesungen hielt, nach England, wo er in Oxford lehrte und längere Zeit in London in einem Kreise adeliger Freunde und Gönner lebte, wieder nach Paris, von dort in die deutschen Universitätsstädte Marburg, Wittenberg, Prag, Helmstedt, endlich nach Frankfurt. Nirgends fand er Ruhe, nirgends auf die Dauer eine genügende Anzahl von Hörern, die seinen in Vorträgen und Vorlesun-

304 RENAISSANCE UND REFORMATION

gen geäußerten neuen Ideen aufgeschlossen waren, kaum einen
Verleger, der seine ketzerischen Schriften zu drucken wagte.
Von einem Venezianer nach Venedig eingeladen, kehrte er
nach mehr als fünfzehnjähriger Abwesenheit zum erstenmal
in sein Vaterland zurück. Dort verriet ihn sein Gastgeber an
die Inquisition, die Venezianer lieferten ihn schließlich auf
deren Verlangen nach Rom aus. Nach siebenjähriger Kerker-
haft, während der er sich standhaft weigerte, seine philosophischen Lehren zu widerrufen, wurde er schließlich zum
Feuertode verurteilt.

Die Männer, die ihn den Flammen überlieferten, glaubten
Religion und Moral vor einem ihrer gefährlichsten Feinde
schützen zu müssen; in bezug auf die Gefährlichkeit Brunos
und seiner Ideen, nicht für die Religion überhaupt, aber für
viele Grundlehren der damaligen Theologie, hatten sie recht.
Die Fortwirkung der Ideen Brunos und des durch ihn gegebenen Beispiels höchster Standhaftigkeit und Überzeugungs-
treue haben sie nicht verhindern können, wie meistens in der
Geschichte — jedenfalls in der vergangenen, denn unsere Gegenwart kennt sehr vervollkommnete Methoden der geistigen
Unterdrückung. Bruno schrieb in seiner italienischen Muttersprache. Seine Hauptwerke heißen: *»Von der Ursache, dem
Prinzip und dem Einen«; »Vom Unendlichen, dem All und
den Welten«; »Das Aschermittwochsmahl«; »Die Austreibung
der triumphierenden Bestie«; »Von den heroischen Leidenschaften«.*

Wenn Cusanus die von Kopernikus bewirkte Revolution der
Vorstellungen vom Sonnensystem in Gedanken vorweggenommen hatte, so hat Bruno den Gedanken des Kopernikus
gekannt und bewußt in sich aufgenommen; er tut aber wiederum einen spekulativen Schritt über diesen hinaus und
spricht etwas aus, was erst die spätere Forschung bestätigt
hat: Kopernikus hatte unsere nächste himmlische Umgebung
als ein um die Sonne laufendes System beweglicher Sterne
erkannt, jenseits dessen aber den Fixsternhimmel als festes
Gewölbe bestehen lassen. Bruno treibt den Gedanken weiter.
In dichterischer Schau sieht er das Universum als eine unermeßliche Unendlichkeit, erfüllt von zahllosen Sonnen, Sternen, Weltsystemen, ohne Grenzen und ohne Mittelpunkt, in
beständiger Bewegung. Den Gedanken des unendlichen Universums entlehnt er dem Werk des Cusanus, von dem er mit
größter Verehrung spricht. Doch ist es keine bloße Übernahme; der Gedanke wird von Bruno mit letzter Folgerichtigkeit durchgeführt und erhält in seinem Munde eine ganz
neue Tiefe und Bedeutsamkeit.

Das gleiche gilt auch für die Gedanken, die Bruno außer
von seinem nächsten Geistesahnen, dem Kusaner, in großer

Zahl von anderen Philosophen übernommen hat; von antiken — darunter vornehmlich dem Lehrgedicht des Lucretius[3],
das seiner eigenen dichterischen Natur besonders zusagte,
während er Aristoteles als den Meister der Scholastik bekämpft — und ebenso aus der Naturphilosophie der Renaissance, aus der bei dieser Gelegenheit die wichtigsten Namen
genannt seien. In Deutschland ist da vor allem der Arzt und
Naturphilosoph Theophrastus Bombastus von Hohenheim,
genannt *Paracelsus* (1493—1541), anzuführen, der ein ähnlich
bewegtes Leben wie Bruno, aber ein weniger tragisches Ende
hatte. Paracelsus hat die Heilkunde im Gesamtrahmen eines
naturphilosophischen Weltbildes gesehen und der Medizin
und Chemie eine Fülle fruchtbarer Gedanken und Anregungen zugeführt. Paracelsus hat u. a. auf Francis Bacon und
Jakob Böhme eingewirkt. Seine geistesgeschichtliche Bedeutung
ist erst in neuerer Zeit voll erkannt worden. Ihm zur Seite
steht Hieronymus *Cardanus* (1500—1576), den man den
italienischen Paracelsus nennen kann. Auch er war Arzt und
Naturphilosoph und hat vielfach dieselben, gleichsam in der
Luft liegenden Gedanken ausgesprochen wie Paracelsus. Paracelsus war in erster Linie praktisch, Cardanus mehr theoretisch und wissenschaftlich interessiert, und während Paracelsus ein Volksmann war, eine urwüchsige und kämpferische
Natur, auch nur in deutscher Sprache schrieb, war Cardanus
ein Aristokrat der Bildung, der die Behandlung wissenschaftlicher Fragen in der Volkssprache sogar verbieten und das
Volk von allem Wissen fernhalten wollte. Zwei weitere Italiener folgten diesen beiden: Bernardo *Telesio* (1508—1588)
und Francesco *Patrizzi* (1529—1591). Das Werk dieser Männer soll im einzelnen nicht dargestellt werden. Gemeinsam
ist ihnen, daß sie — Paracelsus, der Zeitgenosse der Lutherschen Reformation in Deutschland, ganz offen mit derber
Polemik, die Italiener etwas verhüllter — mit ihren Lehren in
Gegensatz zur kirchlichen Dogmatik gerieten.

Mit den Gedanken der Unendlichkeit des Universums vereint
Bruno den der *dynamischen Einheit* und *Ewigkeit der Welt*.
Ewig ist die Welt, weil in ihr nur die Einzeldinge dem Wandel
und der Vergänglichkeit unterworfen sind, das Universum als
Ganzes aber das einzig Seiende und darum unzerstörbar ist.
Eine dynamische Einheit ist die Welt, weil der ganze Kosmos
einen großen lebenden Organismus bildet und von einem
einzigen Prinzip beherrscht und bewegt wird. »So ist denn
also das Universum ein Einziges, Unendliches, Unbeweg-
liches ... Es wird nicht erzeugt, denn es ist (das heißt es
gibt) kein anderes Sein, wonach es sich sehnen oder es erwarten könnte; hat es doch selber alles Sein. Es vergeht
nicht; denn es gibt nichts anderes, in das es sich verwandeln

könnte — ist es doch selber alles. Es kann nicht ab- noch
zunehmen — ist es doch ein Unendliches, und wie nichts zu
ihm hinzukommen kann, so kann auch nichts von ihm weg-
genommen werden[4].«

Das alles beherrschende und beseelende Prinzip nennt Bruno
Gott. Gott ist der Inbegriff aller Gegensätze, er ist das
Größte und das Kleinste, unendlich und unteilbar. Möglichkeit und Wirklichkeit in einem. Eine solche Gottesvorstellung
entstammt und entspricht zunächst noch der des Cusanus —
von welchem Bruno auch die Formel der coincidentia oppositorum entlehnt. Sie ist, wie eben das Werk des Cusanus und
das Denken der meisten Mystiker zeigt, mit den christlichen
Grundlehren noch durchaus vereinbar.

Unvereinbar mit dem Christentum ist jedoch — vom Gedanken der Ewigkeit der Schöpfung abgesehen — die Art, wie
Bruno das *Verhältnis Gottes zur Welt* beschreibt. Er weist
die Ansicht zurück, daß Gott die Welt von außen — wie ein
Roßlenker das Gespann — regiere. Gott steht nicht über und
außer der Welt, er ist *in* der Welt, er wirkt als beseelendes
Prinzip in ihrem Ganzen wie in jedem ihrer Teile. »Wir
suchen Gott in dem unveränderlichen, unbeugsamen Naturgesetze, in der ehrfurchtsvollen Stimmung eines nach diesem
Gesetze sich richtenden Gemütes« — wie nahe liegt hier Kants
Satz vom bestirnten Himmel und moralischen Gesetz! — »wir
suchen ihn im Glanz der Sonne, in der Schönheit der Dinge,
die aus dem Schoße dieser unserer Mutter Erde hervorgehen,
in dem wahren Abglanz seines Wesens, dem Anblick unzähli-
ger Gestirne, die am unermeßlichen Saume des einen Himmels
leuchten, leben, fühlen, denken und dem Allgütigen, All-Einen
und Höchsten lobsingen.« Der ganze Kosmos ist beseelt, beseelt von Gott, und Gott ist nur im Kosmos und nirgends
sonst. Das ist jene Gleichsetzung von Gott und Natur, die
man *Pantheismus* nennt.

Wie sehr sich Bruno hiermit und mit anderem gegen die
Kirche, ja gegen das Christentum überhaupt stellte, das war
ihm selber klar bewußt. Er bezeichnet seine Anschauung
wiederholt als die uralte, das heißt heidnische. Es macht
gerade seine besondere geschichtliche Stellung aus, daß er aus
den Gedanken, die unklar in vielen Köpfen seiner Zeit gär-
ten, die Konsequenzen gezogen, ihnen Ausdruck verliehen
und sich zu ihnen bekannt hat — Ausdruck verliehen freilich nicht in einem abgewogenen System, sondern in dich-
terischem Überschwang, in einer von der Übermacht des
innerlich Geschauten hingerissenen, ja trunkenen Dichtung.
Man versteht, daß Bruno auch in wenig kirchlich gesinnten
Kreisen und auch im Protestantismus keine bleibende Stätte
fand.

Zu den Denkern, bei denen der Einfluß der Gedanken Brunos spürbar ist, gehört Leibniz mit seiner auf den Kusaner zurückgehenden, von Bruno aufgenommenen Monadenlehre, gehört vor allem Spinoza, ferner Goethe und Schelling.

3. FRANCIS BACON

Es ist in der Geistesgeschichte nicht selten, daß Gedanken, wenn ihre Zeit gekommen ist, an verschiedenen Orten von verschiedenen, voneinander unabhängigen Männern ausgesprochen werden. Während in Italien, Frankreich und Deutschland die großen Denker und Naturforscher der Renaissancezeit den Grundstein der neuzeitlichen Wissenschaft und Philosophie legten, machte in England Francis Bacon — Namensvetter des Scholastikers — im wesentlichen unabhängig von jenen, ja ohne Kenntnis und Würdigung der entscheidenden Entdeckungen, einen nicht weniger bedeutsamen Versuch, das gesamte menschliche Wissen auf verbesserter Grundlage neu zu begründen.

Der Lebensgang Bacons fällt in die Zeit, da Englands Amerikahandel, besonders nach Vernichtung der spanischen Armada (1588), einen großen Aufschwung nahm, da die britische See- und Kolonialherrschaft sich zu entwickeln begann und das Land, unter der Regierung der Königin Elisabeth I. und ihres Nachfolgers, eine längere Periode verhältnismäßiger politischer Stabilität und kultureller Blüte erlebte. Bacons Leben ist besonders interessant als das eines Mannes, der sich von Anfang an mit gleicher Macht zur Philosophie wie zu politischer Wirksamkeit berufen fühlte. Er sagt darüber: »Da ich mich zum Dienst an der Menschheit geboren glaubte und die Sorge um das Gemeinwohl als eine der Aufgaben ansah ... fragte ich mich, was der Menschheit am dienlichsten wäre und für welche Aufgaben mich die Natur geschaffen habe. Als ich aber nachforschte, fand ich kein verdienstlicheres Werk als die Entdeckung und Entfaltung der Künste und Erfindungen, die zur Zivilisierung des menschlichen Lebens führen ... Sollte es vor allem jemand gelingen, nicht bloß eine besondere Erfindung zu machen ..., sondern in der Natur eine Leuchte zu entfachen, die am Anfang ihres Aufstiegs etwas Licht auf die gegenwärtigen Grenzen und Schranken der menschlichen Entdeckungen werfen und später ... jeden Winkel und jedes Versteck der Finsternis deutlich aufzeigen würde, so würde dieser Entdecker verdienen, ein wahrer Erweiterer der menschlichen Herrschaft über die Welt genannt zu werden ... Aber meine Geburt, Erziehung und Bildung deuteten nicht auf Philosophie, sondern auf Politik hin; ich war von Kindheit an mit Politik sozusagen getränkt ... Ich glaubte auch, daß

meine Pflicht gegen das Vaterland besondere Ansprüche an
mich stelle ... Schließlich erwachte ... die Hoffnung, daß ich
für meine Arbeiten sichere Hilfe und Unterstützung erhalten könnte, wenn ich ein ehrenwertes Amt im Staate beklei-
dete. Auf Grund dieser Motive wandte ich mich der Politik
zu[5].«

Betrachten wir zuerst die politische Karriere. Sie führte —
nach einer schwierigen Anfangsperiode gänzlicher Mittel- und
Einflußlosigkeit — den unersättlich Ehrgeizigen und Ver-
schwenderischen bis zu den höchsten staatlichen Ämtern empor. Der 1561 als Sohn des Großsiegelbewahrers Geborene
gelangte, nach Studium in Cambridge, das er schon mit
14 Jahren abschloß, und nach vorübergehendem Aufenthalt
in Paris, ins Parlament. Es gelang ihm, die Intrigen und
Rivalitätskämpfe am Hofe siegreich zu bestehen. Er wurde
Oberster Ankläger, Kronanwalt, schließlich Lordkanzler. Der
König erhob ihn zum Baron von Verulam. Seine Neigung
wurde dabei ständig zwischen politischen Interessen und seiner wissenschaftlichen und schriftstellerischen Tätigkeit hin-
und hergerissen. Der letzteren konnte er sich nur in den
vorübergehenden Ruhepausen des öffentlichen Wirkens widmen.

Auf die größte Erhöhung folgte ein schmählicher Sturz. 1621
wurde Bacon beschuldigt und überführt, in zahlreichen Fällen
Geschenke und Bestechungsgelder angenommen zu haben. Das
war zwar damals üblich, der Vorfall setzte aber seiner politischen Laufbahn ein jähes Ende. Die Geld- und Freiheits-
strafe wurde ihm allerdings bald im Gnadenwege erlassen;
aber Bacon blieb nun in ländlicher Zurückgezogenheit und
befaßte sich während der restlichen fünf Jahre seines Lebens
nur mit wissenschaftlicher Forschung und dem Ausarbeiten
seiner Schriften, inmitten welcher Arbeit er 1626 verstarb.
Resigniert bekennt er im Rückblick auf seine gescheiterte
politische Laufbahn: »Männer in hohen Stellungen sind drei-
fach Diener; sie dienen dem Oberhaupt des Staates, dem
Ruhme und den Geschäften, so daß sie weder über ihre eigene
Person noch über ihre Handlungen, noch auch über ihre
Zeit frei verfügen ... Der Aufstieg zu Stellungen ist müh-
sam, und durch Anstrengungen gelangt man zu noch größeren
Anstrengungen; manchmal ist der Aufstieg anrüchig, und
viele gelangen durch unwürdiges Tun zu Würden. Der Boden
ist schlüpfrig, und das Zurück bedeutet entweder Sturz oder
mindestens ein Verlöschen[6].«

Die wissenschaftliche Tätigkeit brachte Bacon schöneren und
länger dauernden Nachruhm als die politische. Seinen Ruf
als Schriftsteller begründete er durch seine »*Essays*«, die sich
in der Form an die Montaignes anlehnen und eine nicht

geringere stilistische Meisterschaft als diese zeigen. Sie gehören zum bleibenden Bestand der Weltliteratur. Sie enthalten, in einer an lateinischen Autoren geschulten unübertrefflichen Kürze und Prägnanz, Reflexionen über so ziemlich alle denkbaren Gegenstände: Menschenkenntnis und Menschenbehandlung — hierin nicht ganz so zynisch wie Macchiavelli, aber von einer ähnlich skeptischen Einschätzung des Menschen und der Menge zeugend: »Phocion, der beim Händeklatschen der Menge fragte, was er falsch gemacht habe, hatte recht«; Jugend und Alter; Ehe, Liebe und Freundschaft; Moral und Politik.

Das wissenschaftliche Hauptwerk Bacons ist ein Torso geblieben. Der ihm zugrunde liegende Plan war so gigantisch, daß die Ausführung auch dann die Kräfte eines einzelnen bei weitem überstiegen haben würde, wenn dieser nicht wie Bacon nur seine kärglichen Mußestunden darauf hätte verwenden können. Bacon wollte nichts Geringeres als eine umfassende Erneuerung der Wissenschaft, das heißt »der« Wissenschaft im ganzen und jedes ihrer Teilgebiete, eine »Instauratio magna«, einen großen Wiederaufbau.

Er wollte dabei nach seinem Arbeitsplan so vorgehen, daß er zunächst die Ursachen für den Stillstand der Wissenschaften seit den Griechen aufzeigte; dann eine neue Einteilung der Wissenschaften und ihrer Aufgabengebiete vornahm; drittens eine neue Methode der Naturerklärung einführte; darauf sich der eigentlichen Naturwissenschaft im einzelnen zuwandte; schließlich eine Reihe von Erfindungen und Entdeckungen der zukünftigen Forschung beschrieb; endlich wollte er als »angewandte Philosophie« das Bild einer zukünftigen Gesellschaft entwerfen, die aus dem von ihm eingeleiteten Fortschritt der Wissenschaft erwachsen sollte.

Vollendet hat Bacon nur drei Teilstücke des Gesamtwerkes: in der Schrift »*Über den Wert und die Bereicherung der Wissenschaften*« die Kritik des damaligen Wissensstandes, die neue Aufgabenstellung und Ausblicke auf zukünftige Ergebnisse; im »*Novum Organon*«, dem »Neuen Werkzeug« — in bewußter Gegenüberstellung zum Organon des Aristoteles so genannt —, eine Erörterung der wissenschaftlichen Methode; in der Schrift »*Das neue Atlantis*« den Entwurf einer idealen Zukunftsgesellschaft.

1. »Es ist meine Absicht, eine Rundreise um das Wissen anzutreten und aufzuzeichnen, welche Stellen brach- und unbebaut liegen und vom menschlichen Fleiß im Stich gelassen sind, um durch genaue Aufzeichnung der verlassenen Gegenden die Energien öffentlicher und privater Personen zu ihrer Verbesserung einzuladen7.« Diese Rundreise ist Bacons erstgenannte Schrift. Er berührt Medizin, Psychologie — vor

allem in praktischer Hinsicht —, Politik und vieles andere, teilt die Wissenschaften ein, grenzt sie gegen die Theologie ab, gibt überall fruchtbare Anregungen, kritisiert den Stillstand. Aber die Wissenschaften als einzelne genügen überhaupt nicht. Es fehlt noch zweierlei. Es fehlt erstens die geeignete *Organisation* der Wissenschaft auf internationaler Basis, durch welche die Arbeiten und Erfahrungen der Gelehrten vieler Länder und Generationen gesammelt und verarbeitet werden. Das zweite ist noch wichtiger. »Es ist nicht möglich, ein Rennen fehlerfrei zu vollenden, wenn das Ziel selbst nicht richtig aufgestellt ist[8].« Das Ziel aber kann man nicht erkennen, wenn man im Bereich der einzelnen Wissenschaft steckenbleibt, sowenig wie man eine Ebene übersehen kann, ohne sich über sie zu erheben. Die höhere Ebene, auf der das Ziel des wissenschaftlichen Erkennens festgelegt und seine allgemein gültige Methode gefunden wird, ist die *Philosophie.*

2. Das Ziel der Methode zu zeigen, ist die Aufgabe des zweiten Werkes. Das *Ziel* — und hier schlägt Bacon den Ton an, der die neuere Naturwissenschaft zwar nicht ausschließlich, aber doch weitgehend bestimmt hat — ist Fortschritt, praktische Nutzanwendung, *Naturbeherrschung* durch den Menschen. Der Mensch vermag aber die Natur genauso weit zu beherrschen, wie er sie kennt. Denn man kann die Natur nur beherrschen, indem man ihr, das heißt ihren durch die Wissenschaft ermittelten Gesetzen, gehorcht.

Das Ziel zu erreichen, bedarf es der richtigen *Methode,* und diese zu erlangen, sind zwei Schritte notwendig: die Reinigung des Denkens von allen Vorurteilen und überlieferten Irrtümern, zweitens die Kenntnis und Anwendung der rechten Methode des Denkens und Forschens.

Zum ersteren gibt Bacon mit seiner Lehre von den »*Idolen*« (Trugschlüssen) eine Analyse der menschlichen Irrtümer und ihrer Quellen, die so berühmt ist, daß wir sie etwas ausführlicher wiedergeben wollen. Vier Arten von Idolen werden unterschieden.

Die erste Gruppe nennt Bacon »Trugbilder des (menschlichen) Stammes« (idola tribus). Sie enthält alle Irrtümer, zu denen die menschliche Natur als solche uns verführt. Zum Beispiel neigt der menschliche Geist dazu, in den Dingen einen größeren Grad von Ordnung und Regelmäßigkeit anzunehmen, als wirklich daran ist. Haben wir einen Satz ferner erst einmal, sei es auch aus ganz unsachlichen, gefühls- oder interessebedingten Gründen, angenommen, so blicken wir gern auf alle Tatsachen, die ihn bestätigen, und übersehen ebenso gern, was dagegen spricht. Unser Denken wird durch den Willen und die Affekte getrübt. Deshalb sollte der Forscher gegen alle Argumente, die ihm leicht eingehen, mißtrauisch sein; alles, was gegen seine Annahme sprechen könnte, aber mit vermehrter Sorgfalt prüfen.

Die zweite Klasse von Irrtümern sind die »Trugbilder der Höhle« (idola specus). Bacon bezeichnet mit diesem dem platonischen Höhlengleichnis entnommenen Ausdruck die Irrtümer, die aus der besonderen Veranlagung, Erziehung, Einstellung und jeweiligen Lage des einzelnen Menschen entspringen. Es sind ihrer mindestens so viele, wie es Individuen gibt.

Zum dritten gibt es die »Trugbilder des Marktes« (idola fori). Sie entspringen aus Berührung und geselligem Verkehr der Menschen untereinander. Eine besondere Rolle spielt dabei die Sprache als das wichtigste Instrument des zwischenmenschlichen Verkehrs. Zu leicht wird das bloße Wort für den Begriff oder die Sache genommen — wie auch Mephisto in Goethes Faust bemerkt.

Endlich haben wir uns zu hüten vor den »Trugbildern des Theaters« (idola theatri, Bacon liebt solche bildhaften Ausdrücke). Sie stammen aus den überkommenen und eingewurzelten Lehrsätzen der Philosophen, besonders der alten, in denen man oft die Wirklichkeit zu erfassen glaubte, während sie doch eher bloßen erfundenen Theaterstücken gleichen. Von der uneingeschränkten Verehrung, die das Mittelalter dem Altertum und besonders dem Aristoteles entgegengebracht hatte, ist Bacon überhaupt weit entfernt. In Übereinstimmung mit Giordano Bruno betont er vielmehr, daß die Gegenwart eigentlich die »ältere«, weil durch weitere jahrhundertelange Erfahrung gereifte, Zeit sei.

Die Reinigung des Verstandes von diesen Idolen ist nur der negative Teil der Aufgabe. Den positiven bildet die Ermittlung der richtigen wissenschaftlichen *Methode*. Diese kann nicht im Berufen auf alte Traditionen oder logischer Ableitung bestehen. Das führt in der Wissenschaft, wie Bacon sagt, zu »einer bloßen Abfolge von Lehrern und Schülern, nicht von Entdeckern« und zum Sich-im-Kreis-Drehen. Erfolg verbürgt allein das Zurückgehen auf die Erfahrung, die Befragung der Natur selbst, die *Induktion*. Man darf aber nicht einfach planlos Tatsachen und Beobachtungen sammeln. Man muß systematisch vorgehen. »Die wahre Methode der Erfahrung zündet zunächst das Licht an und zeigt dann mit Hilfe des Lichtes den Weg; sie geht von wohlgeordneter und verdauter, nicht von stümperhafter und verworrener Erfahrung aus, leitet aus ihr Axiome ab und geht von den anerkannten Axiomen zu neuen Experimenten weiter[9].« Hier haben wir, im Umriß jedenfalls, die Methode, die die neuere Naturwissenschaft zum Erfolg geführt hat: die Arbeitshypo-

these als Ausgangspunkt; Sammlung einschlägiger Erfahrung
mittels des zweckentsprechend angeordneten Experiments;
Ziehen der Folgerungen und Formulierung allgemeiner Sätze,
Nachprüfung dieser durch erneute Experimente usw.

3. In der unvollendeten, nur wenige Seiten zählenden Schrift
»Das neue Atlantis« gibt Bacon, anknüpfend an die bei
Platon erwähnte sagenhafte Insel, das Bild einer zukünftigen
Gesellschaft, in der die Wissenschaften den ihnen nach Bacons
Meinung zukommenden Platz einnehmen. Der Staat wird
nicht regiert von Politikern, sondern durch die auserlesenen
besten Köpfe der Wissenschaft. Wirtschaftlich ist die Insel
selbstgenügsam; die Objekte ihres Außenhandels sind nicht
Gold und Waren, sondern »das Licht des Fortschritts«. In
zwölfjährigem Turnus entsendet der Inselstaat eine Schar von
Wissenschaftlern in alle Länder der Welt, die die fremden
Sprachen erlernen, die Errungenschaften der Wissenschaften
und Industrie aller Völker studieren und dann in die Heimat
zurückkehren, wo auf diese Weise der wissenschaftliche Fortschritt der ganzen Welt gesammelt und nutzbar gemacht
wird. — Es ist im Grunde nichts anderes als der platonische
Gedanke des Idealstaates, der anstatt von Demagogen und
eigennützigen Politikern durch die Gelehrten regiert wird.

In neuerer Zeit ist der Gedanke aufgetaucht, daß Bacon auch
der Verfasser der Shakespeare zugeschriebenen Dramen sein
soll. Der Streit darüber ist noch nicht beendet. Doch über-
wiegen für den Kenner Bacons die Argumente, die gegen
diese Annahme sprechen.

Eine kritische Würdigung des Baconschen Werkes hat folgende
Gesichtspunkte zu berücksichtigen:

Bacon hat ein Tor zu einer neuen geistigen Welt aufgestoßen.
Er hat mit Vorurteilen gebrochen und auf die Erfahrung als
Quelle aller Naturkenntnis — wie sein großer Namensvetter —
verwiesen. Ihn als eigentlichen Begründer oder Bahnbrecher
der modernen Naturwissenschaft zu bezeichnen, ist gleichwohl
nicht ganz zutreffend. Das hat seinen Grund nicht nur darin,
daß Bacon umstürzende naturwissenschaftliche Entdeckungen
seiner Zeit übersehen hat; auch nicht darin, daß er die von
ihm verfochtene experimentelle Methode selbst nur in höchst
unvollkommener, ja kümmerlicher Weise anzuwenden verstanden hat. Im besonderen die von Bacon propagierte Methode der Induktion ist auch nicht genau die der heutigen
Naturwissenschaft. Bacon legt zuviel Gewicht auf das Sammeln und Vergleichen der Tatsachen — wofür er Mustertafeln
aufgestellt hat —, verkennt aber doch etwas die bei alledem
weiter bestehende Bedeutung der Theorie, der Deduktion, vor
allem aber der Mathematik, zu der er kein Verhältnis hatte.
Er schilt sogar die Mathematiker wegen ihrer immer auf das

Quantitative ausgehenden Betrachtungsweise. Bacon selbst hat wohl gewußt, daß seine Methode nicht vollkommen war, er urteilte selbst, daß die von ihm aufgerührten Fragen noch einige Menschenalter zu ihrem Reifwerden benötigen würden. Als ein großer Befreier und Anreger gehört er — abgesehen vom unvergänglichen literarischen Glanz seines Werkes — auf jeden Fall zu den geistigen Vätern der neuen Zeit.

4. JAKOB BÖHME

Einer ganz anderen Strömung des deutschen und europäischen Geistes als die drei bisher Genannten gehört der vierte und letzte Denker an, der aus dem uns hier beschäftigenden Zeitabschnitt zu nennen ist. Cusanus, Bruno und Bacon kann man, ungeachtet der im einzelnen bestehenden großen Unterschiede, einordnen in die Geistesbewegung, die mit dem Stichwort: Wende vom Mittelalter zur Neuzeit zu umschreiben ist. Jakob Böhme, an Originalität und Tiefsinn jenen mindestens gleich, ist einzuordnen in die Reihe, welche mit den Namen Meister Eckhart, Tauler, Luther bezeichnet ist.

Die Persönlichkeit Martin Luthers, sosehr sie menschlich aus einem Guß erscheint, und ihre Wirkung weisen bei genauer Betrachtung doch zwei deutlich verschiedene Seiten auf: Luther war der religiöse Revolutionär, der alles auf den Glauben stellte und kirchliche Tradition verachtete; er war aber zugleich, und je älter er wurde, desto mehr, der Mann des Schriftglaubens, der Kirchenmann, von dem eine neue kirchliche Tradition und eine feste, ja starre Dogmatik ihren Ausgang nahmen. Dieses letztere Element fand seine Fortsetzung in der offiziellen protestantischen Kirchenlehre; das erstere wurde schon zu Luthers Lebzeiten von Männern aufgegriffen und weitergetragen, die als *protestantische Mystiker* abseits der Kirche und im Widerstreit zu ihr standen. Zu diesen gehört Kaspar *Schwenckfeld* (1490—1561), der den Lutherschen Schriftglauben verwarf und nur die ganz persönliche, innere Offenbarung Gottes gelten lassen wollte; weiter Sebastian *Franck* (1499—1543), welcher neben seiner Bedeutung als Mystiker zu den Begründern der deutschen Geschichtsschreibung gehört; und Valentin *Weigel* (1533—1588), der protestantischer Pfarrer war und seine geheimen mystischen Lehren zu seinen Lebzeiten nur im engsten Freundeskreise bekanntmachte. Im Denken dieser Männer lebt die große Tradition der mittelalterlichen Mystik und der Glaube Luthers, soweit dieser ein Mystiker war.

An Bedeutung werden sie weit überragt durch Jakob Böhme, geboren 1575 bei Görlitz, gestorben 1624 in dieser Stadt. Böhme war ein Mann des Volkes, von Beruf Schuster wie

Hans Sachs. Die philosophischen Anregungen erhielt er
hauptsächlich während seiner mehrjährigen Wanderschaft als
Geselle. Als selbständiger Handwerksmeister und Familienvater lebte er danach in Görlitz.

Als er nach über zehn Jahren, erfüllt vom Drang innerer
Gesichte und das einstmals Gehörte bei sich ständig weiter
verarbeitend, auf Drängen seiner Freunde seine Gedanken erstmals unter dem Titel »Morgenröte im Aufgang« niederschrieb
und Abschriften davon unter die Leute kamen, zog er sich
alsbald den Haß der orthodoxen Geistlichkeit, insonderheit
des städtischen Oberpfarrers, zu, welcher von der Kanzel
herab den Ketzer verfluchte und seine Verweisung aus der
Stadt forderte. »Des Arii Gift[10], der die Ewigkeit des Sohnes
geleugnet, ist nicht so arg gewesen als dieses Schustergift...
Gehe nur geschwind und zeuch weit weg, du leichtfertiges,
gotteslästerliches Maul...« Böhme wurde ein Schreibverbot
auferlegt. Er hielt es mehrere Jahre ein, freilich ohne damit
Frieden für sich und seine Familie zu gewinnen. Dann griff
er, dem inneren Zwang folgend, erneut zur Feder und verfaßte nun in schneller Folge eine Reihe größerer Schriften,
darunter »Von den drei Prinzipien des göttlichen Wesens«
und das »Mysterium magnum«, das Große Geheimnis. Neue
Anfeindungen waren die Folge, besonders als einige Schriften
auch gedruckt wurden. Böhme suchte und fand Unterstützung
beim kurfürstlichen Hof in Dresden. Bald nach der Rückkehr
nach Görlitz ist er gestorben.

Als Mann des Volkes schreibt Böhme in deutscher Sprache.
Sein Schreiben ist ständiges, manchmal rührend anzusehen-
des Ringen, der Sprache den treffenden Ausdruck und die
richtige Färbung für das innerlich Geschaute abzuzwingen.
Er erweist sich dabei als bedeutender Sprachschöpfer, der die
deutsche Sprache durch seine oft an Meister Eckhart erinnern-
den eigenwilligen Wortbildungen bleibend bereichert hat,
wenn er auch in dieser Hinsicht an Luther nicht heranreicht.
Daß Böhme sich nicht der philosophischen Fachsprache bedient, erschwert natürlich das Verständnis seiner Schriften.

Am Anfang des Böhmeschen Denkens steht der auch bei
anderen Mystikern zu findende Gedanke, daß alles Gott, daß
alles in Gott ist. »Wenn du die Tiefe und die Sterne und
die Erde ansiehest, so siehst du deinen Gott, und in demselben lebest und bist du auch, und derselbe Gott regiert
dich auch, und aus demselben Gott hast du auch deine Sinne
und bist eine Kreatur aus ihm und in ihm, sonst wärest du
nichts.« — »Also können wir mitnichten sagen, daß Gottes
Wesen etwas Fernes sei, das eine sonderliche Stelle oder Ort
besitze oder habe; denn der Abgrund der Natur und Kreatur
ist Gott selber[11].«

Aber darauf erhebt sich für Böhme sogleich die Frage, die man vielleicht als das Zentralproblem seines Denkens ansehen kann: das Problem der Theodizee. Wenn alles in Gott und aus Gott ist, woher dann die Realität und Macht des Bösen, die Böhme mit größter Eindringlichkeit empfindet? Hören wir seine Antwort: »Der Lehrer soll wissen, daß im Ja und Nein alle Dinge bestehen, es sei göttlich, teuflisch, irdisch, oder was genannt werden mag. Das Eine, als das Ja, ist eitel Kraft und Leben und ist die Wahrheit Gottes oder Gott selber. Dieser wäre in sich selber unerkenntlich und wäre darinnen keine Freude oder Erheblichkeit noch Empfindlichkeit ohne das Nein. Das Nein ist ein Gegenwurf des Ja oder der Wahrheit, auf daß die Wahrheit offenbar und etwas sei, darinnen ein Contrarium sei[12].« Hier verkündet Böhme die große Wahrheit, daß der unaufhebbar sich durch alles Sein (und Denken, was bei ihm nicht klar geschieden ist) hindurchziehende Widerspruch die innerste Triebkraft der Welt ist. »Es feindet je eine Gestalt die andere an, und nicht allein im Menschen, sondern in allen Kreaturen.« — »In allem ist Gift und Bosheit. Befindet sich auch, daß es also sein muß; sonst wäre kein Leben, noch Beweglichkeit; auch wäre weder Farbe, Tugend, Dickes, Dünnes oder sonst Empfindung; sondern es wäre alles ein Nichts.« Böhme tut dabei, wie das vorhergehende Zitat zeigt, den kühnen aber folgerichtigen Schritt, das Böse schon im göttlichen Grunde der Welt selbst angelegt sein zu lassen. Himmel und Hölle sind beide in Gott, jedenfalls der Möglichkeit nach.

Wirklichkeit, Aktualität, gewinnt das Böse jedoch erst in der Menschenseele, welche sich zwischen den Reichen des Guten und Bösen oder, wie Böhme auch sagt, des Zornes und der Liebe, mit absoluter Freiheit entscheidet. »Denn ein jeder Mensch ist frei und ist wie ein eigener Gott, er mag sich in diesem Leben in Zorn oder in Licht verwandeln.« — »So der Mensch freien Willen hat, so ist Gott über ihn nicht allmächtig, daß er mit ihm thue, was er wolle. Der freie Wille ist aus keinem Anfange, auch aus keinem Grunde, in nichts gefaßt oder durch etwas geformt. Er ist sein selbereigener Urstand aus dem Worte göttlicher Kraft, aus Gottes Liebe und Zorn[13].«

Man sieht in diesen Worten schon den eigentlichen und tiefsten Gedanken aller Mystik aufleuchten; wie er von den Indern bis zu Meister Eckhart immer wieder gefaßt worden ist: die Göttlichkeit der Menschenseele, das Einssein der Seele mit Gott. »Der innere Grund der Seele ist die göttliche Natur.« — »Sie ist das Zentrum Gottes.« — »Darum ist die Seele Gottes eigen Wesen[14].«

Folgerichtig erscheint bei Böhme das gänzliche Eingehen der

Seele in ihren göttlichen Urgrund als das höchste Ziel, als
die Erlösung. Begierde und »Schiedlichkeit« fesseln im Stande
der Unerlöstheit des Menschen Gemüt, »und davon mag es
nicht entledigt werden, es verlasse denn dich selber in der
Begierde der Eigenschaften und schwinge sich wieder in die
allerlauterste Stille, und begehre seines Wollens zu schweigen,
also daß der Wille sich über alle Sinnlichkeit und Bildlichkeit
in den ewigen Willen des Urgrundes vertiefe, aus dem er ist
anfänglich entstanden, daß er in sich nichts mehr wolle, ohne
was Gott durch ihn will —, so ist er in dem tiefsten Grunde
der Einheit[15]«.

Wir haben hiermit aus der reichen und manchmal verworre-
nen Fülle der Böhmeschen Gedanken nur das herausgehoben,
was ihn als echten Mystiker ausweist. Übergangen haben
wir die ganz in der christlichen Tradition wurzelnde Einkleidung, in der diese Gedanken bei ihm auftreten — wobei
die Frage bis heute umstritten ist, ob seine Gedanken in dieser
Tradition aufgehen oder ob diese letztere eben wirklich nur
eine »Einkleidung« ist für eine im Grunde nicht christliche,
pantheistische Philosophie.

Man könnte meinen, daß die Wirkung dieses stillen und lauteren Mannes, dem man den Ehrennamen eines Philosophus
teutonicus beigelegt hat, und seiner Schriften mit ihrer typisch
deutschen Tiefsinnigkeit und höchst eigenwilligen Sprache sich
auf Deutschland beschränkt hätte. Das ist nicht der Fall. Ein
Franzose, *St. Martin*, nahm im 18. Jahrhundert seine Gedanken auf. Was noch erstaunlicher ist: Böhme wurde schon
bald nach seinem Tode ins Russische übersetzt. Seine Gedanken hatten eine tiefgreifende Wirkung auf das russische
Denken, welche bis in die Gegenwart — seit der Revolution
im Denken der Emigration — bemerkbar ist. In England
gehörte der große Naturforscher Newton zu Böhmes eifrigen
Lesern. Es ist sogar vermutet worden, daß er Anregungen
zu seinen naturwissenschaftlichen Grundgedanken aus Böhme
geschöpft habe. In Deutschland wurde Böhme von Leibniz
hochgeschätzt. Die Romantik wandte sich seinem Werk besonders zu. Hegel, Schelling und vor allem Franz von *Baader*
haben das Geisteserbe Böhmes hochgehalten.

Zweites Kapitel

Die drei großen Systeme im Zeitalter des Barock

Die Philosophie des 17. Jahrhunderts weist, auf dem europäischen Festlande jedenfalls, eine verhältnismäßige Geschlossenheit und Stetigkeit der Entwicklung auf. Es sind die gleichen Grundprobleme, mit denen in allen Köpfen gerungen wird, die einzelnen Lösungsversuche knüpfen aneinander an und werden diskutiert, wozu ein Zeitalter besonders günstige Voraussetzungen bot, in dem die *Vernunft*, welche sich in der Renaissance mündig erklärt hatte, ihren Siegeszug antrat und in dem die *Mathematik* als eine jenseits nationaler und individueller Besonderheiten stehende, prinzipiell jedem zugängliche und einsichtige Wissenschaft von höchster Allgemeingültigkeit das Ideal aller Erkenntnis bildete. Wenn wir in der Mathematik eine Methode unantastbarer Beweisführung besitzen — so fragte man —, warum soll es dann nicht möglich sein, die menschliche Gesamterkenntnis, also alle anderen Wissenschaften und vor allem auch die Philosophie, auf eine ähnliche Grundlage zu stellen? Die Philosophie dieser Epoche ist von der Mathematik nicht zu trennen. Das zeigt sich schon darin, daß ihre größten Vertreter entweder wie Descartes, Leibniz oder Pascal selbst geniale Mathematiker waren oder doch, wie Spinoza, ihr Denkgebäude »more geometrico«, nach Art der Geometrie, errichteten. Hiermit hängt eine weitere Eigentümlichkeit aufs engste zusammen. Es ist das Streben nach klarer übersichtlicher Gestaltung, nach harmonischem Aufbau, nach Abgewogenheit aller Teile eines Ganzen — ein Streben, das an der Mathematik geschult war und in ihr auch einen besonders deutlichen Ausdruck fand, sicher aber nicht auf der Mathematik allein beruht; wir finden es nicht nur in der Philosophie, sondern auf allen Gebieten des kulturellen Lebens ausgeprägt, in Staats- und Kriegskunst, in Architektur, Dichtkunst und Musik.

Diese gemeinsamen Grundzüge: das mathematische Erkenntnisideal; der Versuch, für die Philosophie eine diesem entsprechende allgemeingültige und sichere Methode der Erkenntnis zu finden; Vorherrschaft der Vernunft; endlich das Bestreben, ein universales, auf ganz wenigen sicheren Grundbegriffen ruhendes ausgewogenes philosophisches Gesamtsystem zu schaffen — finden wir insbesondere wieder in den drei größten philosophischen Systemen dieses Zeitalters. Sie sind zwar keineswegs die einzigen, stellen vielmehr nur die Gipfel über einem höchst intensiven philosophischen Leben in allen Kulturländern des Westens dar. Aber alle wesentlichen Probleme der Philosophie jener Zeit und die zahlreichen Lösungsversuche sind in ihnen so vollständig enthalten, daß die Betrachtung der Systeme eines Descartes, Spinoza und Leibniz einen richtigen Gesamteindruck von der europäischen Philosophie des 17. Jahrhunderts vermittelt.

I. Descartes

1. LEBEN UND WERKE

René Descartes (lateinisch Renatus Cartesius) wurde 1596 aus adliger altfranzösischer Familie in der Touraine geboren. Seine wissenschaftliche Bildung erhielt er im Jesuitenkollegium von La Flèche. Aus ihm brachte er eine Vorliebe für die Mathematik, verbunden mit Skepsis gegen alle anderen Wissenschaften, mit. In seinem weiteren Lebensgange wechseln Zeiten äußerster Zurückgezogenheit und Konzentration mit solchen eines unsteten, abenteuernden Lebens. Nach kurzer Beteiligung an dem in seiner sozialen Schicht üblichen gesellschaftlichen Leben von Paris zog er sich für zwei Jahre in eine selbst den nächsten Freunden verborgene Wohnung in Paris zurück, ganz dem Studium der Mathematik hingegeben. Darauf nahm er als Soldat am Dreißigjährigen Kriege teil, mit der Absicht, Welt und Menschen gründlich kennenzulernen, nicht etwa, weil er sich einer der streitenden Parteien besonders verpflichtet fühlte, wie schon daraus hervorgeht, daß der Katholik und Franzose nicht nur im katholischen bayrischen, sondern auch im holländischen Heer diente. Auf die Militärzeit folgten jahrelange Reisen durch den größten Teil Europas, hierauf wieder eine Periode der Zurückgezogenheit und wissenschaftlichen Arbeit, die längste und fruchtbarste, fast 20 Jahre, und zwar in den Niederlanden, welche Descartes dem heimatlichen Frankreich als Aufenthalt vorzog, vor allem wegen der ihm im Exil möglichen größeren äußeren und inneren Unabhängigkeit. Descartes lebte hier an verschiedenen Orten, mit der Welt nur durch einen Pariser Freund, den Pater Mersenne, verkehrend, der seinen ausgedehnten wissenschaftlichen Briefwechsel besorgte. Königin Christine von Schweden, die Descartes' Werke studiert hatte und einige Fragen von ihm persönlich geklärt zu haben wünschte, berief ihn 1649 unter höchst ehrenvollen Bedingungen nach Schweden, wo Descartes jedoch nach kurzem Aufenthalt im folgenden Jahre dem ungewohnten Klima erlag.

Die ersten Keime der Descartesschen Gedanken reichen weit zurück, teilweise bis in seine Schulzeit. Geschrieben sind alle Werke während des langen Aufenthaltes in Holland. Das erste sollte den Titel »Die Welt« tragen und war fast vollendet, als Descartes von der 1633 erfolgten Verurteilung des Galilei erfuhr. Unter dem Eindruck dieser Nachricht und um einem ähnlichen Konflikt zu entgehen, vernichtete er die Schrift, aus der Teile natürlich in seinen späteren Werken wiederkehren. Aus der gleichen Vorsicht heraus wurde sein nächstes Werk »*Abhandlung über die Methode*, die Vernunft richtig zu führen und die Wahrheit in den Wissenschaften zu suchen« (1637) zunächst anonym veröffentlicht. Vier Jahre später erschien sein Hauptwerk »*Meditationen über die Erste Philosophie* (das heißt Metaphysik), worin über die Existenz Gottes und die Unsterblichkeit der Seele gehandelt wird«. Descartes widmete das Buch der theologischen Fakultät der Pariser Universität, nicht um sich vor Anfeindungen von kirchlicher Seite zu schützen, sondern weil er überzeugt war, der Sache der Religion mit seinen Gedanken einen Dienst zu erweisen. Gleichwohl wurden seine Bücher später auf den Index der verbotenen Bücher gesetzt und von protestantischer, auch von staatlicher Seite in ähnlicher Weise verdammt. 1644 veröffentlichte Descartes eine systematische Ausarbeitung seiner Gedanken unter dem Titel »*Principia philosophiae*«. Unter seinen weiteren Schriften sind zu nennen die »*Briefe über das menschliche Glück*« und »*Die Leidenschaften der Seele*«, beide geschrieben für die Pfalzgräfin Elisabeth, die Descartes im holländischen Exil kennengelernt hatte.

Descartes mathematische Leistung, die ihm einen Platz unter den größten Mathematikern aller Zeiten sichert, ist vornehmlich die Erfindung der analytischen und Koordinatengeometrie, welche, ohne daß dies hier ausgeführt werden kann, in engem Zusammenhang mit seinen philosophischen Anschauungen vom Ideal der Erkenntnis und mit seinen Vorstellungen vom Raume stehen.

2. GRUNDGEDANKEN

Wie der Titel der Meditationen zeigt, sind die beiden Grundthemen des cartesianischen Denkens die gleichen wie bei Augustinus und in der mittelalterlichen Philosophie: *Gott und die Seele*. Um so verschiedener von jenem früheren Denken ist aber die Behandlung, die diese Themen bei Descartes erfahren: Er unterwirft sie einer streng *logischen* Zergliederung. Denn sein Ziel ist es ja, die Philosophie zu einer Art Universalmathematik zu machen, zu einer Wissenschaft, in der alles im Wege strenger Deduktion aus einfachsten Grundbegriffen gewonnen wird. Das führt uns zunächst zu der von Descartes entwickelten eigentümlichen *Methode*.

»Wenn alles Erkannte aus einfachsten Prinzipien abgeleitet werden soll, muß ich mich«, so sagte Descartes, »zunächst und vor allem der Sicherheit meines Ausgangspunktes vergewissern. Was aber ist sicher? Um sicherzugehen, werde ich zu Anfang gar nichts als sicher annehmen. Ich werde alles anzweifeln, um zu sehen, was einem solchen radikalen Zweifel standhält. Nicht nur an allem, was ich durch Unterricht, aus Büchern und im Umgang mit den Menschen gelernt habe, muß ich zweifeln; auch daran, ob die mich umgebende Welt überhaupt in Wirklichkeit vorhanden ist, oder ob sie etwa bloße Einbildung ist, beziehungsweise ob sie so vorhanden ist, wie ich sie wahrnehme — denn es ist bekannt, daß es vielerlei Sinnestäuschungen gibt; ja auch an dem, was als das Sicherste von allem erscheint, an den Grundsätzen der Mathematik, muß ich zweifeln, denn es könnte ja sein, daß unser menschlicher Verstand zur Erkenntnis der Wahrheit ungeeignet ist und dauernd in die Irre führt.

Beginne ich nun also das Philosophieren damit, daß ich schlechthin alles in Frage stelle, so gibt es doch etwas, das ich nicht nur nicht bezweifeln, das mir vielmehr, gerade indem und je mehr ich zweifle, immer gewisser werden muß: nämlich die einfache Tatsache, daß ich jetzt, in diesem Moment, zweifle, das heißt denke. Alles, was ich von außen wahrnehme, könnte Täuschung sein, alles, was ich denken mag, könnte falsch sein — aber im Zweifel werde ich jedenfalls meiner selbst als eines denkenden Wesens gewiß.« So gewinnt Descartes mit seinem berühmten Satz »cogito ergo sum« — ich denke, also bin ich — aus dem radikalen Zweifel heraus einen ersten unerschütterlichen Ausgangspunkt.

»Mit dieser Gewißheit«, so schließt Descartes weiter, »habe ich zugleich das Kriterium und Musterbeispiel der Wahrheit in der Hand. Alles, was ich ebenso unmittelbar, ebenso klar und deutlich (clare et distincte) erkenne wie diesen Satz, muß auch ebenso gewiß sein. Wenn es gelänge, noch etwas aufzufinden, was ebenso gewiß ist wie dieses, dann wäre der nächste Schritt zum Aufbau der richtigen Philosophie getan.« Gibt es etwas, was dieser Forderung entspricht? »Ja«, antwortet Descartes, »und zwar *Gott*. Ich habe in mir die Idee Gottes als eines unendlichen, allmächtigen und allwissenden Wesens. Diese Idee kann nicht aus der äußeren Wahrnehmung stammen, denn diese zeigt mir immer nur die endlichen Naturdinge. Ich kann sie mir auch nicht selbst gebildet haben, denn wie sollte es möglich sein, daß ich als endliches und unvollkommenes Wesen mir die Idee eines unendlichen und vollkommenen Wesens aus mir selbst bilden könnte?« So kommt Descartes, unter Heranziehung eines weiteren Gottesbeweises aus der Theologie, zur absoluten Gewißheit Gottes als nächstem Schritt.

Können wir schon an dieser Stelle, bei der etwas unvermittelt anmutenden Einführung des Gottesbegriffes, das Gefühl nicht unterdrücken, daß sie eigentlich nicht ganz zu der Radikalität des Zweifels passe, mit der Descartes doch vorgehen wollte, so haben wir ein ähnliches Gefühl bei dem nun folgenden Schritt: Nachdem Gott in den Gedankengang eingeführt ist, erledigt Descartes auf etwas verblüffende Weise den vorhin geäußerten Zweifel an der Realität der sinnlich gegebenen Außenwelt. »Zu den Eigenschaften des vollkommenen Wesens muß notwendig auch die Wahrhaftigkeit gehören. Wäre Gott nicht wahrhaftig, so wäre er nicht vollkommen. Es ist demnach undenkbar, daß Gott der Wahrhaftige mich betrügen sollte, indem er mir etwa die mich umgebende Welt als trügerisches Gaukelspiel vorzauberte!

Nun erhebt sich aber sogleich eine neue Frage: Wenn Gott in seiner Wahrhaftigkeit gleichsam der Garant dafür ist, daß die Menschen Wahrheit erkennen können, wie kommt es dann, daß wir trotzdem erwiesenermaßen irren und uns täuschen?« Damit stellt sich das Problem der Theodizee, welches frühere Denker auf ethischem Gebiet — als Rechtfertigung des allgütigen Gottes wegen des in der Welt vorhandenen Bösen — beschäftigt hatte, für Descartes von neuem auf dem Gebiet der Erkenntnislehre. In ethischer Hinsicht hatte man auf jene Frage die Antwort zu geben versucht, daß Gott, um eine vollkommene Welt zu schaffen, dem Menschen habe *Freiheit* geben müssen, und diese Freiheit sei, indem der Mensch von ihr notwendigerweise auch einen falschen Gebrauch machen kann, eben die Quelle des Bösen. Ähnlich antwortet jetzt Descartes auf seine Frage durch den Hinweis auf die Freiheit des Willens. »Der freie Wille ermöglicht es dem Menschen, diese Vorstellung zu bejahen, jene zu verwerfen. Nur in dieser Tätigkeit des Willens, nicht in den Vorstellungen selbst, liegt die Quelle allen Irrtums. Wir haben es selbst in der Hand, richtig oder falsch zu denken und zu erkennen. Wenn wir uns nur an den Maßstab halten, der uns mit der unvergleichlichen Gewißheit und Deutlichkeit jener ersten Grunderkenntnisse an die Hand gegeben ist, wenn wir nur das als wahr annehmen, was mit gleicher Gewißheit erkannt ist, allem anderen gegenüber uns skeptisch verhalten, so können wir nicht irren, sondern gewinnen denkend ein richtiges Bild der Welt.«

Dieses Bild zu entwerfen, ist die nächste Aufgabe, die sich Descartes stellt. Bei der Durchmusterung des menschlichen

Geistes und seines Bestandes an Ideen hatte er zunächst die Idee Gottes als der unendlichen und unerschaffenen Substanz gefunden. Er findet weiter die Ideen zweier geschaffener Substanzen, die als solche keines Beweises und keiner Rückführung auf andere Ideen fähig sind und dessen auch nicht bedürfen: erstens den Geist, das Denken, welches Descartes ganz unräumlich und unkörperlich faßt — denn, so sagt er, »ich kann mir mein Denken vorstellen, ohne daß ich dazu notwendig das Ausgedehntsein im Raume hinzudenken müßte«; und zweitens die Welt der Körper. Die Körperwelt existiert allerdings nicht so, wie sie uns durch die Sinne erscheint. Was uns die Sinne an Qualitäten der Dinge, wie Farbe, Geschmack, Wärme, Weichheit, zeigen, das genügt dem Descartesschen Anspruch auf »Klarheit und Deutlichkeit« nicht. Er schätzt, wie andere Denker dieses rationalistischen Zeitalters, die sinnliche Erfahrung als zu unklar, gering; es zählt als vollgültige Erkenntnis nur das, was der denkende Verstand in völlig durchsichtigen, rationalen, »mathematischen« Begriffen ausdrücken kann. Für die Körperwelt ist das die Eigenschaft des Ausgedehntseins, der Raumerfüllung. Die Ausgedehntheit im Raume ist daher das Wesen der Körperwelt. Die Körper sind Raum, und der Raum besteht aus Körpern, leeren Raum gibt es nicht.

Im Begriff der Ausdehnung liegt schon die Möglichkeit des Bewegtwerdens — sofern nur der erste bewegende Anstoß, welcher nicht aus den Körpern selbst, sondern nur von Gott gekommen sein kann, gegeben ist. Die Gesamtmenge der von Gott der Körperwelt mitgeteilten Bewegung wird dann immer gleich bleiben — eine erste Vorahnung des Gesetzes von der Erhaltung der Energie! Die ganze Physik kann daher auf streng mathematische Weise aus den drei Begriffen der Ausdehnung, der Bewegung und der Ruhe konstruiert werden. Alles, auch die Vorgänge im lebenden Körper, ist mit diesen Grundbegriffen mathematisch und mechanisch zu erklären.

Descartes versucht nun eine solche Physik zu entwickeln. Ihre Einzelheiten können wir übergehen. Eine Konsequenz sei hervorgehoben, die sich in bezug auf die Tiere ergibt. Da Descartes den Begriff des Geistes auf das Denken einengt, die Tiere aber in diesem Sinne nicht denken, haben sie an der geistigen Welt keinen Teil. Sie sind reine Mechanismen, nicht anders als Maschinen. Wenn ein Tier schreit, das man schlägt, so bedeutet das nicht mehr, als wenn die Orgel ertönt, deren Taste man niederdrückt. Von dieser im Sinne des Descartesschen Denkens zwar konsequent, aber unannehmbaren Ansicht war nur noch ein Schritt zu der von späteren Materialisten gezogenen Folgerung, daß auch der Mensch nichts als eine besonders komplizierte Maschine sei.

Hiervon ist Descartes selbst freilich weit entfernt. Für ihn sind im Menschen Ausdehnung und Denken, Körper und Geist verbunden. Wie das allerdings zu denken ist, wenn die beiden Substanzen nichts miteinander gemein haben, wie beide in einem Wesen eng verbunden auftreten und sogar in gewisser Wirkung aufeinander stehen können, das ist eine Frage, die Descartes nicht beantworten kann. Man sollte doch eher erwarten, daß beide Substanzen sich gar nicht berühren können, so wie der Sonnenstrahl im Sturmwind unerschüttert steht, weil er eben von anderer Natur ist! Hier setzt die Arbeit von Descartes' Nachfolgern ein.

3. EINFLUSS UND FORTBILDUNG DES CARTESIANISMUS — EINIGES ZUR KRITIK

Das Werk des Descartes war von außerordentlich weitreichender geschichtlicher Wirksamkeit. Descartes gilt als der Vater der modernen Philosophie. Wie die nachfolgenden großen Systeme des Spinoza und Leibniz auf seinen Schultern stehen, wird die spätere Darstellung zeigen. Hier soll zunächst auf zweierlei hingewiesen werden: die Weiterführung Descartesscher Gedanken durch die sogenannten Occasionalisten und die eigentümliche Verbindung, die Descartessche Gedanken mit den religiösen Ideen der Jansenisten in Frankreich eingegangen sind.

1. Es wurde schon auf die Schwierigkeit hingewiesen, die für Descartes daraus erwächst, daß er — außer Gott — zwei ganz voneinander geschiedene Substanzen annimmt, reines Denken ohne jede Räumlichkeit und Körperlichkeit, reine Ausdehnung ohne jedes Denken, welche beide aber im Menschen in irgendeiner Verbindung stehen müssen. Wenn ich den Entschluß fasse, meine Hand zu bewegen, und diese bewegt sich dann — wie kann ein in meinem Geiste sich abspielender Vorgang Ursache einer Bewegung in der Körperwelt sein (zumal die in dieser vorhandene Gesamtsumme der Bewegung nach Descartes konstant sein soll)? Wenn ein vorüberfliegender Vogel in meinem Denken, indem ich ihn wahrnehme, die Vorstellung von dem vorbeifliegenden Vogel hervorruft — wie kann der körperliche Vorgang zur Ursache eines Denkvorgangs werden? Es ist, wie wir sehen, nichts anderes als das sogenannte psychophysische Problem, das hier auftritt, die Fragen nach dem Verhältnis von Körperlichem und Psychischem im Menschen. Und wenn eine ursächliche Verbindung nicht bestehen kann — was nach den Voraussetzungen Descartes' ja tatsächlich ausgeschlossen ist —, wie kommt es dann, daß jedenfalls die beiden Akte — Denkakt und körperlicher Vorgang — zusammentreffen, zusammen auf-

treten, wie alle Erfahrung lehrt? Hier ist der Punkt, wo die
Occasionalisten einsetzen und erklären: Es sieht nicht nur
aus wie ein Wunder, daß beide zusammentreffen, obwohl
sie ursächlich nicht zusammenhängen können, sondern es *ist*
ein *Wunder*, ein göttliches Wunder, das nämlich darin besteht, daß Gott bei *Gelegenheit* (lat. occasio, daher der Name
Occasionalismus) meines diesbezüglichen Willens meine Hand
bewegt, daß Gott bei Gelegenheit des vorüberfliegenden Vogels in mir die entsprechende Vorstellung erzeugt und so
weiter. Das ist eine Annahme, die reichlich gekünstelt und
auch von einer gewissen Blasphemie nicht frei erscheinen mag
(indem Gott nun pausenlos an allen Enden seiner Welt sich
beeilen muß, den der jeweiligen Gelegenheit entsprechenden
Eingriff zu tun); sie liegt aber durchaus in der Konsequenz
der Descartesschen Grundansicht.

Die hervorragendsten Vertreter des Occasionalismus sind
Arnold *Geulincx* (1625—1669) und Nicole *Malebranche* (1638
bis 1715). Ihre Standpunkte sind im einzelnen durchaus verschieden, auch fügen sich die occasionalistischen Thesen bei
ihnen natürlich in umfassendere Systeme ein. Aber den eben
angedeuteten Grundgedanken haben sie gemeinsam. Malebranche tut den Schritt, das Prinzip des Occasionalismus auch
auf die Vorgänge *innerhalb* der Körperwelt anzuwenden. Auch
hier, lehrt er, ist der uns als Ursache erscheinende Umstand,
zum Beispiel der Körper, der einen anderen anstößt und dadurch in Bewegung setzt, nur die Gelegenheit zum Eingreifen
des göttlichen Willens. Dieser Gedanke findet sich, wie ab-
schließend bemerkt sei, schon in der früheren arabischen
Philosophie. Algazel erklärt im Zusammenhang mit einigen
Gleichnissen, die von Bäumen und ihrem erquickenden Schatten handeln: »Freilich sind diese Gleichnisse nur richtig im
Hinblick auf die Meinung der Menge, die sich vorstellt, daß
das Licht eine Wirkung der Sonne sei und von ihr ausströme
und durch sie vorhanden sei; aber das ist ein Irrtum, denn
einsichtigen Leuten ist es klarer als der Augenschein, daß der
Schatten durch die Allmacht Gottes aus Nichts entsteht, wenn
die Sonne dichten Körpern gegenübersteht . . .«

Dies ist die Antwort des Occasionalisten auf das psychophysische Problem (beziehungsweise auf das Kausalproblem
überhaupt). Eine andere Antwort hat Spinoza gegeben, wieder eine andere Leibniz.

2. Cornelius *Jansen* (1585—1638), Professor in Löwen, später
Bischof von Ypern, war der Urheber der geistig-religiösen
Bewegung in Frankreich, die nach ihm Jansenismus benannt
wird. Die Jansenisten machten den Versuch, auf katholischem
Boden das Werk des Augustinus — aus dem auch die Re-
formatoren geschöpft hatten — zu erneuern. Sie forderten eine

Vertiefung und Reinigung des religiösen Lebens und standen in schärfstem Kampf gegen die damals einflußreichen Jesuiten. Der jansenistische Kreis hatte seinen Mittelpunkt in dem Kloster Port Royal. Die gewaltigste Persönlichkeit, die aus dem Kreis hervorgegangen ist, ist der religiöse Denker Blaise *Pascal* (1623—1662).

Pascal war wie Descartes ein genialer Mathematiker — er ist der Begründer der Wahrscheinlichkeitsrechnung — und ein überzeugter Verfechter des cartesianischen mathematischen Erkenntnisideals der »Klarheit und Deutlichkeit«. Als kühler und scharfsinniger, durch die Schule des französischen Skeptizismus und Descartes' gegangener Denker sah er die vom Standpunkt der Vernunft vorhandenen Widersprüche und Paradoxa in den christlichen Dogmen und formulierte sie in höchst zugespitzter Form. Auf der anderen Seite war Pascal eine tiefreligiöse, von einem übermächtigen Gefühl der Sündhaftigkeit und Nichtigkeit des Menschen durchdrungene Natur. Diese Seite seines Wesens und Denkens führte ihn zu der Erkenntnis, daß das rationale und mathematische Denken gerade die tiefsten Bedürfnisse unserer Menschennatur unbefriedigt läßt und die wesentlichsten Fragen nicht beantworten kann. So glänzend und in sich geschlossen das Gebäude der Mathematik ist — was dem Menschen allein not tut, darüber kann sie nichts ermitteln. So wirft sich Pascal, der eben noch die Widersprüche in den Dogmen kritisierte, gleichsam mit einem entschlossenen Sprung doch ganz in eine Haltung frommer Askese und demütiger Ergebung in den göttlichen Willen und verficht gegen die Logik, von der er doch nicht lassen kann, die Sache des menschlichen Herzens, das seine eigene Logik hat.

Wie Pascal von Descartesschen Gedanken beeinflußt ist der berühmte Skeptiker und Kritiker Pierre *Bayle* (1647—1705), wie jener ein kritischer und scharfsinniger Denker, aber ohne das Gegengewicht des Pascalschen Glaubens.

Als Fingerzeig für eine kritische Auseinandersetzung mit Descartes mag der Hinweis auf einige innere Widersprüche dienen, welche trotz der Genialität des Ausgangspunktes und ungeachtet der geschichtlichen Wirksamkeit des Systems von vornherein in diesem vorhanden waren. Man könnte zweifeln an der vollen Ernsthaftigkeit von Descartes' Zweifel. Ist es dem Menschen möglich, mittels des radikalen Zweifels jede Kontinuität seines früheren Denkens abzubrechen und gewissermaßen aus dem Nichts heraus neu zu beginnen? Tatsächlich gewinnt man den Eindruck, daß Descartes, wie ein moderner Kritiker sagt, »vor sich selbst und seinen Lesern ein Theater des Zweifels mit Ich und Gott als Hauptpersonen vollführt[1]«, daß er im Grunde an der Realität und Erkenn-

barkeit der Außenwelt nicht ernsthaft zweifelt — wie er sich
ja denn auch beeilt, auf dem etwas gewundenen Wege über
das Argument der göttlichen Wahrhaftigkeit alsbald die
äußere Realität wiederherzustellen. In der ganzen Beweisführung ist noch ein Stück Scholastik enthalten. Es hat sich
ferner erwiesen, daß der von Descartes eingeschlagene Weg,
die wirkliche Welt aus wenigen Grundbegriffen zu deduzieren,
ein Irrweg ist. Es ist zwar ein großartiger Gedanke, der
philosophischen Erkenntnis die Unangreifbarkeit des mathematischen Beweises zu verleihen. Descartes verkennt aber, daß
für jeden Versuch, die uns umgebende wirkliche Welt zu erklären, die uns gegebene Erfahrung nicht übergangen werden
kann, und ferner, daß der Mensch als bedürftiges und han-
delndes Wesen sich seiner selbst immer nur in der Auseinandersetzung mit einer höchst leibhaftigen Umwelt bewußt
wird. Der überwältigende Erfolg der mechanischen und
mathematischen Naturerklärung, unter dessen Eindruck er
steht, verleitet ihn dazu, die Gültigkeit ihrer Prinzipien über
den ihnen zukommenden Bereich hinaus auszudehnen. Die
Erfahrung als nicht zu umgehenden Ausgangspunkt hat der
im folgenden Kapitel zu besprechende Empirismus in ihre
Rechte eingesetzt, während es Kant vorbehalten blieb, die beiden Ausgangspunkte — hie Erfahrung, hie rein begriffliches
Denken — in ihr wahres und richtiges Verhältnis zu bringen.

II. Spinoza

1. LEBEN

»Nachdem mich die Erfahrung belehrt hat, daß alles, was
das gewöhnliche Leben häufig bietet, eitel und nichtig ist, und
ich gesehen habe, daß alles, was ich fürchtete und was Angst
vor mir hatte, Gutes und Böses nur soweit enthält, als es das
Gemüt bewegt, so beschloß ich endlich zu erforschen, ob es
ein wahres Gut gibt, das seine Güte für sich allein, ohne
Beimischung anderer Dinge, dem Geiste mitteilen kann: ja,
ob es etwas gibt, durch dessen Auffindung und Erlangung
stete und höchste Freude für immer gewonnen werden
kann . . .[2]«
Der Mann, der diese Sätze im Alter von noch nicht dreißig
Jahren niederschrieb, hatte an bitterem Schicksal bereits so
viel hinter sich, daß ihr entsagungsvoller Unterton verständlich erscheint; aber ebenso verständlich ist die Unabhängigkeit und souveräne Ruhe, die aus ihnen spricht, denn er
hatte — für sich selbst zumindest — jenes höchste Gut gefunden!

Baruch Despinoza oder, wie er sich später auch nannte, Bene-
dictus de Spinoza wurde 1632 in Amsterdam geboren als
Sohn einer jüdischen Familie, die aus Spanien eingewandert
war. Die wirtschaftliche und kulturelle Blüte des Judentums
im mittelalterlichen, von den Arabern beherrschten Spanien,
der wir großenteils auch die mittelalterliche jüdische Philosophie verdanken, war gegen Ende des 15. Jahrhunderts mit der
Besiegung, Zurückdrängung und schließlich Vertreibung der
Mauren durch die Spanier zu Ende gegangen. Die Juden, des
Schutzes arabischer Toleranz beraubt, wurden verfolgt, durch
die katholische Kirche ebenso wie durch den spanischen Staat.
Man stellte sie vor die Wahl, sich ihrer christlichen Umwelt
zu unterwerfen und die Taufe anzunehmen oder auszuwan-
dern. Zu der großen Mehrheit, die das letztere vorzog, gehörten Spinozas Vorfahren. Zu der Zeit, als Spinoza geboren
wurde, bestand in Amsterdam eine blühende jüdische Gemeinde. Spinoza zeigte als Kind hervorragende Begabung und
wurde von seinem Vater für die Laufbahn des Rabbiners bestimmt. Er studierte als Jüngling die Bibel, den Talmud, die
mittelalterlichen jüdischen Philosophen, bald aber auch, nachdem er Latein gelernt hatte, die mittelalterliche Scholastik
und durch ihre Vermittlung die Griechen, schließlich die neuere
Philosophie, besonders auch Bruno und Descartes.
Es ist nicht zu verwundern, daß diese weitausgreifenden
Studien und die Ansichten, die sich der junge Spinoza auf
ihrer Grundlage bildete, ihn alsbald in schärfsten Gegensatz
zu seinen Glaubensgenossen brachten. Er war noch nicht vier-
undzwanzig Jahre alt und hatte noch keine seiner Schriften
veröffentlicht, als er bereits, auf Grund mündlicher Äußerungen, des Vergehens der Ketzerei angeklagt und aus der Gemeinde ausgestoßen wurde, verbannt, verflucht und verdammt
mit allen Flüchen, die im Buche des Gesetzes niedergeschrieben
sind — wie es in der uns erhaltenen Urkunde heißt. Für den
unter einem fremden Volke lebenden Juden, dem die Gemeinde nicht nur den religiösen Halt, sondern in der Regel
auch die einzige wirkliche Heimat bedeutete, war die Exkom-
munikation ein besonders schmerzlicher Schlag. Spinoza war
zwar weit davon entfernt zu verzweifeln, aber die Folgen
dieses Ereignisses sind doch aus seinem Leben nicht wegzudenken, sie bestehen einerseits in einer grenzenlosen, erst
später durch Briefwechsel mit führenden Geistern gemilderten
Vereinsamung, auf der anderen Seite aber in einer inneren
Unabhängigkeit und Freiheit von Vorurteilen, wie sie nur
wenige Menschen jemals erreicht haben.
Über den ganzen weiteren Lebenslauf Spinozas ist nur wenig
zu sagen. Er lebte in größter Bescheidenheit und Zurückgezogenheit an verschiedenen Orten Hollands, in Rhynsburg,

Voorburg, zuletzt in Den Haag. Obwohl von seinen wesentlichen Schriften, die Aufschluß über sein eigenes Denken geben, zu seinen Lebzeiten nur eine veröffentlicht wurde, verbreitete sich sein Ruhm, teils durch den Umgang mit Freunden, teils durch brieflichen Kontakt mit Männern wie Huyghens und Leibniz, über ganz Europa. Im Jahre 1673 erhielt Spinoza sogar ein Angebot, an der Universität Heidelberg Philosophie zu lehren. Er lehnte es ab. Spinoza hatte in seiner Jugend neben seinem Studium das Schleifen optischer Gläser erlernt. Es entsprach der jüdischen Tradition, daß der Gelehrte ein Handwerk beherrschen sollte. Mit dieser Tätigkeit verdiente er im wesentlichen seinen Lebensunterhalt. Durch sie wurde auch sein früher Tod mindestens beschleunigt. Er litt an Lungentuberkulose, deren Fortschreiten durch das Einatmen der staubigen Luft, in der er arbeitete, gewiß gefördert wurde. Bereits mit 44 Jahren, am 21. Februar 1677, ereilte ihn der Tod. In diesen 44 Jahren hat er sicher ebensoviel Zeit zum Linsenschleifen verbraucht wie die meisten von uns Heutigen für ihre tägliche Berufsarbeit, daneben aber hat er ein Werk geschaffen, das an Tiefe und großartiger Geschlossenheit in der Geschichte der Philosophie nur wenige seinesgleichen hat.

2. WERK

Die obengenannte, von Spinoza selbst veröffentlichte Schrift ist der »Theologisch-Politische Traktat«. Was darin über die Religion gesagt ist, mag uns nicht allzu ketzerisch und revolutionär erscheinen; im Zeitalter der Glaubenskriege aber, als jede Konfession ihre eigenen Lehren und Dogmen mit größter Erbitterung verfocht, genügte es, um einen Sturm zu entfesseln, der Spinoza endgültig die Lust, und vielleicht auch die praktische Möglichkeit, zu weiteren Veröffentlichungen genommen hat.

Spinoza geht davon aus, daß die Bibel nicht für einige wenige Auserwählte, sondern für ein ganzes Volk beziehungsweise die ganze Menschheit offenbart wurde. Das bedeutet aber, daß die Sprache der Bibel der Fassungskraft des niederen Volkes angepaßt sein mußte, welches die Mehrheit der Menschheit ausmacht. Die breite Masse spricht man nicht an durch einen Appell an die Vernunft, sondern durch Anregung der Einbildungskraft. Deshalb verwendeten die Propheten und Apostel, abgesehen von ihrer ohnehin vorhandenen orientalischen Vorliebe für eine bilderreiche Ausdrucksweise, auch ganz bewußt eine sich in Sinnbildern, Gleichnissen, Parabeln usw. bewegende Darstellungsweise. Deswegen berichten sie auch vor allem von Wundern. Denn während, nach Spinoza, der

Einsichtige die Macht und Größe Gottes überall dort am eindringlichsten erkennt, wo er das Walten der großen, unabänderlichen Gesetze des Weltlaufs verfolgen kann, glaubt die Menge, daß sich Gott gerade dort offenbart, wo der gewöhnliche Naturablauf durch »Wunder« durchbrochen wird.

Die Heilige Schrift muß also in zweierlei Sinne verstanden und ausgelegt werden. Sie hat gewissermaßen eine für das Volk bestimmte Oberfläche, die dessen Verlangen nach einer mit Bildern und Wundern geschmückten Religion entgegenkommt; hinter dieser erblickt der Philosoph — für den diese Oberfläche Widersprüche und Irrtümer enthalten mag — die tiefen und ewigen Gedanken großer geistiger Führer ihrer Völker und Bahnbrecher der Menschheit. Beide Arten der Deutung haben ihre Berechtigung.

Spinoza spricht dann über die Gestalt Jesu und das Verhältnis von Christentum und Judentum. Er fordert, die Gestalt Jesu müsse von den sie umgebenden Dogmen, die nur zu Zwiespalt und Unduldsamkeit geführt haben, befreit werden. Spinoza hält Christus nicht für Gottes Sohn, aber für den Größten und Edelsten aller Menschen. In der Nachfolge eines so verstandenen Heilands und seiner Lehre, glaubt Spinoza, würden sich nicht nur Juden und Christen zusammenfinden können, sondern alle Völker könnten in seinem Namen vielleicht geeinigt werden. —

Sein Hauptwerk, die »*Ethik, nach geometrischer Methode dargestellt*«, hielt Spinoza bis zu seinem Tode in seinem Schreibpult verschlossen, wobei er in seinen letzten Lebensjahren in steter Angst lebte, das Buch könne nach seinem Tode verlorengehen. Tatsächlich wurde es von Freunden noch in seinem Todesjahr herausgegeben und hat eine kaum abzuschätzende Wirkung ausgeübt.

Die »Ethik« gehört nicht zu den Büchern, die man dem in der Philosophie nicht Vorgebildeten zum ersten Studium empfehlen kann. Wie schon der Titel sagt, ist es »in geometrischer Ordnung« abgefaßt, nach Art eines mathematischen Werkes, mit vorangestellten Axiomen, Behauptungen, Lehrsätzen, Beweisen, Folgerungen usw. Diese Vorliebe für die Mathematik, die Überzeugung, daß die Philosophie die Exaktheit und unbedingte Gültigkeit mathematischer Gedankengänge haben müsse, haben wir schon bei Spinozas Vorgänger Descartes angetroffen. Die Schwierigkeiten beim Lesen des Buches erwachsen einerseits aus dieser Methode, andererseits aus seiner Kürze. Die »Länge« eines Buches, das heißt die Länge des Weges, den der Leser zu seinem Verständnis zurückzulegen hat, ist bekanntlich nicht mit seiner Seitenzahl identisch. Spinoza hat nun den Extrakt einer lebenslangen Gedankenarbeit, unter rigoroser Ausmerzung jedes entbehr-

lichen Wortes, auf etwa 200 Seiten Latein zusammengedrängt.
Aus diesem Grunde ist es auch besonders schwierig, auf
knappem Raum wenigstens eine annähernde Vorstellung von
seinem Inhalt zu vermitteln. —

Ausgangspunkt ist der Begriff der *Substanz*. Darunter ist
nicht, wie man nach heutigem Sprachgebrauch annehmen
könnte, die Materie zu verstehen. Man kommt der Sache
näher, wenn man sich vergegenwärtigt, daß das lateinische
Wort Substanz wörtlich das »Darunterstehende« bedeutet.
Spinoza meint mit diesem Begriff das Eine oder Unendliche,
das unter oder hinter allen Dingen steht, das alles Sein in
sich vereinigt und begreift. Die Substanz ist ewig, unendlich,
aus sich selbst existierend. Es gibt nichts außerhalb ihrer.
So verstanden ist aber der Substanzbegriff gleichbedeutend
mit dem Begriff Gott und als Inbegriff alles Seienden zugleich
auch gleichbedeutend mit dem Begriff der Natur. So steht
am Anfang der Gedanken Spinozas die Gleichung

$$\text{Substanz} = \text{Gott} = \text{Natur.}$$

Der Substanz steht der Begriff »*Modus*« gegenüber. Modus
ist alles, was nicht wie die Substanz aus sich selbst heraus
zugleich frei und notwendig besteht (denn Notwendigkeit
und ·Freiheit fallen hier zusammen) — also alles, was durch
anderes bedingt ist; wir können sagen, die Welt der Dinge
im weitesten Sinne, die Welt der (endlichen) Erscheinungen.
Im normalen Sprachgebrauch bezeichnen wir diese Welt eigentlich als Natur. Auch Spinoza ist das bekannt. Um hier ein
Mißverständnis auszuschließen, verwendet er zwei Begriffe der
Natur: Natur im oben zuerst genannten allumfassenden Sinne
bezeichnet er als »schaffende Natur« (natura naturans), Natur
als Inbegriff der endlichen Dinge als »geschaffene Natur«
(natura naturata).

Da die menschliche Sprache keine der Welt der mathematischen Symbole vergleichbare Zeichensprache ist, sondern ein
aus unbekannter Vorzeit übernommenes Erbe organisch ge-
wachsener Formen, so schwingt in jedem Wort, wie sehr man
es auch begrifflich definieren und festnageln mag, immer vieles Ungesagte, aus der Vergangenheit des Wortes und des
menschlichen Denkens überhaupt Überkommene mit. Daher
geschieht es bei Spinoza — was wir auch zum Beispiel bei
Kant beobachten können —, daß er sich an die von ihm
festgelegten Definitionen selbst oft nicht genau hält, zum Beispiel für »schaffende Natur« lieber Gott, für geschaffene Natur
aber Natur schlechthin gebraucht.

Jedes endliche Ding ist also durch ein anderes bedingt. Wodurch? Spinoza selbst gebraucht zur Veranschaulichung seiner
Grundbegriffe folgendes Beispiel: Denkt man sich die unendliche Substanz dargestellt durch eine unermeßlich große

Fläche, etwa ein Blatt Papier, so entsprechen die Modi, die Einzeldinge, den Figuren, die in die Fläche hineingezeichnet werden können. Teilen wir die Fläche beispielsweise in lauter kleine Quadrate ein, fassen ein bestimmtes ins Auge und fragen, wodurch dieses Quadrat bedingt sei, so ist die Antwort: durch die es umgebenden Nachbarquadrate, nicht dagegen, mindestens nicht unmittelbar, durch die ganze Fläche. Natürlich würde es nicht sein, wenn nicht zuvor diese Fläche wäre. Entsprechend lehrt Spinoza, daß jedes endliche Ding immer nur durch andere endliche Dinge bestimmt ist, daß aber kein endliches Ding Gott unmittelbar zu seiner (nächsten) Ursache hat.

Wenn kein endliches Wesen unmittelbar aus Gott folgt, mittelbar aber alles, so muß zwischen Gott als der unendlichen Substanz und den einzelnen Modi noch ein Zwischenglied sein. Welches ist dieses Glied? Kehren wir wieder zu unserem Beispiel zurück. Ein bestimmtes Quadrat in der Fläche ist bestimmt durch die es umgebenden Nachbarquadrate. Diese sind wiederum durch die umgebenden Quadrate bestimmt. Gehen wir so immer weiter hinauf, so stoßen wir schließlich auf die unendlich große Gesamtheit aller möglichen Quadrate, ein Umfassendes also, das gleich bleibt, wie sich auch die Aufteilung der Fläche im einzelnen ändern mag. Diese absolute Summe aller Modi nennt Spinoza »unendliche Modifikation«, die unmittelbar aus Gott folgt.

Wir haben also eine Stufenfolge von drei Begriffen: die unendliche Substanz (= Gott); die absolute Summe aller Modi (= alles); die einzelnen Modi.

Die unendliche Substanz — oder Gott — hat zwei Eigenschaften (jedenfalls können wir nur zwei wahrnehmen): *Denken und Ausdehnung*. Gott ist einerseits unendliche Ausdehnung (also nicht Körper, denn jeder Körper ist begrenzt), andererseits unendliches Denken (also nicht bestimmtes oder beschränktes Denken). Da alles in Gott ist, kann jedes Einzelwesen ebenfalls unter diesen zwei Gesichtspunkten betrachtet werden: Unter dem Gesichtspunkt des Denkens erscheint es als Idee, unter dem Gesichtspunkt der Ausdehnung erscheint es als Körper. Sowenig wie es zwei verschiedene Substanzen gibt (wie Descartes gelehrt hatte), sondern nur eine, die unter diesen zwei Aspekten zu betrachten ist, sowenig besteht auch ein Einzelwesen, insbesondere der Mensch, aus zwei getrennten Substanzen Körper und Seele, sondern beides sind die zwei Seiten ein und desselben Wesens — eine Ansicht, die sich in der modernen Anthropologie (Wissenschaft vom Menschen) in weitem Umfang wiederfindet.

Jedes Einzelwesen strebt, sein Dasein zu behaupten — nach Spinoza fällt das mit seiner Natur zusammen. Der Mensch, wie jedes Wesen, stößt in diesem Bestreben notwendig mit anderen Wesen zusammen und verhält sich damit einerseits tätig (aktiv), indem er auf diese einwirkt, andererseits leidend (passiv), indem diese auf ihn einwirken. Wird der Trieb zur Selbstbehauptung befriedigt, so entsteht Freude; wird er gehemmt, Trauer. All dies, menschliches Handeln und menschliches Leiden, Liebe und Haß, alle Leidenschaften, die den Menschen mit den ihn umgebenden Körpern verketten, vollzieht sich mit Naturnotwendigkeit und unbeirrbarer Folgerichtigkeit. Es ist daher möglich und auch notwendig, die menschlichen Triebe und Leidenschaften mit kühler, mathematischer Sachlichkeit zu betrachten und zu analysieren, »über menschliche Wesen zu schreiben, als würde ich mich mit Linien, Flächen und festen Körpern befassen«, wie Spinoza selbst sagt. Die Untersuchung, die Spinoza von diesem Standpunkt aus im dritten Teil der »Ethik« durchführt, zeigt ihn als überaus nüchternen, scharfsinnigen Kenner der Menschenseele und stellt eines der großartigsten Gemälde menschlicher Triebe, Leidenschaften und Irrungen dar. Ihre Erkenntnisse sind von der späteren wissenschaftlichen und medizinischen Seelenkunde immer aufs neue bestätigt worden.

Für das, was man gemeinhin unter Willensfreiheit, Freiheit der Entscheidung, versteht, ist darin kein Raum. Spinoza vergleicht den Menschen, der sich einbildet, frei zu wählen und entscheiden zu können, mit einem Stein, welcher, in die Luft geschleudert, seine Bahn zurücklegt und dabei glaubt, er selbst bestimme den Weg, den er nehme, und den Platz, an dem er niederfällt. Unsere Handlungen folgen den gleichen ehernen Gesetzen wie alles Naturgeschehen.

Es gibt auch keine allgemeingültigen Begriffe des Guten und des Bösen. Was die Selbstbehauptung des Einzelwesens fördert, das nennt es »Gut«, was sie hindert, das nennt es »Übel«.

Wo ist, so müssen wir nun freilich fragen, in dieser Welt eigentlich Platz für eine »Ethik«, die doch ein allgemeingültiges Prinzip des menschlichen Verhaltens lehren will? Hat der Versuch einer Ethik überhaupt Sinn in einer solchen Welt, in der jedes Einzelwesen mit Notwendigkeit dem »Gesetz«, nach dem es angetreten, das heißt für Spinoza, dem Gesetz seiner Selbstbehauptung, folgt und in der »Freiheit« nur dem höchsten, allumfassenden Wesen zukommt?

Zunächst, so antwortet Spinoza, bedeutet die Lehre, daß es keinen freien Willen gibt, keineswegs, daß man nun nicht mehr für sein Verhalten verantwortlich sei. »Das Böse, das aus bösen Taten folgt, ist deshalb nicht weniger zu befürchten, weil es notwendig folgt; gleichgültig, ob unser Handeln frei ist oder nicht, bestehen unsere Beweggründe in Hoffnung und Furcht. Daher ist die Behauptung falsch, daß ich keinen Platz für Gebote und Befehle mehr übrig lasse.«

Nun bietet in der Tat die Geschichte genug Beispiele von Männern, die, ungeachtet ihrer Überzeugung von der menschlichen Unfreiheit, ein vorbildliches Leben geführt haben. Aber dieses Argument befriedigt uns doch noch nicht.

Das Wesen jedes Gegenstandes ist das Streben, sich selbst zu erhalten. Das gilt auch für den Menschen. »Daß jeder sich liebe, seinen Nutzen, soweit er wahrhafter Natur ist, suche und alles, was ihn zu einer größeren Vollkommenheit führt, erstrebt; überhaupt jeder sein Sein, soviel er vermag, zu erhalten sucht: dies ist sicherlich so wahr wie der Satz, daß das Ganze größer ist als der Teil[3].« Tugend ist nichts anderes als die Fähigkeit des Menschen, dieses sein Streben durchzusetzen. Also ist Tugend dasselbe wie Macht. Und genauso weit wie diese seine Macht reicht das natürliche Recht des Menschen, denn unter natürlichem Recht, sagt Spinoza, ist nichts anderes zu verstehen als die Naturgesetze oder die Macht der Natur. »Unbedingt aus Tugend handeln ist dasselbe wie nach den Gesetzen der eigenen Natur handeln[4].«

Welches ist nun aber die eigentliche Natur des Menschen, nach deren Gesetzen er sein Sein zu erhalten und zu vervollkommnen trachtet? Hier folgt der Schritt, der der weiteren Gedankenentwicklung entscheidend die Richtung gibt: Der Mensch ist seiner Natur nach *Vernunftwesen*. Der Mensch handelt also dann seiner Natur gemäß, wenn er auf der Grundlage des Strebens nach dem eigenen Nutzen unter der Leitung der Vernunft handelt, und da die Vernunft nach Erkenntnis strebt, so ist »Einsicht ... die erste und einzige Grundlage der Tugend[5]«. Wir erinnern uns hier der sokratischen Verknüpfung der Tugend mit dem richtigen Erkennen.

Freilich ist der Mensch nicht nur Vernunftwesen. Er wird weitgehend beherrscht und hin- und hergeworfen von Instinkten, Trieben, Leidenschaften. In welchem Verhältnis steht die Vernunft zu den Leidenschaften? Spinoza ist natürlich ein viel zu gründlicher Kenner der menschlichen Natur, als daß er einfach die Forderung aufstellen könnte, es müsse eben die Vernunft die Leidenschaften zügeln oder unterdrücken. Er weiß vielmehr, daß »ein Affekt nur gehemmt oder aufgehoben werden kann durch einen anderen Affekt, der entgegengesetzt und stärker ist als der zu hemmende[6]«.

Was vermag also hier die Vernunft? Sie vermag doch einiges. Die einzelnen Leidenschaften haben die Eigenart, daß jede für sich nach vollkommener Befriedigung strebt, ohne Rücksicht auf die anderen und auf das Wohl der ganzen Person. In der Leidenschaft ist der Mensch ganz dem Augenblick hingegeben, ohne Rücksicht auf das Kommende. Gibt man sich ihr ohne weiteres hin, so dient man nicht dem eigenen, richtig verstandenen Nutzen. Die Vernunft erst, indem sie über den flüchtigen Augenblick hinaus die fernen zukünftigen Folgen gegenwärtiger Handlungen zeigt, verhilft uns zu einem Gesamtüberblick und zum richtigen Handeln. Als treibender Kraft, als Motor des Lebens, bedürfen wir des Triebs. Die Vernunft aber lehrt uns, die widerstrebenden Triebe miteinander zu koordinieren, ins Gleichgewicht zu bringen und sie damit zum wahren Nutzen der ganzen harmonischen Persönlichkeit einzusetzen. Ohne Leidenschaft können die Menschen nicht sein. Aber die Leidenschaften sollen durch das Licht der Vernunft geordnet und geführt werden.

Die Vernunft vermag jedoch noch mehr als dies. Sie kann nämlich selbst zur Leidenschaft, zum Affekt werden und als solcher wirken! Eben darauf, daß die Erkenntnis des Guten und Schlechten selbst als Affekt wirkt, beruht die Möglichkeit, daß der Mensch Erkenntnis zur Richtschnur seines Handelns machen kann. In diesem Sinne sagt Spinoza: »Zu allen Handlungen, zu welchen wir von einem ein Leiden enthaltenden Affekt bestimmt werden, können wir auch ohne einen solchen durch die Vernunft bestimmt werden⁷.« So kann Vernunft die Leidenschaft überwinden, indem sie selbst zur Leidenschaft wird.

Endlich führt uns die Vernunft noch einen Schritt weiter und höher hinauf. Kehren wir noch einmal für einen Augenblick zu unserem Bilde von der unendlichen Fläche mit den eingezeichneten Figuren zurück. Es gibt einfachste Wesen, »Individuen erster Ordnung«, die wir uns durch ein einziges Quadrat dargestellt denken. Es gibt zusammengesetzte Wesen höherer Ordnung. Das komplizierteste Wesen, das wir kennen, ist der Mensch. Denken wir uns eine sehr komplizierte Figur in die Fläche hineingezeichnet, so ist klar, daß sie zahlreiche Quadrate ganz in sich enthalten wird. Eine große Anzahl anderer Einzelquadrate aber wird sie schneiden und nur zum Teil in sich enthalten. Unter dem Gesichtspunkt der Ausdehnung, also als Körper betrachtet, wird ein solches Wesen deshalb die Bewegungen seiner Bestandteile nicht vollständig beherrschen, andere Körper wirken mit darauf ein und stören sie. Auch unter dem Gesichtspunkt des Denkens, als Geist, betrachtet, wird ein solches Individuum manche Quadrate ganz in sich begreifen, andere nur teilweise. Die Ideen, die der Geist ganz besitzt, nennt Spinoza »adäquate«, das heißt angemessene Ideen, die übrigen inadäquate.

In seinen Trieben und Leidenschaften ist der Mensch auf andere Körper als deren Gegenstand gerichtet und gewinnt deshalb, da diese immer zugleich auf ihn einwirken, nur inadäquate Ideen, nur ein zerstückeltes und verworrenes

Wissen von ihnen. Das gleiche gilt für die sinnliche Wahrnehmung anderer Körper.

Ganz anders — insbesondere in ihrer höchsten Form, die Spinoza »unmittelbare Anschauung« nennt — die Vernunft! Sie vermittelt nur adäquate Ideen, sie liefert nicht verworrene Erkenntnis der Dinge in ihrer Vereinzelung, sondern betrachtet alles in seinem ewigen, notwendigen Zusammenhang. (Wir können hier die Bemerkung nicht unterdrücken, daß Spinoza sich an dieser Stelle als echter Sohn seines rationalistischen Zeitalter zu erkennen gibt. Immer ist der einzelne Denker und der Mensch überhaupt in demjenigen am interessantesten und aufschlußreichsten, was er fraglos als selbstverständlich voraussetzt. Spinoza mißtraut den Sinnen, er mißtraut den Instinkten. An der Vernunft und ihrer Fähigkeit, ungetrübte Erkenntnis und unbedingte Gewißheit zu vermitteln, zweifelt er nicht.) Indem die Vernunft die Dinge rein, adäquat erfaßt, begreift sie sie zugleich in ihrer gesetzmäßigen Notwendigkeit. Da man das, was man als notwendig begreift, von dem man also eingesehen hat, daß es so sein muß und nicht anders sein kann, auch bejahen muß, ist Einsehen gleich Bejahen, Bejahen ist aber nichts anderes als Wollen (dies lehrte schon Descartes). Was wir zweifelsfrei erkannt haben, dem stehen wir sonach nicht mehr als einem von außen an uns Herantretenden, nicht Gewünschten gegenüber, vielmehr steht es vor uns als ein von uns selbst Gebilligtes, Bejahtes, Gewolltes. Wir sind ihm gegenüber nicht unfrei, leidend, sondern selbstbestimmend und frei! Der Mensch gelangt daher nur dadurch zu immer höherer Freiheit — und dies ist zugleich die einzige Art von Freiheit, die er erlangen kann —, und er vermag sich damit in immer zunehmendem Maße vom Leiden zu befreien, indem er *erkennt*. Alles was er in seiner Notwendigkeit begriffen hat, wird er einsehen und damit bejahen. Alles, was er bejaht, ist nicht mehr ein auf ihn als einen Leidenden Einwirkendes, sondern er steht ihm selbstbestimmend, das heißt frei, gegenüber.

Da alles, was notwendig ist, Gottes Wille ist (denn Gottes Wille und das Notwendige sind ja eins), so ist fortschreitendes Erkennen und Bejahen des Notwendigen zugleich wachsende Liebe zu Gott und Fügung in seinen Willen. Diesen höchsten dem Menschen erreichbaren Zustand nennt Spinoza »amor Dei intellectualis«, geistige Liebe zu Gott. Sie ist zugleich auch »amor fati«, eine Liebe zum unabänderlichen Schicksal, wie sie zwei Jahrhunderte später Friedrich Nietzsche, freilich zerquält und nicht in so reiner und gelöster Form wie Spinoza, zu lehren versuchte. Auch Religion und Seligkeit bestehen nur in der selbstverständlichen Hingabe des

Menschen an das Notwendige, das heißt an den Willen
Gottes. In diesem Sinne ist, wie der Schlußsatz der Ethik
sagt, die Seligkeit nicht der Lohn der Tugend, sondern die
Tugend selbst ist die Seligkeit. Das ist der Weg, den uns
Spinoza führen will. Hören wir zum Schluß, was er selbst
im Rückblick auf sein Werk sagt:

»Hiermit habe ich alles, was ich von der Macht der Seele
über die Affekte und von der Freiheit der Seele zeigen wollte,
vollständig dargelegt. Es erhellt daraus, wieviel der Weise
vermag und wie sehr er dem Toren überlegen ist, der allein
vom Gelüst getrieben wird. Denn abgesehen davon, daß der
Tor von äußeren Ursachen auf vielerlei Art hin und her
bewegt wird und sich niemals im Besitz der wahren Zufriedenheit des Gemüts befindet, lebt er überdies wie unbewußt seiner selbst und Gottes und der Dinge, und sobald er
zu leiden aufhört, hört er zugleich auf zu sein; der Weise
dagegen, sofern er als solcher betrachtet wird, wird kaum
in seinem Gemüt bewegt, sondern seiner selbst und Gottes
und der Dinge nach einer gewissen ewigen Notwendigkeit
bewußt, hört niemals auf zu sein, sondern ist immer im
Besitz der wahren Zufriedenheit des Gemüts. Wenn nun der
Weg, von dem ich gezeigt habe, daß er hierhin führt, äußerst
schwierig zu sein scheint, so läßt er sich doch finden. Und
freilich schwierig muß sein, was so selten gefunden wird.
Denn wie wäre es möglich, wenn das Heil leicht zugänglich
wäre und ohne große Mühe gefunden werden könnte, daß
fast alle es unbeachtet lassen? Aber alles Erhabene ist ebenso
schwer wie selten[8].«

Wir haben uns auf die Erörterung weniger Grundgedanken
der Ethik beschränkt. Die politischen Anschauungen Spinozas
wurden dabei beiseite gelassen. Hervorheben wollen wir aber
aus ihnen wenigstens seine Forderung nach Geistes-, das heißt
Rede- und Gedankenfreiheit, im Staate. Er begründet sie
durchaus mit Erwägungen der Vernunft: Nachdem die Menschen sich zur staatlichen Gemeinschaft zusammengeschlossen
und dieser Macht übertragen haben, reicht für sie als Staats-
bürger nicht mehr ihr Recht einfach so weit wie ihre Macht —
wie es der Fall ist, solange der einzelne dem einzelnen
gegenübersteht. Sie haben sich zugunsten des Staates eines
Teils ihrer Macht und damit ihres Rechts entäußert, dafür
aber Sicherheit gewonnen. Der Staat selbst befindet sich aber
weiterhin sozusagen im Naturzustand, in welchem alles, was
möglich, auch erlaubt ist. Dies gilt für das Verhältnis des
Staates zu anderen Staaten. Verträge binden ihn stets nur so
lange, wie ihre Einhaltung ihm vorteilhaft erscheint. Es gilt
aber auch für die Macht des Staates nach innen, gegenüber
seinen Bürgern. Sein Recht reicht so weit wie seine Macht.

In seiner Macht liegt alles, was er erzwingen kann. Da religiöse und wissenschaftliche Überzeugungen zum Beispiel nicht erzwungen werden können, würde der Staat die Grenze seiner Macht und damit seines Rechts überschreiten und sich nur lächerlich machen, wenn er es versuchen würde. Jede mögliche Freiheit zu gewähren, ist für den Staat auch insofern ein Gebot der Klugheit, als »die Menschen ihrer Natur nach nichts weniger vertragen können, als daß Meinungen, die sie für wahr halten, als Verbrechen gelten sollen[9] ...« An Aktualität haben diese Sätze Spinozas seit ihrer Niederschrift nichts eingebüßt. Wir dürfen annehmen, daß diese Forderung Spinozas außer auf derartige Vernunftgründe auch auf seine eigenen bitteren Erfahrungen zurückgeht. Mit ihr geht er der großen europäischen Bewegung der Aufklärung voran, die im nächsten Kapitel betrachtet werden soll.

3. NACHWIRKUNG SPINOZAS — ZUR KRITIK

Die Wirkung Spinozas auf die Nachwelt setzte nach seinem Tode nicht sogleich in voller Stärke ein. Wie zu Lebzeiten wurde er auch nach seinem Tode gehaßt, verspottet und verboten. Das Judentum hatte ihn ausgestoßen, die katholische Kirche setzte seine Werke auf den Index der verbotenen Bücher. In Deutschland wurde sein Einfluß zunächst auch durch die fast gleichzeitig entstandene Philosophie Leibniz' hintangehalten. Wie weit sein Einfluß unter der Oberfläche trotzdem reichte, läßt sich ermessen an der Zahl der Streit- und Widerlegungsschriften, die immer wieder gegen ihn erschienen. In Deutschland war der große Dichter und Kritiker Lessing der erste, der Spinoza öffentlich Achtung zollte. Ihm folgten Herder und Goethe, der sich ausdrücklich zu ihm und seiner Lehre bekannt hat. Zu den Philosophen, auf die Spinozas Gedanken eingewirkt haben, gehören unter anderen Schopenhauer, Nietzsche und Bergson. Schließen wir noch einige kritische Gesichtspunkte an. Das Werk Spinozas ist, wie es nicht anders sein kann, Ausdruck seiner Persönlichkeit und seines Schicksals. Niemand kann dem entgehen, auch nicht ein Mann wie Spinoza, der die Welt und sogar sein eigenes Dasein gleichsam aus großer Entfernung zu betrachten vermochte. Die Herkunft Spinozas prägt sich aus in einem Wesenszug seiner Philosophie, den man orientalisch nennen kann. Ein Zug fatalistischer Ergebenheit, der zu lässiger Tatenlosigkeit freilich nicht führen muß, aber doch leicht führen kann, ist in ihr enthalten. Man hat Spinozas Lehre daher auch mit der Buddhas verglichen[10]. Seiner Herkunft und seinem Schicksal gleicherweise ist es wohl zuzuschreiben, daß in seinem System Wert und Bedeutung der natürlichen

menschlichen Lebensgemeinschaften Ehe, Familie und Volk
keine rechte Stätte haben. Spinoza war ferner eine so theoretisch gerichtete Natur, daß für ihn das Verstehen mit
dem Bejahen zusammenfiel. Er konnte sich kaum vorstellen,
daß ein Mensch das, was ihm die Erkenntnis als zwingende
Einsicht liefert, trotzdem nicht anerkennen und bejahen
sollte. Für ihn wurde tatsächlich »die Erkenntnis selbst zum
Affekt«. Endlich ist es aus seinem Charakter wie aus seinem
Schicksal der Ausgestoßenheit und Vereinsamung zu begreifen, daß Spinoza es niemals für möglich und daher auch
nicht für erstrebenswert hielt, den natürlichen Egoismus des
Menschen zu überwinden, und daß ihm der Gedanke,
ein Mensch könne sich für einen anderen aufopfern, absurd
erschien. Dies unterscheidet ihn auch, trotz Gleichklang in
mancher anderen Hinsicht, vom Kern des Christentums.

III. Leibniz

1. LEBEN UND SCHRIFTEN

Die äußeren Verwüstungen, die der Dreißigjährige Krieg
(1618—1648) in Deutschland anrichtete, warfen das Land so
weit zurück, daß es nach dem Urteil berufener Historiker
Jahrhunderte gedauert hat, bis sie ganz überwunden waren.
Auch auf geistigem Gebiet zeigen die Jahrzehnte des Krieges
in Deutschland eine allgemeine Verödung, aus der nur ver-
einzelte selbständige Geister herausragen. Allerdings erfolgte
hier — abgesehen von dem bleibenden Schaden, den die Ver-
ewigung des konfessionellen Gegensatzes für das deutsche
Volk bedeutete — die Erholung wesentlich rascher. Das ist
vor allem das Verdienst eines einzigen Mannes, Gottfried
Wilhelm Leibniz. Wie ein strahlender Komet erhebt sich aus
der geistigen Dürftigkeit der Kriegsjahrzehnte seine Erscheinung. Er ist der eigentliche Begründer der neueren deutschen
Philosophie, die einen so gewaltigen Höhenflug nehmen sollte.
Seine Vielseitigkeit und seine hervorragenden Leistungen auf
fast allen Wissensgebieten sind in der deutschen Geistesgeschichte ohne Beispiel.
Geboren 1646, also kurz vor dem Abschluß des Westfälischen
Friedens, in Leipzig, erwarb der früh Verwaiste schon in
seiner Kindheit eine umfassende Bildung, die es ihm ermöglichte, mit 15 Jahren die Universität zu beziehen, mit 17 Jahren das Baccalaureat und mit zwanzig den Doktorgrad zu
erlangen, letzteres an der Universität Altdorf, nachdem er
in Leipzig wegen seiner Jugend zur Promotion nicht zuge-
lassen worden war. Die ihm sogleich gebotene Hochschullauf-

bahn schlug er aus; er hat auch später niemals ein wissenschaftliches Lehramt bekleidet. Er wandte sich vielmehr der politischen Wirksamkeit zu, wofür seine Bekanntschaft mit dem kurfürstlich-mainzischen Rat von Boineburg den entscheidenden Anstoß gab. Im Auftrag des Kurfürsten ging Leibniz nach Paris mit dem von ihm selbst entwickelten Plan, die Angriffslust des französischen Königs Ludwig XIV., welche die Niederlande und Deutschland bedrohte, von diesem Ziel auf ein anderes zu lenken. Leibniz schlug vor, die Staaten des christlichen Europa sollten nicht länger ihre Kräfte in Kämpfen untereinander verbrauchen, sondern sich vereint gegen die nichtchristliche Welt wenden. Er empfahl, daß Frankreich zunächst Ägypten besetzen solle, wie es später Napoleon I. tat. Leibniz hatte keinen Erfolg. Man bedeutete ihm schließlich, daß »Kreuzzüge aus der Mode gekommen« seien.

Um so fruchtbarer war der vierjährige Aufenthalt in Paris für Leibniz in wissenschaftlicher Hinsicht. Er studierte Descartes, las Spinozas Ethik im Manuskript, knüpfte Bekanntschaften mit führenden Geistern der Zeit, wie *Huyghens*, von dem er nach seinem eigenen Zeugnis erst in die wahren Tiefen der mathematischen Wissenschaft eingeführt wurde, *Arnauld*, dem damaligen Haupt der Jansenisten, und anderen. Auf der Rückreise besuchte er auch Spinoza. Sein ganzes Leben hindurch stand Leibniz in angeregtestem Briefwechsel mit zahlreichen bedeutenden Männern; seine Briefe bilden eine der wichtigsten Quellen für die Kenntnis seines Denkens. In Paris erfand er auch die Differentialrechnung, die rechnerische Bewältigung des unendlich Kleinen in der Mathematik, die kurz zuvor in etwas anderer und unvollkommenerer Form schon Newton entwickelt hatte, ohne daß Leibniz wohl davon Kenntnis gehabt hat.

1676 ging Leibniz als herzoglicher Bibliothekar und Berater des Hofes nach Hannover. Diese Stadt wurde ihm zur zweiten Heimat. Er hat sie während der nun folgenden Jahrzehnte nur zu Reisen verlassen, allerdings ausgedehnten, die ihn unter anderem nach Berlin, Wien und Rom führten. Die im Jahre 1700 erfolgte Gründung der Berliner Akademie der Wissenschaften geht auf seine Anregung zurück. Er trat auch in Beziehungen zum russischen Zaren Peter dem Großen, dem er weitreichende Pläne zur Förderung der Wissenschaften und des kulturellen Austausches unter den Nationen vortrug. Auf seine Kenntnis und Hochschätzung der chinesischen Geisteswelt wurde schon früher hingewiesen. Leibniz' großartige Pläne scheiterten zum größten Teil. Insbesondere wurde der ihn ständig bewegende Gedanke, die christlichen Bekenntnisse, zuerst Katholizismus und Protestantismus, später wenigstens

Lutheraner und Reformierte, wieder zu vereinigen, niemals Wirklichkeit. Leibniz verfaßte zur Förderung dieses Planes theologische Schriften, in denen er das die Konfessionen Verbindende besonders betont.

Im Dienste der hannoverschen Kurfürsten arbeitete Leibniz vor allem als Staatsrechtler und Historiker. So verfaßte er nach langjährigem Quellenstudium ein umfangreiches Geschichtswerk, das zu den besten seiner Zeit gehörte. Seine mathematischen und philosophischen Arbeiten gingen daneben weiter. Die Vielfalt seiner Interessen hinderte ihn oft, Begonnenes zu vollenden. Er selbst schreibt darüber in einem Briefe: »Ich stelle Untersuchungen in den Archiven an, hole alte Papiere hervor und sammle ungedruckte Urkunden. Ich erhalte und beantworte Briefe in großer Zahl. So viel Neues habe ich aber in der Mathematik, so viele Gedanken in der Philosophie, so viele andere literarische Beobachtungen, die ich nicht gerne möchte abhanden kommen lassen, daß ich oft nicht weiß, was zuerst zu tun ist.«

Gegen Ende seines Lebens erlitt Leibniz das Schicksal, das vielen großen Männern im Dienst der Fürsten widerfahren ist. Er fiel in Ungnade. Als er 1716 verbittert und vereinsamt starb, folgte nicht ein einziger Angehöriger des Hofes seinem Sarge. Die fürstlichen Frauen, die ihm nahegestanden hatten, waren schon vorher verstorben. Der Mann, der vielleicht zum letzten Male in der europäischen Geistesgeschichte alle Wissensgebiete beherrscht und auf fast allen Hervorragendes geleistet hatte, wurde nach Berichten von Zeitgenossen sang- und klanglos begraben. Nur die französische Akademie der Wissenschaften widmete ihm einen ehrenden Nachruf. —

Daß Leibnizens Gedanken, vor allem auf philosophischem Gebiet, zunächst nicht die ihrer Bedeutung entsprechende Würdigung fanden, hatte seinen Grund zum großen Teil darin, daß er selbst sein philosophisches System niemals vollständig in Zusammenhang dargestellt hat. An zahllosen verstreuten Stellen in Briefen und kleineren Abhandlungen, die teilweise erst Jahrzehnte später gedruckt und damit der Öffentlichkeit zugänglich wurden, hat er seine philosophischen Gedanken niedergelegt. Das gilt namentlich für die erste, vorbereitende Periode in der Entwicklung seiner philosophischen Anschauungen, die bis zum Jahre 1695 reicht. In der zweiten Periode der vollen Ausbildung und Ausreifung hat er einige Schriften verfaßt, in denen wenigstens wesentliche Teile des Systems zusammenfassend behandelt sind. Zu nennen ist zuerst der 1695 veröffentlichte Aufsatz »*Neues System der Natur*«. Die hier niedergelegten Gedanken sind fortgeführt in der »*Monadologie*« und den »*Prinzipien der Natur und der*

Gnade«, verfaßt in den Jahren 1712 bis 1714 in Wien für den Prinzen Eugen. Dazwischen liegt die Abfassung zweier weiterer bedeutsamer Schriften philosophischen Charakters, die beide einen polemischen Zweck verfolgen. Die »*Neuen Versuche über den menschlichen Verstand*«, erst nach Leibniz' Tode veröffentlicht, sind gegen den Engländer Locke[11] gerichtet. Leibnizens bekannteste Schrift, die Theodizee (über die Güte Gottes, die Freiheit des Menschen und den Ursprung des Bösen), richtet sich gegen den französischen Skeptiker Bayle. Sie ist entstanden aus Unterhaltungen mit der Königin von Preußen. Die spätere Forschung hat versucht, die von Leibniz hinterlassenen Bruchstücke zu einem Ganzen zusammenzufügen — eine schwierige Aufgabe nicht nur wegen der Verstreutheit der Quellen, sondern auch wegen der Widersprüche, welche von Leibniz, der niemals Zeit fand, das Ganze seines Systems in Ruhe zu überdenken, nicht bemerkt oder jedenfalls nicht ausgeräumt worden sind. Wir beschränken unsere Darstellung auf die drei Kernstücke des Leibnizschen Systems.

2. GRUNDGEDANKEN DER LEIBNIZSCHEN PHILOSOPHIE

a) Die Monadenlehre

Das erste Hauptstück der Leibnizschen Metaphysik, die Lehre von den Monaden, läßt sich am besten verdeutlichen, wenn man zunächst anknüpft an den Substanzbegriff des Descartes, und zwar den der körperlichen, ausgedehnten Substanz. In zweierlei Richtung wird dieser von Leibniz kritisiert.

Descartes hatte gemeint, daß alle Naturerscheinungen sich mit den Begriffen Ausdehnung und Bewegung erklären lassen, und ein Gesetz von der »Erhaltung der Bewegung« formuliert. Leibniz macht dagegen geltend: Betrachtet man die Körperwelt nur unter dem Gesichtspunkt der Ausdehnung, so ist »Bewegung« nichts weiter als Veränderung in den Nachbarschaftsverhältnissen der Körper, Verschiebung von Teilen des Raumes untereinander. Wie kann ich dann überhaupt Bewegungen objektiv feststellen? Offenbar gar nicht. Bewegung ist etwas rein Relatives; welcher Körper bewegt erscheint und welcher nicht, hängt allein vom Standpunkt des Betrachters ab. Der physikalisch gebildete Leser bemerkt schon hier, wie nahe Leibniz mit seinen Überlegungen gewissen Grundsätzen der Relativitätstheorie kommt; das gilt erst recht für das Folgende. Leibniz fährt fort: Man könne die Bewegung nicht trennen vom Begriff der *Kraft*. Ohne die hinter der Bewegung stehende und sie verursachende Kraft verflüchtigt sich die Bewegung zu einem reinen Schattenspiel. Die Kraft (wir würden sagen Energie) ist das eigentlich Reale. Leibniz macht das noch deutlicher mit folgendem Argument: Auch die

Cartesianer sehen den steten Wechsel von Bewegung und Ruhe. Wo bleibt da die Bewegung, deren Summe doch nach Descartes immer gleich bleiben soll? Gleich bleibt offenbar nicht die Bewegung, wohl aber die Kraft. Geht ein bewegter Körper in Ruhe über, so hört wohl die Bewegung auf, aber der Körper hört deshalb nicht auf, Kraft zu sein oder Kraft darzustellen. Nur ist die in ihm wirkende Kraft jetzt in eine andere Form (wir würden sagen in potentielle Energie) übergegangen. Es gibt deshalb kein Gesetz von der Erhaltung der Bewegung, sondern von der Erhaltung der Kraft.

Leibniz kritisiert die Descartessche Auffassung der ausgedehnten Substanz noch unter einem zweiten Gesichtspunkt, dem der Kontinuität und Teilbarkeit. Der mathematische Raum ist ein Kontinuum und unendlich teilbar. Fasse ich mit Descartes die Körperwelt rein geometrisch als Ausdehnung auf, so muß die Materie auch ein Kontinuum und ins Unendliche teilbar sein. Leibniz erkennt, daß die Materie im Sinne der Physik doch etwas anderes ist als der Raum im Sinne der Stereometrie. Das Kontinuum im Sinne der Mathematik ist eine ideelle Vorstellung. Es hat keine wirklichen Teile. Es kann beliebig geteilt werden, aber eben, weil es eine Vorstellung ist, *in Gedanken*. Die wirkliche Materie ist nicht mit bloßer Ausdehnung gleichzusetzen. Das beweist schon, worauf Leibniz ausdrücklich verweist, die den Körpern innewohnende Trägheit, die mit dem bloßen Begriff der Ausdehnung nicht erfaßt wird. Die Wirklichkeit kann nur aus echten Teilen bestehen, und diese können keineswegs beliebig teilbar sein. Das scheint nun auf die alte Atomtheorie hinzuführen, wie sie die Griechen ausgebildet hatten und wie sie gerade kurz vor Leibnizens Zeit von dem französischen Physiker und Naturphilosophen Pierre *Gassendi* (1592—1655), dem Gegner Descartes, erneuert worden war.

Aber der alte Atombegriff genügt Leibniz nicht. Wie Leibniz allgemein die Berechtigung der mechanischen Naturerklärung, zum Beispiel eines Galilei, zwar nachdrücklich verficht, dann aber doch über diese hinausstrebt in der Überzeugung, daß ihre Prinzipien nicht auf sich selbst, sondern auf letzten metaphysischen Begriffen ruhen, so auch hier. Leibniz verbindet den mechanistischen Atombegriff mit dem aristotelischen Begriff der Entelechie, der beseelenden und formenden Kraft, und kommt so zu seinem Begriff der Monade, wobei er den Ausdruck, der sprachlich weiter nichts bedeutet als »Einheit«, wahrscheinlich von Giordano Bruno entlehnt. Was sind die Monaden? Man kommt der Sache am nächsten, wenn man sich die eine unendliche Substanz des Spinoza in unzählige viele punktuelle, individuelle Substanzen zerlegt denkt.

In der Tat sagt Leibniz: »Spinoza hätte recht, wenn es nicht die Monaden gäbe.« — Die Monade läßt sich unter vier Gesichtspunkten betrachten:

1. Die Monaden sind *Punkte*. Das heißt, der eigentliche Urgrund des Seienden sind punktförmige Substanzen. Er besteht also nicht in einem Kontinuum. Das scheint der sinnlichen Anschauung zu widersprechen, in der uns die Materie als ein ausgedehntes, den Raum erfüllendes Kontinuum erscheint. Leibniz behauptet, daß dieser sinnliche Eindruck täuscht. Darin hat ihm die neuere Naturforschung unbedingt recht gegeben. Es muß bemerkt werden, daß die gerade erfolgte Erfindung des Mikroskops auf Leibniz großen Eindruck gemacht hatte. Der tiefere Blick in die Struktur der Materie, den es ermöglichte, bestätigte ihm seine Auffassung.

2. Die Monaden sind *Kräfte*, Kraftzentren. Ein Körper ist nach Leibniz nichts anderes als ein Komplex von punktuellen Kraftzentren. Wiederum hat ihm nicht nur die weitere Entwicklung der kritischen Philosophie durch Kant und Schopenhauer, sondern vor allem die spätere Naturforschung selbst recht gegeben.

3. Die Monaden sind *Seelen*. Die punktuellen Ursubstanzen sind durchgängig beseelt zu denken, allerdings in verschiedenem Grade. Die niedersten Monaden sind gleichsam in einem träumenden oder betäubten Zustand. Sie haben nur dunkle, unbewußte Vorstellungen. Die höheren Monaden, wie die Menschenseele, haben Bewußtsein. Die höchste Monade, Gott, hat ein unendliches Bewußtsein, Allwissenheit.

4. Die Monaden sind *Individuen*. Es gibt nicht zwei gleiche Monaden. Die Monaden bilden eine lückenlose, kontinuierliche Reihe von der höchsten göttlichen Monade bis zur einfachsten. Jede hat darin ihren unverwechselbaren Platz, jede spiegelt das Universum auf ihre eigene, einmalige Weise, und jede ist potentiell, der Möglichkeit nach, ein Spiegel des ganzen Universums. Die Monaden sind Individuen auch insofern, als sie nach außen abgeschlossen sind. Sie haben »keine Fenster«. Alles, was mit und in der Monade geschieht, folgt aus ihr selbst und ihrem Wesen, ist durch den göttlichen Schöpfungsakt, durch welchen die Monaden aus der einen göttlichen Urmonade hervorgingen, in ihr angelegt.

b) Die prästabilierte Harmonie

Bei dieser Anschauung kehrt nun für Leibniz in veränderter Form ein Problem wieder, das schon seine Vorgänger beschäftigt hatte. Für Descartes gab es zwei Substanzen, Denken und Ausdehnung. Ihr Verhältnis zueinander, vor allem im Menschen, war für ihn schwierig zu erklären gewesen. Für Leibniz gibt es unendlich viele Substanzen, eben die Mona-

den. Jede Monade hat ihre eigene Vorstellungswelt. Die
ganze Welt besteht aus nichts als den Monaden und ihren
Vorstellungen. Nun bilden aber alle Monaden zusammen das
harmonische Ganze der Welt. Wie ist es zu erklären, daß die
Vorstellungen, welche jede Monade für sich und rein aus sich
selbst entwickelt, doch insoweit übereinstimmen, daß zum
Beispiel wir Menschen uns in einer gemeinsamen Welt finden und in ihr uns denkend und handelnd orientieren? Das
kann nicht aus den Monaden selbst erklärt werden. Es wäre
ja auch denkbar, daß die Monaden so beschaffen wären,
daß keinerlei Übereinstimmung zwischen ihren verschiedenen
»Welten« stattfände! Es kann nur erklärt werden aus dem
Urgrund, dem alle Monaden entstammen, aus der *Gottheit*.
Leibniz hat seine Ansicht durch das berühmte *Uhrengleichnis*
verdeutlicht, das allerdings nicht von ihm erfunden ist, sondern von dem schon genannten Geulincx. Man denke sich
zwei Uhren, die fortlaufend ohne die geringste Abweichung
übereinstimmen. Die Übereinstimmung kann auf dreierlei Art
herbeigeführt sein: Entweder die beiden Werke sind durch
eine technische Vorrichtung so miteinander verbunden, daß
das eine vom andern mechanisch abhängig ist und daher
nicht von ihm abweichen kann. Oder es ist ein beaufsichti-
gender Mechaniker vorhanden, der beide fortlaufend reguliert.
Oder, drittens, die beiden Uhren sind mit solcher Kunstfertigkeit und Präzision gemacht, daß eine Abweichung ausgeschlossen ist.
Auf das Verhältnis verschiedener »Substanzen« angewandt,
bedeutet das: Entweder es muß eine gegenseitige Einwirkung zwischen ihnen stattfinden. Descartes stand vor dem
Dilemma, daß er die augenfällige Tatsache des Zusammen-
klangs seiner beiden Substanzen, vor allem von Psychischem
und Physischem im Menschen, nicht leugnen, eine Einwirkung
der einen auf die andere aber auch nicht gutheißen konnte,
denn er war von zwei Substanzen ausgegangen, die ihrem
Begriffe nach nichts miteinander gemein haben. Hier halfen
sich die Occasionalisten mit der zweiten Annahme. Sie setzten Gott in die Rolle des beaufsichtigenden Mechanikers, der
durch immer neue Eingriffe die Übereinstimmung herstellt.
Beide Wege waren für Leibniz nicht gangbar, denn seine
Monaden sind fensterlos und unabhängig voneinander, und
die occasionalistische Theorie scheint ihm einen Deus ex ma-
china einzuführen, in einer Frage, die auf natürlichere Weise
zu erklären sein muß. So greift er zu der dritten Möglichkeit,
»daß nämlich Gott von Anbeginn an jede der beiden Substanzen so geschaffen hat, daß eine jede, indem sie nur ihre
eigenen Gesetze befolgt, die sie zugleich mit ihrem Dasein
empfangen hat, mit der anderen genau ebenso in Überein-

stimmung bleibt, als wenn ein gegenseitiger Einfluß stattfände oder als wenn Gott immer mit seiner Hand eingriffe ...«
Das ist seine Lehre von der prästabilierten (das heißt von
Gott im voraus angelegten) Harmonie.
Wir bemerken, daß es natürlich noch eine ganz andere (ein-
fachere) Möglichkeit gibt. Diese hatte Spinoza gewählt. Für
diesen gibt es keine zwei Uhren, nämlich keine zwei getrennten Substanzen. Es gibt nur die eine göttliche Substanz, und
wenn wir die »Harmonie« zwischen den Vorgängen des Denkens und der Körperwelt feststellen, so ist diese nicht verwunderlich und bedarf keiner weiteren Erklärung, da ja beide
nur »Attribute« der einen Substanz sind, da der eine Gott
sich einmal unter dem Attribut des Denkens, das andere Mal
unter dem der Ausdehnung offenbart. Für Spinoza gibt es
nicht zwei Uhren, sondern gewissermaßen nur eine Uhr mit
zwei vom gleichen Werk abhängigen Zifferblättern (oder mit
mehreren, aber wir sehen nur diese zwei).
Den Weg Spinozas konnte Leibniz nicht betreten. Er hätte
ihn folgerichtig in den spinozistischen Pantheismus geführt,
für den die Welt in Gott wie Gott in der Welt ist, für den
Gott und Welt zusammenfallen. Leibniz hält an der christlichen »theistischen« Überzeugung von einem außerhalb und
über der Welt stehenden Gott fest. Er bedarf daher der
zwar großartigen, gegenüber Spinoza aber doch etwas künstlich anmutenden Lehre von der prästabilierten Harmonie,
die nach seinen Worten »darauf hinausläuft, daß die Körper
wirken, als wenn es gar keine Seelen gäbe, und daß die
Seelen wirken, als wenn es gar keine Körper gäbe, und daß
alle beide wirken, als wenn sie sich gegenseitig beeinflußten[12]«.

c) Theodizee

Der Grundzug des Optimismus, der in der Lehre von der
prästabilierten Harmonie ohne weiteres zu erkennen ist,
mußte zwangsläufig in Konflikt geraten mit der auch für
Leibniz, und gerade für ihn als religiösen Denker und überzeugten Christen, nicht zu übersehenden Tatsache des Übels,
des Bösen in der Welt. Leibniz ist überzeugt, daß Gott bei
seiner Schöpfung unter allen möglichen Welten die beste erschaffen habe. Das folgt ohne weiteres aus dem Wesen Gottes.
Wäre die geschaffene Welt nicht die beste, gäbe es also noch
eine bessere, so müßte Gott diese bessere entweder nicht
gekannt haben — das widerspräche seiner Allwissenheit —
oder nicht zu schaffen vermocht haben — das widerspräche
seiner Allmacht — oder nicht gewollt haben — das widerspräche seiner Allgüte. Wie kommt es aber dann, daß in
dieser vollkommensten aller Welten übergenug an Leiden,

Unvollkommenheiten und Sünde vorhanden ist? Das ist die Frage der Leibnizschen Theodizee.

Leibniz unterscheidet, um dem Problem näher auf den Leib rücken zu können, drei Arten des Übels, das metaphysische, das physische und das moralische Übel. Das metaphysische Übel besteht letztlich in der Endlichkeit unserer Welt. Diese war nicht zu vermeiden, wenn Gott eine »Welt« schaffen sollte. Das physische Übel, also Leiden und Schmerz jeder Art, geht mit Notwendigkeit aus dem metaphysischen hervor. Da geschaffene Wesen nur unvollkommen sein können (wären sie vollkommen, so wären sie nicht geschaffene Wesen, sondern Gott gleich), so können auch die ihnen eigenen Empfindungen nicht vollkommen sein; es müssen auch solche der Unvollkommenheit, eben der Unlust und des Leidens, unter ihnen sein. Ähnliches gilt im Grunde für das moralische Übel. Ein geschaffenes Wesen muß in seiner Unvollkommenheit notwendig fehlen und sündigen, vor allem wenn ihm Gott die Gabe der Freiheit verliehen hat.

3. EINIGES ZUR KRITIK — FORTBILDUNG UND FORTENTWICKLUNG LEIBNIZSCHER GEDANKEN

Es wurde schon gesagt, daß Leibniz' System eine Reihe innerer Widersprüche aufweist. Sie bestehen aus solchen, die stehenblieben, weil Leibniz mit seinem Denken nie zu Ende kam, die er aber möglicherweise bei konsequenter Durchführung hätte beseitigen können, und solchen, die bei seiner eigentümlichen Zwischenstellung zwischen dem Festhalten an eingewurzelter religiöser Überzeugung und Anerkennung der neuen Naturerkenntnis von seinem Standpunkt aus sich notwendig ergeben mußten. Wir weisen nur auf einige solcher Widersprüche hin.

In bezug auf den *Raum* lehrt Leibniz auf der einen Seite, daß die Welt nur aus den (ausdehnungslosen) Monaden und ihren Vorstellungen und sonst nichts besteht. Wenn uns die Sinnesanschauung die Welt als ein im Raum ausgedehntes Kontinuum zeigt, so ist das eine Täuschung, denn in Wahrheit ist das scheinbare Kontinuum ein Komplex von punktuellen Monaden. Das ist reiner Idealismus und entspricht einer Leugnung der Realität des Raumes. Auf der anderen Seite lehrt Leibniz aber eine Vielheit nebeneinander bestehender Monaden, und wo sollen diese sich anders nebeneinander befinden als im Raum? Ein Widerspruch besteht auch zwischen dem Gedanken der prästabilierten Harmonie, welcher nämlich einen Determinismus einschließt, da Gott ja den gesamten Ablauf im vorhinein festgelegt hat, und der Anerkennung der menschlichen Willensfreiheit, wie sie die Theodizee enthält.

Widersprüche ergeben sich auch zwischen Ausführungen, die Leibniz in philosophischen Auseinandersetzungen macht, und christlichen Grundanschauungen, die er nicht nur festhalten, sondern mit seiner Lehre gerade gegen Skeptiker wie Bayle schützen will. In der Theodizee hält Leibniz zum Beispiel jenen, die auf das Leiden des Menschen in der Schöpfung verweisen, folgende Frage entgegen: Woher wissen wir denn, daß die Glückseligkeit des Menschen der alleinige oder Hauptzweck der Welt ist? Der göttliche Weltzweck geht nicht auf einen Teil, sondern auf das Ganze der Schöpfung, und dieser Weltzweck darf nicht den Ansprüchen eines Teiles der Geschöpfe, seien es auch die höchststehenden, geopfert werden! Das stimmt nicht ganz zusammen mit dem christlichen Gedanken, nach dem der göttliche Heilsplan der Erlösung gerade des Menschen dient. Überhaupt findet die Idee der Erlösung in Leibniz' System eigentlich keinen rechten Platz. Denn wenn die Monaden von Gott von Anfang an so vollkommen geschaffen sind, daß es eines göttlichen Eingreifens weiter nicht bedarf, so ist eine Erlösung durch übernatürliche Gnadenwirkung ebenso unmöglich und überflüssig wie jede andere Art von »Wunder«, obwohl deren Möglichkeit von Leibniz behauptet wird.

Eine Versöhnung dieser Widersprüche auf einer höheren Ebene ist allerdings nicht ausgeschlossen. Es war das Werk Kants, den scheinbaren Gegensatz von Determinismus und Freiheit, von Idealität und Realität des Raumes usw. aufzuklären. Von Leibniz' Standpunkt aus war das nicht möglich.

Solche Kritik darf nicht dazu verleiten, die Größe und den gewaltigen Einfluß der Leibnizschen Grundgedanken zu verkennen. Leibniz war ein universaler Geist, der nach seinem eigenen Zeugnis fast in jeder früheren Philosophie einen richtigen Kern entdeckte. Seine Größe besteht darin, daß er, wenn auch nicht mit vollkommenem Erfolg, sich scheinbar Ausschließendes zu vereinen und zusammenzufügen unternahm. Die Hauptgedanken, auf denen das System ruht und die auch in der auf Leibniz folgenden Entwicklung der Philosophie eine zentrale Stelle einnehmen, sind wie folgt zusammengefaßt worden[13]: 1. der Gedanke der vollkommenen Vernunftmäßigkeit des Universums, das heißt seiner logischen Gesetzlichkeit; 2. der Gedanke der selbständigen Bedeutung des Individuellen im Universum; 3. der Gedanke der vollkommenen Harmonie aller Dinge; 4. der Gedanke der quantitativen und qualitativen Unendlichkeit des Universums; 5. der Gedanke der mechanistischen Naturerklärung. —

Da Leibniz nicht öffentlich lehrte und auch sein System nicht systematisch dargelegt hat, hat er keine philosophische »Schule« im eigentlichen Sinne hinterlassen. Seine Gedanken

hätten die weitreichende Wirkung, die sie tatsächlich bald nach
seinem Tode erlangten, wahrscheinlich niemals gehabt, wenn
nicht einer seiner Nachfolger den Versuch unternommen
hätte, das nachzuholen, was Leibniz selbst versäumt hatte,
nämlich seine Gedanken in ein durchgebildetes System zu
bringen und weitesten Kreisen bekanntzumachen. Es war Christian *Wolff* (1679—1745), Professor in Halle und Marburg.
Das von ihm ausgebildete sogenannte »Leibniz-Wolffsche
System« bildete die Grundlage der deutschen Philosophie des
18. Jahrhunderts bis an die Zeit Kants. Wir werden im folgenden Kapitel kurz darauf zurückkommen müssen.

Anmerkungen

EINLEITUNG

1 Paul A. Schilpp, The Library of Living Philosophers, Evanston. Ill., USA. Einzelne Bände in deutscher Ausgabe im Verlag W. Kohlhammer, Stuttgart.

ERSTER TEIL. DIE WEISHEIT DES OSTENS

Erstes Kapitel. Indien

1 Will Durant, Geschichte der Zivilisation. Erster Band: Das Vermächtnis des Ostens. Deutsche Ausgabe. Bern, o. J., S. 437.
2 Durant, Osten, S. 439.
3 Paul Deussen, Allgemeine Geschichte der Philosophie mit besonderer Berücksichtigung der Religionen. Leipzig 1906. Bd. I, 1. Abteilung, S. 38. — Vgl. auch Durant, Osten, S. 439.
4 Zum Beispiel von dem russischen Sprachforscher N. J. Marr (1864—1935).
5 Deussen, Gesch. I, 1, S. 65.
6 Deussen, I, 1, 65. — Durant, Osten, S. 450.
7 Vgl. hierzu und zum Folgenden Deussen, Gesch. I, 1, S. 72 ff.
8 Helmut von Glasenapp, Die Philosophie der Inder. Eine Einführung in ihre Geschichte und ihre Lehren. Stuttgart 1949, S. 25.
9 Rigveda. Nach Deussen, Geschichte I, 1, S. 126/127.
10 Rigveda. Nach Deussen, Geschichte I, 1, S. 97.
11 Durant, Osten, S. 442.
12 Arthur Schopenhauer, Sämtliche Werke, Sechster Band: Parerga und Paralipomena. Leipzig (Brockhaus) 1891, S. 427.
13 Winternitz, Geschichte der indischen Literatur. Leipzig 1901, S. 243.
14 Paul Deussen, 60 Upanischads des Veda, aus dem Sanskrit übersetzt, Leipzig 1897, S. 481.
15 Ebda., S. 316.
16 Deussen, Gesch. I, 1, S. 241 und 247.
17 Catapatha-Brahmanam. Deussen, Gesch. I, 1, S. 259.
18 Ebda., I, 1, S. 262.
19 Ebda., I, 1, S. 286.
20 Ebda., I, 1, S. 36.
21 Ebda., I, 1, S. 90/1.
22 Brihadaranyaka-Upanischad. Deussen, Gesch. I, 2, S. 209.
23 Ebda., S. 208.
24 Katha-Upanischad. Durant, Osten, S. 454.
25 Brih.-Upanischad. Deussen, Geschichte I, 2, S. 297.
26 Glasenapp, S. 47.
27 Catapatha-Brahmanam. Deussen, Gesch. I, 2, S. 365.
28 Deussen, Gesch. I, 2, S. 365 und 366.
29 Brih.-Upanischad. Deussen, Gesch. I, 2, S. 366.
30 Mundaka-Upanischad. Durant, Osten, S. 457.
31 Deussen, Gesch. I, 2, S. 37.
32 So Deussen.
33 So Glasenapp.

34 Glasenapp, S. 128
35 Deussen, Gesch. I, 3, S. 202.
36 Ramayana, nach Durant, Osten, S. 459.
37 Siehe Anm. 35.
38 Deussen, Gesch. I, 3, S. 195.
39 Durant, Osten, S. 459.
40 Ebda., S. 462.
41 Glasenapp, S. 295.
42 Durant, Osten, S. 463.
43 Glasenapp, S. 299.
44 Siehe Anm. 42.
45 Deussen, Gesch. I, 3, S. 126.
46 Ebda., S. 121.
47 Glasenapp, S. 383/384.
48 Rhys Davids, Dialogues of the Buddha, III, S. 87. Nach Durant, Osten, S. 480.
49 Durant, Osten, S. 473, nach Radakrishnan, Indian Philosophy, Bd. I, S. 241.
50 Glasenapp, S. 53.
51 Junjiro Takakusu, Buddhism as a Philosophy of »Thusness«, in »Philosophy — East and West«, hrsg. v. C. A. Moore. Princeton 1946. S. 69.
52 Glasenapp, S. 310.
53 Stcherbatskij, Nach Takakusu, Buddhism, S. 70.
54 Glasenapp, S. 312.
55 Zeichnung in Anlehnung an Takakusu, Buddhism, S. 75. Übersetzt und geringfügig vereinfacht vom Verfasser.
56 Vgl. Hierzu und zum Folgenden Glasenapp, S. 312/313.
57 Glasenapp, S. 311 (wörtlich).
58 Durant, Osten, S. 472. — Deussen, Gesch. I, 3, S. 171.
59 Durant, Osten, S. 472. Nach Radakrishnan, I, S. 421.
60 Durant, Osten, S. 473. Nach Davids, III, S. 154.
61 Deussen, Gesch. I, 3, S. 146.
62 Ebda., S. 145.
63 Durant, Osten, S. 476.
64 Ebda., S. 481.
65 Ebda., S. 547.
66 Filmer S. C. Northrop, The Complementary Emphasis of Eastern Intuitive and Western Scientific Philosophy, in Charles A. Moore, Philosophy — East and West, S. 168 ff. Hier S. 198, unter ausdrücklicher Berufung auf Takakusu.
67 Das Folgende in Anlehnung an Takakusu, S. 96 ff.
68 Takakusu, Buddhism, S. 97.
69 Glasenapp, S. 344.
70 Northrop, Emphasis, S. 199.
71 Ebda., S. 203.
72 Daisetz Teitaro Suzuki, An Interpretation of Zen-Experience, in Charles A. Moore, Philosophy — East and West, S. 109 ff.
73 Takakusu, Buddhism, S. 105 und 106.
74 Ebda., S. 107.
75 Nach Suzuki, Zen-Experience, S. 110 ff.
76 Durant, Osten, S. 459.
77 Einleitung zum Yogasutram, Deussen, Gesch. I, 3, S. 5.
78 Glasenapp, S. 243.
79 Durant, Osten, S. 579.
80 Durant, Osten S. 577 (unter Berufung auf Keyserling, Reisetagebuch eines Philosophen).
81 Glasenapp, S. 232.
82 Ebda., S. 250.
83 Ebda., S. 197.
84 Deussen, Gesch. I, 3, S. 24 f.
85 Glasenapp, S. 209.
86 Glasenapp, S. 211.
87 Glasenapp, S. 228. — Durant, Osten, S. 587/588.
88 Bhagavad-Gita, VI, 11—14. Durant, Osten, S. 585.
89 Deussen, Gesch. I, 3, S. 586.
90 Durant, Osten, S. 593.
91 Ebda.
92 Deussen, Gesch. I, 3, S. 613.
93 Mundaka-Upanischad, Deussen, Gesch. I, 3, S. 669.
94 Durant, Osten, S. 595. Nach Max Müller, Six Systems of Indian Philosophy. S. 181.
95 Madhusudana-Saravati, Deussen, Gesch. I, S. 584.

96 Glasenapp, S. 6.

97 Deussen, Gesch. I, 1, S. 35 und 36.

98 Charles Johnston, The Great Upanishads, New York 1924, Bd. I, S. 83.

Zweites Kapitel. China

1 Chan Wing-Tsit, The Story of Chinese Philosophy, in Charles A. Moore, Philosophy — East and West, S. 24.

2 Konfucius, Lun-Yü, IV, XIX.

3 Durant, Osten, S. 695.

4 Nach Deussen, Gesch. I, 3, S. 686.

5 Chan Wing-Tsit, Chinese Philosophy, S. 26.

6 Richard Wilhelm, Kung-Tse, Leben und Lehre, 1925, S. 123 und 124.

7 Durant, Osten, S. 696.

8 Deussen, Gesch. I, 3, S. 690. Nach der Übersetzung von Grube.

9 Wilhelm, Kung-Tse, S. 52 und 113.

10 Konfucius, Buch der Riten. Durant, Osten, S. 718.

11 Bericht des chinesischen Historikers Sse-Ma-Tsien, Deussen, Gesch., S. 679/680.

12 Ebda., S. 693.

13 Ebda., S. 694.

14 Ebda., S. 695 (Tao-Te-King, Kap. 32, 41, 25).

15 Ebda., S. 696 (Kap. 71).

16 Durant, Osten, S. 700. Die Lao-Tse-Zitate bei Durant sind von v. Tscharner übersetzt (Kap. 22, 63, 48, 43).

17 Durant, Osten, S. 701 (Kap. 16, 64).

18 Ebda., S. 700 (Kap. 16).

19 Deussen, Gesch., S. 700 (Kap. 78).

20 Ebda., S. 701 (Kap. 8).

21 Ebda., S. 694 (Kap. 16).

22 Ebda., S. 697 (Kap. 9).

23 Ebda., S. 698 (Kap. 22).

24 Ebda. (Kap. 33).

25 Ebda., S. 699 (Kap. 7).

26 Ebda. (Kap. 47).

27 Ebda., S. 700 (Kap. 44).

28 Durant, Osten, S. 701 (Kap. 56).

29 Deussen, Gesch., S. 699/700 (Kap. 26).

30 Durant, Osten, S. 699 (Kap. 57, 80).

31 Ebda., S. 698 (Kap. 65).

32 Deussen, Gesch., S. 703/704 (Kap. 32).

33 Ebda., S. 703 (Kap. 30).

34 Ebda., S. 704 (Kap. 80).

35 Ebda., S. 696 (Kap. 41).

36 Chan Wing-Tsit, Chinese Philosophy, S. 38.

37 Durant, Osten, S. 724.

38 Chan Wing-Tsit, S. 39.

39 Ebda.

40 Ebda., S. 40.

41 Ebda.

42 Ebda., S. 41.

43 Ebda.

44 Ebda., S. 42.

45 Hu Schi, The Development of the Logical Method in Ancient China, Schanghai 1917/1922.

46 Chan Wing-Tsit, Chinese Philosophy, S. 29.

47 Durant, Osten, S. 731.

48 Ebda., S. 732/733. Nach Wilhelm, Richard, Chines. Literatur, S. 78.

49 Chan Wing-Tsit, Chinese Philosophy, S. 31/32.

50 Ebda., S. 33.

51 Durant, Osten, S. 714/715.

52 Ebda., S. 715.

53 Chan Wing-Tsit, Chinese Philosophy, S. 50.

54 Ebda., S. 50/1.

55 Ebda., S. 49.

56 Ebda., S. 50.

57 Deussen, Gesch. I, 3, S. 707.

78 Chan Wing-Tsit, Chinese Philosophy, S. 54/55.

59 Deussen, Gesch. I, 3, S. 708 und 709.

60 Durant, Osten, S. 722.

61 Deussen, Gesch. I, 3, S. 678.

62 Chan Wing-Tsit, Chinese Philosophy, S. 24. Unter Berufung auf Hu Schi, Development,

und Fung Yu-Lan, The History of Chinese Philosophy, Peiping 1937.

63 Reichwein, A., China und Europa. Geistige und künstlerische Beziehungen im XVIII. Jahrhundert, Berlin 1923,

S. 89. — Durant, Osten, S. 738 und 739.

64 Nach Durant, Osten, S. 683.

65 Keyserling, Hermann Graf, Reisetagebuch eines Philosophen, Darmstadt 1919, Seite 127, 221.

ZWEITER TEIL. GRIECHISCHE PHILOSOPHIE

Allgemeines. Hauptperioden

1 Zeller, Eduard, Grundriß der Geschichte der griechischen Philosophie, 12. Auflage, bearbeitet von Wilhelm Nestle, Leipzig 1920, S. 22.

2 Jaspers, Karl, Vom Ursprung und Ziel der Geschichte.

3 Zeller, Grundriß, S. 29.

Erstes Kapitel. Vorsokratiker

4 Diogenes, Laertios, Thales, VIII. Nach Durant, Will, Das Leben Griechenlands (Zweiter Band der Geschichte der Zivilisation), Bern, o. J., S. 175.

5 Zeller, Grundriß, S. 38.

6 Leisegang, Hans, Griechische Philosophie von Thales bis Platon, 1922, S. 29/31.

7 Durant, Griechenland, S. 175.

8 Erdmann, Johann Eduard, Grundriß der Geschichte der Philosophie, bearb. von Clemens, Berlin-Zürich 1930, S. 16.

9 Zeller, Grundriß, S. 41.

10 Ebda., S. 40.

11 Erdmann, Grundriß, S. 17.

12 Vgl. die Bücher von Hans Kayser, Der hörende Mensch (1932); Vom Klang der Welt (1937); Akroasis (1946).

13 Diogenes Laertios, Pythagoras.

14 Durant, Griechenland, S. 201.

15 Zeller, Grundriß, S. 61 (Fragmente 4, 6, 1 f.).

16 Ebda.

17 Ebda., S. 63.

18 Durant, Griechenland, S. 183. Zeller, Grundriß, S. 67.

19 Erdmann, Grundriß, S. 18.

20 Ebda., S. 19.

21 Durant, Griechenland, S. 184.

22 Erdmann, Grundriß, S. 20.

23 Ebda., S. 28.

24 Zeller, Grundriß, S. 73.

25 Vgl. Erdmann, Grundriß, S. 28/29.

26 Diehls, H., Die Fragmente der Vorsokratiker, 5. Auflage, 1934, II, S. 81.

27 Ebda. II, S. 208.

28 Durant, Griechenland, S. 421.

29 Zeller, Grundriß, S. 78.

30 Ebda., S. 79.

31 Diehls, Fragmente II, S. 168.

32 Nach Durant, Griechenland, S. 412.

33 Erdmann, Grundriß, S. 30.

*Zweites Kapitel. Blütezeit
der griechischen Philosophie*

1 Zeller, Grundriß, S. 91.

2 Platon, Gorgias, zit. nach Platon, Hauptwerke, ausgewählt und eingeleitet von Wilhelm Nestle, Leipzig 1931, S. 19.

3 Ebda., S. 29/30.

4 Zeller, Grundriß, S. 94. — Durant, Griechenland, S. 421.

5 Platon, Phaidon, zit. nach Nestle, Hauptwerke, S. 108 bis 111.

6 Maier, Heinrich, Sokrates, sein Werk und seine geschichtliche Stellung, Tübingen 1913, Insbes. S. 146 ff.

7 Xenophon nach Durant, Griechenland, S. 429.

8 Maier, Sokrates, S. 281.

9 Platon, Symposion, zit. nach Nestle, Hauptwerke, S. 134/135.

10 Vgl. Maier, Sokrates, S. 3.

11 Platon, Briefe VII, 324 B—326 B, zit. nach Nestle, Hauptwerke, Einleitung, S. XV bis XVII.

12 Platon, Briefe VII, 344 C (ebda.).

13 Ebda., VII, 341 CD.

14 Zeller, Grundriß, S. 147.

15 Erdmann, Grundriß, S. 55.

16 Lamer, Hans (in Verb. mit Ernst Bux und Wilhelm Schöne), Wörterbuch der Antike mit Berücksichtigung ihres Fortwirkens, Leipzig 1933, S. 510.

17 Zeller, Grundriß, S. 151.

18 Platon, Staat, zit. nach Nestle, Hauptwerke, S. 205—207.

19 Verschiedene Stellen. Zeller, Grundriß, S. 153.

20 Erdmann, Grundriß, S. 61.

21 Erdmann, Grundriß, S. 60. — Zeller, Grundriß, S. 158.

22 Zeller, Grundriß, S. 168.

23 Platon, Menon, zit. nach Nestle, Hauptwerke, S. 59.

24 Platon, Staat, zit. nach Nestle, Hauptwerke, S. 205.

25 Lamer, Wörterbuch der Antike, S. 645.

26 Dies und die folgenden Zitate aus dem »Staat«, nach Nestle, Hauptwerke, S. 217 ff.

27 Platon, Staat, zit. nach Durant, Griechenland, S. 52.

28 Platon, Staat zit. nach Nestle, Hauptwerke, S. 184.

29 Ebda., S. 187.

30 Durant, Will, Die großen Denker, Zürich, 7. Auflage, 1945, S. 61.

31 Ebda.

32 Ebda., 1. Aufl., S. 46.

33 Erdmann, Grundriß, S. 57.

34 Nestle, Einleitung, S. XXV.

35 Ebda., S. XXVI.

36 Ebda., S. XXVII.

37 Ebda.

38 Nach Erdmann, Grundriß, S. 68.

39 Zeller, Grundriß, Seite 135, (Anm. v. Nestle).

40 So Erdmann, Grundriß, S. 69, und Durant, Denker, S. 67. — Andreas Zeller, Grundriß, S. 183/184.

41 Nach Zeller, Grundriß, S. 186 ff.

42 So jedenfalls die herkömmliche Definition; vgl. aber hierzu den Abschnitt »Logik und Logistik« im letzten Teil dieses Buches.

43 Aristoteles, Erste Analytik I 24 b 18. Nach Zeller, Grundriß, S. 197.

44 Schmidt, Wörterbuch, S. 296.

45 Zeller, Grundriß, S. 197.

46 Durant, Denker, S. 70.

47 Zeller, Grundriß, S. 218.

48 Ebda., S. 224 ff.

49 Durant, Denker, S. 72.

50 Dante, Göttliche Komödie, Hölle, IV. Gesang. (Nach der Übersetzung von Streckfuß.)

51 Lamer, Wörterbuch der Antike, S. 360.

52 Ebda., S. 40.

Drittes Kapitel. Nach Aristoteles

1 Erdmann, Grundriß, S. 85.

2 Zeller, Grundriß, S. 250 bis 251.

3 Nach Durant, Griechenland, S. 754/755.

4 Erdmann, Grundriß, S. 89.

5 Deussen, Geschichte Bd. II, 1. Abteilung (1911), S. 453 f.

6 Erdmann, Grundriß, S. 98/99.

7 Deussen, Gesch. II, 1, S. 471.

8 Ebda., S. 475.

9 Ebda., 476.

10 Ebda., S. 485.

11 Enneaden V, 1, 1. Nach Deussen, Geschichte, S. 490.

12 Enneaden V, 2, 1. Nach Deussen, Geschichte, S. 493.

13 Enneaden V, 1, 2. Nach Deussen, Geschichte, S. 498.

DRITTER TEIL. MITTELALTER

Erstes Kapitel. Patristik

1 v. Aster, Ernst, Geschichte der Philosophie, Leipzig 1932, S. 99–104.
2 Ebda., S. 102.
3 2. Kor. 5, 16.
4 Deussen, Geschichte Band II, 2. Abteilung, 1. Hälfte, Seite 231.
5 Ev. Matth. 22, 39. — Ev. Marc. 12, 31.
6 Ev. Joh. 16, 33.
7 Jaspers, Karl, Die geistige Situation der Zeit, 1932, S. 7.
8 1. Petr. 2, 9.
9 Davson, Christoph, Die Gestaltung des Abendlandes, deutsche Ausg. 1935, S. 64/65.
10 1. Kor. 1, 20–27.
11 Nach Dawson, Gestaltung, S. 66.
12 Deussen, Gesch. II, 2, 2, S. 320.
13 v. Aster, Gesch., S. 111.
14 1. Kor. 2, 10.
15 v. Aster, Gesch., S. 104.
16 Erdmann, Grundriß, S. 127.
17 Deussen, Gesch. II, 2, 2, S. 314.
18 Dawson, Gestaltung, S. 43, 48.
19 Deussen, Geschichte II, 2, 2, S. 324.
20 Ebda., S. 327.
21 Nach Dawson, S. 75.
22 Dawson, Gestaltung, S. 74 ff.
23 E. Norden. Nach Schmidt, Wörterbuch, S. 55.
24 Nach Dawson, Gestaltung, S. 76.
25 Bernhart, Joseph, Einleitung zu: Augustinus, Bekenntnisse und Gottesstaat, 15.–19. Auflage, 1947, S. 14.
26 Augustinus, Bekenntnisse. X. Buch, Kap. 17. Zit. nach der Ausgabe von Bernhart, S. 172 bis 173.
27 Bernhart, Einleitung, S. 15.
28 Augustinus, Bekenntnisse, X. Buch, 8. Kap. Zit. nach Bernhart, S. 164.

29 Bernhart, Einleitung, S. 18.
30 S. Anm. 26.
31 Bernhart, Einleitung, S. 21
32 Augustinus, Gottesstaat, XI. Buch, 6. Kap. Zit. nach Bernhart, S. 216/217.
33 Deussen, Geschichte II, 2, 2, S. 346.
34 Dawson, Gestaltung, S. 78.

Zweites Kapitel. Scholastik

1 Dawson, Gestaltung, S. 215 ff.
2 Erdmann, Grundriß, S. 150.
3 Deussen, Geschichte, X. II, 2, 2, S. 381.
4 Erdmann, Grundriß, S. 152.
5 Ebda., S. 153.
6 v. Aster, Geschichte, S. 129. — Deussen, Geschichte, S. 374 f., Erdmann, Grundriß, S. 154 f.
7 Deussen, Geschichte II, 2, 2, S. 387.
8 Dawson, Gestaltung, S. 172 f.
9 v. Aster, Geschichte, S. 135.
10 Erdmann, Grundriß, S. 203.
11 v. Aster, Geschichte, S. 138.
12 Erdmann, Grundriß, S. 207 f.
13 Ebda., S. 192 f.
14 v. Aster, Geschichte, S. 142.
15 Grabmann, Martin, Thomas von Aquin. München und Kempten 1946.
16 Thomas von Aquin, Summe der Theologie I, 82, 2.
17 Thomas, Von der Begründung des christlichen Glaubens gegen Sarazenen usw., Einleitung.
18 Erdmann, Grundriß, S. 225.
19 Thomas, Summe der Theologie I, 2, 3.
20 Grabmann, Thomas, S. 112.
21 Ebda., S. 140.
22 Thomas, Über die beiden Gebote der Liebe und die zehn Gebote Gottes, Anfang.
23 Thomas, Quaestionen über das Übel, 14, 2, ad 8.
24 Thomas, Quaestionen über die Tugenden im allgemeinen, 9.

25 Thomas, Summe der Theologie I, 5, 4, ad 3.
26 Thomas, Über die Verteidigung des geistigen Lebens, 23.
27 Thomas, Quaestionen über die Liebe, 8, ad 11, ad 12.
28 Thomas, Summe der Theologie II, II, 26, 6, ad 1.
29 Erdmann, Grundriß, S. 234 f.
30 Thomas, Summe der Theologie I, II, 92, 1, ad 3.
31 Ebda., I, II, 141, 8.
32 Thomas, Vom Fürstenregiment I, 1.
33 Thomas, Summe der Theologie I, II, 2, 4, ad 2.
34 Thomas, Summe wider die Heiden I, 1.
35 Erdmann, Grundriß, S. 242 f.
36 Ebda., S. 261.
37 Ebda., S. 268.
38 Im Verlag W. Kohlhammer, Stuttgart.

VIERTER TEIL. DAS ZEITALTER DER RENAISSANCE UND DES BAROCK

Erstes Kapitel. Renaissance und Reformation

1 Erdmann, Grundriß, S. 380.
2 Morus, Utopia, zit. nach K. Kautsky, Thomas Morus und seine Utopie, Berlin 1947, S. 327.
3 Vgl. oben S. 242.
4 Bruno, Über die Ursache usw., 5. Dialog, Eingang.
5 Bacon, Vorrede zur »Erklärung der Natur«.
6 Bacon, Essay »Über hohe Stellungen«.
7 Bacon, Über den Wert und die Vermehrung der Wissenschaften II, 1.
8 Ebda., I, 81.
9 Bacon, Novum Organon I, 82.
10 Vgl. oben S. 274.
11 Böhme, Jakob, Werke (Gesamtausgabe, 2. Aufl., 1961) 2, 268 (Morgenröte, Kap. 23) und 6, 470 (Über die Beschaulichkeit).
12 Böhme, Werke 6, 597 (Theosophische Fragen).
13 Böhme, Werke 2, 201 (Morgenröte, Kap. 18) und 5, 164 (Mysterium magnum).
14 Böhme, Werke 4, 563 (Gnadenwahl) und 3, 27 (Von den drei Prinzipien).
15 Böhme, Werke 5, 703 (Mysterium magnum, Anhang).

Zweites Kapitel. Descartes, Spinoza, Leibniz

1 Wilhelm Kamlah, Der Mensch in der Profanität, Stuttgart 1949, S. 61 f.
2 Spinoza, Über die Vervollkommnung des Verstandes.
3 Ethik IV, Prop. 18.
4 Ethik IV, Prop. 24.
5 Ethik IV, Prop. 26.
6 Ethik IV, Prop. 7, 14.
7 Ethik IV, Prop. 59.
8 Schlußabschnitt der Ethik.
9 Theol.-Polit. Traktat, Kap. XX.
10 S. M. Melamed, Spinoza and Buddha, Chicago 1933.
11 Vgl. unten Band 2.
12 Leibniz, Monadologie § 81.
13 Vgl. Kabitz, Der junge Leibniz. 1909.

Personenregister

Abälard, Petrus 245ff.
Ainesidemos 201
Albertus Magnus 214, 254f.
Alcuin 326
Alexander der Große 175, 189, 191
Alexander von Hales 254
Alfarabi 249
Al Gazali 251
Alkindi 249
Ambrosius von Mailand 236
Ammonius Sakkas 204
Anaxagoras 141f.
Anaximandros 127
Anaximenes 127f.
Anselm von Canterbury 243
Aristippos von Kyrena 188
Aristoteles 123, 175 ff., 241, 252, 262, 288
Arius 225
Arkesilaos 201
Arnauld, Antoine 339
Asanga 60
Athanasius 225
Augustinus 214, 227ff., 319
Averroes (arab. Ibn Roschd) 250
Avicenna (arab. Ibn Sina) 250

Baader, Franz von 316
Bacon, Francis 307ff.
Bacon, Roger 269ff.
Basilides 222
Bayle, Pierre 325
Beda 236
Benedikt von Nursia 235
Bergson, Henri 337
Bernhard von Chartres 245
Bernhard von Clairvaux 246
Boccaccio 288
Böhme, Jakob 293, 313ff.
Boethius 207, 236, 239, 241
Bonaventura 254
Brihaspati 43

Bruno, Giordano 198, 303ff.
Buddha 42, 46ff., 122

Calvin, Johannes 294
Campanella 300
Capella (s. Marcianus Capella)
Cassiodor 236, 239
Chrysippos 193
Cicero 221, 288
Clemens 220
Constantin der Große 212
Cusanus (siehe Nikolaus von Kues)
Cyprian 226

Daian 63
Dante Alighieri 267
Darwin, Charles 136
Demokritos 138ff.
Descartes, René 198, 318ff.
Deussen, Paul 31, 78
Diderot, Denis 115
Diogenes Laertios 125
Diogenes von Sinope 189
Dionysius Areopagita 236, 243
Duns Scotus 271
Duperon, Anquetil 78

Eckhart, Johannes (s. Meister Eckhart)
Empedokles 137f.
Epiktet 194
Epikur 199, 223
Erasmus 288
Eriugena (Johannes Scotus) 242f.

Ficino, Marsilio 288
Franck, Sebastian 313
Franz von Assisi 254

Galilei, Galileo 286
Gassendi, Pierre 342
Gautama 66
Geulincx, Arnold 324

Goethe, Johann Wolfgang von 41, 78, 115, 174, 198, 223, 307, 337
Gorgias 146
Gregor von Nyssa 236
Grotius, Hugo 297

Harivarman 60
Harun al Raschid 248
Hastings, Warren 78
Hegel, Georg Wilhelm Friedrich 136, 316
Heraklit 134ff.
Herder, Johann Gottfried 78, 337
Hesekiel 122
Hesiod 120
Hieronymus 221
Hobbes, Thomas 297
Homer 120
Horaz 200
Hsün Tse 104f.
Hutten, Ulrich von 288
Huyghens, Christian 339

Irenäus 226
Isidor von Sevilla 236

Jamblichos 207
Jeremia 122
Johannes von Damaskus 236
Julian Apostata 212
Justinus der Märtyrer 220

Kanada 66
Kant, Immanuel 23, 198
Kapila 67
Karl der Große 236, 242
Karneades 201
Kepler, Johannes 285f.
Keyserling, Hermann Graf 115
Kleanthes 193, 195
Konfuzius 84ff.
Kopernikus, Nikolaus 285, 301
Kung-fu-Tse (s. Konfuzius)

Lao Tse 92ff., 122
Leibniz, Gottfried Wilh. 114, 223, 316, 338ff.
Lessing, Gotthold Ephraim 337
Leukippos 138ff.
Leonardo da Vinci 289
Locke, John 198, 341
Lucretius Carus (Lukrez) 200
Luther, Martin 291, 313

Macchiavelli, Niccolo 296
Mahavira 42, 45f., 122
Maimonides 252
Malebranche, Nicole 324
Mani 224
Marcianus Capella 236, 239
Macion von Sinope 222
Marcus Aurelius 194, 198
Meister Eckhart 277ff., 302, 313
Melanchthon, Philipp 293
Mencius (Meng Tse) 88, 102ff.
Mohammed 247
Montaigne, Michel de 290
Morus, Thomas 299f.
Mo Tse 99f.
Müller, Max 78

Nagarjuna 58
Newton, Isaac 316
Nietzsche, Friedrich 136, 337
Nikolaus von Kues (Cusanus) 300ff.

Origines 220

Pannini 65
Paracelsus 305

Parmenides 132
Pascal, Blaise 325
Patrizzi, Francesco 305
Paulus 211, 219
Pelagius 233
Petrarca 288
Petrus Lombardus 253
Philon von Alexandria 203
Platon 123, 154ff., 203, 241, 288
Plethon, Georgios Gemistos 288
Plotinos 204
Porphyrios 204, 241
Poseidonios (Gnostiker) 193, 222
Proklos 207
Protagoras 146
Pyrrhon 200
Pythagoras 128f.

Reuchlin 288
Roscellinus 245
Ruysbroek, Johannes 280

Schankara 74
Schelling, Friedrich Wilh. 78, 307, 316
Schiller, Friedrich von 198
Schlegel, Friedrich 78
Schopenhauer, Arthur 78, 189, 337
Schwenckfeld, Kaspar 313
Seneca 194
Seuse, Heinrich 280
Sextus Empiricus 201
Siger von Brabant 257
Sokrates 123, 147ff.
Sozan 63
Spencer, Herbert 136
Spengler, Oswald 302
Speusippos 189
Spinoza, Baruch de 198, 307, 326ff.

St. Martin 316
Suarez, Franciscus 294

Tai Tung-yüan 111
Tauler, Johann 280, 313
Telesio, Bernardo 395
Tertullian 219f., 226
Thales 126f.
Theoderich 207
Thomas von Aquino 214, 255f.
Thomas von Kempen 280
Tschu Hsi 110
Tung Tschung-schu 108

Valentinus 222
Valla, Laurentius 288
Vasubandhu 60
Vergil 268
Voltaire 115

Wang Yang-ming 111
Wan Tschung 107
Weigel, Valentin 313
Wilhelm von Champeaux 244f.
Wilhelm von Moerbecke 256
Wilhelm von Occam 272, 274ff.
Wolff, Christian 115

Xenokrates 189
Xenophanes 131

Yagnavalkya 35, 41

Zarathustra 122
Zenon von Elea 132f.
Zenon der Stoiker 193
Zwingli, Ulrich 294

Stichwortregister

Adiaphora 197
Ästhetik 19
ahimsa 71
ajiva 45
alexandrinischer Elektrizismus 202ff.
Anthropologie 164, 185
antike Geisteshaltung 215ff.
apatheia 197
Apologeten 220
Apologie 156f.
arabische Philosophie 247ff.
Aranyakas 30
Arier 27
Askese 40, 71
Ataraxie 200
Atharvaveda 29
Atheismus 49, 68
Atomlehre 66,138ff.

Barock 281ff., 317 ff.
Bauernkriege 295
Bhagavad-Gita 65
Brahmacarin 39
Brahman 36ff., 206
Brahmanas 30
Brahmanen 32f.
Buddhismus 46ff.
Buddhismus, Geschichte 56f.
Buddhismus in China 108f.
›Buch der Lieder‹ 87
›Buch der Riten‹ 87
›Buch der Urkunden‹ 87

Cartesianismus 323
Charvakas 43ff.
Chinesisches Mittelalter 106ff.
Christentum 198, 211ff.
Christenverfolgungen 212
christliche Geisteshaltung 215ff.
›Cogito, ergo sum‹ 230, 320
›coincidentia oppositorum‹ 302
›credo quia absurdum‹ 220, 275
›credo ut intelligam‹ 244

Demokratie 167
deutsche Mystik 277ff.
Dharma 50
Dialektik 58, 61, 132, 161, 195
›docta ignorantia‹ 301
Dominikaner 254
Doxographie 125
Dreieinigkeitslehre (Augustinus) 231

Einheit der Gegensätze 135
Eklektiker, Eklektizismus 123, 201ff.
Eleaten 130ff.
Emanation 205
Empirismus 263, 270, 311
Enneaden 204
Epikureer 123, 199f.
Erfindungen und Entdeckungen 284f.
Erkenntnistheorie 19
Ethik 19
Ethik des Buddhismus 55
Ethik (Spinoza) 333

Franziskaner 254
Frühkapitalismus 294f.
Frühscholastik 214, 241ff.

Gegenstand der Philosophie 19ff.
Geschichtsphilosophie 20
Gesellschaftsphilosophie 20
Gesetzbuch des Manu 65
Gnosis, Gnostiker 221ff., 237
›Goldene Regel‹ 89
›Göttliche Komödie‹ (Dante) 267
Gottesbeweise 261
Gottesstaat 234
Grihastha 39

Hellenismus 191ff.
Hinayana 57
Hochscholastik 214, 252ff.
Humanismus 287ff.
Humanität 197

hyle 183
Hymnenzeit 30

Ideenlehre 161ff.
Idole 310
I King 86
Induktion 180f.
Instauratio magna 309
Intuition 79

Jainismus 45f., 55
jivas 45
jüdische Philosophie 247ff.
Kabbala 251
Karma 40
Kastenwesen 32
Kategorie 178
Konzil von Nicäa 214
Kosmopolitismus 197
Kreuzzüge 253
Kroton 128
Kschatriyas 33
Kulturphilosophie 20
Kyrenaische Schule 188
Kynische Schule 189

Legalisten 102
Li Ki 87
Logik 19
Logik (Aristoteles) 177ff.
Logik (Stoa) 195
Logik der Verneinung 58
Lun Yü 87

Mahabharata 65
Mahayana 57, 61
Manichäer 224f., 228
Mantras 29
Materialismus 43ff., 195
Maya 38, 67, 75
Meditation 58, 72
megarische Schule 188
Metaphysik 19, 176, 181f.
milesische Naturphilosophen 125ff.
Milet 126
Mimansa 73ff.
Mönchtum 235
Mohenjo-Daro 27

Mohismus 99ff.
Mokscha 40, 69
Monadenlehre 341
morphe 183
Mysterienkult 121
Mystik 206, 223, 237

Nastikas 64
Naturphilosophie 19
Neu-Konfuzianismus 109ff.
Neu-Mohismus 101f.
Neuplatoniker 204ff.
Neu-Platonismus 123, 236
nicht-orthodoxe Systeme (Indien) 41ff.
Nirwana 51, 58
Nominalismus 241, 245, 275
›Novum Organon‹ 309
Nur-Bewußtseins-Lehre 60
Nyaya 66
Occasionalismus 324
Oligarchie 167
Ontologie 19
Opfermystik 32
orthodoxe Systeme der indischen Philosophie 64ff.

Pantheismus 195, 306
Patristik 213
Peripatetiker 190
Platoniker 189
Prädestination 233
prästabilierte Harmonie 343
Prakriti 67
›pro et contra‹ 240
Puruscha 67
Pythagoreer 128ff.

Rad des Lebens 52
Realismus 241ff.

Rechtsphilosophie 20
›Recht zur Revolution‹ 104
Reformation 291ff.
Religion und Philosophie 21
Religionsphilosophie 20
Renaissance 281ff., 289
Rigveda 29f.
römischer Eklektizismus 201f.

Samaveda 29
Sankhya 67f.
Sannyasi 39
Schi King 87
Scholastik 213, 238ff.
Schu King 87
Seelenwanderung 40f., 79
›sic et non‹ 240
Skeptiker 123, 200f.
Sokratiker 188f.
Sophisten 143ff., 159
Sophisten (China) 100f.
Sozialismus 300
Spätscholastik 214, 269ff.
Sphärenmusik 129
Sprache und Denken 14
Sprachphilosophie 20
Staatslehre (Hobbes) 298
Staatslehre (Thomas) 265f.
Staatsphilosophie 20
Stoiker 123, 193ff.
Substanzbegriff (Descartes) 322
Substanzbegriff (Spinoza) 330
Summen 253
Sutras 65
Symposion 157
Systeme buddhistischer Philosophie 58ff.

Tao 94ff.
Ta Hsüeh 88
Taoismus 98f.
Tao-te King 94

tat twam asi 74
Theodizee (Leibniz) 345
Theodizee 222, 234
Theogonie 120
Toleranz 80, 112
Trigramme 86
Tropen 201
Tschudras 33
Tschung Yung 88, 105
Tugend 196
Tyrannis 168

Uhrengleichnis 344
Universalienstreit 214, 241ff.
Universitäten, Enstehung 254
Upanischaden 30, 34ff., 65
Urstoff 129

Vaischeschika 66
Vaischyas 33
Veda 29
Vedanta 73ff.
Völkerwanderung 213
Vorsokratiker 123, 125
Vulgata 221

Wiedergeburt 51
Willensfreiheit 233f., 264
Wissen und Glauben (Thomas) 258ff.

Yayurveda 29
Yin und Yang 86, 107f., 112
Yoga 71f.

Zeitproblem (Augustinus) 232
Zen-Buddhismus 62
Zoon politikon 186

Inhalt des zweiten Bandes

FÜNFTER TEIL. DIE PHILOSOPHIE DER AUFKLÄRUNG UND DAS WERK
IMMANUEL KANTS

Erstes Kapitel: Die Philosophie im Zeitalter der Aufklärung ...   13

I. Die Aufklärung in England   13
   1. Vorläufer des englischen Empirismus   13
   2. Locke   15
   3. Berkeley   19
   4. Hume   21
   5. Englische Religionsphilosophie und Ethik der Auf-
      klärungszeit   26

II. Die Aufklärung in Frankreich   29
   1. Das Hinübergreifen der englischen Aufklärungsideen
      nach Frankreich   29
   2. Montesquieu   31
   3. Voltaire   32
   4. Enzyklopädisten und Materialisten   38
   5. Rousseau   41
      a) Leben, Werke, Grundgedanken   41
      b) Über die Bedeutung Rousseaus   45

III. Die Aufklärung in Deutschland   48

Zweites Kapitel: Immanuel Kant   52

I. Leben, Persönlichkeit, Werke   52

II. Die vorkritische Periode   55
   1. Zu Kants naturwissenschaftlichen Schriften   55
   2. Die Herausbildung des kritischen Problems   57

III. Die Kritik der reinen Vernunft   59
   1. Eigenart, Aufbau, Grundbegriffe   59
   2. Die transzendentale Ästhetik   63
      a) Der Raum   64
      b) Die Zeit   65
      c) Die Möglichkeit der Mathematik   65
   3. Die transzendentale Analytik   66
      a) Das Problem   66
      b) Die Kategorien   67
      c) Die Deduktion der reinen Verstandesbegriffe   69
      d) Die transzendentale Urteilskraft   70
      e) Die Möglichkeit der Naturwissenschaft   70

4. Die transzendentale Dialektik 71
Inventarium der reinen spekulativen Vernunft 74

IV. Sittlichkeit und Religion 75
1. Die Kritik der praktischen Vernunft 75
a) Einige Grundbegriffe 75
b) Grundgedanken 77
2. Die Religion innerhalb der Grenzen der bloßen Vernunft 80

V. Die Kritik der Urteilskraft 83
1. Das Problem 83
2. Schlußwort zu den drei Kritiken 86

VI. Das nachkritische Werk 89
1. Die wichtigsten Schriften 89
2. Die Metaphysik der Sitten 90
a) Die Rechtslehre 90
Kants Artikel zum ewigen Frieden 92
b) Die Tugendlehre 94
3. Schlußwort 96

VII. Zur Kritik und Würdigung Kants 96
1. Einige kritische Gesichtspunkte 96
a) Zur inneren Folgerichtigkeit des Systems 96
b) Zu Kants Methode 99
2. Die Bedeutung Kants für die Philosophie 101

SECHSTER TEIL. DIE PHILOSOPHIE IM 19. JAHRHUNDERT

Einleitende Übersicht 105

Erstes Kapitel: Romantik und deutscher Idealismus 108

I. Erste Aufnahme und Weiterführung der Philosophie Kants
— Die Glaubensphilosophen 108

II. Fichte 112
1. Leben und Werke 112
2. Der Grundgedanke der Fichteschen Philosophie 113
3. Die praktische Anwendung 115
a) Ethik 115
b) Staat 116
c) Religion 117

III. Schelling 117
1. Leben, geistige Entwicklung, Hauptschriften 117
2. Der Grundgedanke der Identitätsphilosophie 120
3. Die Natur 121
4. Die Kunst 122

IV. Hegel 123
1. Leben und Hauptwerke 123

2. Allgemeiner Charakter der Hegelschen Philosophie. Die
   dialektische Methode 124
3. Der dreistufige Aufbau der Philosophie 127
   a) Logik 128
   b) Philosophie der Natur 129
   c) Philosophie des Geistes 130
4. Die Geschichte 132
5. Zur Würdigung und Kritik 133

Zweites Kapitel: Positivismus, Materialismus, Marxismus 136

I. Der Positivismus in Frankreich: Comte 136
   1. Die geistige Lage 136
   2. Leben und Werke Comtes 137
   3. Das Prinzip des Positivismus 138
   4. Das Dreistadiengesetz 139
   5. Der Stufenbau der Wissenschaften 140
      a) Aufgabe und Nutzen der Philosophie 140
      b) Die Einteilung der Wissenschaften 141
   6. Gesellschaft, Staat, Ethik 143

II. Der englische Positivismus 145
   1. Die geistige Lage 145
   2. Bentham und Mill 146
   3. Spencer 147
      a) Darwin und der Entwicklungsgedanke 147
      b) Leben und Werke Spencers 150
      c) Das Gesetz der Entwicklung 151
      d) Die menschliche Gesellschaft 153
      e) Zur Kritik 156

III. Der Zerfall der Hegelschen Schule und das Aufkommen
   des Materialismus in Deutschland 157
   1. Die geistige Lage 157
   2. Strauß und Feuerbach 158

IV. Marx 161
   1. Leben und Schriften 161
   2. Hegel und Marx 162
      a) Der dialektische Materialismus 162
      b) Selbstentfremdung und Selbstverwirklichung 164
   3. Der historische Materialismus 166
   4. Das Kapital 168
   5. Zur Bedeutung und Nachwirkung 169

Drittes Kapitel: Schopenhauer, Kierkegaard, Nietzsche 171

I. Arthur Schopenhauer 171
   1. Leben, Persönlichkeit, Werke 171
   2. Die Welt als Wille und Vorstellung 176
      a) Die Welt als Vorstellung 177
      b) Die Welt als Wille 178

3. Das Leid der Welt und die Erlösung 182
   a) Leben als Leiden 182
   b) Der ästhetische Weg der Erlösung. Genie und Kunst 183
   c) Der ethische Weg zur Erlösung: Verneinung des
      Willens 185
4. Schlußwort. Zur Kritik 186

II. Sören Kierkegaard 187,
   1. Sokrates in Kopenhagen 187
   2. Der existierende Denker und der Christ 190
   3. Späte Wirkung 192

III. Friedrich Nietzsche 195
   1. Leben und Hauptschriften 195
   2. Einheit und Eigenart der Philosophie Nietzsches 199
   3. Der Philosoph mit dem Hammer 201
   4. Die neuen Werte 204
   5. Zur Würdigung Nietzsches 205

Viertes Kapitel: Nebenströmungen. Kritische Besinnung auf Kant 209

I. Nebenströmungen 209
   1. Fries und Herbart 209
   2. Induktive Metaphysik: Fechner und Lotze 210
   3. Eduard von Hartmann 211

II. Der Neu-Kantianismus 213
   1. Allgemeines. Entstehung 213
   2. Die Marburger Schule 215
   3. Die südwestdeutsche Schule 217
   4. Vaihinger 218
   5. Verwandte Strömungen in Deutschland und anderen
      Ländern 220

SIEBENTER TEIL. HAUPTRICHTUNGEN DER PHILOSOPHIE IM 20. JAHR-
HUNDERT

I. Wissenschaftliche Umwälzungen 225
II. Lebensphilosophie und Historismus 231
   1. Allgemeines 231
   2. Bergson 232
      a) Raum und Zeit, Verstand und Intuition 232
      b) Elan vital 233
      c) Moral und Religion 234
   3. Vitalismus: Driesch. Gestalttheorie 235
   4. Deutsche Lebensphilosophie und Historismus 237

III. Pragmatismus 241
   1. William James 241
   2. John Dewey 243
   3. Der Pragmatismus in Europa 244

IV. Philosophie des Marxismus — heute 244
   1. Die Rolle der Philosophie 244
   2. Materiebegriff und Materialismus 245
   3. Dialektischer Materialismus 248
   4. Historischer Materialismus 251
   5. Kritische Sozialphilosophie 256

V. Die neue Metaphysik 261
   1. Allgemeines 261
   2. Samuel Alexander 262
   3. Alfred North Whitehead 263
   4. Nicolai Hartmann 266
      a) Alte und neue Ontologie 267
      b) Der Aufbau der realen Welt 268
      c) Der Mensch. Determination und Freiheit 271
      d) Zur Würdigung 272
   5. Neuscholastik (Neuthomismus) 273

VI. Phänomenologie 275
   1. Entstehung und Eigenart 275
   2. Edmund Husserl 276
   3. Max Scheler 279

VII. Philosophische Anthropologie 281
   1. Begriff und Wesen 281
   2. Aus der Geschichte der philosophischen Anthropologie 283
   3. Schelers Anstoß 285
   4. Gehlens Entwurf 288

VIII. Existenzphilosophie 292
   1. Allgemeines 292
   2. Karl Jaspers 294
      a) Das Umgreifende 295
      b) Existenz 296
      c) Transzendenz 298
      d) Grenzsituation und letztes Scheitern 298
   3. Der französische Existentialismus 299
   4. Andere Vertreter der Existenzphilosophie 302

IX. Die Entfaltung der Seinsfrage: Martin Heidegger 302

X. Vom Neupositivismus zur Analytischen Philosophie 308
   1. Zur Klärung der Begriffe 308
   2. Der Neupositivismus: Entstehung und Eigenart 310
   3. Die neue Logik 313
   4. Bertrand Russell 318
   5. Der Wiener Kreis. Rudolf Carnap 320
      a) Die neue Aufgabe der Philosophie 321
      b) Die Sinnlosigkeit der Metaphysik: Scheinprobleme 322
      c) Logische Sprachanalyse. Semantik 324
   6. Wissenschaftstheorie 325
   7. Ein Ausblick auf die weitere Entwicklung 330

XI. Ludwig Wittgenstein. Sprache als Zentralthema heutigen
    Philosophierens 334
    1. Wittgenstein: Person und Werk 334
    2. Der »Tractatus« 336
    3. Die Revision 337
    4. Um die Sprache und über sie hinaus 338
XII. Kritischer Rationalismus 341

Ein Schlußwort 344

Anmerkungen 347

Personenregister 353

Stichwortregister 355

Inhaltsverzeichnis Band 1 357

Otto Friedrich Bollnow

Existenzphilosophie

8. Auflage 1978
137 Seiten. Kart. DM 24,–
ISBN 3-17-005092-3

»Eine der besten, wenn nicht die beste Einführung in die moderne Existenzphilosophie,
die ihren schwierigen Gegenstand auch dem
Fernerstehenden in einer verständlichen
Sprache nahezubringen weiß, ohne oberflächlich zu werden. Sie konzentrierte sich (freilich
unter erhellendem Hinblick auf Kierkegaard,
Rilke und die sogenannte Lebensphilosophie)
auf die deutsche Existenzphilosophie, wie sie
vor allem bei Heidegger und Jaspers zwischen
den beiden Weltkriegen hervortrat in ihrer rein-
sten Form und mit bleibenden Grundlagen für
die spätere Entwicklung. Die Absicht des Verfassers ist nicht historisch, sondern systematisch. Es geht ihm um Herausarbeitung der
eigentümlichen Leistung, des typischen Grund-
gedankens und Grundgehaltes der Existenzphilosophie in ihren verschiedenen Gestalten.
Der Schluß bringt einen Ausblick auf die neuere
Entwicklung der Existenzphilosophie, zeigt ihre
verhängnisvollen Grenzen und deutet Möglichkeiten zu deren positiver Überwindung an.«

Theologie und Glaube

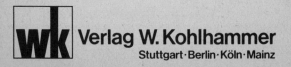

Verlag W. Kohlhammer
Stuttgart·Berlin·Köln·Mainz